Be-Bop-a-Lula'r Delyn Aur

Cyflwynedig i
Rhydian Llyr
Osian Rhun
ac Eurgain Haf

Diolch i'r canlynol am eu cymorth gwerthfawr wrth baratoi'r llyfr:

Gwasg Y Lolfa (Lefi yn arbennig), Cwmni Recordiau Sain (Menna Medi yn arbennig), BBC Cymru, HTV, Urdd Gobaith Cymru, Eilir Davies (Asbri), Gari Melville, D. Roy Saer, Dr Meredydd Evans a llu o gantorion a pherfformwyr o bob oed.

Diolch i'r canlynol am ganiatáu defnyddio lluniau o'u heiddo:
Raymond Daniel
Huw Aled Jones
Tegwyn Roberts
Dafydd Evans
Bryn Jones

Carwn gydnabod yn ddiolchgar gymwynas Cyngor Celfyddydau Cymru yn fy ngalluogi i dreulio peth amser i ganolbwyntio ar baratoi'r llyfr hwn.

Be Bop a Lula'r Delyn Aur

**Hanes
Canu
Poblogaidd
Cymraeg**

Hefin Wyn

yl Lolfa

Argraffiad cyntaf: 2002

Dylunio: Y Lolfa

Rhif Llyfr Rhyngwladol: 0 86243 634 6

Cyhoeddwyd yng Nghymru
ac argraffwyd ar bapur di-asid a rhannol eilgylch
gan Y Lolfa Cyf., Talybont, Ceredigion SY24 5AP
e-bost ylolfa@ylolfa.com
gwefan ylolfa.com
ffôn (01970) 832 304
ffacs 832 782
isdn 832 813

Cynnwys

Fy nhestunau i fel mae'n digwydd, yw Cymru (a'r frwydr am ryddid), y Gymraeg (a'r frwydr am gyfiawnder), a chariad (a'r frwydr amdano)... peidiwn â gwastraffu'n hamser yn cyfieithu caneuon pop Saesneg a fydd, fel cicaion Jonah, yn gwywo dros nos.

– Dafydd Iwan, *Lol* (Gwasg Y Lolfa, Talybont, Hydref 1966)

Gwn i'r term 'grŵp bît Cymraeg' ferwino clustiau llawer gan mai prif nodwedd grŵp bît iddyn nhw yw Seisnigrwydd neu Eingl-Americaniaeth. Ni allaf ddeall pam mai ond y Sais a'r lanc a fedd yr hawl i gerddoriaeth rymus gynhyrfus. A oes raid i'r Cymry fodloni yn unig ar ganeuon swynol nosonlawenaidd? Efallai fod pechod mewn codi oddi ar ein tinau Cymreig ac ymgolli i sŵn trydanol cynhyrfus yn Gymraeg... Rhaid cael adain fwy cynhyrfus, fwy swnllyd i'r canu Cymraeg os yw am fyw am ddegawd arall. Rhan o'r datblygiad hwn oedd ffurfio'r grŵp Edward H Dafis ac amser a ddengys os oedd ei angen.

– Hefin Elis, *Sŵn* (Gwasg y Tir, Pen-y-groes, Rhif 6, Nadolig 1973)

Os gwêl y werin Gymraeg yn dda i roi heibio'r arfer rhagrithiol o ganu emynau yn nhafarnau ein gwlad, a mabwysiadu yn eu lle hen ganeuon gwerin Cymru, hwyrach y bydd gobaith am adfywiad go iawn, cyn i'r cyfan fynd ar goll ar silffoedd yr amgueddfeydd ac yn llyfrau'r casglwyr.

– Arfon Gwilym, *Y Cymro* (Gwasg Caxton, Croesoswallt, Rhagfyr 1976)

Mae ganddon ni safbwynt gwleidyddol, felly gallwn ni ei fynegi trwy ddewis y cyfrwng iawn. Dwi ddim yn meddwl mai'r cyfrwng ydy chwarae ar y delyn a gwneud y peth Celtaidd o gwbl. Rwy'n meddwl bod hwnna wedi cael ei brofi sawl tro. Mae'r diwylliant yna ganddon ni, y diwylliant canu penillion a chwarae'r delyn, ac mae 'na le iddo fe. Ond efo canu roc mae'n rhaid i ni ddarganfod arddull sydd yn rhan o arddull roc ond ei ddatblygu i'n siwtio ni ein hunain.

– Geraint Jarman, *Gwreiddiau Canu Roc Cymraeg*
(Cyhoeddiadau Mei 1981, Pen-y-groes)

RHAGAIR

Pennaf rhyfeddod y Cymry yw eu bod yn parhau mewn bod, ac un rheswm dros hynny yw eu bod yn fenthycwyr dygn. Wrth gwrs, nid oes dewis ganddynt, a hwythau ers cymaint o dro yng nghorn gwddw'r Llew Prydeinig.

Cofiaf glywed Tegla ar bregeth unwaith yn mynnu y dylem groesawu dylanwadau o'r tu allan ar yr amod eu bod yn cyfrannu at ein cynhaliaeth trwy eu treulio'n iawn a'u gwneud yn rhan o'n cyfansoddiad. 'Dydi bwyta banana o India'r Gorllewin ddim yn eich gwneud yn Indiad Gorllewinol', chwedl yntau.

Do, benthyciasom yn ddyfal mewn sawl gwedd ar ein bywyd fel pobl; yn arbennig felly yn achos cerddoriaeth boblogaidd. O ail hanner yr ail ganrif ar bymtheg ymlaen, er enghraifft, bu ein cerddorion a'n beirdd yn hel ac yn addasu nifer dda o alawon a mesurau o'r tu draw i Glawdd Offa, gyda llawer o'r ceinciau hynny, yn eu tro, wedi eu benthyca gan Albanwyr a Saeson oddi wrth y Ffrancwyr a'r Eidalwyr. Benthycwyr ydym i gyd ac nid oes angen ymddiheuro am hynny.

Yn nes at ein hamser ni, cofier am ddylanwadau estron y bedwaredd ganrif ar bymtheg ym maes canu poblogaidd. Bu Alun, Ieuan Glan Geirionydd, Ceiriog, Talhaiarn, Mynyddog, Gomerydd, ynghyd â llu o sêr llai, yn llunio cerddi ar alawon Seisnig, gan gynnwys rhai o'r Mericia bell (argoel o lifeiriant i ddod) ac ambell un o gyfandir Ewrop. Dyma ffynonellau llawer o'r caneuon a byncid yn selog ar lwyfannau cyngherddau ac eisteddfodau'r cyfnod, heb sôn am y mân gyrddau bach diwylliannol a frithai fywyd cefn gwlad. Ar y drysorfa hon o geinciau hefyd y tynnodd y baledwyr, mawr a bach, ar gyfer eu perfformiadau awyr agored.

Gwir mai brith ei ansawdd oedd llawer o'r hyn a fenthyciwyd, ond gwnaed defnydd effeithiol ohono ac fe'i Cymreigiwyd yn ddiamheuol. Profodd yn fenthyca er cynhaliaeth ac ymhen amser daeth yn ail-natur i'r Cymro Cymraeg.

Pery y benthyca a'r dynwared yn y cyfnod presennol. Arwydd o hynny yw'r ymestyn ar eirfa'r Gymraeg. Arweiniodd chwilfrydedd fi i bori tipyn yng Ngeiriadur Prifysgol Cymru a chael bod *crŵnio*, *jas*, *swing*, *sgiffl*, *pop*, *rocarôl*, *rege* a *pync* i'w cael yno; eithr ni welais ddifinio ar *blŵs*, er y defnyddir y ffurf honno ar y gair wrth ymdrin â *sgiffl*. Prysuraf i nodi, fodd bynnag, mai 'y falen' yw gair hwylus awdur y gyfrol hon am y dull hwnnw o ganu, dull sy'n sylfaen, wrth gwrs, i'r holl ganu pop cyfoes. Mae ei ddatblygiad yn yr ugeinfed ganrif yng Nghymru yn hanes diddorol a chynhyrfus ar brydiau, ac yn rhan o ddatblygiadau cydwladol, yn neilltuol felly o bumdegau a chwedegau'r ganrif ymlaen.

Wedi'r Ail Ryfel Byd, gwelwyd tri datblygiad amlwg, sef twf mudiadau cenedlaethol ymhob rhan o'r byd gyda'u galw am annibyniaeth; ymgyrchu ymroddedig gan leiafrifoedd oddi mewn i wladwriaethau ac ymerodraethau yn erbyn malltod hiliaeth, a gwrthryfel o du'r genhedlaeth ifanc, yn y gwledydd gorllewinol yn arbennig, yn erbyn safonau moes ac ymddygiad y genhedlaeth hŷn. Ar wahanol adegau gwelid un o'r symudiadau hyn yn ei amlygu ei hun yn ddwysach ym mywyd ambell wlad yn benodol ond ar y cyfan roedd maith orgyffwrdd rhyngddynt ym mhobmanha daethant i ran Cymru hithau. Maent gyda ni o hyd, eithr nid, ill tri, i'r un graddau.

Gellid dadlau, er enghraifft, nad oes yr un angerdd ac argyhoeddiad yng ngwrthryfel yr ifanc ag a fu yn y chwedegau a'r saithdegau a hynny, yn rhannol, oherwydd fod cymaint o'r llyffetheiriau y buwyd yn gwingo'n eu herbyn wedi eu datod bellach. Enillwyd hefyd sawl brwydr gymdeithasol y cymerasant ran amlwg ynddi. At hynny bu newid yn nhymer gwleidyddol Prydain a threiddiodd ceidwadaeth a phragmatiaeth trwy fywyd cymdeithas yn gyffredinol. Nid yw drysau gyrfâu i'r ifanc mor llydan agored ag oeddynt beth amser yn ôl gyda chymaint o amodau gwaith cytundeb byr ar bob llaw, prinder tai am brisiau rhesymol, morgeisiau uchel, dyledion banc sylweddol ar ddiwedd cyrsiau coleg, ac ati. Na, nid yw mor hawdd yn economaidd heddiw ag ydoedd rai blynyddoedd yn ôl i'r ifainc feirniadu'r genhedlaeth o'u blaen am ragrith, culni, cyfalafiaeth, a sawl '-aeth' arall. Ymhellach, atgyfodwyd 'unigolyddiaeth oleuedig' yn ystod y blynyddoedd Thatcheraidd a than ddylanwad y ddysgeidiaeth honno gwelodd ieuenctid y cyfnod ambell rebel o arweinydd yn cael ei ddofi a'i addasu i ddod yn golofn gadarn i'r Sefydliad a chyd-sobrwyd llawer ohonynt hwythau o ganlyniad i hynny.

Eithr, ddeg ar hugain a deugain mlynedd yn ôl, roedd yr ifanc ar gefn ei geffyl a charlamai ymlaen, nid i dincial piano a gitâr acwstig ond, yn gynyddol, i seiniau gitarau electronig, chwyddiadau allweddellau a churiadau trwm a chyson y drymiau. Dyma'r wedd amlycaf ar ein his-ddiwylliant yng Nghymru yn sicr ac er nad yw ond megis cysgod i'r hyn a ddigwyddodd yn Lloegr ac America y mae wedi effeithio'n sylweddol ar ein bywyd diwylliannol.

Pery'n rym yn ein plith, a hyd yn ddiweddar iawn, dilynodd batrwm canrifoedd cynharach – daeth yn rhan o Gymreictod naturiol. Fel o'r blaen manteisiodd y Cymry Cymraeg ar ddylanwadau estron a'u gwneud yn foddion cynhaliaeth. Ond nid yw'r sefyllfa mor sefydlog ag ydoedd mewn cyfnodau blaenorol pan oedd y Gymraeg ei hun gryn dipyn yn gryfach ac yn gymhwysach i gymhathu yr elfen estron.

Hyd yr wythdegau cynnar, cymharol brin oedd yr arwyddion o gloffi rhwng dau feddwl. Roedd mwyafrif llethol popwyr y cyfnod hyd at hynny yn frwd dros greu a pherfformio eu caneuon yn Gymraeg ond bellach daeth tro ar fyd. Mae lle i amau erbyn hyn mai prinhau y mae'r grwpiau a'r unigolion sy'n gwbl sicr eu meddwl mai perfformwyr Cymraeg ydynt. Gresyn. Croeso, bid siŵr, i grwpiau Cymraeg goncro'r byd mawr tu allan, os dyna'u dymuniad, ond byd eithriadol o galed yw hwnnw i gystadlu ynddo, yn llawn miloedd o grwpiau, ac ychydig iawn o'n grwpiau ni yr ydym yn debyg o'u colli iddo. Yn y cyfamser mae'r alwad gartref am ganu poblogaidd (o sawl math) yn dal yn daer a phosibiliadau datblygu'r wedd hon ar adloniant yn fwy cynhyrfus nag erioed.

Ar drywydd yr hanes hwn, hyd at ddechrau'r wythdegau, yr aeth Hefin Wyn yn y gyfrol hon a gwnaeth hynny gyda medrusrwydd a thrylwyredd anghyffredin. Hyfrydwch i mi oedd cael y cyfle i'w ddarllen a gobeithio y cawn ganddo weddill y stori, hyd at ddechrau'r milflwyddiant newydd, ymhen peth amser. Am y tro haedda hamdden gŵr a wnaeth gymwynas fawr â hanes cymdeithasol Cymru.

Dr Meredydd Evans

Rhagarweiniad

Mae rhan o deitl y llyfr yn enw ar gân a ddaeth yn adnabyddus yn America yn 1956. Roedd yn un o'r caneuon hynny a ddiffiniai ystyr 'roc a rôl' gan gadarnhau'r ffaith ei fod yn fynegiant a berthynai i ieuenctid – 'Well, Be-Bop-A-Lula, she's my baby' canai Gene Vincent.

Ymadrodd Americanaidd ei naws yw 'be-bop-a-lula'. Fe fu geiriau ymddangosiadol diystyr yn rhan annatod o ganu roc ers dyddiau'r arloeswyr cynnar megis Little Richard a'i 'a-wop-bop-a-loo-bop-a-lop-bam-boom'. Rhoes 'do wop' y canu Tamla Motown stamp celfyddyd ar y geirynnau hynny na cheir mohonynt mewn geiriaduron. 'Do Wah Diddy Diddy Dum' bloeddiai Manfred Mann wedyn yn y chwedegau, a 'shwbi dwbi, shwbi dwbi bapa', meddai Hergest yn y saithdegau.

Mae'r 'delyn aur' yn gyfeiriad at brif offeryn cenedlaethol y Cymry yn ogystal ag at ganu cynulleidfaol, gan fod yna emyn-dôn boblogaidd o'r un enw i'w chlywed yn rheolaidd ar un adeg yn y Cymanfaoedd Canu Cymreig. Credir mai ei hawdur, yn ôl ymchwil Huw Williams, yr arch emyn-bryf, oedd naill ai crydd o Lansteffan, ger Caerfyrddin, o'r enw Dafydd Frank neu saer coed o Frynberian, ger Trefdraeth yn Sir Benfro, o'r enw Dafydd J James.[1] Fe'i hadwaenir hefyd fel 'Alaw Gymreig'. 'Ni cheir diwedd / Byth ar sŵn y delyn aur' meddai'r emynydd, William Williams, Pantycelyn. Cafodd y geiriau eu dyblu a'u treblu fyrdd o weithiau ar y galerïau.

Ar un adeg roedd 'telyn aur' y canu cynulleidfaol yn bygwth disodli 'telyn frwyn' y canu gwerinol. Wrth i Gymru sobri o dan ddylanwad y Diwygiadau Protestannaidd fe fu bron iddi golli ei gallu cynhenid i'w difyrru ei hun. Pan ailgydiwyd mewn elfennau o'r hen rialtwch yn chwedegau'r ugeinfed ganrif fe welwyd cwrwgarwch yn dychwelyd gydag afiaith. Mae'r geirynnau byrlymus wedi aros yn rhan o fynegiant ein hadloniant a'r delyn wedi ei hailorseddu fel offeryn y canu gwerin.

Mae'r ddwy elfen yn y teitl, felly, yn crynhoi hanfod y canu poblogaidd Cymraeg oddi ar canol yr ugeinfed ganrif.

Hefin Wyn, 2002

1 / Yma o Hyd

Pan oedd Michael Stevens yn eistedd ar y cei yn Solfach, Sir Benfro, yn nyddiau llencyndod, ym 50au'r ganrif ddiwethaf, cerddoriaeth o'r ochor draw i'r Iwerydd oedd yn ei swyno, yn hytrach nag emynau a glywai eu morio canu yng nghapeli a thafarndai'r pentre glan-y-môr.

Roedd Endaf Emlyn Jones yn agored i ddylanwadau tebyg yn nhref glan-y-môr Pwllheli ym Mhen Llŷn. Er ei fod yn gyfarwydd â chaneuon 'yr hen Gymry', edrychai'n hiraethus obeithiol ar draws y tonnau wrth glywed synau cyffrous y gitâr ar donfeddi ei dransistor.

Byddai'r ddau, yn ddiweddarach, yn cyfrannu'n helaeth i sefydlu roc a rôl Cymraeg trwy impio'r dylanwadau Eingl-Americanaidd.

Tua'r un adeg roedd bachgen bochgoch yn byw mewn mans ym Mrynaman wedi ei gyfareddu gan gampau Bob Roberts, Tai'r Felin. Byddai Dafydd Iwan Jones, yntau, ymhen amser, yn meithrin yr un ddawn i ddiddori cynulleidfa ag y gwelsai'r hynafgwr mwstashog, o Gwmtirmynach ger y Bala, yn ei arddangos mewn Noson Lawen yn ystod ymweliad â'r pentref glofaol. Roedd gan un o ganeuon mwyaf poblogaidd Bob Tai'r Felin, sef 'Moliannwn', gysylltiad clòs ag America am iddi gael ei chyfansoddi gan Gymro alltud, Benjamin Thomas o Fethesda, a'i chanu ar alaw o'r wlad, 'The Old Cabin House'. Ond braidd gyffwrdd fyddai'r dylanwad Eingl-Americanaidd ar gynnyrch a pherfformiadau Dafydd Iwan.

Doedd dim yn anghyffredin mewn fflyrtian â'r dylanwad Eingl-Americanaidd. Roedd hogyn o Danygrisiau ym Meirionnydd o'r enw Meredydd Evans, a fagwyd yng nghanol bwrlwm adloniant Cymraeg, eisoes wedi caniatáu i gerddoriaeth ysgafn America'r 40au, a chynt, ddylanwadu ar ganeuon hogiau a gydiodd yn nychymyg y Gymru Gymraeg, sef Triawd y Coleg.

Wrth i ddylanwad radio, recordiau, teledu a sinema ledaenu roedd yn anorfod bod yr arlwy Americanaidd yn treiddio i bob twll a chornel. Cyflwynai'r 'canu newydd' ddyheadau oedd yn gyffredin i ieuenctid ar draws y byd gorllewinol. Medrai ieuenctid y Gymru Gymraeg uniaethu â'r be-bop-a-lula.

Un o fanteision bod yn rhan o ddiwylliant lleiafrifol sy'n byw yng nghysgod diwylliant mwyafrifiol yw medru camu o'r naill i'r llall. Mae'n bosib benthyca elfennau o'r naill i'r llall er lles y ddau ddiwylliant. Tebyg y dadleua rhai bod tuedd i'r 'mwyafrifiol' ormesu a threchu'r 'lleiafrifol' a'i bod yn frwydr barhaus i wrthsefyll hynny. Heb ymhelaethu ar y goblygiadau o ran y berthynas, am y tro, digon yw dweud ei bod yn sicr yn fater o agwedd meddwl ac yn fater o reolaeth.

Wrth i gerddoriaeth roc ei sefydlu ei hun fel cyfrwng yr ieuanc, roedd gan Gymry Cymraeg ieuanc gyfle i ymuno â'r naill ddiwylliant neu'r llall, neu hyd yn oed gyfrannu at fwrlwm y ddau. Roedd yna gyffro yn perthyn i'r cyfrwng, yn arbennig wrth i ieuenctid sylweddoli mai nhw oedd yn gyfrifol am bob agwedd ohono. Yn ogystal â bod yn fynegiant difyrrwch roedd hefyd yn gyfrwng protest.

Dechreuodd adloniant Cymraeg ymestyn y tu hwnt i lwyfannau eisteddfodau, festrïoedd capeli a neuaddau pentrefi. Gwelwyd y Noson Lawen, yn unol â datblygiadau'r oes, yn ymestyn ei chwils. Cafwyd datblygiadau mentrus a gwelwyd cefnu ar y digyfnewid. Cyn dyfodiad y cyfryngau torfol, y Noson Lawen, i bob pwrpas, oedd cyfrwng adloniant y Cymry Cymraeg, yn sicr ers i grefydd Anghydffurfiol roi taw ar ddifyrrwch y ffeiriau. Doedd dim amheuaeth fod yr 'hen Gymry' yn gwybod sut i'w difyrru eu hunain. Dyma gofnod o Lythyrau'r Morrisiaid sy'n cyfleu rhywfaint o hwyl y 18fed ganrif. William Morris sy'n anfon llythyr at ei frawd, Richard, ym mis Gorffennaf 1759, ar sail ymweliad â chartref gŵr o'r enw Meredydd ap Harri'r Glwfer yn ardal Llannerch-y-medd ar Ynys Môn:

Difyr oedd gweled llanciau cadw, a'u pibau cyrn tan eu ceseiliau ac ysgub o babwyr yn eu coflaid yn hel gwarthegau tan chwibanu Mwynen Mai a Meillionnen.[1]

Mae'n werth dyfynnu hefyd dystiolaeth y teithiwr Thomas Pennant o ddull y Cymry cyffredin o'u difyrru eu hunain. Dyma a ddywed mewn cyfrol a gyhoeddwyd yn 1781:

Numbers of persons, of both sexes, assemble, and sit around the harp, singing alternate pennylls, or stanzas of antient or modern poetry. The young people usually begin the night with dancing, and when they are tired, sit down, and assume this species of relaxation. Oftentimes... they will sing extempore verses. A person conversant in this art will produce a pennyll apposite to the last which was sung: the subjects produce a great deal of mirth; for they are sometimes jocular, at others satyrical, and many amorous. They will continue singing without intermission, and never repeat the same stanza; for that would occasion the loss of honor of being held first of the song. Like nightingales, they support the contest throughout the night... Parishes often contested against parishes...[2]

Mewn cyfnodau cynharach fyth roedd yna ddiddanwyr proffes-iynol yn cael eu noddi gan dywysogion ac yn crwydro o lys i lys. Gwaith y beirdd oedd moli eu noddwyr ar gân. Rhan annatod o'r Eisteddfod gyntaf erioed, a gynhaliwyd gan yr Arglwydd Rhys yng nghastell Aberteifi yn 1176, oedd y diddanu. Am fod yno gynrychiolwyr o'r gwledydd Celtaidd roedd yr ŵyl yn ddigwyddiad o bwys rhyngwladol. Profai fod yna gysylltiad clòs rhwng y diwylliannau Celtaidd a'u bod yn rhannu llawer o nodweddion.

Sonia'r trwbadŵr, Dafydd ap Gwilym, yn y bedwaredd ganrif ar ddeg, am arfer y telynorion Cymreig o ddefnyddio eu hewinedd yn hytrach na blaenau eu bysedd, fel sydd yn gyffredin bellach, i drin y tannau. Doedd Dafydd ei hun ddim yn swil o dderbyn dylanwadau cyfandirol Normanaidd a'u himpio wrth yr hen draddodiad barddol Cymreig.

Cynheiliaid y traddodiadau hyn mewn canrifoedd cynt oedd dosbarth o ddifyrwyr a elwid 'y glêr'. Peidiodd yr arfer o noddi a chynnal cerddorion yn raddol wrth i'r dosbarth pendefigaidd Cymreig ddadfeilio. Troes yr uchelwyr eu golygon yn fwyfwy tuag at Lundain ac roedd traddodiad Cerdd Dafod a Cherdd Dant yn edwino yn wyneb y Seisnigo. I bob pwrpas sgwlcan am gynhaliaeth a wnâi'r glêr ar ôl colli eu ffynhonnell nawdd. Cymerwyd sylw o dueddiadau adloniannol dros Glawdd Offa ac aed ati i addasu neu ddynwared er mwyn difyrru cenedl a oedd yn dal, i raddau helaeth, yn uniaith Gymraeg.

Collodd y delyn a thelynorion eu statws, ac, yn ôl Ann Rosser, fe'u hesgymunwyd i'r dafarn erbyn y 18fed ganrif:

> Y mae lle i gredu mai perfformiwr tafarn, yn bennaf, ydoedd telynor Cymreig y ddeunawfed ganrif. Gorfu iddo ddibynnu'n fwyfwy ar y dafarn am gynhaliaeth wrth i nawdd yr uchelwyr ddirywio yn ystod yr ail ganrif ar bymtheg. Yn wir, ceir llawer o dystiolaeth mai yn y dafarn y byddai'r telynor yn cael hyd i'w brif gynulleidfa mor ddiweddar â'r bedwaredd ganrif ar bymtheg, ac y mae'n sicr bod amryw delynorion yn cadw cysylltiad swyddogol a pharhaol â thafarnau arbennig... Mynnai Ieuan Gwyllt, er enghraifft, nad oedd 'telynwyr Cymreig yn ddynion sobr' a hefyd mai'r 'hen delynwyr oedd yr unig ddynion anghymedrol yn yr hen amseroedd'.[3]

Does dim dwywaith fod porthmyn, milwyr, llongwyr a chrwydriaid o bob math, ar hyd y canrifoedd, wedi cludo stôr o ganeuon ar draws y wlad. Mynych y gelwid ar wasanaeth crythorion, telynorion a phibyddion yn y tafarndai. Mae lle i gredu y byddai rhai tafarndai yn cyflogi eu cerddorion eu hunain. Byddai pob ffair yn bair o rialtwch a doedd ffair ddim yn ffair heb faledwyr yn canu a gwerthu eu pamffledi. Sonia Erfyl Fychan am rôl ganolog y baledwr:

> Canai ei faledi, ac yna gwerthai hwynt. Fel rheol byddai 'Cerdd yn erbyn y Methodistiaid' yn gwerthu'n dda, hanes 'Llofruddiaeth Erchyll' ar gyfer eraill, hanes 'Gwrthryfel America' i'r lleill. Byddai baledi i'w canu ar geinciau poblogaidd megis 'Llef Caerwynt', 'Rodney', 'Dorsetshire March', 'Miller's Key', 'Crimson Velvet', a llu o rai eraill – estron yn bennaf.[4]

Mae'n siŵr bod tafarndai Merthyr Tudful yn llawn o ganu pan oedd y diwydiant haearn ar ei anterth yno yng nghanol y 19eg ganrif. Denwyd gweithwyr a difyrwyr o bell ac agos. Ar Ynys Môn y ganwyd y baledwr dall, Dic Dywyll (Richard Williams). Nid heb reswm y câi ei adnabod fel 'Tywysog y Baledwyr'. Canai'n ddigri ac yn ddychanol gan ddal ei fys bach, yn ôl y sôn, yng nghornel ei lygad wrth berfformio.

'Ymerawdwr' ardal nodedig Chinatown, y puteindai a'r tafarndai, ar un cyfnod, oedd Shoni Sgubor Fawr, a ddaeth yn adnabyddus am ei ran yn helyntion Terfysg y Beca. Tybed a oedd John Jones wedi croesawu Dai'r Cantor i'w 'ymerodraeth' cyn i'r ddau ddechrau gweithredu yn enw'r Beca yn Nyffryn Gwendraeth yn ystod haf 1843? Gwyddys fod David Davies y cantor wedi bod yn gweithio yn Nhredegar am gyfnod, ac onid teg tybio iddo flasu ychydig o fywyd cosmopolitan Merthyr, a chyfiawnhau'r defnydd o'i lysenw, cyn iddo gyrraedd Pontyberem?

Hanai Dai o Lancarfan ym Mro Morgannwg a rhaid fod stôr o'r Tribannau a genid gan amaethwyr y Fro ers cenedlaethau, wrth aredig gydag ychen, ar ei gof. Pan fyddai mwy nag un wedd ychen wrthi yn aredig tebyg y byddai'r gweision yn ymryson â'i gilydd trwy ganu tribannau am yn ail i weld pwy fyddai'n ildio gyntaf. O ran hynny roedd angen dau bob amser i aredig gydag ychen, yr aradwr yn dilyn y wedd a'r geilwad yn cerdded am yn ôl yn wynebu'r ychen. Y geilwad fyddai'n canolbwyntio ar y canu neu'r 'cathrain' ac yna'n rhyw led weiddi 'ma hw, ma hw' o alwad ar derfyn pob pennill er mwyn annog yr ychen i dynnu. Pan ddaeth yr arfer i ben tua chanol y 19eg ganrif, wrth i geffylau ddisodli'r ychen, fyddai hi ddim yn anarferol i'r 'tribanwyr' gael cynulleidfa y tu hwnt i'r clawdd ym Mro Morgannwg.

Fe fyddai'r morynion, ar draws y wlad, yr un mor barod i ddechrau canu wrth eistedd ar eu stolion teirtroed i odro. Mae'n siŵr fod gan fugeiliaid Epynt, Pumlumon ac Eryri hwythau eu caneuon corlannu. Yn ôl Erfyl Fychan byddai pobl yn gwneud mwy na chanu penillion ar hirnosau'r gaeaf:

> Byddai raid cael dawnsio, ac yn sŵn y delyn byddai'r ieuanc wrthi â'u holl egni, a'r gwragedd yn brysur yn gweu hosanau.[5]

Ond daeth y Diwygiadau erbyn y 18fed ganrif i roi taw ar y delyn, y crwth a phob canu 'masweddus'. Rhoddwyd y farwol i'r hen ddifyrrwch. Fe fu'r erlid yn ddidrugaredd. Bu'n frwydr i gyflwyno unrhyw offeryn i wasanaethau'r capeli anghydffurfiol pan blediwyd achos tonic sol-ffa a chanu cynganeddol yn fwy na'r canu unffurf a fynnai'r Piwritaniaid. Roedd gan Gapel y Carneddi, Llanllechid, ger

17

Bethesda, er enghraifft, 'Reolau a Threfniadau Llywodraethol' i'r cantorion:

Na foed i'r Gymdeithas hon ymyrraeth ag offerynnau meirwon yn Addoliad Duw; megis y Delyn, a'r Organ, Pibelli a Chrythau, ynghyd â phob offerynnau o'r fath; ond canu yn gerddgar, soniarus, a llafar byw a rhesymol.[6]

Doedd gan Watcyn Wyn, y bardd a sefydlodd Athrofa yn Rhydaman ar gyfer hyfforddi gweinidogion, fawr o olwg ar delynorion a'u tebyg:

Rhaid i mi gyfaddef fod y delyn wedi bod yn ofera, a'r telynwr yn llymeittia, a'r bardd yn yfed a'r datganwr yn meddwi.[7]

Fe gafodd llawer o alawon y tafarndai eu 'parchuso' i fod yn emyn-donau. Bu Huw Williams yn ymchwilio i'w cefndir:

Ar ôl 'cael eu puro a'u glanhau', chwedl Eos Llechid (Owen Humphrey Davies), cludwyd rhai o'r alawon megis 'Bozrah' (Crugybar), 'Hen Dderbi' (Cyfamod), a 'Mêl Wefus' (Llantrisant) o'r ffair i'r cysegr; am amryw o'r gweddill oedd yn dwyn enwau sathredig neu 'amharchus' nid oedd wiw eu trafod ar dudalennau'r cylchgronau cerddorol a olygid gan weinidogion parchus, ac yr ydym ar ein colled oherwydd hynny.[8]

Cydnabyddir mai Ieuan Gwyllt (John Roberts) oedd un o hyrwyddwyr pennaf y Gymanfa Ganu a chredir i un o'r rhai cyntaf gael ei chynnal yn Aberdâr yn 1859. Yn eironig dychwelodd llawer o'r emyn-donau i'r dafarn erbyn diwedd y ganrif ddiwethaf. Profiad cyfarwydd ar nos Sadyrnau fyddai clywed mynychwyr tafarndai yn morio canu emynau'r caniedyddion cyn stop tap. Byddai emyn Gwyrosydd (Daniel James), 'Calon Lân', yn fwy tebygol o gael ei tharo na chân werin fel 'Lisa Lân'.

Wrth i wres y Diwygiadau gydio, cafwyd hanes am Peter Jones, Llangynog, yn claddu ei delyn mewn mawn, cymaint oedd ei gywilydd ar ôl cael profiad o 'dywalltiad ysbrydol'. A phenderfynodd Edward Ifan, y telynor o Aberdar, roi'r gorau i fynychu neithiorau a thaplasau, am eu bod yn codi gormod o syched arno. Mae tystiolaeth Idris Vychan, crydd a oedd yn byw ym Manceinion, yn taflu goleuni pellach ar y modd y bu'r diwylliant gwerinol o dan warchae. Fe luniodd werslyfr ar ganu gyda'r tannau ond gwgu a wnâi ei rieni:

> Gan fod fy mam yn proffesu crefydd, a bod rhagfarn yn erbyn pawb a ganai gyda'r delyn, ni fyddai hi'n adrodd, neu yn canu yn gyhoeddus, ond fe fyddai hi er hynny yn hwmian canu gyda'u gorchwylion gartref yn Nolgellau... Ond ni fynnai fy nhad wneud dim â'r fath beth.[9]

Yn wir, bu bron i'r holl ddiwylliant gwerinol fynd i ddifancoll. Mae'r diolch am ei gadw yn fyw o leiaf yn rhannol ddyledus i unigolion fel Bob Tai'r Felin; John Thomas, Maes-y-fedw; Telynores Eryri (Edith Evans) a Thelynores Maldwyn (Nansi Richards); Arglwyddes Llanofer yn ogystal â theulu Abram Wood, y sipsi.

Gwelid y tyndra rhwng buchedd y dafarn a buchedd y capel ym mhrofiadau mebyd Nansi Richards ym mhentref Penybontfawr ar odre Mynydd y Berwyn. Âi i'r dafarn yng nghwmni ei thad brwysg i wrando ar y delyn yn cael ei chanu yn ei hafiaith gan sipsiwn. Bryd arall âi i'r capel yng nghwmni ei mam syber a châi ganu'r delyn yn yr oedfa ddefosiynol.

Gwnaeth Maria Jane Williams, Aberpergwm, yng Nghwm Nedd, gymwynas â'r byd canu gwerin trwy gyhoeddi *Ancient Airs of Gwent and Morgannwg* yn 1844. Rhoddodd ar gof a chadw doreth o ganeuon oedd yn rhan o'r traddodiad llafar.

Cadwyd peth o'r hen arferion yn fyw yn y dirgel wrth i feibion a gweision ffermydd gyfarfod gyda'r nos yn y 'llofft stabal' i ddawnsio'r glocsen a chanu'r caneuon a drosglwyddwyd o gof y naill genhedlaeth i'r llall. Dyma ddywed Carneddog (Richard Griffith) am yr arfer yn ardal Beddgelert cyn y Rhyfel Byd Cyntaf:

> Pan fyddai 'gweision ffarmwrs' yn hel at ei gilydd i ryw 'lofft stabal' byddent yn canu rhigymau, gan ddawnsio, a rhyw un ohonynt yn canu sturmant. Byddent yn arfer rhoddi dwy ffon yn groes, neu ddwy bibell glai, gyda'r coesau hwyaf iddynt, ac yna ddawnsio rhyngddynt, a'r gamp oedd peidio â thorri coesau'r pibellau.[10]

Yng ngorllewin Shir Gâr soniodd Jacob Davies (Alaw Cowyn) am y 'shimli', sef y difyrrwch a gynhelid wrth simdde'r odyn grasu:

Er torri ar undonedd y nos ac ymlaen hyd oriau mân y bore, byddid
yn hysbysu am 'Shimli'. Âi'r sôn ar daen yn chwim, a deuai'r
bechgyn a'r oedolion ynghyd i aelwyd gysurus a chynnes y popty. Ar
noson o'r natur yma, beth tybed a ellid ei wneud drwy'r nos ac
ymlaen hyd tua hanner awr wedi pedwar y bore?

Dyma beth o'r rhaglen amrywiaethol honno. Chwaraeon, castiau o
bob math, storïau am amrywiol fathau o fwcïod, canu baledi,
dynwared hen gymeriadau, canu'r offeryn ceg hwnnw 'Ciwga'. Cael
hanes ambell fachgen newydd fod yn nhre Caerfyrddin am y waith
gyntaf, canys byddai y siwrnai i ymweled â'r dref am y waith gyntaf
yn ddigon i ddychrynu ambell grwt bach, nes tyfu ohono i oedran
gŵr a deall erbyn hynny fod pen ôl y dyn du wedi gloywi ar ôl yr
holl lyfu a fu arno.

Bron na ddywedwn na cheid yma yn y 'Shimli' bob math o
berfformiadau a thriciau ffraeth a digrif... Noson ddifyrus lawn o
hiwmor oedd nos y 'Shimli', digon tebyg i 'Noson Lawen' ein hoes
ni, ond mai rhaglen ddifyr ydoedd, a digon o amrywiaeth testunau
a doniau. Pe gofynnid o ba nodwedd oedd, gellid ei diffinio yn
hawdd, 'Pawb at y peth y bo', canu, adrodd storïau, dychmygion,
dehongli breuddwydion, chwarae castiau, dynwared a'r cyffelyb.[11]

Erbyn 1908 roedd y Gymdeithas Alawon Gwerin wedi ei ffurfio
gydag un o'r aelodau blaenllaw yn ddarlithydd yn yr Adran Botaneg
yn y Brifysgol ym Mangor. Byddai Dr J Lloyd Williams yn siarsio
myfyrwyr i gasglu alawon pan oedden nhw adre ar eu gwyliau. Bu
casglwr brwd arall, Peter Kennedy, a gyflwynai raglen radio wythnosol,
As I Roved Out, yn tynnu sylw at y traddodiad canu gwerin ledled
gwledydd Prydain. Fe'i cynorthwywyd i gasglu yng Nghymru gan
Emrys Cleaver. Roedd Roy Saer, o Amgueddfa Werin Sain Ffagan,
wedyn, yn teithio'r wlad yn perswadio'r sawl a gofiai'r hen alawon i'w
recordio ar dâp. Mewn erthygl yn y cylchgrawn pop, *Sŵn*, soniodd
Roy Saer amdano'i hun yn dod ar draws Ben Bach Lochtwrffin, yn
ardal Mathri yn Sir Benfro, ar ddechrau'r 50au. Mynnai y gallai Ben
Phillips fod mor adnabyddus â Bob Roberts, Tai'r Felin, petai ond
wedi cael mwy o gyfle gan y cyfryngau ar y pryd. Anfantais Ben oedd
ei fod yn byw mor bell o'r stiwdio radio ym Mangor. Dyma fel y
disgrifiai arddull y codwr canu gyda'r Bedyddwyr yng Nghroesgoch,
a oedd yr un mor gartrefol yn canu baled fasweddus yng nghornel
tafarn:

Llais mwynaidd, lled dawel oedd iddo; nid llais mawr, ond un a
weddai fwy i ganu gerbron cynulleidfa fechan yn hytrach na thorf
go sylweddol. Yr oedd heb vibrato, ac yn fain braidd – yn wir, sy'n
swnio'n ddigon bachgenaidd. Canai 'Ben Bach' yn hamddenol a di-
straen. Hawdd teimlo ei fod yn anwylo'i alawon wrth eu canu a
dygai ambell lithren (slur) yma ac acw rym emosiynol arbennig.
Nid ychwanegai fân nodau addurnol at yr alaw. Gellir dweud hefyd
nad oedd yn perthyn i'w ganu unrhyw elfen arddangosfaol ar yr
ochr gerddorol.[12]

Fe gofnododd Peter Kennedy ac Emrys Cleaver gân a genid gan Ben
Bach o'r enw 'Hen Ladi Fawr Benfelen' sy'n enghraifft brin o gân
werin Gymraeg yn llawn delweddau erotig.[13]

Rhan o'r diwylliant gwerin sy wedi goroesi yn rhan o ardaloedd y
de-ddwyrain yw traddodiad y 'Fari Lwyd'. Yr arfer yw cludo penglog
ceffyl ar ben polyn wedi ei orchuddio â chynfas wen a'i addurno â
rubanau lliwgar o dŷ i dŷ adeg y Nadolig. Wrth ddrws pob tŷ byddai'r
osgordd yn canu penillion yn gofyn am fynediad a'r criw y tu fewn yn
ateb, a hynny'n nacaol, eto, ar ffurf penillion. Byddai'r ymryson yn
para nes bod y criw tu fewn yn hesb o benillion ac yna'n caniatáu
mynediad i'r Fari er mawr ddifyrrwch i bawb. Credir fod yr arfer yn
para neu, o leiaf, wedi para tan yn ddiweddar yn Nantgarw ger
Caerffili, ym mhen uchaf Cwm Llyfni yn Llangynwyd a phen uchaf
Cwm Tawe yn Abercraf.

Roedd yna ganeuon gwerin a chaneuon y werin. Ym Mharc yr
Arfau, yng Nghaerdydd, ar ddiwrnod gêm rygbi rhyngwladol datblygodd
un o ffefrynnau'r Cymanfaoedd Canu yn gymaint o gân creu cynnwrf
i'r Cymry ag oedd *haka*'r Maori i gefnogwyr Seland Newydd.
Trawsblannwyd geiriau ap Hefin (Henry Lloyd), 'I bob un sy'n
ffyddlon', o'r seddau ar y galeri i'r pair chwaraeon; yn hynny o beth
roedd yr emyn wedi datblygu yn gân werin ac yn symbyliad i annog
arwyr i'r gad.

Yr un pryd rhaid cofio bod yna Gymry yn ymuno â'r ffrwd Eingl-
Americanaidd ac yn creu argraff. Yn ail hanner y bedwaredd ganrif
ar bymtheg doedd 'na neb yn fwy o eicon Cymreig nag Eos Morlais
(Robert Rees). Anwesai'r genedl gyfan y côr-feistr, y beirniad

'steddfodol, yr arweinydd cymanfaoedd canu ac yn anad dim y tenor y dywedir i William Davies gyfansoddi 'O! na fyddai'n haf o hyd', Joseph Parry gyfansoddi 'Baner ein Gwlad' ac R S Hughes gyfansoddi 'Arafa Don' yn benodol ar ei gyfer. Fe fu ar ymweliad ag America yn 1879 gan swyno'r miloedd. Dywedir i'r gŵr o Ddowlais ganu 'Y Deryn Pur' ar ei wely angau yn 1892.

A beth am Gôr Mawr Caradog? Roedd buddugoliaethau'r Côr Meibion, yn cynrychioli'r gorau o blith cantorion y De, yn y Palas Grisial yn Llundain yn 1872 ac 1873 yn dyrchafu'r genedl i'r entrychion fel 'Gwlad y Gân'. Doedd hi ddim ots nad oedd neb yn cystadlu yn eu herbyn y tro cyntaf. Er mai Cymry Cymraeg oedd y mwyafrif llethol o'r 400 a mwy o aelodau, yn Saesneg y cenid pob dim, hyd yn oed os oedd yna gyfieithiadau ar gael. Ar y pryd roedd curo'r gorthrymwr ar ei batsin ei hun ac yn ei iaith ei hun yn bwysig o ran seicoleg y gorthrymedig. Yn ddiweddarach yn 1893 fe aeth Griffith Rees Jones a'i gôr ar draws Môr Iwerydd gan berfformio yn Ffair y Byd Chicago. Pa glod yn uwch y gellid ei chwennych na bonllefau'r byd? Medrai Caradog chwarae'r crwth yn ddeheuig gan efelychu synau anifeiliaid y fferm megis asyn, llo a thwrci nes bod ei gynulleidfa yn chwerthin yn blet. Pontiai'r hen ddifyrrwch a'r traddodiad corawl newydd a roddai bri i'r Cymry ysgwydd yn ysgwydd â chenhedloedd eraill y byd. Fe hwyliodd yr anghymharol Llew Llwyfo (Lewis William Lewis), i'r Unol Daleithiau yn 1868, a threulio pum mlynedd yno yn cynnal cyngherddau, gyda chymorth aelodau o'i deulu. Fe fyddai'r 'International Troupe' yn cael croeso ymhlith y cymdeithasau Cymreig niferus, a'r 'Llew', yn aml iawn, mewn rhyw helynt neu'i gilydd.[14]

Drigain mlynedd yn ddiweddarach byddai dau o'i gyd-Fonwysion, Cavan Jones, o Gaergybi, ac Ifor Thomas, o Bentraeth, yn gwneud bywoliaethau breision iddynt eu hunain fel unawdwyr yn yr Unol Daleithiau. Ar un adeg yn 1932 fe ffurfiodd y ddau, ynghyd â dau Gymro arall, Rhys Morgan a Thomas Williams, bedwarawd o'r enw 'The Four Aces' a fu'n perfformio'n rheolaidd ar raglenni radio o Efrog Newydd. Dychwelent i 'Wlad y Gân' yn achlysurol i gymryd rhan mewn cyngherddau mawreddog a gysylltid, yn amlach na pheidio, â'r Eisteddfod Genedlaethol.

Yn wir, o ystyried cymaint o fewnfudwyr Ewropeaidd a ffurfiai'r America newydd, wrth i'r brodorion gwreiddiol gael eu gwthio o'r neilltu, deuai cysylltiadau Cymreig i'r amlwg.

Mewn apartment yn Manhattan yr ymgartrefodd Thomas Llyfnwy Thomas o Faesteg. Bu'n enw cyfarwydd ar lwyfannau Broadway ac yn ei anterth roedd ei lais tenor melodaidd i'w glywed yn gyson ar sioeau radio. Bu i nai Anti Fflos, o Bontrhydyfen, sef Ivor Emmanuel, gymryd rhan mewn miwsicals yn y West End a Broadway ar ôl gwneud enw iddo'i hun fel cyflwynydd y gyfres *Gwlad y Gân* ar deledu masnachol.

Onid oedd y troellwr recordiau, Alan Freed, y gŵr a boblogeiddiodd yr ymadrodd 'rock and roll', o dras Gymreig? Credir bod ei fam, Maude Palmer, yn ferch ieuengaf glöwr o Fedyddiwr o Dde Cymru a ymfudodd i Pennsylvania. A beth am y ddamcaniaeth fod yna waed Cymreig yng ngwythiennau Conway Twitty o ystyried mai enw bedydd y gŵr o Fississippi oedd Harold Lloyd Jenkins? Ceir tystiolaeth storïol ei fod ar un adeg yn un o danysgrifwyr *Y Drych*, un o gyhoeddiadau Cymry America. Ac onid oedd gan Jerry Lee Lewis, ar un adeg, hen sgiw, os nad hen seld Gymreig, yn ei feddiant? Mae rhai o edmygwyr tanbeitiaf Elvis Presley yn mynnu fod gan ei gyfenw gysylltiadau cyfrin â Bae Sant Elvis a Mynydd y Preselau yn Sir Benfro.

Yn wir, ydi hi o bwys yng nghyd-destun adloniant Cymraeg bod Dafydd Rees, ŵyr yr Athro Thomas Rees, mab llwyn a pherth o Grymych, a ystyrid yn un o ddiwinyddion praffaf yr Annibynwyr ac un o gonglfeini Anghydffurfiaeth, wedi datblygu'n un o wyddoniadur-wyr penna'r byd roc Eingl-Americanaidd o'i gartre yn Cape Cod yn yr Unol Daleithiau?

Trown felly at y cerddorion hynny ar eu prifiant yng Nghymru yn ystod ail hanner yr 20fed ganrif, ac a dreulient eu hamser yn gwrando ar gerddoriaeth Eingl-Americanaidd. Roeddynt dan ddylanwad dau ddiwylliant. Medrent edrych ar y byd cerddorol drwy gwareli dwy ffenestr. Gwrandawent ar gerddoriaeth o dros y ffin ac o dros Fôr Iwerydd, ond gallent hefyd dynnu maeth o'r hen draddodiad Cymreig.

Be-bop-a-lula'r delyn aur. Rydyn ni yma o hyd.

Deil traddodiad y Fari Lwyd yn fyw mewn rhannau o'r de. Dyma griw ardal Abercraf, ym mhen ucha Cwmtawe, gyda'r penglog ceffyl wedi ei addurno â rhubannau, o dan arweiniad Graham Williams (Cefnfab), yng nghanol 70au'r ganrif ddiwethaf. Gwelir Cefnfab yn dal ffon yn y rhes gefn, a'r awdur yn ei gwrcwd ar y dde yn y rhes flaen.

63 HEN LADI FOWR BENFELEN
A BUXOM OLD BLONDE

1 Hen ladi fowr benfelen yn dwad i 'dre o'r ffair

Gynigodd i mi goron am ladd yr wrglo' wair

Tw-dl-rei-di-lym-bi-dym
Tw-dl-rei-di-lym-bi-dym
Tin-ddi-weu
Tin-ddi-eu
Tin-ddi-o

2 Wel we tonnen ar ei chanol, digon o le i sinco llong

Mae gofyn cael bachgen handy cyn mentro miwn i hon

3 Ond mae genny bladyr handy ond bod 'i blân hi'n fain

A chlwt yn cario carreg, ac yn baglan fel y train

4 Dywedodd yr hen ladi a ddowch chi lan i'r tŷ

I mi gael talu'r goron addewes i i chi

5 Ond yn lle talu'r goron fe dalodd i mi bunt

A dyna fel yr oedd hi'n yr hen amseroedd gynt

1 An old lady, blonde and buxom, home from the fair she came

Offered me a crown of money to cut the meadow full of hay

Tw-dl-rei-di-lym-bi-dym
Tw-dl-rei-di-lym-bi-dym
Tin-ddi-weu
Tin-ddi-eu
Tin-ddi-o

2 Like the button on her middle there's room to sink a wave

'Twould take a handy fellow, to enter 'twould be brave

3 For I've got a scythe so handy, its point is wearing thin

A rag to carry my stone along 'twould trip one like a train

4 To the house come, said the lady, I'll give to you your due

And so that I may offer thee the crown I promised you

5 Instead of paying the crown to me she gave one pound in gold

And that is how it used to be in the glorious days of old

Un o ganeuon Ben Bach Lochtwrffin a gofnodwyd gan Peter Kennedy ac Emrys Cleaver.

'Busker' Jones o Lambed, un o artistiaid y 60au.

2 / Mw Mw, Mê Mê, Cwac Cwac

Pan oedd Meredydd Evans yn hogyn yn Nhanygrisiau ym Meirionnydd yn 20au a 30au'r ugeinfed ganrif, roedd y gymdeithas gyfan o'i gwmpas yn fwrlwm o adloniant. Mewn oes pan na cheid cloeon ar ddrysau roedd yna ddisgwyl i bwy bynnag fyddai'n galw heibio gyda'r nos ddweud stori, canu cân neu adrodd pennill, yn unol â'i ddawn. Byddai'r mwyaf mentrus a'r mwyaf dawnus yn cael eu hannog i amlygu eu doniau'n gyhoeddus gan ddatblygu'n ddiddanwyr adnabyddus ac yn arwyr bro.

Disgwylid i dalentau amryddawn ffurfio 'partïon' gan y byddai galw mawr am eu gwasanaeth yn ystod misoedd y gaeaf pan fyddai cymdeithasau diwylliadol a chapeli yn trefnu cyngherddau, a hynny gan amlaf i godi arian at ryw achos neu'i gilydd, boed elusen neu fudiad lleol. Cofia Merêd yn dda am nifer ohonynt:

> Dwi'n cofio parti Cerdd Dant Ioan Dwyryd yn dda iawn. Mi fyddai o, ei ddwy ferch, a Llew, y mab, yn cynnal noson gyfan ar Gerdd Dant. Byddai Côr Telyn Eryri'n dŵad o gwmpas wedyn efo Nansi Richards, a'r anfarwol Edith Evans yn perfformio 'Y Crwydryn' gyda chetyn yn ei cheg. Duwcs, roeddan nhw'n wirioneddol ddoniol. Wedyn mi fydda 'na barti'n dod i fyny o Ddinas Mawddwy a'r Brodyr Ffransis yn dod o Ddyffryn Nantlle.[1]

Bryd hynny, ffynnai'r adloniant a ddeilliai o'r diwylliant cynhenid, ac fe fyddai'r neuaddau'n orlawn a'r perfformiadau'n destun sgwrs am wythnosau. Yn nyddiau bachgendod Merêd, roedd y ffordd Gymreig o ddiddanu yn loyw yn 'Stiniog, a byddai'r arlwy yn cynnal rhuddin y gymuned.

Mangre arall lle byddai'r Cymry Cymraeg yn cyfarfod a chael dogn o hwyl fyddai yn yr eisteddfodau lleol. Brigai'r rhialtwch na chafodd ei llwyr ddofi yn anian y Cymro i'r wyneb, a hynny'n aml mewn diniweidrwydd. Dyma ddisgrifiad Eirian Davies o hynodrwydd Eisteddfod Gwernogle yn ei filltir sgwâr yn Nyffryn Tywi:

> Mae sôn am ymwelwyr o Lundain, Saeson rhonc, wedi dod i fwrw'r Nadolig yng Ngwernogle un tro. Yn naturiol, troesant i mewn i'r 'steddfod. Sibrydodd yr ysgrifennydd yng nghlust yr arweinydd fod y Saeson yno, ac ar unwaith clywyd o'r llwyfan yr ymadrodd rhy gyfarwydd – 'For the sake of our English friends...' Daethpwyd at yr Her Unawd. O fethu gwybod beth oedd 'Her' yn Saesneg taranodd yr arweinydd o'r llwyfan ein bod wedi dod at y 'Big Solo'. Roedd y cystadleuydd cyntaf yn canu 'Y Marchog Dewr'. Fe'i cyfieithwyd gan yr arweinydd yn 'Bold Stallion'. Wedyn daeth i'r llwyfan fachgen yn canu 'Ysbryd y Gwastadedd'. O'i gyfieithu, medd yr arweinydd, 'The Spirit Level'.[2]

Os oedd yna ddoniolwch i'w glywed o'r llwyfan roedd yna rialtwch i'w glywed o gefn y neuaddau, ac roedd yn rhaid wrth arweinyddion effro i gadw trefn:

> Wn i ddim ymhle'n hollol roedd y 'steddfod lle'r oedd Ifan Davies, Cwmgors, yn arwain, a rhyw fachgen yn y cefn yn dynwared dafad trwy'r amser. Beth bynnag a ddywedai'r arweinydd o'r llwyfan, roedd y bachgen yn gweiddi 'Mê...e, mê...e' o'r cefn. Roedd y lle'n dechrau mynd yn rhialtwch. Ond dyma Ifan yn gweiddi, 'Hisht am funud'. Gofynnodd i bawb edrych 'nôl, pwyntiodd fys at y llanc, ac meddai, 'Drychwch, dyna ichi un o'r pethe rhyfedda ariôd – llais dafad a phen hwrdd.'[3]

Peidied neb â meddwl mai sefydliad syber a warchodai uchel safonau diwylliant oedd yr eisteddfod!

Ceir tystiolaeth bellach o'r raldibŵ yma yng nghofiant Lyn Ebenezer, wrth gyfeirio at gyfnod ychydig yn ddiweddarach, yn y 50au, yng ngogledd Ceredigion:

> Roedd codi twrw mewn eisteddfod yn draddodiad i Fois y Bont. Droeon bu'n rhaid atal cystadleuaeth tra byddai'r arweinydd a'r stiwardiaid yn cadw trefn. Methai hyd yn oed Llwyd o'r Bryn â chael y gorau arnynt. Un noson, yn Eisteddfod Tal-y-bont, dechreuodd un o'r bois frefu. 'Mae'r lloi yn swnllyd iawn heno,' meddai'r Llwyd. Ac ateb yn dod o blith y bois, 'Fel'na y'n ni pan welwn ni lo dierth'.

Yn Eisteddfod Llanddewibrefi un flwyddyn, fe ataliodd yr arweinydd y cystadlu gan roi gorchymyn i'r prif stiward fynd â Dic allan. Er mawr syndod, cerddodd Dic yn ufudd gyda'r swyddog tua'r drws. Ond yna, dyma fe'n cydio yng ngholer a thin trowser y prif stiward a'i daflu allan cyn troi at yr arweinydd a dweud, 'Dyna ni, chewch chi ddim trwbwl rhagor. Mlân â'r 'steddfod.[4]

Cymdeithas a greai ei diddanwch ei hun trwy gynnal 'steddfodau, 'Penny Readings' a chyngherddau a geid yng ngogledd Sir Benfro yn nyddiau plentyndod W R Evans. Cofia W R yn dda ei ymdrech gynnar yntau i fod yn rhan o'r adloniant hwnnw wrth sôn am weithgareddau Capel Bethel:

> ...[Cofiaf] 'Gwrdd Pen Cwarter' lle byddai'r plant yn adrodd ac yn canu pethau crefyddol. Roedd Jac a Dai Carnabwth yn adrodd darnau hir iawn o waith Oliver Edwards. Roedd un o'r rheiny yn para ugain munud, o leiaf. Doeddwn i ddim yn deall llawer ohonyn nhw. Roedden nhw'n swnio fel cymysgedd mawr o enwau fel Moses, Jacob, Elias, Japheth ac Abednego. Byddai un o'r gwŷr mewn oed yn adrodd pethau fel 'Y Dedwydd Dri', 'Mr Moody' a'r 'Emyn Olaf', ac effeithiol iawn oedd yr eitem lle byddai'r adroddwr yn y pulpud, a rhyw lais yn ateb fel eco o'r lobi.[5]

Fe ddaeth W R ei hun yn arweinydd 'steddfodau nodedig a fedrai dawelu'r sawl fyddai'n cadw stŵr gyda sylw bachog a threiddgar yn ôl y gofyn. Adroddir hanes amdano yn delio ag un o 'fois y gwt' whap wedi stop tap mewn eisteddfod yng Nghrymych. Doedd dim taw ar y bachan yn chwerthin gyda gwich denau ar yr adegau mwyaf amhriodol – yng nghanol beirniadaeth, yng nghanol datganiad o'r ddeuawd 'Hywel a Blodwen' ac yng nghanol adroddiad teimladwy. Dyma W R yn disgwyl ei gyfle ac yn tynnu sylw'r gynulleidfa at y 'pwr dab' gan ddweud: 'Dwi'n hen gyfarwydd â chlywed whilber yn gwichian cyn iddi gael olew, ond dyma'r tro cyntaf i fi glywed rhywun yn gwichian ar ôl cael olew'. Chafwyd ddim trafferth oddi wrth y 'pwr dab' weddill y noson.

Byddai troeon trwstan yr ardal yn cael eu cofnodi ar ffurf penillion talcen slip ac ambell gân serch neu delyneg a genid ar alaw boblogaidd. Roedd Ben Evans, tad W R, wedi cyhoeddi cyfrol o ganeuon poblogaidd o dan y teitl *Cerddi'r Cerwyn* a oedd yn frith o gyfansoddiadau i'w canu ar alawon fel 'Codiad yr Ehedydd' a 'Hob y Deri Dando'.

Serch hynny, roedd tonfeddi'r radio'n dechrau cyrraedd Tanygrisiau a Mynachlog-ddu, fel gweddill Cymru benbaladr, ac roedd y 'Talking Pictures' hefyd yn dechrau cydio. Doedd dim modd anwybyddu datblygiadau adloniannol y tu hwnt i Gymru, yn Lloegr ac America. Penderfynodd rhai ymuno â'r llif estron ond ymrôdd eraill i impio'r arddulliau estron wrth y traddodiad Cymreig. Haws oedd ymuno â'r llif estron yn y Cymoedd Seisnigedig, ond gan gryfed oedd safle'r Gymraeg yn yr ardaloedd gwledig, roedd impio'n digwydd yn ddifeddwl bron. Roedd hyn i'w weld yn amlwg yn Nhanygrisiau, fel y tystia Merêd:

> Yn nhraean olaf y bedwaredd ganrif ar bymtheg mi ddo'th yr hyn a elwid yn 'Minstrels' yn boblogaidd, sef dylanwad pobol fel Stephen Foster, Dan Emmett a Christy. Mi barhaodd y dylanwad i'r ugeinfed ganrif. Mi ddo'th yr interlocutor (i ddefnyddio term y dydd), sef y digrifwr – ac wedyn mi ddo'th y person yn g'neud petha arbenigol fel chwara'r clapper, chwara llif a styrmant, a banjo yn arbennig, a chwibanu a dynwarad adar i fri... Duwch, dwi'n cofio Ifan Thomas, Pencefn, yn chwara'r clappers ac yn g'neud hynny efo dwy lwy a Gwilym Williams wedyn yn chwara'r ffidil a'r banjo, a Owen Davies, y Post, fel arweinydd cyngerdd a 'steddfod yn deud petha doniol a ffraeth.

Yn ardal Mynachlog-ddu, roedd W R hefyd yn cyfarwyddo â seiniau'r banjo ac yn cael ei gyfareddu gan ganu ysgafnach nag unawdau clasurol megis 'Llam y Cariadon' a'r 'Dymestl' a glywid mewn cyngherddau ffurfiol. Lletyai yn Aberteifi yn ystod yr wythnos ac roedd yn agored i ddylanwadau ehangach gyda'r nos, unwaith y deuai gwaith cartref yr ysgol ramadeg i ben.

Rhaid peidio ag anghofio bod canu emynau hefyd yn ffurf ar adloniant a bod y Cymanfaoedd Canu'n boblogaidd o'r herwydd. Hybu bywyd ysbrydol oedd bwriad emynwyr, wrth gwrs, ond does dim dwywaith i gerddorion megis Ieuan Gwyllt (John Roberts), a gyhoeddodd donau Sankey a Moody yn 1874, geisio poblogeiddio'r cyfrwng. Wedi'r cyfan, pwy a wadai na fedrai'r anffyddiwr mwyaf rhonc ddwlu ar glywed David Lloyd yn canu 'Iesu, Iesu, Rwyt Ti'n Ddigon' ar yr emyn-dôn 'Lausanne'? Nid sêl grefyddol yn unig fyddai'n llenwi neuaddau at yr ymylon pan fyddai'r cantor proffesiynol o Sir y Fflint yn ei morio hi, neu Richie Thomas, Penmachno, â'i 'Hen Rebel Fel Fi' yn yr un modd. Yn ôl Huw Williams, mae'r emyn yn gyfrwng rhyfeddol sy'n pontio sawl buchedd:

> Yn y cyfnod sydd ohoni, mae'n debyg mai canu cynulleidfaol yw'r unig 'gelfyddyd' drwyadl Gymreig sy'n cael ei harddel a'i hyrwyddo yn y capel a'r dafarn, yn y cyfarfod misol a'r cyfarfod gwleidyddol, yn y coleg a'r siop 'chips', yn y cartref ac yn seddau Parc yr Arfau.[6]

Un o funudau mawr y Gymanfa Ganu oedd Awst 18, 1916, yn Aberystwyth. Neilltuwyd diwrnod cyfan o Eisteddfod Genedlaethol y flwyddyn honno, yng nghanol y Rhyfel Byd Cyntaf, i ganu emynau. O dan arweiniad Dr David Evans, Caerdydd, cynhaliwyd tri chyfarfod ac fe ganwyd tua 50 o donau Cymreig adnabyddus. Perfformiwyd yr anthem 'Teyrnasoedd y Ddaear' deirgwaith. Cafwyd ar ddeall fod y milwyr Cymreig ar faes y gad, ar yr un pryd, yn rhoi tro ar 'Llanllyfni', 'Crug-y-bar', 'Sanctus', 'Trewen', 'Dies Irae' ac, wrth gwrs, 'Y Delyn Aur', tra oeddynt yn y ffosydd.

Munud fawr arall y ffenomen oedd Cymanfa Ganu y Tabernacl, Treforys, ar achlysur arwisgo Tywysog Charles yn Dywysog Cymru yn 1969. Dros dro, roedd y ddelwedd o'r Cymry cerddgar yn sicrhau eu lle yn y nefoedd, wrth ystlys yr angylion, ar sail eu parodrwydd i daro nodyn waeth beth oedd yr achlysur, yn eu dyrchafu yng ngolwg eraill. Yn ôl broliant y record a gynhyrchwyd i gofnodi achlysur Cymanfa'r Tywysog:

> Nid oes dim mwy wrth fodd y Cymry na Chymanfa Ganu, gyda thyrfa o dros fil o bobl yn canu eu hoff emynau mewn cynghanedd berffaith. Pa Gymro na theimlodd ryw wefr a rhyw ias anniffiniol o glywed Cymanfa enfawr yn morio 'Blaenwern' neu 'Tydi a Roddaist'? (BBC REC 53M)

Barn gyffredinol y diwinyddion oedd bod canu cynulleidfaol yn bont rhwng Cristnogaeth a phobl oedd wedi cefnu ym mhopeth arall ar ffydd eu tadau. Credai'r Athro R Tudur Jones fod Cymanfa Ganu'r

Eisteddfod wedi colli ei harwyddocâd fel oedfa ddefosiynol. Yn ei eiriau ef:

> ...[nid yw] cymanfa ganu'n ddim mwy na ffurf weddus ar adloniant cymdeithasol. Mae popeth i'w ddweud mewn oes bydredig ei hadloniant tros unrhyw ffurf ar ddifyrrwch sy'n tynnu ar ddoniau gorau'r cyhoedd. Ac y mae cael chwe mil o bobol i ganu caneuon gyda'i gilydd mewn harmoni'n beth i'w fawr gymeradwyo. Ac, efallai, erbyn heddiw, y dylem fodloni ar ystyried cymanfaoedd canu fel gwedd ar y diwydiant adlonni a'i gadael ar hynny.[7]

Tebyg y byddai taro heibio i un o Gymanfaoedd y Cymry alltud yn yr Unol Daleithiau, yng nghwmni arweinydd gwadd o Gymru, yn egluro'i safbwynt yn berffaith.

Yn ddiamau, 'ceiliogod y colegau' oedd yn gosod seiliau adloniant poblogaidd y 40au a'r 50au. Bu Meredydd Evans a W R Evans yn fyfyrwyr ym Mangor, ac yn y fan honno y blodeuodd nifer o dalentau a fu'n gosod seiliau adloniant ysgafn y cyfnod. Crëwyd ffrwd newydd o adloniant gyda chymorth unigolion dyfeisgar fel Idwal Jones, W D Williams ac R E Jones ac, yn ddiweddarach, Jacob Davies, oll yn blodeuo'n ddoniau llachar pan oedden nhw'n fyfyrwyr yng Ngholeg y Brifysgol, Aberystwyth. Roedd awyrgylch y colegau'n gyforiog o hwyl gyda phwyslais ymhlith y myfyrwyr ar arddangos eu doniau. Cofia W R yn dda am ddigwyddiad yng Nghaffi Bobby Bobs ac yntau newydd gyrraedd yn lasfyfyriwr:

> Dyma alw fy enw i roi eitem; pawb yn clapo'n wawdlyd, wrth gwrs. Ond roedd gen i fowth-organ bach yn fy mhoced, a dyma fi'n chwarae 'Yr Haf' (Gwilym Gwent). Dwyf i ddim eisiau swnio'n fostfawr yn fy hen ddyddiau, ond aeth y lle fel y bedd. O'r funud honno ymlaen teimlais fy mod wedi cael fy nerbyn gan werin y brifysgol. Bûm yn lwcus, oblegid yn gynharach yn y nos fe beintiwyd pen-ôl noeth rhyw foi yn goch, â rhyw elfen gemegol na wisgai i ffwrdd am fisoedd lawer. Mi gefais innau enw newydd, urddasol, sef (chwedl y Gogs), 'Wil Organ-Geg'![8]

Mae Robin Williams, un o 'Driawd y Coleg', hefyd yn cofio'n dda am yr awyrgylch rhwng darlithoedd yng nghanol y 40au:

> Wrth fyrddau'r Iwnion, ar wahân i siarad a dadlau ac yfed te, yr oedd yna ganu... Ac un peth ynglŷn â'r canu yma yn yr Iwnion oedd

ei fod o'r cychwyn yn gwbwl fyrfyfyr, yn graddol chwyddo'n fôr o gân, a phawb mewn harmoni perffaith. Dim rhyfadd bod stiwdants unsain yr UCL (Coleg Llundain oedd yn llochesi ym Mangor ar y pryd) yn gwrando â'u cegau'n agored ar y gorfoledd diarth a Chymreig hwn.

Wel, rŵan, roedd rhai ohonom ni, yn fwy na'r lleill, yn dechrau gwirioni ar y busnes canu yma. Yn gymaint nes mynd ati i greu'n caneuon ein hunain a dibynnu ar glust i blethu'r cordiau...[9]

Yr hyn a fu'n allweddol, o ran creu 'partïon' ac unigolion a fyddai'n tyfu'n arwyr cenedl, oedd rôl y radio, a dylanwad un gŵr yn arbennig o blith staff y BBC ym Mangor, sef Sam Jones. O dan ddylanwad y gŵr hwn o Gwmtawe, asiwyd yr elfennau traddodiadol â'r elfennau estron i greu yr hyn y gellir ei alw'n 'ganu ysgafn Cymraeg'. Yr ymadrodd a ddefnyddid i ddisgrifio adloniant Saesneg o'r fath ar y pryd oedd 'Light Entertainment' ac roedd gan y BBC adran o'r un enw. Crisialodd Meredydd Evans ei gyfraniad fel a ganlyn:

Roedd Sam yn athrylith. Mi oedd o'n deall y cyfrwng radio i'r dim. Medrai dynnu'r gora ohonoch chi ac mi fyddech yn teimlo eich bod yn gweithio iddo fo ac isio ei blesio fo yn hytrach na'r un sefydliad. Ar gyfer y rhaglen *Noson Lawen*, roedd o'n dewis cnewyllyn o artistiaid rheolaidd ac yn cael rhai eraill i mewn yn eu tro wedyn.

Un o'r cnewyllyn rheolaidd oedd Merêd ei hun. Camp Sam Jones, yn sicr, oedd cyfleu naws y Noson Lawen draddodiadol o fewn cyfyngiadau rhaglen dri chwarter awr o hyd ar y radio o gymharu â'r ddwy awr arferol ar lwyfan neuadd bentref. Byddai'n comisiynu caneuon newydd o fis i fis gan fynnu digrifwch, slicrwydd a chyflymder llefaru.

Darlledwyd y *Noson Lawen* gyntaf erioed ar nos Nadolig 1945, rhaglen hanner awr o hyd, o Neuadd y Penrhyn ym Mangor. Yna, o Ebrill 1946 tan 1951, fe'i darlledwyd bron bob mis trwy'r gaeafau. Yn ôl R Alun Evans, roedd y cynhyrchydd wedi paratoi fformat y rhaglen yn ofalus:

Un a feddyliai'n drylwyr am ei raglenni ymlaen llaw oedd Sam Jones. Synhwyrai'r cynhyrchydd fod angen priodi 'stwff y stiwdents' efo cefn gwlad Cymru ac o wneud hynny, yna byddai'r arlwy at ddant y gwrandawyr...[10] Yr oedd diddanwyr y rhaglen yn gyfuniad o

goleg a gwerin, canwr baledi yn ei bedwar-ugeiniau a chriw o
fyfyrwyr yn eu glasoed; adroddwr digrif wynepsyth a chyflwynydd
oedd yn llond côl o ddireidi; côr o chwarelwyr, a chyfeilyddion
sgilgar a allai greu harmoni i ganeuon gwreiddiol, y math o
ganeuon yr oedd gwrandawyr yn eu hymian a'u chwibanu weddill y
mis cyn deuai'r Noson Lawen nesaf. [11]

Dylid cofnodi nad bychan oedd cyfraniad rhai o wragedd ardal
Maesgeirchen, stad o dai nodedig ar gyrion Bangor, tuag at lwyddiant
y cyfresi. Fe fyddai Sam yn gwneud yn siŵr eu bod yn cael eistedd yn
y blaen, heb fod ymhell o feicroffon, ym mhob darllediad, am eu bod
yn chwerthwrs heb eu hail. Fe fydden nhw'n denu eraill yn y
gynulleidfa i chwerthin o ganlyniad i'w hafiaith.

Pan ddarlledid y *Noson Lawen* yn ystod yr wythnos, byddai capeli
a chymdeithasau yn ad-drefnu eu cyfarfodydd. Roedd yr ymateb mor
rhyfeddol. Fe fyddai yna hen baratoi ar yr aelwydydd ar gyfer gwrando
ar y rhaglen. Rhoddid y gorau i bob gorchwyl ac eisteddid yn
ddisgwylgar gerbron y radio. Fe fyddai'r teulu yn gwrando fel petaen
nhw yn y neuadd.

'Hwb i'r galon Gymreig ar gwr y gaeaf' oedd y pennawd yn yr
wythnosolyn *Y Cymro* pan ddechreuwyd yr ail gyfres yn Hydref 1947.[12]
Dyfynnwyd geiriau D R Grenfell, Aelod Seneddol Llafur Gŵyr a gŵr
a adwaenai Sam Jones yn dda, yn yr erthygl dudalen flaen honno:
'Dyma'r union beth y mae Cymru ei angen. Ein bechgyn ni ein hunain
yn creu a datblygu a chyflwyno ein diddanwch ni ein hunain i ni ein
hunain'.

Er hynny, ni chafodd y gyfres groeso twymgalon gan bawb. Er
gwaethaf ei phoblogrwydd, honnodd adolygydd radio *Y Cymro*, Alun
Trygarn, 'fod ganddi hefyd ei lleiafrif syrffedig sydd yn dweud eu bod
wedi blino clywed yr un hen bethau'.[13] Yn yr un papur, cwynodd
Brythonfab: 'Beth, mewn gwirionedd, sy'n Gymreig yn null y triawd
o ganu caneuon ysgafn? Nid yw'n ddim ond adlewyrchiad eiddil o
grwnio fwlgar America'.[14] Doedd dim modd plesio pawb.

Yr enghreifftiau gorau o gynnyrch y cyfnod oedd y driniaeth o
ganeuon fel 'Hen Feic Peniffardding', 'Pictiwrs Bach y Borth' a 'Nyni
ydi Triawd y Buarth' gan Driawd y Coleg, sef Meredydd Evans, Robin

Williams a Cledwyn Jones. Fe gydiodd y caneuon yma fel tân gwyllt. Fe fyddai gwrandawyr ledled Cymru yn eu dynwared, sy'n tanlinellu eu poblogrwydd.

Byddai Charles Williams yn arwain y 'Nosweithiau' ac yn dweud jôcs, yn ogystal â dolennu'r eitemau. Ychwanegid at y ffraethineb gan Richard Hughes, 'Y Co Bach', yn sôn am ei helyntion yn nhafodiaith Caernarfon a T C Simpson yn ymddwyn fel cocyn hitio yn sgetsus Charles. Daeth parodïo a dychanu yn boblogaidd yn gymysg â'r unawdau a'r triawdau. Fe fyddai Aethwy Jones yn dynwared pobl fel Winston Churchill, a Huw a Tecwyn Jones yn perfformio sgetsus 'Tomi Bach'. Ceid eitemau cerdd dant gan Driawd Tregarth a chaneuon gan artistiaid fel David Lloyd ac Arthur Williams.

Rhaglen arbennig fyddai honno pan wahoddid Bob Roberts, Tai'r Felin, i gymryd rhan. Cofia Robin Williams yn dda am ddarllediad cyntaf y difyrrwr dihafal ac yntau wedi hen groesi oed yr addewid. Os oedd y gynulleidfa gartref wedi eu cyfareddu, doedd yr effaith damed llai ar y criw yn y stiwdio:

> Fe ganodd â'r fath ariannllais a nwyf nes dirdynnu ynom ryw nerf nas cyffyrddwyd erioed o'r blaen. Gwrandawem yn gegrwth, lygatrwth. Y mae yna ganu a chanu. Ond yr oedd y canu hwn yn gwbwl a hollol arbennig, heb gymar iddo'n bod. Aeth Neuadd y Penrhyn yn greision ulw, ac oni bai fod raid, rhaid ymatal, oherwydd eiliadau darlledu, byddai'r sefyllfa wedi mynd allan o afael pawb.[15]

Yn y De roedd yna griw arall, yn seiliedig ar Barti Adar Tregaron, yn paratoi'r rhaglenni ysgafn. Cyfrifid Adar Tregaron yn barti ychydig yn ots i'r cyffredin. Cyfansoddwr eu deunydd, yn ganeuon a sgetsus, oedd athrylith o athro ieuanc o'r enw Idwal Jones, cyn-fyfyriwr yng Ngholeg y Brifysgol, Aberystwyth. Ym marn Idwal, roedd digrifwch yn rhywbeth i'w gymryd o ddifrif. Mynnodd fod yr aelodau'n mabwysiadu gwisgoedd pwrpasol – sgyrtiau hir gyda streipiau ar eu hyd i'r merched a gwasgodau gyda streipiau ar eu traws i'r bechgyn. Gwenallt sy'n crisialu hanfod yr Adar:

Tan y golau yn y gyngerdd y gwelid y wisg yn iawn, ac yr oedd y
lleisiau a lliw a llun y dillad yn gyfuniad artistig. Di-lun ac aflêr yn
gyffredin yw Cwmnïoedd fel hyn yng Nghymru, ond yr oedd Adar
Tregaron yn gwmni trefnus ac urddasol: âi pob dim yn y gyngerdd
o'r dechrau i'r diwedd yn hwylus a hwyliog, a thoddai'r cwmni a'r
gynulleidfa yn y cytganau yn gymdeithas lawen. Yn wir, nid
cyngerdd ydoedd, ond yr hen noson lawen wedi ei newid, ei
gweddnewid, ei choethi a'i throi yn noson lawen yr ugeinfed
ganrif.[16]

Ceir blas o'r arlwy a ddifyrrai cynulleidfaoedd ledled y De yn nheitlau'r
caneuon – 'Plismyn Penffwrn', 'Y Dyn Bach Wedi Drysu', 'Af i Byth ar
ôl y Crotesi' ac 'Rwy'n Caru Mari'. John Griffiths fyddai'n cynhyrchu'r
darllediadau o Abertawe gyda Mai Jones yn sefyll yn y bwlch yn
achlysurol.

O edrych yn ôl ar y cyfnod, rhyfedda Meredydd Evans at
weledigaeth Sam Jones a synna pa mor naturiol yr asiwyd y
dylanwadau o America:

> Mi fydda Sam yn gwylltio weithia ac yn deud, 'fel 'ma dwi isio fo,' ac
> roedd rhaid g'neud felly wedyn. Duwch, dwi'n ei gofio fo yn fy nghloi
> mewn stafall un pnawn ac yn deud na chawn fynd allan nes fy mod i
> wedi sgwennu rhyw eiria odd o'u hisio a hitha wedi mynd yn ben set
> arna i! Ac mae'n siŵr 'i fod o wedi bod yn ffonio ac yn ffonio ac yn
> gada'l negeseuon i mi ar hyd y coleg! Ond wedyn y busnas dynwarad
> yma…Wyddoch chi, camgymeriad ydi gwrthwynebu dylanwada oddi
> allan. Rhaid eu cymryd i mewn a'u pwyso a'u mesur ac yna gwrthod be
> 'dach chi'n ei gredu nad ydyn nhw'n dda a g'neud y petha sy'n dda i
> weithio i chi, ynde. Dyna ydi cemeg y peth.
>   Mi fyddwn i'n gwrando ar yr Inkspots, ar Bing Crosby, Perry
> Como, yr Andrews Sisters, y Mills Brothers a bandiau mawr Henry
> Hall a Maurice Winnick – a ffoli ar y *tenor sax* oedd ganddo – ac ar
> Joe Loss a'r bois yma i gyd. Byddwn, mi fyddwn i'n dynwarad i
> gychwyn ond buan iawn y bydda'r peth yn asio'n naturiol. Dyna sut
> oeddan ni'n dysgu ein crefft a chyn pen dim roedd y peth yn dod yn
> rhan o'n harddull a'n hidiom ein hunain.

Cofia Robin Williams yn dda am y rhuthr i gyfansoddi caneuon
newydd sbon yn barod ar gyfer y darllediadau misol:

> Cyrraedd Neuadd y Penrhyn ein tri at ganol y bore, gyda'r caneuon
> wedi eu bras-gyfansoddi ar ddernyn o bapur. Nid oedd y 'miwsig'

ond rhediad-un-llinell yn unig, a hynny mewn math o sol-ffa personol, heb arlliw o harmoni ar y cyfyl. Canys gwyddem ein tri fod deubeth yn ddiogel o'n plaid. Y ffactor gyntaf oedd hon: dim ond i Cledwyn ganu'r alaw newydd honno, a byddai Merêd a minnau'n nyddu'r harmoni o'i chwmpas wrth glust ac wrth reddf. Yr ail ffactor oedd fod gennym ddau bianydd cwbl orchestol.[17]

Y ddau bianydd, wrth gwrs, oedd Maimie Noel Jones a Ffrancon Thomas. Fe fydden nhw'n creu sŵn adar, sŵn dŵr, pwffian trên, utgyrn band, sŵn crio a dawnsio yn ôl yr angen.

Cyfansoddwr toreithiog o ganeuon yn yr idiom newydd oedd Islwyn Ffowc Elis. Mater o orchest oedd hi i brofi y gellid canu mewn unrhyw arddull dan haul, boed rymba, samba, mambo neu galypso yn y Gymraeg. Yn sgil eu mentrusrwydd fe'i haliwyd yntau a Merêd gerbron Grace Williams a W S Gwynn Williams, dau burydd cerddorol nad oedd ganddynt gydymdeimlad ag ysgafnder. 'Dim ond yng Nghymru y gallai peth felly ddigwydd. Allwch chi feddwl am y Rolling Stones yn cael eu galw o flaen Benjamin Britten?' meddai Islwyn.[18] Ond doedd y cerydd a dderbyniwyd yn mennu dim ar eu hanian na'u creadigrwydd. Gyda llaw, oni bai iddo gael ei daro'n sâl a'i gymryd i'r ysbyty cyn cychwyn darlledu'r *Noson Lawen*, Islwyn, ac nid Cledwyn, fyddai'n taro'r harmoni gyda Merêd a Robin. Er hynny roedd Islwyn yn rhan o'r bwrlwm a ddisgrifir ganddo yma:

> Anodd dweud pwy a gychwynnodd y math newydd hwnnw o ganu yn Gymraeg. Roedd tipyn o arbrofi wedi bod yn y rhaglen radio amser rhyfel *Sut Hwyl?* Ond y 'swingio' cyntaf yn Gymraeg i dynnu'r lle i lawr, rwy'n credu, oedd Tomi Scourfield ac Alwyn Samuel yn canu 'O Mistar Sami' ac wedyn Ifor Rees a Dafydd Ifans gydag 'O Mae 'Mola Bach i'n Wag' ar alaw 'Three Little Fishes'.
>
> Yn y blynyddoedd wedyn, wrth gwrs, fe gafwyd llu mawr o ganeuon gan nifer o gyfansoddwyr ysgafn, rhai ohonyn nhw'n rhagorol, fel 'Tyrd, Bess, Tua'r Ffair', Ifor Rees, 'O Dan yr Ambarél', Gerallt Richards, ac 'Angharad' Gwynn Jones ac eraill.[19]

Mae Ifor Rees ei hun yn lled bendant ym mhle a sut y cychwynnodd y 'canu newydd'. Mynna fod ganddo ef a'i gyd-hwntw, Dafydd Ifans, dipyn i'w wneud â'r arloesi:

> Digwyddodd un peth difyr iawn i ni yn y cyfnod hwnnw, pan

aethom i fyny i'r Eisteddfod Gyd-golegol ym Mangor, a hysbysu ein bwriad i gystadlu ar y ddeuawd tenor a bas. Ond atolwg, pan aethom i fyny i'r llwyfan, ac er mawr syndod i bawb, yn lle canu'r darn prawf clasurol, fe ganson ni gân Bop, gynghanedd-glos, rythmig, sincopedig! Fe swynwyd y beirniad (Dan Jones, Pontypridd) gymaint gan ein perfformiad fel y rhoddodd y wobr i ni, a chael cymeradwyaeth fyddarol, fyfyriog, gan y gynulleidfa! A dyma a ddwedodd gohebydd *Y Cymro* amdanom bryd hynny, 'Un o'r perffeith-bethau mwyaf diddorol, oedd dau fyfyriwr o Gaerfyrddin mewn deuawd tenor a bas yn "swingio" geiriau Cymraeg ar helyntion rasions ar y dôn 'Three Little Fishes'.

Erbyn yr eisteddfod gyd-golegol ddilynol yn Aberystwyth, fe benderfynodd rhai o fyfyrwyr Coleg Bangor ganu caneuon tebyg – a'r myfyrwyr hynny a ddatblygodd wedyn yn 'Driawd y Coleg'. Felly, pan honnodd Idris Williams, un o gywion ifainc y genhedlaeth hon, yn *Y Cymro* yn ddiweddar 'mai yn Sir Gaernarfon y mae tarddle pop Cymreig poblogaidd' – hawdd maddau iddo ei anwybodaeth![20]

Digon yw dweud mai gwell ei gadael rhwng gwŷr Pentyrch a'i gilydd ynghylch union darddiad y wreichionen a roes gyfeiriad newydd i adloniant ysgafn Cymraeg!

Ar ôl trybestod yr Ail Ryfel Byd, roedd y Cymry yn dyheu am ddifyrrwch unwaith eto. Grŵp â'i enw'n cyfleu hanfod y Gymru wledig, yn llawn gweision a morynion yn chwennych hwyl ddiniwed, a gydiodd yn eu dychymyg. Llwyddodd 'Triawd y Buarth' – Triawd y Coleg – i ddiwallu angen a hynny gyda slicrwydd a dogn o soffistigeiddrwydd. Byddai pobl ar glosydd trwy Gymru benbaladr yn torri mas i ganu 'Mw Mw, Mê Mê, Cwac Cwac' wrth gyflawni eu dyletswyddau.

Rhoddodd rhaglenni fel *Cococabana* a *Clywch, Clywch* y cyfle i ddoniau fel Gerallt Richards, T Gwynn Jones, Jacob Davies, Islwyn Ffowc Elis a Rhys Jones i gyfansoddi, ac i gantorion fel Esme Lewis, Emrys Cleaver, Olwen Lewis a Blodau'r Ffair a Sassie Rees i berfformio. Un o'r sêr disgleiriaf oedd Pegi Edwards. Daeth Mai Jones ar ei thraws yn canu gyda Band Dawns Ralph Davies yn Neuadd y Brenin, Aberystwyth, yn 1945. Mewn cyfnod pan oedd y rhelyw o gantoresau wedi eu trwytho yn y traddodiad eisteddfodol, roedd ei harddull hi yn hollol wahanol a bu galw mawr am ei gwasanaeth ar raglenni Saesneg a Chymraeg. Byddai'r un mor gartrefol ar raglenni fel *Workers Playtime* â *Raligamps*. Fe'i cofir yn arbennig am ei pherfformiadau o ganeuon fel 'Wyt Ti'n Cofio'r Felin Fach?' ac 'Ar Hen Aelwyd Fach Gysurus'. Byddai llawer yn sefyll yn stond o'i chlywed am y tro cyntaf. A pha ryfedd taw hi gafodd ei dewis i fod yn gonglfaen y rhaglen deledu gyntaf o ganu ysgafn Cymraeg? Roedd gan y Gymru Gymraeg ei Vera Lynn a'i Carol Carr ei hun.

Ifor Rees oedd yn gyfrifol am y rhaglen *Adar y Nos* a deledid yn fyw o Neuadd y Sir, y Barri, gydag Alun Williams, yn gwisgo het wellt, yn cyflwyno. Creu awyrgylch cabaret oedd y nod, ond coffi ac nid gwirodydd oedd yn y gwydrau ar hyd y byrddau am fod penaethiaid y BBC wedi gwrthod yr hawl i ddefnyddio alcohol. Cyflogwyd Dewi Richards (y bwtsiwr o Ystalyfera a ddaeth yn ddiweddarach yn un o gyflwynwyr cynnar *Siôn a Siân*) fel gweinydd a fyddai hefyd yn dweud jôcs. Cafwyd yma arbrofi gyda chyfrwng newydd ac roedd yna barodrwydd i fentro gydag arddulliau newydd o adloniant a oedd yn wahanol i'r traddodiad llofft stabal. Ychydig o soffistigeiddrwydd oedd y nod, a beirniadwyd Ifor Rees yn hallt gan feirniaid ceidwadol. 'Hollol annheilwng o ddiwylliant Cymru' oedd dyfarniad beirniad radio *Y Faner* o'i ddull trawsacennol ef a Dafydd Ifans o ganu.

Cynhyrchodd Ifor ei siâr o raglenni radio ysgafn tra oedd ym Mangor. Roedd y ffaith ei fod yntau a Dafydd – y ddau wedi'u hordeinio'n weinidogion, gyda llaw – wedi derbyn y ffrwd ryngwladol, a'i haddasu, wedi ychwanegu dimensiwn newydd i adloniant ysgafn Cymraeg. Efallai mai eu cyfansoddiad mwyaf llwyddiannus, ar y cyd â Frank Price, ciwrad yng Ngwauncaegurwen ar y pryd, oedd 'Dros y Mynydd Du i Frynaman' a anfarwolwyd yn ddiweddarach gan barti o athrawon ysgol, a fyddai'n cynnal cyngherddau o dan yr enw Bois y Blacbord, o dan arweiniad Noel John. Rhwng 1958 a 1974, cynhyrchodd y Bois naw o recordiau. Roedd Bois Dinefwr hefyd yn weithgar yn yr un ardal.

Yn 1947, daeth tua hanner dwsin o wŷr cylch y Tymbl, yng Nghwm Gwendraeth, at ei gilydd i ffurfio 'parti' o dan yr enw 'Y Trwbadŵrs'. Cyn pen fawr o amser, roedd galw mawr am eu caneuon a'u sgetsus mewn cyngherddau ar hyd y De. Fe enillon nhw sawl cystadleuaeth a chael gwahoddiad i dreulio chwe mis yn Awstralia gyda Hughie Green a Dorothy Squires. Ond penderfynu parhau yn athrawon a choliers fu hynt y criw.

Yn eu plith roedd gŵr o'r enw Jac Davies a oedd yn un o naw o blant. Byddai'r teulu cyfan yn diddanu o dan yr enw 'Côr yr Aelwyd'. Ni fyddai dim cerddorol yn cael ei gynnal yng nghapel Tabernacl yr Annibynwyr Cefneithin, heb fod 'Côr yr Aelwyd' yn cyfrannu. Buon nhw'n perfformio ar y rhaglen deledu *Amser Te* a gyflwynwyd gan Myfanwy Howell, yn nyddiau TWW. Ond fe drawsnewidiwyd bywyd Jac, a'i frawd, Wil, pan glywyd nhw'n canu yn y Cennen Arms yn Llandeilo gan Aneirin Talfan Davies, dyn dylanwadol iawn ym myd darlledu Cymru. Cafodd ei swyno gan yr asio perffaith ac o fewn ychydig wythnosau, fe gawson nhw wahoddiad i ganu yn Neuadd Albert, Llundain, mewn cyngerdd Gŵyl Dewi. Fuodd yna erioed y fath beth. Tynnwyd y to i lawr ac am chwarter canrif a rhagor fe fu galw mawr arnyn nhw i ganu caneuon gyda thinc crefyddol fel 'Pwy Fydd Yma Mewn Can Mlynedd?' o waith y Prifardd E Llwyd Williams, caneuon sentimental fel 'Dwed Wrth Mam' (cyfieithiad o 'Tell Mother I'll Be There'), a chaneuon ysgafn fel 'Anti Lisa' o waith Jac Oliver, y barbwr o Lanbed, a genid ar yr alaw 'Louisiana'. Cofia Jac yn dda brysurdeb y cyfnod:

> Dwi'n cofio un cyfnod, fe fuon ni'n canu mewn deunaw cyngerdd o fewn tair wythnos a ninne'n dal i weithio. Fe fydde hi'n halibalŵ yn y gwaith glo yn aml pan fydde Wil yn mynd at y rheolwr i ofyn os câi gwpla'n gynnar er mwyn mynd i'r fan a'r fan.
>
> Dwi'n cofio'r manijar – Sais o'r Rhondda – yn dweud wrth y ddou ohonon ni: 'It's about time you two decided who you are working for – the BBC or the NCB'!
>
> Ond odd shwt alw amdanon ni. Fe fydde pobol yn eu dagrau yn aml. Bydde menywod yn llefen y glaw o glywed rhai o'n caneuon. Os bydden ni'n galw i dorri syched rhywle ar y ffordd getre, wedyn bydde rhywun yn galw arnon ni i ganu. Ond fe fydden ni'n dweud wrthon nhw, os oedden nhw am ein clywed yn canu, ein bod ni'n cadw cyngerdd yn y fan a'r fan, pryd a pryd.
>
> Odd e'n gyfnod rhyfeddol o edrych 'nôl. Odd pobol wastad yn drysu p'un ohonon ni odd Wil a p'un odd Jac. Ac ma'r diddordeb wedi para. Ma' pobol yn dal i ddod ata i a gofyn, 'Ai chi neu'ch brawd Wil sy wedi marw?'[21]

Does dim dwywaith bod llwyddiant y ddau frawd yn adlewyrchu'r elfen sentimental oedd yn perthyn i grefydd 'Gwlad y Menig Gwynion'. Yn ddiweddarach, fe'u parodïwyd gan Ryan a Ronnie. Roedd Ronnie Williams yn fab i un o aelodau gwreiddiol Y Trwbadŵrs.

Manteisiodd Jac a Wil Davies ar ddatblygiad arall y cyfnod, sef recordiau. Er mai amrwd oedd yr offer a chyntefig oedd yr amgylchiadau recordio, byddai eu recordiau yn gwerthu wrth y miloedd. Qualiton, Teldisc a Cambrian oedd y cwmnïau recordio adnabyddus. Bu Esme Lewis yn gweithredu fel cynhyrchydd i Qualiton, cwmni John Edwards, a'r drefn arferol oedd gosod yr artist mewn 'stafell wag tra oedd John y tu fas yn y car gyda'r offer. Rhys Jones oedd cyfarwyddwr cerdd Cwmni Cambrian. Y drefn yno oedd llogi Neuadd Pritchard Jones ym Mangor ar ddydd Sul a chychwyn ymarfer gyda'r artist tua 10 o'r gloch y bore a cheisio llunio trefniannau ar gyfer y cerddorion 'sesiwn'. Yn aml, byddai'n hanner nos arnyn nhw'n cwpla.

Un o'r cyfresi radio mwyaf hirhoedlog a sefydlwyd gan Ifor Rees oedd *Sêr y Siroedd*. Cydiwyd yn yr awenau yn ddiweddarach gan Gwyn Williams a'r amcan oedd llunio nifer o gystadlaethau a chael doniau siroedd Cymru i gystadlu yn erbyn ei gilydd. Trwy'r gyfres hon daeth nifer o dalentau newydd i'r amlwg, ac yn eu plith Margaret Williams o Fodffordd a ddatblygodd yn un o'r cantorion canol y ffordd mwyaf amryddawn. Dyma'r cyfnod y daeth Aled Lloyd Davies a Pharti Menlli yn ogystal â Rhys Jones i'r amlwg. Trwy *Sêr y Siroedd* hefyd y daeth y grwpiau sgiffl Cymraeg i amlygrwydd. Ymhlith y grwpiau sgiffl cyntaf i ganu yn Gymraeg roedd Hogia Bryngwran a Hogia Llandegai. Yn 'Steddfod Môn 1959, fe fu'r Hogia'n cystadlu yn erbyn ei gilydd a Hogia Bryngwran (yn cystadlu o dan yr enw Hogia'r Werin) orfu o dan feirniadaeth Islwyn Ffowc Elis. Gorfodwyd i'r cystadleuwyr gyflwyno geiriau eu caneuon rhagblaen i sicrhau eu bod yn weddus a bu ffrae ynghylch priodoldeb cystadleuaeth o'r fath fel rhan o raglen eisteddfod fawreddog. Ym marn rhai, doedd cist de a phren golchi ddim yn offerynnau cymwys i fod ar lwyfan eisteddfod. Roedd y beirniad cerdd, Dr Haydn Morris, yn ddiflewyn-ar-dafod lawdrwm:

> It isn't music, but rubbish. The eisteddfod is not the place for
> 'skiffle'. You cannot mix good singing of works by the masters, such
> as we have heard today, with this sort of trash. If this is allowed to
> continue the festival will become more akin to a hotpot.[22]

Ond parhau i ganu 'Mae'r Giaffar yn Hel Lludw' (cyfieithiad Gwynn
Bowyer o gân Lonnie Donegan, 'My Old Man's a Dustman') ag
arddeliad a wnaeth Hogia Llandegai, tra bod Hogia Bryngwran yn
morio canu 'Mor Fawr Wyt Ti' o waith W J Edwards ar alaw o Sweden.

Does dim modd sôn am adloniant ysgafn Cymraeg ar radio na
theledu yn y 50au a'r 60au heb grybwyll enwau dwy a welwyd ac a
glywyd ar ddegau o raglenni, sef Esme Lewis a Sassie Rees. Hanai
Esme o Faesteg a hi oedd y gyntaf i ddefnyddio'r gitâr fel cyfeiliant i
ganeuon gwerin megis 'Bugeilio'r Gwenith Gwyn' ac 'Aderyn Pur'.
Enynnodd hynny lach rhai o'r puryddion. Yn ôl W S Gwynn Williams,
roedd canu'r gitâr yn gyfeiliant i ganeuon gwerin yn puteinio'r
traddodiad. Ymateb Esme oedd dweud bod y gitâr yn offeryn mor
draddodiadol â'r ffliwt a'r delyn. Yn sicr, galw am fwy ac nid llai o'r
gitâr a wnâi'r gynulleidfa. Ar wahân i ganu'n rheolaidd ar *Awr y Plant*
ar y radio, byddai Esme'n ymddangos yn gyson ar raglenni newyddion
teledu *Y Dydd* (Harlech) a *Heddiw* (BBC).

Tebyg oedd y galw am lais swynol Sassie Rees ar raglenni fel *Awr
y Plant*. I gannoedd o blant y cyfnod a'u mamau, cysylltid llais Sassie
â hwiangerddi a chaneuon gwerin. Ond efallai y cofir amdani yn
bennaf am ei dehongliad o gyfansoddiad T Gwynn Jones a'i frawd,
Emyr, 'Diolch i'r Iôr'. Enillodd y gân honno gystadleuaeth radio a
daeth yn ffefryn gyda llawer o gorau meibion.

Erbyn hyn, roedd y gitâr acwstig yn prysur ennill ei phlwyf ar
raglen radio o'r enw *Tipyn o Fynd* a ddarlledid ar foreau Sadwrn. Aled
a Reg, y naill o Frynsiencyn ar Ynys Môn a'r llall o gyffiniau Bangor,
oedd yr artistiaid cyson, gydag Aled yn cael ei ystyried yn dipyn o
Buddy Holly. Defnyddid y gitâr i chwarae melodi, ac roedd dylanwad
America i'w glywed yn glir. Cyfieithiadau oedd y rhan helaethaf o'r
caneuon. Daeth addasiad o waith Peter Hughes Griffiths o'r enw 'Dim
Ond Un Gusan Fach, F'Anwylyd' yn ffefryn. Yn wir, daeth yn rhan o

repertoire pob grŵp oedd am chwarae gitâr a doedd arhosiad yng Ngwersyll yr Urdd Glanllyn ddim yn gyflawn heb ei chanu. Roedd 'Dewch i'r America' o waith Tudno (Thomas Tudno Jones) yn un o ffefrynnau Aled a Reg.

Rhoces ifanc o Dre-fin yn Sir Benfro oedd yn gyfrifol am gynhyrchu *Tipyn o Fynd*. Gadawodd Ruth Price swydd ddysgu ym Mhontarddulais i ymuno â'r BBC ym Mangor. Fe ddaeth hi'n fwy i'r amlwg yn ystod ail hanner y 60au wrth i deledu Cymraeg ymestyn ei gwils a dechrau adlewyrchu bwrlwm y byd canu poblogaidd.

Byddai'r holl gyfleon yma a ddeuai i ran artistiaid i ganu ar y 'weierles' yn arwain at wahoddiadau di-ri i ganu mewn cyngherddau a Nosweithiau Llawen ledled y wlad. Digwyddodd hynny i W R Evans a oedd, yn ogystal â pharatoi plant Ysgol Gynradd Bwlch-y-groes, ger Crymych, ac aelodau'r Aelwyd ar gyfer cystadlaethau eisteddfodau'r Urdd, wedi ffurfio 'parti' o fechgyn o dan yr enw Bois y Frenni. Byddai galw mawr arnynt i gynnal nosweithiau ledled y Gorllewin. Yn gymysg ag eitemau'r digrifwr a'r adroddwr, cenid wmbreth o ganeuon ysgafn doniol o waith W R ei hun, a hynny ar alawon cyfarwydd fel 'Home on the Range' a 'Jingle Bells'. Un o'u goreuon oedd 'Anti Henrietta o Chicago' ar yr alaw 'Battle Cry of Freedom' a ddaeth yn adnabyddus yn ddiweddarach fel un o ganeuon Hogia Llandegai. Cofia W R yn dda fedrusrwydd a phoblogrwydd y 'parti':

> Patrwm digon syml oedd i'r canu, sef defnyddio alawon poblogaidd (heb fod yn Gymreig, yn anffodus); cael grŵp bach i ganu'r alaw, grŵp arall i daro tenor, a grŵp arall wedyn i ganu bas nes cael cynghanedd o dri llais a oedd yn ddigon hyfryd i'r glust... Rhaid cyfaddef fod gen i rai hen ddwylo profiadol a fedrai gynganeddu yn ôl y glust; hen gewri sol-ffa a fynnai gael tonyddiaeth iach a chywir. Bendith arnyn nhw.
>
> Trwy drugaredd fe gafodd y parti groeso mawr ar lwyfannau, ac erbyn hyn rwy'n gwbwl hapus ein bod wedi cyflawni rhywbeth digon boddhaol. Buom yn gyfrifol am ryw ddwy fil o gyngherddau mewn cyfnod o ugain mlynedd ynghyd â thros hanner cant o ddarllediadau'r BBC.
>
> Er mai fi sy'n dweud hyn, daeth y parti yn un poblogaidd iawn, a ninnau'n cael neuaddau llawn ym mhobman. Roedd hyn yn ateb i'm breuddwyd, a hyfrydwch mawr i mi oedd gweld cynulleidfaoedd

unwaith eto yn mwynhau canu, adrodd ac actio yn yr iaith
Gymraeg. Rwy'n gwbl siŵr hefyd mai dull Cymraeg o chwerthin
oedd gan y cynulleidfaoedd hyn; pobol yn chwerthin nes bod eu
hochrau'n siglo yng nghanol y fagddu a'r rhyfel; troi pynciau trist a
difrifol yn destun hwyl oedd ein dull. [23]

Ceid partïon eraill megis Adar y Nant, Alawon Tâf, Parti Crosswell,
Adar y Banc a Pharti Blaen-y-coed yn cynnal nosweithiau ar hyd yr
un tiriogaeth â Bois y Frenni. A thebyg oedd y patrwm – caneuon
ysgafn, adroddiad digri, chwibanwr, unawd, deuawd ac efallai rhywun
yn chwarae llif neu iodlan ac arweinydd yn dweud jôcs. Roedd yna
hwyl a sbri yn cael ei greu o frethyn cartref gyda'r dylanwadau estron
yno heb yn wybod i'r mwyafrif o'r gynulleidfa. Roedden nhw'n rhy
brysur yn chwerthin i ddadansoddi!

Ond er bod y teledu'n cynnig cyfle o'r newydd i adloniant, roedd
ei ddyfodiad hefyd yn golygu llai o alw ar wasanaeth 'partïon'. Roedd
y *London Palladium* a'r *Billy Cotton Show* yn cymell pobol i aros gartref
ar benwythnosau ac yn Saesneg yr oedd yr adloniant hwnnw'n
ddieithriad.

Eto, doedd dim modd rhwystro'r newidiadau oedd ar y gweill.
Roedd y gitâr yma i aros a chyrhaeddodd Helen Wyn a Hebogiaid y
Nos y sgrîn deledu Gymraeg. Byddai'r hogan o Fangor yn canu
cyfieithiadau o ganeuon artistiaid poblogaidd y byd Saesneg megis
Connie Francis, Dusty Springfield a Helen Shapiro. Roedd ei chlywed
yn canu 'Dwi Isio Bod Gyda Bob' (cyfieithiad o 'I want to be Bobby's
Girl' a genid gan Susan Maughan), yn awgrymu'r posibiliadau oedd
i'r Gymraeg fel iaith canu pop. Tipyn o ysgytwad i'r gwrandäwr oedd
ei chlywed yn canu 'Moliannwn', ac roedd y curiad a gysylltid â'i
fersiwn hi ohoni yn cyhoeddi'n groch nad oedd troi'n ôl. Cyn pen
fawr o amser, roedd ei brawd, Now, fel aelod o Hogia Llandegai, yn
cyhoeddi bod 'pawb yn chwara gitâr'.

Bois Dinefwr, Llandeilo – un arall o'r partion Noson Lawen a fu'n difyrru ar hyd Dyffryn Tywi. Doedd dim gitâr gan y criw yma.

Hogia'r Sgubor o ardal Bodwrog, Ynys Môn. Defnyddient un gitâr yn gyfeiliant i ganeuon o waith beirdd yr ynys.

Ffurfiwyd Bois y Frenni fel parti
Noson Lawen gan W R Evans yn
ardal y Preselau. Cyhoeddwyd dwy
gyfrol o gynnyrch y parti – *Pennill
a Thonc* a *Hwyl a Sbri*.
Cyfansoddwyd geiriau'r caneuon
gan W R i alawon cyfarwydd, gan
amlaf. Roedd 'Y Ffermwr Pwr Dab',
ar yr alaw 'When Johnny Comes
Marching Home', yn ffefryn gan
gynulleidfaoedd.

HWYL a SBRI
BOIS Y FRENNI

GAN
W. R. Evans
AWDUR

PENNILL-A
THONC

CERDDI
DONIOL

PRIS DAU SWLLT

Triawd y Coleg: Cledwyn
Jones, Meredydd Evans a
Robin Williams.

46

Morio canu yn Neuadd y Penrhyn ar ddiwedd y 40au:
Ifan Williams, Emrys Cleaver, Robin Williams, Cled Jones,
Huw Jones, Islwyn Ffowc Ellis, Tecwyn Jones a T Gwyn Jones.

Blodau'r Eithin, cerdd
dantwyr a diddanwyr o
fri yn yr 80au o ardal
Llangwm.

3 / Ma' Pawb yn Chwara Gitâr

Doedd Neville Jones ddim gwahanol i'w gyfoedion ar Ynys Môn ym 50au'r ganrif ddiwethaf – byddai synau cynhyrfus Radio Luxembourg yn ei swyno a'i hudo yntau hefyd. Gwirionai ar ganeuon Hank Williams, Slim Whitman a'u tebyg. Canu gwlad oedd y cyfrwng, a Saesneg oedd y mynegiant, ac fe dderbyniai hynny'n ddigwestiwn. Cynigiai'r diwylliant a ddeuai o'r ochor draw i Fôr Iwerydd ddimensiwn gwahanol i'r diwylliant a oedd yn gysylltiedig â'r bywyd capelyddol. Doedd dim modd anwybyddu'r cyffro a godai o dannau'r gitâr.

Pan glywodd ganu tebyg yn Gymraeg ar lwyfan Neuadd Gwalchmai, fe gafodd ysgytwad. Roedd clywed Hogia Bryngwran yn canu yn Gymraeg i gyfeiliant gitâr a drymiau yn ei syfrdanu. Er bod y Gymraeg i'w chlywed o'i gwmpas o fore gwyn tan nos doedd hi erioed wedi gwawrio arno y gellid cyflwyno canu gwlad mewn unrhyw iaith ond Saesneg. Wedi'r cyfan, doedd cowbois erioed wedi canu a rhegi yn Gymraeg!

Cyn pen dim, roedd wedi prynu gitâr Hawaii ac wedi ymuno â'r Hogia. Ar y pryd, byddai wedi cael haint petai rhywun wedi dweud wrtho y byddai'n cyflwyno cyfres am ganu gwlad yn Gymraeg ar Radio Cymru cyn diwedd y ganrif! Recordiau gan artistiaid Eingl-Americanaidd fyddai'r mwyafrif a droellid ar hyd y gyfres, ond roedd y sgwrsio yn Gymraeg. Cydgerddai dylanwadau'r ddau fyd, a medrai Neville gamu o'r naill i'r llall yn ôl y gofyn.

Yn 1959, fe brofodd Eisteddfod Môn (a gynhaliwyd yn Niwbwrch) yn garreg filltir o ran datblygiad adloniant Cymraeg. Achosodd stŵr y sgiffl gryn gyffro. Cafwyd ymateb chwyrn o blaid ac yn erbyn, ac fe sicrhaodd y dadlau bod y cyfrwng yn cydio. Nid am y tro cyntaf y byddai'r agwedd draddodiadol a'r agwedd anturus yn gwrthdaro. Rhaid canmol y Sanhedrin 'steddfodol am fwrw ati i drefnu cystadleuaeth sgiffl. Ceisio adlewyrchu tueddiadau diwylliannol y cyfnod a wnâi trefnwyr yr Eisteddfod fel sy'n ofynnol i ŵyl ddiwylliannol gwerth ei halen. Ond roedd yna begoriaid, deinosoriaid a phuryddion cerddorol nad oedden nhw ar unrhyw gyfrif am ymhél ag ysgafnder nac adloniant.

Dyw hi ddim o bwys bod sgiffl Hogia Bryngwran wedi curo sgiffl Hogia Llandegai o ddau farc a dyw hi ddim o bwys p'un ai'r naill neu'r llall oedd y cyntaf i ganu sgiffl yn Gymraeg. (Tybed be ddigwyddodd i'r sgifflwyr eraill yn y gystadleuaeth – Hogia Llangefni a Hogia Bodffordd?) Yr hyn sydd o bwys yw bod y ddau wedi parhau i ganu a diddanu, a hynny ar lefel genedlaethol. Roedden nhw'n torri'n rhydd o lyffetheiriau ac yn ymateb i anghenion eu cyfnod. Eto, rhaid cofio mai hogiau'r Ysgol Sul, y Band of Hope a chylchwyliau crefyddol oedd Robin Edwards, Neville Jones, Idris Hughes, Leslie Lloyd a William Edwards ac fe fuon nhw'n driw i 'Oedfaon o Fawl' gydol eu gyrfa.

Doedd dim amau dylanwad Lonnie Donegan a'i 'Rock Island Line', 'My Old Man's a Dustman' a 'Putting on the Style' ar yr hogiau. Awchai'r hogiau i ddynwared eu harwr. Oherwydd gofynion y cyfryngau Cymraeg roedd cyfle am sylw eang. Doedd ond angen cyfieithu ac addasu er mwyn teithio i stiwdio Granada ym Manceinion i berfformio ar y rhaglen deledu *Amser Te*, a gyflwynwyd gan Myfanwy Howell. Cynhyrchwyd y rhaglen *Asbri* gan y BBC ar gyfer y radio ac, yn ddiweddarach, *Hob y Deri Dando* ar gyfer y teledu.

Yn sgil y sylw cenedlaethol daeth cyfle i gyhoeddi recordiau. Sefyll o amgylch meicroffon yn Neuadd y Penrhyn, Bangor, oedd profiad cyntaf Hogia Bryngwran o baratoi record, a hynny am dâl o 7/6c. Does ganddyn nhw fawr o syniad faint o recordiau'r grŵp a werthwyd gan Gwmni Cambrian. Yr hyn mae'r aelodau yn ei gofio'n dda yw mai anaml y deuai breindal i'w pocedi. Ar y pryd, roedd yr hwyl, y teithio, y llythyrau di-ri a'r sylw gan y genod yn gwneud iawn am unrhyw ffortiwn bosib a lithrai o'u gafael.

Idris, yr iodlwr, oedd cyfansoddwr y mwyafrif o'r caneuon ac roedd dylanwad amlwg Jim Reeves i'w glywed ar ambell gân megis 'Yr Hen Geffyl Du'. Un o nodweddion penna'r grŵp oedd sŵn gitâr dur Neville. Dyna oedd yn gosod stamp arbennig ar ddeunydd yr Hogia. Wrth i boblogrwydd sgiffl bylu, fe droes Hogia Bryngwran i ganu fwyfwy fel artistiaid oedfaon crefyddol. Caneuon megis 'Rho dy Law', 'Yr Hen Arw Groes' a 'Wel, Dyma Hyfryd Fan' oedd eu harlwy erbyn hynny. Ar ôl cyhoeddi tair record fer ar label Cambrian, fe ffadodd yr Hogia'n raddol ond yna cawsant adfywiad ar ddiwedd y 70au pan ryddhawyd record   arall, *Ar Eich Cais*, ar label Sain. Cynhaliwyd 50 o gyngherddau yn 1979 a 41 yn 1980, nifer ohonyn nhw'n gysylltiedig â Chôr Meibion y Traeth gan fod sawl un o'r hogiau'n aelodau o'r côr.

Roedd yna Neville arall yn rhan o'r un bwrlwm. Ym mhentref Llandegai, ger Bangor, gwirionodd Neville Hughes ar sŵn y gitâr a swae y sgiffl. Tebyg oedd ei gefndir yntau i eiddo'r hogiau o Fryngwran. Doedd teledu ddim yn declyn cyfarwydd ar bob aelwyd ac roedd yr arfer o greu adloniant i blesio'ch hun, a difyrru cymdeithas, yn dal i ffynnu. Yn ôl Neville, roedd cymryd rhan mewn gweithgareddau cyhoeddus yn gysylltiedig â'r capel yn creu hyder:

> Does gen i ddim amheuaeth o gwbl mai i Ysgol Sul Bethlehem y mae'r diolch am roi cychwyn ar bethau i mi o safbwynt sefyll o flaen cynulleidfa. Gwraig arbennig iawn oedd Mrs Robert Williams, neu Mrs Wilias Capal i ni'r plant, a'i dylanwad ar ei disgyblion yn ddiarhebol o gryf. Os oedd Mrs Wilias Capal yn gofyn i chi wneud rhywbeth 'doeddech chi ddim yn gwrthod, fedrech chi ddim gwrthod, boed hynny'n gais i ddweud adnodau yn y sêt fawr, i ddarllen pennod a gweddi, neu ledio emyn. Mae fy nyled yn fawr iddi, a hefyd i ddiaconiaid y Capel am roi cymaint o gyfle i ni'r plant a'r bobol ifainc i ymarfer ein doniau, er nad o'n gwirfodd y gwnaem hynny bob tro. Bu'r Gymdeithas Lenyddol a ffurfiwyd ar ddechrau'r 50au, o dan arweiniad y diweddar Edwin Williams, un o'r diaconiaid, yn fodd i feithrin y diddordeb oedd gen i mewn canu ysgafn. Rwy'n cofio canu rhai o ganeuon y Noson Lawen, a glywais ar y radio, hefo Ron ac Arfon ac eraill. Ie, caneuon ein harwyr ar y

pryd, Triawd y Coleg a Bob Roberts, Tai'r Felin. I mi, nhw oedd y *pop stars* Cymraeg cyntaf, a'u caneuon nhw, fel 'Beic Peniffardding fy Nhaid', 'Triawd y Buarth', 'Londri Wili Tshaini', 'Moliannwn', ac ati, oedd caneuon 'pop' y cyfnod.[1]

Yn 1956 fe ffurfiwyd côr cymysg yn ardal Llandygái/Tal-y-bont o dan arweiniad Mrs Elin Southall. Er mwyn cynnig amrywiaeth o eitemau fe benderfynodd Neville, a rhai o'r hogiau, ddynwared y canu sgiffl a oedd mewn bri. Cymaint oedd llwyddiant yr hogiau nes iddyn nhw ddechrau derbyn gwahoddiadau i gynnal eu cyngherddau eu hunain fel Grŵp Sgiffl Llandegai. Yn wir, ym mis Hydref 1957, prin chwe mis wedi'r cyngerdd cyntaf, roedd yr wyth sgifflwr yn perfformio ar y rhaglen radio *Asbri* – 'y tro cyntaf i grŵp sgiffl ddarlledu yn Gymraeg' yn ôl broliant y *Radio Times* ar y pryd. Am eu trafferth, fe gawsant dâl o £4, sef teirpunt yn fwy na'r ffi arferol y byddai'r criw yn ei hawlio, er mwyn clirio'u costau. Ond wrth i'r gwahoddiadau gynyddu, fe dreblwyd y ffi yn syth bìn.

Roedd yn rhaid i'r hogiau gyfansoddi caneuon Cymraeg yn unol â gofynion y cyfryngau. Fel yn achos Hogia Bryngwran, roedd y *repertoire* cynnar yn cynnwys caneuon Saesneg fel 'Home on the Range', 'Lucky Old Sam' a 'Red River Valley'. Ond yn sgil yr orfodaeth fe gyfansoddwyd o leiaf dair cân a fyddai'n ffefrynnau am amser hir, sef 'Trên Bach yr Wyddfa', 'Defaid William Morgan' a 'Hogia o Landygái'. Doedd gan yr un o'r hogiau gar yn y dyddiau cynnar ac roedd yn rhaid dibynnu ar y gwasanaeth bysys neu garedigrwydd cyfaill o adeiladwr. Mynych y rhoddwyd y gist de a'r pren golchi naill ai yn y fan neu ar ei tho er mwyn cyrraedd y fan a'r fan. Daeth y criw a wisgai siwmperi gwyrdd gyda streipen wen ar draws y frest yn adnabyddus.

Neuaddau Ynys Môn oedd y cyrchfannau cyson ym mlynyddoedd olaf y degawd. Roedd yr ymateb yn rhyfeddol o dda, a mawr fyddai'r hwyl wrth anelu am Bont y Borth ar y siwrnai adref. Ym mis Mawrth 1959, bu iddynt ymddangos ar raglen deledu o'r enw *Orig i'r Ifanc* ar TWW. O ganlyniad i'r enwogrwydd a ddaeth yn ei sgil, ac ynghyd â'r perfformiadau cyson ar raglenni radio, roedd Grŵp Sgiffl Llandegai yn datblygu'n sêr. Fe ymunodd aelodau newydd i chwyddo nifer y criw. Ymunodd Helen Wyn, chwaer Now – Owen Glyn Jones – un o'r hoelion wyth. Ond ar ymweliad â Neuadd Bryngwran yn 1960 fe gawsant eu bwio, cyn dechrau, gan griw yn y cefn oedd am ddifetha hwyl y criw o'r tir mawr. Bu'n rhaid i'r trefnwyr fynnu tawelwch a chwarae teg. Mae'n siŵr fod gan y 'croeso' rywbeth i'w wneud â'r gystadleuaeth sgiffl yn Eisteddfod Môn y flwyddyn cynt. Beth bynnag, fu hynny ddim yn rhwystr i Neville gymryd gwraig o bentref Llanbedrgoch ar yr Ynys!

Erbyn 1964, roedd y chwiw sgiffl wedi chwythu ei phlwc a nifer o'r hogiau yn dechrau canfod diddordebau eraill. Penderfynwyd rhoi'r gorau iddi, a hynny cyn cael cynnig i gyhoeddi record. Roedd chwibanu Now, sŵn crib a phapur a gitâr tri chord Neville, y brwsh weiar ar y pren golchi a strymio'r cortyn ar y gist de wedi tewi. Corlannwyd 'Defaid William Morgan' am y tro olaf – neu dyna oedd y dybiaeth ar y pryd. Roedd Criw Sgiffl Llandegai wedi cyflenwi angen yn y broydd Cymraeg ac wedi cynorthwyo cynhyrchwyr radio a theledu i gyflawni eu dyletswyddau hwythau i ddarparu adloniant Cymraeg. Adwaenent eu cynulleidfaoedd ac roedd yr hiwmor cartrefol, a'r parodrwydd i godi hwyl, yn parhau wrth fwrdd y wledd draddodiadol a fyddai'n cael ei pharatoi yn y festri neu yng nghefn y neuadd ar ôl cyngerdd.

Doedd hi ddim yn syndod, felly, fod y criw o Landygái ymhlith rhestr o artistiaid y bwriadai Ruth Price a Meredydd Evans eu gwahodd i gymryd rhan yn y gyfres deledu newydd o'r enw *Hob y Deri Dando*. O fewn chwe mis i roi'r gorau iddi, roedd yr 'Hogia', fel triawd bellach – Neville, Now a Ron Williams – yn ymddangos ar y teledu eto. Dechreuodd y galwadau i gynnal Nosweithiau Llawen gyrraedd, ac erbyn 1966, roedd perfformio mewn Nosweithiau Llawen yn batrwm cyson ar benwythnosau. Ymunodd Roy Astley i gynorthwyo gyda'r strymian gitâr.

Am y saith mlynedd nesaf, doedd dim pall ar y galwadau bron drwy'r flwyddyn. Yn 1970 fe dreuliwyd deugain wythnos oddi cartre yn perfformio ym mhentrefi'r De, a byddai ganddynt gyhoeddiad canol wythnos yn y Gogledd hefyd, gan amlaf. Daeth y galwadau i'r De yn amlach ar ôl cynnal y gyntaf o'r cymanfaoedd pop hynny, *Pinaclau Pop*, ym Mhontrhydfendigaid, o dan nawdd Urdd Gobaith Cymru, ym mis Mehefin 1968. Roedd yr ymddangosiadau teledu cyson a'r ffaith iddynt gyhoeddi tair record fer ar label Teldisc Pops-y-Cymro, wedi pylu unrhyw ddieithrwch a deimlai cynulleidfaoedd y De tuag at yr acenion a'r hiwmor. Buan y sylweddolwyd fod y canu cefn gwlad a'r hiwmor jicôs yn eu huno. Cydnabu Neville ddyled yr Hogia i'r *Pinaclau*:

Does gen i ddim amheuaeth yn fy meddwl fod *Pinaclau Pop* Pontrhydfendigaid 1968 wedi bod yn allweddol i ni, ac i lawer artist arall. Yn wir, Pontrhydfendigaid *oedd* yr allwedd a agorodd y drws i'r Hogia i fynd drwyddo i'r De. Ac fe agorodd y drws hwnnw led y pen, oherwydd o fewn tri mis i'r ŵyl roedden ni'n canu yng Ngorsgoch ger Llanybydder, ac ym mis Awst yn Llanbedr Pont Steffan. Dechreuodd y 'ffrwydriad' deheuol yn yr Hydref a pharhau drwy fisoedd y gaeaf, gyda gwahoddiadau yn dod o Gaerwedros, Felindre ger Llandysul, Crymych, Llanymddyfri, Llanafan, Aberystwyth, Tregaron, Bronwydd, Penrhyncoch, Llanybydder, Pontshan, Felinfach, Castellnewydd Emlyn a Llansawel. Ac mae gan amryw o'r ardaloedd hyn le arbennig yng nghalonnau'r Hogia o hyd.[2]

Sylwer mai yn ardaloedd gwledig y Gorllewin yn hytrach na'r Cymoedd diwydiannol y byddai'r Hogia'n perfformio. Clwb a thafarn oedd mangre arferol adloniant y cymunedau glofaol Cymraeg ac adloniant Saesneg fyddai'r arlwy gan amlaf. Ond yn y Ddyfed wledig, roedd y neuadd bentref yn dal yn fan cyfarfod a Chymraeg fyddai cyfrwng naturiol yr adloniant. Fodd bynnag, roedd yna un dafarn yn y Gorllewin lle byddai'r Hogia'n perfformio'n gyson. Y Llew Du yn Llanybydder oedd honno am mai dyna ble byddai'r Hogia'n aros yn ystod eu hymweliadau â'r De. Doedd dim taw ar y ffyddloniaid wrth y bar nes iddynt gael cân neu ddwy anffurfiol a hynny wedyn yn troi'n gyngerdd answyddogol. Yn wir, dyna ran o gyfrinach eu llwyddiant, sef eu parodrwydd i wneud ffrindiau:

Dwi'n cofio'r noson gyntaf i'r pedwar ohonon ni ddychwelyd i'r Blac ar derfyn Noson Lawen, a chael ein synnu wrth weld y lle yn llawn. Nid yn unig yn llawn o bobl nad oedden ni'n eu nabod, ond hefyd

yn llawn o groeso twymgalon. 'Dyma nhw'r bois wedi dod!' meddai
rhywun, a phawb yn dechrau curo dwylo, ac yna'r curo cefn ac
ysgwyd llaw, gyda'r cyfarchiad cyfeillgar 'Wi'n falch i gwrdd â chi;
be chi'n moyn i yfed?' neu 'Ble ma'r defed 'da chi heno?' neu
'Enjoies i'r consert mas draw!' Roeddem wedi ein syfrdanu gan y
fath groeso tywysogaidd. Roedden nhw mor agosatoch-chi, fel pe
baem yn hen, hen ffrindiau. Ond chymrodd hi ddim llawer o amser
i ni brofi fod yr agosatrwydd a'r croeso yn *genuine* (chwedl Abiah
Roderick yn un o'i gerddi). Pobl felly oedden nhw!
Wedi i ni gael ein gwynt atom, 'Beth am gân fach, bois?' meddai'r
llais cyntaf. 'Ie, ewch i hôl y gitârs a'r mowth organ,' oedd awgrym
yr ail lais. 'We-e-el...' oedd ymateb cyndyn yr Hogia. 'O, dewch
mlân, bois, dim ond un gân fach, nawr!' 'Wel, OK 'ta – dim ond un
gân, cofiwch!' Ond wedi i ni nôl y gitârs a'r mowth organ, fe aeth yr
un gân yn ddwy, y ddwy yn dair, a'r dair yn...!!! Ac fe aeth y Noson
Lawen answyddogol yn ei blaen tan oriau mân y bore, gyda help
llawer o ddoniau lleol... Pan ddaeth yn amser i'r cwmni droi 'sha
thre' y cwestiwn ofynnwyd i ni oedd 'Pryd y'ch chi'n dod lawr 'to,
bois?' Mynd i lawr ddaru ni dro ar ôl tro, wrth gwrs, a phrofi'r un
croeso yn ddi-ffael, a'r Nosweithiau Llawen anffurfiol yn gyfrwng ac
yn gyfle i ni ddod i adnabod llu o gyfeillion.[3]

O ran eu caneuon a'u Cymreictod, roedd Hogia Llandegai wedi
taro tant cyfarwydd. Gallai'r hyn a 'sgrifennwyd gan Ifan Gymro ar
gorn eu perfformiad ym Mhafiliwn y Rhyl fod wedi ei 'sgrifennu ar
gorn perfformiad ganddynt yn unrhyw ran o Gymru. Hysbysebwyd y
noson honno ar docynnau a phosteri fel 'Gŵyl Bop Fwyaf Gogledd
Cymru'. Gwahoddwyd deg o artistiaid i berfformio, ceisiwyd
gwasanaeth dau gyflwynydd a rhoddwyd yr elw i goffrau Eisteddfod
Genedlaethol y Fflint. Dyma deyrnged Ifan iddynt:

Anodd yw ffeindio geiriau i ddiffinio perfformiad ardderchog Hogia
Llandegai. Mae'r Hogia'n feistri ar y gwaith o adnabod cynulleidfa
ac yn eu cân 'Defaid William Morgan' cafwyd hiwmor y Cymro
gwledig ar ei orau. Syml ydyw rhythm eu canu ond y maent yn
gallu cynhyrchu sŵn hyfryd i'r glust. Ni chredaf fod yng Nghymru
well lleiswr na Ron, na gwell chwibanwr a chwaraewr organ geg na
Now. Nid rhyfedd iddynt gael encôr am eu canu melodaidd a
hoffais yn fawr eu cân newydd gyda chordiau tlws 'Rwy'n cofio'r
dydd'.[4]

Ond roedd yr holl deithio yn dangos ei draul o gofio fod gan y tri swyddi i'w cynnal a theuluoedd i'w gwarchod. Cyhoeddwyd record hir ar label Cambrian yn 1968, *Caneuon Gorau Hogia Llandegai*, yn ogystal â dwy record fer i'r un cwmni, *Mynd i'r Fan a'r Fan* a *Mi Ganaf Gân*. Ar label Sain, yn 1971, cyhoeddwyd *Bangor 71*, cân yn hyrwyddo Eisteddfod Genedlaethol y flwyddyn honno, a'r flwyddyn ganlynol cyhoeddwyd EP *Mae Pawb yn Chwarae Gitâr* a'i dilyn gan LP o gyngerdd a recordiwyd yn fyw yn Nyffryn Ceiriog. Hon oedd record ffarwél Hogia Llandegai ac fe gynhaliwyd y 'Cyngerdd Ffarwél' olaf yn y Plaza ym Mangor ar nos Sul, 30 Rhagfyr 1973. Pris mynediad i'r digwyddiad hanesyddol oedd 50c. Yn yr un man, ddwy flynedd ynghynt, y cynhaliodd yr Hogia eu milfed cyngerdd gerbron cynulleidfa o fil o bobol. Ond a oedden nhw wedi tewi go iawn yr eildro iddyn nhw roi'r gorau iddi? A oedd antics Now fel crymffast o ffermwr wedi dirwyn i ben? Ac a oedd y caneuon cyfarwydd wedi eu canu am y tro olaf?

Afraid chwilio'n ddyfal am ddylanwadau Americanaidd ar eu caneuon. Oedden, roedden nhw wedi addasu a chyfieithu ambell gân fel 'Godre'r Bryn' ('Mocking Bird Hill') a 'Paid Gadael i'm Groesi' ('Don't Let Me Cross Over'). Alawon traddodiadol Americanaidd a ddewiswyd ar gyfer geiriau gwreiddiol Neville Hughes o ran 'Trên Bach yr Wyddfa', 'Elen' a 'Hogia o Landygái'. Ond roedd cyflwyniadau a pherfformiadau Hogia Llandegai mor Gymreig â llechi chwarel Penrhyn. Y gitâr a'u gwnaeth yn wahanol i'r rhelyw o bartïon Nosweithiau Llawen blaenorol. Yn hynny o beth, myn yr hanesydd John Davies fod sgiffl a chanu cefn gwlad Hogia Llandegai wedi torri'r mowld:

> Cerddoriaeth boblogaidd oedd y mynegiant amlycaf o ddiwylliant yr ieuenctid. Bu Bill Haley a'i Gomedau'n perfformio yng Nghaerdydd yn 1957; fe'u condemniwyd yn hallt gan awdurdodau'r ddinas a arswydodd o glywed bod aelodau'r gynulleidfa wedi dawnsio yn y theatr. Yn Gymraeg, cafwyd Parti Sgiffl Llandegai, syfrdanodd i'r rheini a gredai mai emynau, cerdd dant a thonau melys Jac a Wil oedd swm a sylwedd canu Cymraeg.[5]

Mae'n werth dyfynnu'n helaeth o'r gân 'Mae Pawb yn Chwarae Gitâr', y geiriau a'r alaw gan Neville:

Ma 'na rywbeth wedi digwydd
Yma 'Nghymru gwlad y gân,
Nid y piano sydd i'w chlywed
Ymhob cartref fel o'r blaen;
Gwlad y delyn gelwid Cymru,
Mawr y bri fu ar gerdd dant,
Ond mae canu pur wahanol
Heddiw'n denu bryd ein plant.

Mae pawb yn chwarae gitâr,
A neb am aros yn sgwâr,
Mae pawb yn chwarae gitâr
Yng Nghymru'r dyddiau hyn.

Mae ein corau yn fyd-enwog,
Da eu gweld mewn bri,
Ond er hyn mae'n rhaid cydnabod
Mai'r canu pop sy'n mynd â hi;
Boed eisteddfod, boed cymanfa,
Noson Lawen, cyngerdd, gŵyl,
Rhaid cael pop i ddenu'r dyrfa,
A'r gitâr i godi hwyl.

Mae pawb yn chwarae gitâr...

Mae 'na rai capeli heddiw,
O Sir Fôn lawr i Shir Gâr,
Yn newid dull o addoli,
Ac yn canu i'r gitâr;
Os bydd canu yn y nefoedd
Pan y delo'r saint ynghyd,
Tybed mai ar aur delynau
Y cenir anthem yno o hyd?

Mae pawb yn chwarae gitâr...

Rhai o'r grwpiau 'Hogia' eraill a fu'n diddanu yn yr un cywair, er na fuont mor llwyddiannus ar raddfa genedlaethol, oedd Hogia'r Deulyn, Hogia Llŷn, Hogia Clwyd, Hogia'r Ddwylan, Hogia'r Garreg, Hogia'r Moelwyn, Hogia'r Sgubor, Bois y Felin, William a'r Efeilliaid, Gruff a Watcyn, Triawd Godre'r Aran, Triawd Arfon, Triawd y Bryn a Bois Alawon Tâf. Caneuon crefyddol, a genid weithiau gyda chryn ddwyster, a chaneuon ysgafn fyddai eu deunydd. Doedden nhw ddim wedi torri tir newydd nac wedi cydio yn nychymyg y genedl gyfan i'r un graddau â Hogia Llandegai. Ond roedden nhw, hefyd, wedi mentro defnyddio'r gitâr!

Triawd y Bryn o ardal Llansannan – Brynmor, Bryn, a Geraint, gyda Beti, gwraig Geraint yn cyfeilio. Roedd yna grwpiau'n codi ledled y wlad wrth i'r Nosweithiau Llawen, a'r gitâr, gydio yn y 60au.

Hogia Llandegai – ai nhw neu Hogia Bryngwran oedd y sgifflwyr Cymraeg cyntaf? Mae'r ddadl yn parhau! Neville Hughes, Now (Owen Glyn Jones), Roy Astley a Ron Williams.

Now yn ceisio corlannu
Defaid William Morgan.

4 / 'Cym Bwyll, y Gwdihŵ Ddiawl'

Yn ystod haf 1964, teithiodd haid o hogiau o bentref Llanberis wrth droed mynydd uchaf Cymru, yr Wyddfa, ar fws Cwmni Caelloi i Koblenz yng Ngorllewin yr Almaen. Yno, yn un o'r sguboriau yfed enfawr, fe berswadiwyd Myrddin Owen, Elwyn Jones ac Arwel Jones i ddifyrru'r dorf. A hwythau mewn cyfyng-gyngor ynghylch beth i'w ganu, fe benderfynodd yr hogiau ganu pennill cyntaf y gân serch adnabyddus o dorcalon, 'Myfanwy', deirgwaith. Apeliodd yr harmoni clòs at y gynulleidfa, rhoddwyd encôr a gwahoddiad twymgalon i ddychwelyd y noson ddilynol gan ychwanegu at y *repertoire* os oedd yn bosib. Felly y ganwyd Hogia'r Wyddfa ac fe fentrent droeon eto dros y dŵr cyn y delai eu gyrfa i ben.

Yn ôl yn eu milltir sgwâr, ac yn sgil eu perfformiad addawol yng Ngorllewin yr Almaen, fe gafodd yr hogiau eu cyfle mawr – fe'u gwahoddwyd i ganu yng nghinio blynyddol y Blaid Lafur yng Ngwesty Padarn Lake, Llanberis. Caneuon Saesneg poblogaidd y cyfnod oedd yr arlwy – 'The Carnival is Over', 'Jimmy Brown' a 'Blowing in the Wind'. Doedd hynny ddim yn digio hoelion wyth y Blaid Lafur yn lleol na'r Aelod Seneddol, Goronwy Roberts. Ond y canlyniad annisgwyl oedd derbyn, ymhen ychydig wythnosau, wahoddiad i ymddangos ar gyfres deledu o'r enw *Tyrd i Ganu*. Roedd Mrs Marian Roberts yn aelod o fwrdd rheoli TWW ac wedi cael gair yng nghlust y bobol briodol.

Hogia'r Wyddfa fyddai'n canu'r gân agoriadol 'O, Siani, Tyrd i Ganu' ac yna'n cyflwyno trefniadau Esme Lewis o ganeuon gwerin. Fe ddaethon nhw'n wynebau a lleisiau cyfarwydd cyn dechrau ymddangos ar lwyfannau a chyn iddyn nhw ddechrau breuddwydio am baratoi record. Profodd awch ac angen teledu yn fendith i'r triawd o Lanberis. Unwaith eto, roedd y cyfrwng wedi dangos ei fod yn medru meithrin a chynnal doniau.

Er eu bod wedi sicrhau cryn fesur o boblogrwydd yn gyflym, doedd ganddyn nhw ddim caneuon, fel y tystia Arwel Jones, ac roedd yr Hogia'n awyddus i wneud rhywbeth ohoni:

> Roedd y tri ohonom yn awchu am sylw a llwyddiant, ond roedd un broblem yn aros. Homar o broblem a dweud y gwir! Doedd neb yn dymuno ein recordio, er ein bod yn brysur yn diddanu yn ein milltir sgwâr ac yn 'sêr teledu'! Doedd gan Qualiton na Teldisc ddim diddordeb ynom, ac nid oedd Joe Jones, Cwmni Cambrian, yn fodlon mentro. Ond daeth Dennis Rees i'r adwy, a diolch amdano. Roedd yn awyddus fel cyfarwyddwr Recordiau'r Dryw i recordio 'rhywbeth gwreiddiol, Cymreig a fyddai'n newydd a ffres ac yn adlewyrchiad o ganu ysgafn y cyfnod'. Hoffai ein syniad, ac felly y bu.[1]

Syniad yr Hogia oedd gosod darnau o farddoniaeth gyfarwydd ar alawon a defnyddio posibiliadau'r harmoni lleisiol i'r eithaf i blesio cynulleidfaoedd. Nid rhywbeth i'w hadrodd yn unig oedd soned a thelyneg yn nhyb Arwel Jones. Rhaid oedd chwistrellu bywyd newydd i geinion ein llên.

Ym mis Gorffennaf 1968, aed ati i recordio yn Neuadd y Penrhyn, Bangor. Amrwd oedd yr offer recordio a bu'r peiriannydd am hydoedd yn ceisio dirnad beth oedd yn achosi'r sŵn tincial ar y recordiad cyntaf. Ar ôl hir bendroni, daethpwyd i'r casgliad mai Elwyn oedd yn chwarae â'r newid mân yn ei boced. Doedd yr un sesiwn recordio yn ystod y cyfnod arloesol hwnnw o osod adloniant ysgafn Cymraeg ar feinyl heb ryw dro trwstan!

Erbyn hyn, roedd un arall o hogiau Llanbêr, Vivian Williams, wedi ymuno â'r triawd fel gitarydd. Cyn pen chwinciad, roedd *Caru Cymru* yn creu argraff ac fe neidiodd i rif tri yn siart 'Deg Uchaf *Y Cymro*', oedd newydd ei sefydlu yn yr wythnosolyn cenedlaethol. Cerdd o eiddo Crwys oedd y brif gân ac fe luniwyd alaw i gyd-fynd â 'Bugail Aberdyfi' Ceiriog. Cyfieithiadau Rol Williams o 'Blowing in the Wind' a 'We Shall Not Be Moved' oedd y ddwy gân arall. Cyn y Nadolig, cyhoeddwyd record arall yn cynnwys telyneg R Williams-Parry

'Y Tylluanod'. Dangosodd yr ymateb i'r gân hon fod Hogia'r Wyddfa wedi taro tant teimladwy yn enaid y Cymro. Ychwanegodd Arwel 'tw whit tw hw' rhwng y penillion ac aeth Cymry ledled y wlad ati i ddynwared y gwdihŵ. Bonws i'r Hogia oedd cyfarfod â gweddw'r bardd ar derfyn cyngerdd yn y Stiwt yn Rhosllannerchrugog a hithau'n mynnu y byddai 'Bardd yr Haf' wedi cymeradwyo'r trefniant.

Prawf pellach bod y torri tir newydd yma'n creu argraff oedd sylw rhyw wàg o weld Arwel yn cynrychioli Llanberis yn erbyn Dinbych mewn gêm bêl-droed: 'Cym bwyll, y gwdihŵ ddiawl'. Cyhoeddwyd eisoes wmbreth o recordiau o feirdd yn darllen eu barddoniaeth ond dyma'r tro cyntaf i'w cynnyrch gael ei ddehongli ar gân. Oedd, roedd yna wythïen gyfoethog yn barod i'w chloddio. Ymunodd Richard Huw Morris fel cyfeilydd gyda'i ddawn arbennig yn ychwanegu at awyrgylch y trefniannau. Am y pum mlynedd nesaf, doedd dim pall ar y galwadau i berfformio ar raglenni teledu ac mewn neuaddau ledled y Gymru Gymraeg. Gwyddai trefnwyr Nosweithiau Llawen y byddai cynnwys Hogia'r Wyddfa ymhlith yr artistiaid yn sicr o lenwi neuadd a chwyddo coffrau pa elusen neu fudiad bynnag fyddai'n elwa o'r noson.

Rhan o gyfrinach llwyddiant Hogia'r Wyddfa oedd eu bod yn apelio at gynulleidfa oedd yn dal yn ddiwylliedig. Onid oedd enwau beirdd yn gyfarwydd iddyn nhw a darnau o'u barddoniaeth wedi eu serio lechi eu cof? Rhoddid yr un bri i feirdd ag i bêl-droedwyr. Roedd gorchestion y naill mor gyfarwydd â champau'r llall.

Cofier mai mewn neuaddau cefn gwlad roedd Hogia'r Wyddfa yn perfformio ac nid mewn theatrau a chanolfannau celfyddyd. Doedden nhw ddim yn dibynnu ar gyfieithiadau nac addasiadau – roedd eu deunydd yn unigryw Gymreig. Wrth gwrs, roedd yna gân hefyd yn canu clodydd eu cynefin. Roedd yn angenrheidiol i bob grŵp a oedd yn mabwysiadu enw pentref neu ardal i gyflwyno cân yn canmol rhagoriaethau'r fro.

Er bod yr Hogia'n torri cwys hollol newydd, troi eu trwynau wnâi rhai ar yr ymdrech i boblogeiddio darnau o farddoniaeth gyfarwydd. Mynegodd Iorwerth Cyfeiliog Peate, yn unol â'i arfer, ei farn yn ddiflewyn-ar-dafod ar dudalennau'r *Faner*:

'Nid wyf am wrando, er enghraifft, ar osodiadau tila o "Tylluanod", "Creigiau Aberdaron" a'r "Llanc Ifanc o Lŷn" a'r rheiny, eto fyth, wedi'u mwrdro gan fampio diystyr y cyfeiliant piano. Does dim sy'n fwy arteithiol na cham-drin barddoniaeth'.[2]

Hawdd fyddai i sinig ymateb trwy ddweud mai dyna oedd i'w ddisgwyl gan ŵr a oedd yn gwarchod y gorffennol fel Curadur Amgueddfa Werin Sain Ffagan ger Caerdydd. Rhaid derbyn mai dyna oedd ei chwaeth a thebyg y byddai wedi croesawu trefniant o'r cerddi gan gyfansoddwr clasurol ar gyfer eu perfformio gan unawdydd proffesiynol. Ond nid apelio at yr uchel-ael oedd bwriad Hogia'r Wyddfa. Digon yw dweud nad ystyriwyd addasu un o gerddi'r bardd o Lanbryn-mair!

Ymateb y beirdd hynny oedd ar dir y byw, o glywed trefniannau'r Hogia o'u cerddi, oedd ymfalchïo bod eu gwaith yn cyrraedd cynulleidfa ehangach na darllenwyr cyfrolau o farddoniaeth. Derbyniwyd Arwel i Orsedd y Beirdd yn Eisteddfod Rhuthun, 1973, ar gownt ei gymwynas yn hyrwyddo awen y beirdd ar gân ac am greu adloniant Cymraeg nad oedd yn ddynwarediad Eingl-Americanaidd. Ymateb y cynulleidfaoedd oedd yn cyfrif, wrth gwrs, nid barn y beirniaid. Doedd Hogia'r Wyddfa fyth yn perfformio mewn neuaddau gwag. Roedd y sgetsus yn taro deuddeg a'r harmoni clòs yn cyffwrdd â thannau'r galon. Ymateb un wàg wrth i'r Hogia gyrraedd i berfformio yn y Majestic yng Nghaernarfon oedd, 'Cofia di ganu'r gân 'na, ia, am y co o Lanbêr sy'n giami'. Dyna ddull y Cofi o ddweud ei fod am glywed 'Y Gwanwyn', T Rowland Hughes. Prawf pellach o sêl bendith y werin ar eu harloesi oedd y croeso a gafwyd yn ystod y penwythnosau di-ri a dreuliwyd yng Ngwesty'r Porth, Llandysul, ar adeg perfformiadau yn y De.

Oherwydd yr holl deithio a'r straen ar fywyd teuluol penderfynodd yr Hogia roi'r gorau iddi yn 1973. Cyhoeddwyd y penderfyniad flwyddyn ynghynt, ac o ganlyniad fe fu hen drefnu i orffen mewn steil. Derbyniwyd gwahoddiad i berfformio yn yr Albert Hall, Llundain, ar Ddydd Gŵyl Dewi 1973; trefnwyd cyngerdd 'Hwyl i'r Hogia' yn y Majestic yng Nghaernarfon ar gyfer y teledu, ac fe gynhaliwyd y cyngerdd olaf un yng Nghapel Coch, Llanberis. Atseiniodd yr hen ffefryn 'Hen Bentra Bach Llanbêr' trwy'r ardal wrth roi pen ar y mwdwl.

Ond fel y digwyddodd, doedd yr ymddeoliad yn ddim mwy na saib. Fe ailgydiwyd yn y perfformio a hynny mewn stiwdio recordio i ddechrau. Cyhoeddwyd record hir *Teifi* (Sain C508), y gyntaf i Gwmni Sain, yn 1974, ac fe gyrhaeddodd frig y siartiau yn syth bìn. Rhyddhawyd dwy record hir o *Ganeuon Gorau*, y naill yn 1975 (Sain C529) a'r llall yn 1979 (Sain C749), ac yn 1976 fe gyhoeddwyd record o ganeuon gwerin, *Dewch Gymry Glân* (Sain C572). Daeth dwy record hir arall, *Taro Deuddeg* (Sain C711) yn 1977 a *Difyrru'r Amser* (Sain C763) yn 1979. Nid ceinion prydyddiaeth, odl a mydr yn unig oedd yn denu'r hogiau. Erbyn 1979, roedd yn amhosib gwrthod yr holl wahoddiadau i berfformio'n fyw ac ar deledu.

Wedi dysgu gwersi'r cyfnod lloerig cynt, penderfynwyd mai unwaith y mis y byddai Hogia'r Wyddfa'n perfformio bellach. O ganlyniad, roedd ganddyn nhw fwy o reolaeth dros eu gyrfa, mwy o hamdden i fwynhau eu poblogrwydd a mwy o ras i ddelio â'r beirniaid. Ymunodd Annette Bryn Parry i gyfeilio yn lle Richard Huw Morris. Ymwelsant â Chanada, Yr Unol Daleithiau, Awstralia a Nigeria. Roedd Hogia'r Wyddfa yn artistiaid rhyngwladol er nad oedden nhw'n canu yn Saesneg. Aethpwyd â'r 'Titw Tomos Las' a'r 'tw-whit tw-hw' i ddiddanu'r Cymry alltud. Ond daliai Arwel hyd y diwedd nad dawn y cyfansoddwr fu'n gyfrifol am lunio alawon i'r sonedau a'r telynegion:

> Er bod tua hanner cant o ganeuon Hogia'r Wyddfa erbyn hyn yn cael eu priodoli i mi, gwrthodaf yn lân â chydnabod fy mod yn gyfansoddwr. Ni ddysgais erioed y grefft o gofnodi alawon drwy ddull y sol-ffa na'r hen nodiant. Ond gwyddwn, ym mêr fy esgyrn, wrth anwylo telyneg neu faled, a threiddio'n ddwfn i ddyfnderoedd ei gwneuthuriad fy mod yn darganfod miwsig. Clywais 'sŵn' surni gwrthryfelgar yn nhonnau gwyllt 'Aberdaron', 'sŵn' anobaith oedd sŵn 'Gwanwyn' T Rowland Hughes i mi; roedd 'sŵn' wylofain hiraethus, annisgwyl ym mhennill olaf 'Baled y Llanc Ifanc o Lŷn', ac roedd gan 'Tylluanod' Llwyncoed eu 'sŵn' eu hunain. Cerddoriaeth redi-mêd ydi'r cerddi mawr i gyd. Peidied neb â cheisio fy narbwyllo i'r gwrthwyneb. Darganfyddwr oeddwn, nid cyfansoddwr. [3]

Un o edmygwyr penna doniau'r Hogia oedd y cynhyrchydd teledu, Rhydderch Jones. Fyddai'n ddim iddo hebrwng yr aelodau, ar ôl sesiwn recordio yng Nghaerdydd, i'r Porth yn Llandysul, a threulio gyda'r nos yn cyfoethogi'r cwmni yno. Weithiau, gwahoddid Rhydderch i ymddangos ar lwyfan *Noson Lawen* fel aelod gwadd o'r Hogia. Profiad gwefreiddiol oedd ei glywed yn llefaru 'Gwinllan a roddwyd' o ddrama *Buchedd Garmon*, Saunders Lewis, fel rhagarweiniad i'r gân 'Safwn yn y Bwlch'.

Un o uchafbwyntiau eraill y perfformiadau oedd y sgets yn ffugio olrhain hanes ffurfio Hogia'r Wyddfa. Byddai Elwyn, Myrddin a Vivian ar y llwyfan yn ceisio asio'n lleisiol ond yn methu. Byddai'n rhaid holi am wirfoddolwyr o'r gynulleidfa wedyn. Ymhen hir a hwyr, byddai Arwel yn dod i mewn o'r cefn wedi ei wisgo fel trempyn, er mawr ddychryn i'r gynulleidfa. Doedd dim dal beth ddigwyddai yn ystod y rycsiwns. Ar un achlysur yn Neuadd Abergynolwyn, ataliwyd Arwel rhag mynd i mewn gan y plismon lleol. Er i'r 'trempyn' brotestio a mynnu ei fod yn aelod o Hogia'r Wyddfa, ymateb y plismon oedd 'Wyt siŵr, a Dixon of Dock Green ydw inna – dos o'ma'. Bu'n rhaid i Arwel chwilio am ddrws ochor.

Roedd yna ochor ddoniol yn ogystal ag ochor ddwys i berfformiadau'r Hogia. Er gwaethaf berw gwleidyddol cyfnod eu hanterth, doedden nhw ddim yn cael eu cysylltu'n uniongyrchol â brwydr yr iaith. Y to iau, a cheiliogod a chywennod y colegau oedd yn ymhél â phethau felly. Doedd Hogia'r Wyddfa ddim o reidrwydd am newid un dim. Chwarae'n saff trwy lynu wrth y diddanwch traddodiadol a chyflwyno cerddi cyfarwydd ar newydd wedd oedd libart yr hogiau o Lanberis. Roedd nifer mynychwyr eu perfformiadau a phrynwyr eu recordiau yn brawf bod y fformiwla yn llwyddiannus. Wedi'r cyfan, hanu o grud sosialaeth ym mhentre chwarelyddol Llanberis oedd yr hogiau a doedd y Blaid Lafur ddim yn nodedig am ei pharodrwydd i amddiffyn na hyrwyddo Cymreictod. Eto, onid oedd 'Safwn yn y Bwlch', o waith Glyn Roberts a Richard Huw Morris, yn gystal anthem â'r un i'r cenedlatholwr diwylliannol? Yn sicr, roedd geiriau'r gân wedi mynd o dan groen Arwel ar noson yr arwisgo ym mis Gorffennaf

1969. Cytunasai'r Hogia i berfformio mewn cinio a drefnwyd ar gyfer Cymry blaenllaw ym Mhlas Glynllifon ger Caernarfon:

> [Roedden ni'n perfformio] o flaen y dorf fwyaf crachaidd, di-hid ac anghwrtais a welais erioed. Roedd rhai yn y dorf yn eilunod y Cymry ar ôl manteisio ar lwyfannau breision Llundain. Beiaf fy hun erbyn hyn am gytuno i fynd i'r fangre uffernol i daflu perlau'r iaith Gymraeg dim ond i'w sathru dan draed y moch. Ond daw'r achlysur yn ôl i'r cof yn llawer rhy aml i brocio cydwybod ac i'm dilyn yn hunllefus. Ni chenais 'Safwn yn y Bwlch' erioed gyda chymaint o arddeliad. Ond doedd neb yn gwrando! Os oedd gennyf fy amheuon am genedlaetholdeb cynt fe'u hyrddiwyd i'r pedwar gwynt y noson honno.[4]

Cymaint oedd poblogrwydd Hogia'r Wyddfa nes ei bod yn hawdd eu parodïo heb i fawr neb orfod dyfalu pwy oedd gwrthrych yr hwyl. Llinyn mesur arall o'u llwyddiant oedd cael eu dynwared mewn ambell garnifal. Fe ffurfiwyd Clwb Ffrindiau Hogia'r Wyddfa ar un adeg a phrin y buont yn absennol o siart 'Deg Uchaf *Y Cymro*'. Braint arall ddaeth i'w rhan oedd derbyn cerddi o fawl gan y beirdd, eu cynulleidfa fwyaf gwerthfawrogol. 'Er y gowt a phob rhyw gur / swynol yw'r hen bensiynwyr,' meddai esgyll englyn tafod yn y boch Einion Evans ar achlysur ailgydiad yr Hogia.

Petai rhywun â thrwyn busnes wedi mentro marchnata'r Hogia a'u rheoli, mae'n siŵr y byddai eu hynt wedi bod yn dra gwahanol. Ond roedd yn rhaid cadw cydbwysedd rhwng y diddanu a'r swyddi llawn-amser. Pitw oedd y taliadau perfformio yn y cyngherddau o'u cymharu â'r taliadau am ymddangosiadau teledu. Byddai eu henillion wedi bod yn fwy petaen nhw wedi cofrestru eu caneuon yn eu henwau eu hunain yn ystod y cyfnod roedden nhw'n recordio gyda Chwmni'r Dryw. Llesteirio datblygu eu gyrfa i gyfeiriad proffesiynol wnâi'r traddodiad amatur. Ond fe roeson nhw bleser i filoedd ac anadlwyd bywyd o'r newydd i gerddi fel 'Tecel' o waith Abiah Roderick a 'Gwauncwmbrwynog' o waith R Bryn Williams. A doedd yna'r un arlliw o ddylanwad Eingl-Americanaidd, fel y tystia Arwel:

> Mwynhawn wrando ar artistiaid mawr y cyfnod megis yr Everly Brothers, Roy Orbison, Johnny Cash, Joan Baez, Bob Dylan a'r

brenin ei hun Elvis Presley ac yn ddiweddarach y Beatles. Ond ddois i erioed dan eu dylanwad, ac yn sicr nid oes gen i gof i mi fwydro fy mhen ag unrhyw un ohonyn nhw. Roedd yn well gen i wrando ar arwyr yr hen *Noson Lawen* ar y radio. Byddwn wrth fy modd yn gwrando ar Sgiffl Llandegai, Hogia Bryngwran, Aled a Reg a Sassie Rees. Ac os cafodd yna grŵp erioed ddylanwad arna i ac ar ganu Hogia'r Wyddfa, Triawd y Coleg oedd hwnnw. Roedd harmoni clòs Robin, Merêd, Cledwyn ac Islwyn Ffowc Elis ynghynt, yn apelio'n fawr ac er na sylweddolais ar y pryd – yn ddylanwadol. Pedwar gwron y mae gennyf gymaint o barch tuag atynt.[5]

At hynny, roedd gan Meirion Lloyd Jones a John Owen, sef gweinidogion ieuanc Capel Preswylfa'r Annibynwyr, Llanberis, rywbeth i'w wneud â mowldio cymeriad Arwel a'r lleill, oherwydd hwy a ysgogodd y bobl ifanc i ymwneud â gweithgareddau diwylliannol Cymraeg yn ogystal â'u cymell i chwarae pêl-droed. Roedd y gwerthoedd a feithrinwyd yn ystod y cyfnod hwnnw yn brigo i'r amlwg yn ddiweddarach. 'Rhoi a chael pleser oedd y pennaf peth yn y cyfnod hwnnw. Roedd gweld cynulleidfa yn mwynhau ei hun yn werth mwy nag arian,' meddai Arwel.[6]

Ceisio atal y winllan rhag cael ei baeddu oedd byrdwn ymdrechion Hogia'r Wyddfa. Fe fyddai hyd yn oed y cyfnodolion crefyddol yn cymryd sylw o'r Hogia. Adlewyrcha sylwadau Robert Williams, Penrhosgarnedd, agwedd haen arbennig o Gymry Cymraeg:

Dyma grŵp sydd â sŵn hyfryd, a rhyw harmoni a chydbwysedd arbennig iddynt, lleisiau cyfoethog yn uno ac asio yn wych iawn, a buaswn yn tybio fod y cefndir offerynnol o'r gitâr a'r piano, yn cyfannu'r cwbl yn berfformiad gorffenedig a phleserus i'r glust. Mae ganddynt ymddangosiad gweddus a graenus ar y llwyfan heb or-dynnu'r sylw atynt eu hunain o gwbl. Ond eu rhinwedd pennaf, yn ychwanegol at y doniau naturiol sy'n perthyn iddynt, yw eu bod yn dewis geiriau sylweddol a llenyddol i'w canu.

Nid oes raid meddwl ond am ganeuon fel 'Tylluanod', 'Y Gwanwyn', a baled anfarwol y 'Llanc Ifanc o Lŷn', i'n hatgoffa am werth y geiriau a genir ganddynt, ac y mae'r alawon yn gweddu i'r geiriau i'r dim, ac ymddygiad y grŵp ar y llwyfan a'u hymateb mewn ystum ac osgo i natur y gerdd a genir ganddynt yn gymorth ychwanegol i bwysleisio neges y gerdd, a bwriad y bardd wrth ei chyfansoddi. Yn hyn o beth y maent yn gwneud cymwynas â llenyddiaeth Cymru yn ddi-os.[7]

Tebyg mai disylwedd a gwag oedd canu'r rhelyw o gantorion pop yn ei olwg, ac mae'n siŵr fod y miloedd a wrandawai'n selog ar y rhaglen radio o ganu emynau bob pnawn Sul, *Caniadaeth y Cysegr*, hefyd yn edmygwyr pybyr o ganu Hogia'r Wyddfa.

Serch hynny, doedden nhw ddim heb eu beirniaid. Ni ellid anwybyddu'r eironi crafog mewn adolygiad gan Bethan Miles o'r record *Difyrru'r Amser*. 'Y Byw sy'n Cysgu' (gydag ymddiheuriad i Kate Roberts)', oedd y pennawd:

> Record ar gyfer *insomniacs* yw *Difyrru'r Amser*. Pan fetha popeth arall, gyd-ddigysgwyr, bydd yr undonedd megis drôn yn siŵr o'ch gyrru i gysgu. Ond gwyliwch yr elfen sadistaidd – y chwerthin *bizarre* ar ddiwedd yr ochr gyntaf i'ch deffro er mwyn troi i glywed 'Rhaid Deffro Nawr'.
>
> Bu mwy o newid ar gopa'r Wyddfa dros y blynyddoedd nag ar arddull yr Hogia. Breintiwyd hwy â'r ddawn i bigo elfennau cyffredin, di-bwys o wahanol arddulliau a'u gweu mewn i un arddull *ersatz* sy'n peri i bob cân fod yn undonog o debyg eu halaw a'u harmonïau – 'Rhaid Deffro Nawr' er mwyn 'Sefyll yn y Bwlch' i ailwella (yn llon) pan ddaw'r gwanwyn a'r haf a'r...
>
> Nid yr alaw sydd ar fai bob tro, fodd bynnag. Hoffaf 'Ffarwél i'r Parlwr Du' (Caryl Parry Jones) a 'Pan fyddo'r nos yn ddu' (Ryan) – nid yw 'Angharad' (a aeth ar 'World Cruise' i wella'i *hiccups*) yn un o oreuon T Gwynn Jones. Ond difethir caneuon Ryan (sydd ar gyfer unawdydd mewn gwirionedd – a phwy'n well na'r cyfansoddwr) gan drefniant llawdrwm, diddychymyg.
>
> Fel y gall côg da wneud gwledd allan o *scraps*, gellir gweddnewid alaw hollol gyffredin trwy ddefnyddio crefft a dychymyg wrth ei threfnu. Dim ond cân Caryl – sy'n debyg ei naws i ganeuon Peter Skellern – sy'n dangos ymdrech i ddatblygu fel nad yw pob pennill 'run peth. Am unwaith ceir arddull piano addas (trefniant Caryl?) yn hytrach nag efelychiad o delyn, ond gymaint gwell hefyd fuasai harmonïau llawnach band pres go-iawn ac efallai obo a sielo.
>
> Aneffeithiol yw'r siwdo-offerynnau electronig sydd, fel y lleisiau (e.e. dechrau 'Rhaid Deffro'), weithiau allan o diwn ('Tymhorau'). Yn lle'r awgrym gwan o fand Bafaraidd yn 'Wil Tatws', 'Bwgan y Brain' a'r 'Heliwr' ac o *Country and Western* yn 'Gwaun Cwm Brwynog' ac 'Amser Noswyl' gwell fuasai trefniant iawn yn yr arddulliau hynny. Hefin Elis yw'r cynhyrchydd ond, i fod yn deg, anodd yw awgrymu gwelliannau i grŵp mor statig a styfnig eu harddull...

Ai diffyg dychymyg cerddorol ynteu dewis peidio â boddran gan fanteisio ar eu poblogrwydd yw'r rheswm dros ddiffyg datblygiad y grŵp? Lwcus i Sain eu bod mor hawdd eu plesio ac mor boblogaidd = safio arian wrth recordio (un cerddor allanol yn unig) + gwerthiant uchel (h.y. arian).

Rhanna'r Hogia, gyda *Crossroads*, y ddawn o hypnoteiddio'r cyhoedd. *'The public just love mediocrity,'* John C Millmar. Ar lefel artistig uwch, cofiaf am lais hypnotig Paul Robeson – oedd byth yn scwpio'i nodau ond yn taro pob nodyn yn y canol. Rhan o apêl yr Hogia yw eu bod yn cyflwyno cerddi gan rai o'n beirdd mwyaf, ond, Hogia bach, dysgwch reol sylfaenol gosod geiriau...

Ond nid oes bwrpas i'r feirniadaeth uchod – 'Aros mae'r mynyddoedd mawr; rhuo trostynt mae y gwynt'![8]

Fe fu'r Hogia wastad yn sensitif i feirniadaeth ac ymhen pythefnos, yn *Y Faner,* fe gyhoeddwyd llun o Arwel Jones yn rhochian cysgu. Ychwanegwyd y nodyn canlynol:

Tynnwyd y llun un ai pan oedd Arwel ar ganol cyfansoddi un o'i ganeuon undonog neu pan oedd ar ganol darllen llith y wyboduswraig grachaidd. Nid aethom ati i'w ddihuno – rhag iddo wylltio a dechrau cyfansoddi cân fywiog, soffisticetaidd. Yna byddai'r werin yn cwyno. 'Be ma Hogia'r Wyddfa yn drio'i wneud?' Anodd ydi plesio, yntê?[9]

Hogiau'r Wyddfa (uchod) – Vivian Williams, Myrddin Owen, Arwel Jones, Elwyn Jones a Richard Morris. Rhoesant fywyd newydd i gerddi cyfarwydd.

5/ Wrth Feddwl am fy Nghymru

Gellid dadlau mai ar Chwefror 13, 1962, pan draddododd Saunders Lewis ei ddarlith 'Tynged yr Iaith', y dechreuodd 60au'r ganrif ddiwethaf yng Nghymru. Cymell gweithredu tor-cyfraith er mwyn sicrhau statws cyfartal i'r Gymraeg a'r Saesneg a wnâi'r llenor, yr ysgolhaig a'r gwleidydd.

Ymboenai rhai o fyfyrwyr Coleg Prifysgol Cymru, ynghyd â'u heilun gwleidyddol, y byddai'r Gymraeg yn peidio fel iaith gymunedol o fewn llai na chanrif. Ar y pryd, doedd gan yr iaith ddim statws. Pwnc yn hytrach na chyfrwng addysg oedd hi yn y mwyafrif llethol o ysgolion. Doedd hi ddim i'w gweld ar arwyddion ffyrdd nac ar ffurflenni swyddogol, a phrin oedd ei defnydd gan Gymry Cymraeg mewn cyfarfodydd cyhoeddus, hyd yn oed yn yr ardaloedd hynny ar hyd arfordir y Gorllewin lle roedd trwch y boblogaeth yn medru ei siarad. Byddai gwleidyddion y pleidiau Llundeinig yn ei hwfftio a'i dilorni. Peuoedd y Gymraeg oedd y capel, y gegin a'r llwyfan.

Byddai llawer o fyfyrwyr y cyfnod yn gwisgo cotiau dyffl, yn tyfu barf ac yn dotio ar gerddoriaeth jazz, ac America, wrth gwrs, oedd cartref y cyfrwng cyffrous hwnnw. Adlewyrchwyd y diddordeb hwnnw mewn erthygl yn yr ail rifyn o *Lol* yn Hydref 1966. Cyfrannodd Maldwyn Pate erthygl yn sôn am Thelonius Monk a'r bwrlwm jazz yn Efrog Newydd. Yn America, hefyd, roedd yna newidiadau cymdeithasol ar fin digwydd a phobl ifanc oedd ar flaen y gad. Roedd protestio a llais yr ieuanc i'w glywed yn groch. Cyhoeddodd Bob Dylan fod yr atebion i gwestiynau dwl y cyfnod i'w clywed yng nghwhwfan y gwynt.

Yng Nghymru, crisialir awyrgylch y cyfnod ymhlith y myfyrwyr gan Gwilym Tudur:

Yn y colegau, gwelid rhyw ddeffro. Wedi i griw Bangor gychwyn *Y Dyfodol* annibynnol, daeth *Llais y Lli* i Aberystwyth; a changhennau Plaid Cymru yn y dref a'r coleg ger y lli oedd canolbwynt yr anniddigrwydd gwleidyddol. Ystyrid cyd-fyfyrwyr sosialaidd yn anobeithiol o hen-ffasiwn a Phrydeinllyd; beiblau'r rhai 'iach' oedd *Tân yn Llŷn* a *Chofiant Emrys ap Iwan* (heb anghofio'i *Freuddwyd Pabydd yng Nghymru*, ail gyfrol). Yna daeth y Ddarlith ar Chwefror 13, i roi cyfeiriad annisgwyl i fywyd coleg a difrifoldeb i'r mwydro tafarn.[1]

Gwelwyd cryn dipyn o ymystwyrian ynghylch 'achub y Gymraeg' ymhlith ieuenctid y colegau. Ffurfiwyd Cymdeithas yr Iaith Gymraeg i roi ffocws i anniddigrwydd y cenedlaetholwyr ynghylch dyfodol yr iaith. Ym mis Chwefror, 1963, cynhaliwyd protest yn enw'r Gymraeg ar Bont Trefechan, Aberystwyth, gan atal y drafnidiaeth am gyfnod wrth i fyfyrwyr eistedd ar draws y ffordd.

Yr un flwyddyn, roedd llanc ieuanc a fagwyd ym Mrynaman a Llanuwchllyn newydd ddechrau ar gwrs pensaernïaeth yng Nghaerdydd. Dyma a ysgrifennwyd gan Dafydd Iwan yn ei ddyddiadur ar Hydref 12:

> Heno bûm yn noson lawen Côr Godre'r Aran yn Neuadd Cory... Hwn yw'r diwylliant sy'n diflannu – sy'n cael ei ddileu o'r tir. Ond y mae'n rhaid ei gadw. Nid trwy hunanlywodraeth y mae gwneud hyn – mae'r frwydr honno'n frwydr gwbl ar wahân, ac ni ellir ei hennill mewn digon o bryd i achub ein diwylliant. Mae gwaed yn ein gwythiennau ni Gymry ifainc y 60au...[2]

Erbyn diwedd y degawd roedd Dafydd Iwan, i bob pwrpas, yn arwain byddin o brotestwyr a diddanwyr ieuanc a oedd ar dân dros y Gymraeg. Sêl ieithyddol oedd yn eu cynnal ac roedd y syniad o ddiddanu yn Saesneg yn gwbl wrthun iddyn nhw. Daeth yr ymadroddion 'Cymro iach' a 'Chymro afiach' neu 'fradwr' yn fynych eu defnydd wrth dafoli ymrwymiad unigolion i frwydr yr iaith.

O gofio i Dafydd dreulio'i flynyddoedd cynnar ym Mrynaman, diddorol yw nodi fod llanc arall o'r enw John Cale, yn yr un cyfnod, yn byw ym mhentre cyfagos Garnant. Byddai'r ddau Gymro Cymraeg, ymhen amser, yn chwarae rhan flaenllaw yn y diwylliannau roedden nhw wedi dewis uniaethu â nhw; y naill yn y diwylliant Cymraeg a'r llall yn y diwylliant Eingl-Americanaidd. Mae darllen cofiannau'r ddau yn agoriad llygad i'r modd y mae dau berson, o'r un cefndir, yn medru dilyn llwybrau cwbl wahanol o fewn yr un maes, gan ddatblygu'n eiconau yn ail hanner yr ugeinfed ganrif – y naill yn edrych ar y byd trwy sbectol olau, obeithiol Cymreictod a'r llall trwy sbectol dywyll Armagedon y byd Eingl-Americanaidd.[3]

Tra oedd yn gwersylla yng Nghanolfan yr Urdd, Glan-llyn, yng nghanol y 60au y cychwynnodd gyrfa gyhoeddus Dafydd Iwan fel canwr. Meddai ar ddawn naturiol y diddanwr. Roedd ganddo gitâr ond ychydig o ganeuon. Arferai ganu rhai o ganeuon Saesneg y cyfnod, megis 'Colours' Donovan. Ond buan y sylweddolodd nad oedd hi'n fawr o gamp i lunio neu addasu geiriau Cymraeg i'w canu ar alawon cyfarwydd. Y canlyniad oedd 'Bryniau Bro Afallon', 'Clyw Fy Nghri', 'Mae'n Wlad i Mi' a 'Gee Geffyl Bach' i gyd yn cael eu canu ar alawon Americanaidd a boblogeiddiwyd gan Burl Ives a Woody Guthrie. Roedd yr ymateb yn rhyfeddol ymhlith y gwersyllwyr wrth i heidiau ohonyn nhw hofran o'i gwmpas fel gwenyn o amgylch pot jam, yn mynnu clywed 'Gee Geffyl Bach' ar yr alaw 'Froggie Went A-Courting' drosodd a throsodd. Roedd yna wawrio, os nad dadeni, yn digwydd. Nid gofynion radio a theledu oedd yn ysgogi Dafydd i ganu yn Gymraeg, ond Cymreictod cadarn. Ni chanodd yr un gân Saesneg fyth wedyn.

Deilliai ei Gymreictod o'i fagwraeth. Hyd yn oed ym Mrynaman sosialaidd, doedd hi erioed wedi croesi ei feddwl i beidio â chefnogi Plaid Cymru fel y blaid a oedd, yn ei olwg e, yn gwarchod buddiannau Cymru. Roedd arddel cenedlaetholdeb mor naturiol iddo ag anadlu. Rhaid bod elfen o hynny, yn ogystal â diawlineb, wedi ei ysgogi i ddifwyno wyneb y Frenhines ar boster yn Ysgol Ramadeg Rhydaman. Ffactor arall oedd ei fod yn hanu o linach teulu'r Cilie o ardal Llangrannog. Ystyrid y dwsin o blant a genhedlwyd gan Jeremiah a Mary Jones, yn ogystal â'u hepil hwy, yn unigolion gwreiddiol, pendant eu barn a digyfaddawd eu Cymreictod. Roedd Jeremiah yn hen-dadcu i Dafydd. Roedd ei dad-cu, Fred, yn un o sylfaenwyr Plaid Cymru. Ymhyfrydai'r mwyafrif ohonyn nhw yng nghlec y gynghanedd. Dyma deulu nad oedd eu meddyliau wedi eu concro mewn unrhyw fodd gan feddylfryd Seisnig. Doedd hi'n fawr o gamp i'r un ohonyn nhw lunio llinell draws fantach a honno'n aml iawn yn ogleisiol os nad yn ddychanol.

Fe ddaeth cyfle i Dafydd Iwan ymddangos ar y teledu, nid yn un o'r cyfresi adloniant ond ar raglen newyddion. Arfer nifer o raglenni newyddion y cyfnod oedd gwahodd artist i ganu rhywbeth cyfamserol o bryd i'w gilydd. Roedd Jimmy MacGreggor a Robin Hall eisoes wedi eu sefydlu eu hunain ar raglen newyddion rhwydwaith y BBC, *Tonight*. Doedd rhaglen TWW, *Y Dydd*, ddim am fod yn wahanol. Yn 1965, gwahoddwyd Dafydd i'r stiwdio i ganu yn fyw bob nos Fercher. Doedd dim posib cael gwell cynnig i ymddangos ar deledu Cymraeg o safbwynt amser y darllediad a nifer y gwylwyr.

Yn anorfod, fe ddaeth cyfle i dorri record a hynny gyda chwmni Teldisc. Roedd y ddisgyblaeth o orfod cyfansoddi cân newydd yn wythnosol ar gyfer yr ymddangosiad ar *Y Dydd* yn golygu bod yna sypyn go lew o ganeuon wedi eu cywain. Caneuon serch neu ganeuon gydag elfen o ramant am rinweddau'r wlad oedd y mwyafrif. Ond roedd ambell un yn ymateb uniongyrchol i ddatblygiadau gwleidyddol yng Nghymru. Fe gyfansoddwyd 'Wrth Feddwl am fy Nghymru' yn dilyn buddugoliaeth seneddol Gwynfor Evans yng Nghaerfyrddin yn 1966, y cenedlaetholwr Cymreig cyntaf i gael ei ethol i senedd Lloegr. Roedd y gân yn ymgorfforiad cignoeth o genedlaetholdeb gor-ŵyr Jeremiah Jones; y geiriau a'r alaw o eiddo Dafydd ei hun, fel y rhelyw o'i ganeuon bellach. Er gwaethaf yr apêl at hanes, a'r alwad i'r gad, fe ganiatawyd ei chanu ar raglen *Y Dydd*. Yn ddiweddarach, byddai sensoriaeth yn golygu na fyddai pob record o'i eiddo yn cael ei chlywed ar y radio ac na fyddai'r gwahoddiadau i berfformio ar y cyfryngau mor niferus â'r hyn a gynigid i artistiaid eraill.

WRTH FEDDWL AM FY NGHYMRU

Rwy'n cofio Llywelyn, byddinoedd Glyndŵr,
Yn ymladd dros ryddid ein gwlad,

Ond caethion y'm eto dan bawen y Sais,
Mor daeog, mor llwm ein hystad.

Cytgan:
Ac wrth feddwl am fy Nghymru
Daw gwayw i'm calon i.
Dyw'r werin ddim digon o ddynion, bois,
I fynnu ei rhyddid hi.

Wrth edrych o'th gwmpas fe weli
Fod yr heniaith yn marw o'r tir;
Ni chlywir un acen, ni chlywir un gair
O iaith ein cyndadau cyn hir.
Cytgan

Mae argae ar draws Cwm Tryweryn
Yn gofgolofn i'n llyfrdra ni;
Nac anghofiwn ddewrder ein hogia prin
Aeth i garchar y Sais drosom ni.
Cytgan

Disgynnodd yr iau ar ein gwarau,
Ni allwn ni ddianc rhag hon –
Mae arial y Celt yn byrlymu'n fy ngwaed
A fflam Glyndŵr dan fy mron.
Cytgan

Wrth gofio Llywelyn ac Owain Glyndŵr
Daw trydydd i'm meddwl yn awr,
A'r gŵr o Langadog a lanwodd y bwlch:
O'r diwedd fe dorrodd y wawr.

Ac wrth feddwl am fy Nghymru
Daw llawenydd i'm calon i.
Mae'r werin yn ddigon o ddynion, bois,
I ennill ei rhyddid hi.

Y gân benboeth, wladgarol hon osododd y patrwm. Doedd dim troi'n ôl. Roedd yna ddur yng nghalonnau carfan o'r Cymry ieuanc. Er bod Dafydd Iwan yn torri ei gŵys ei hun fel propagandydd balchder Cymreig, gan godi gwrychyn llawer, doedd e ddim yn ddi-feind o'r hyn a'i foldiodd. Doedd y traddodiad eisteddfodol, gyda'i 'gythraul canu' bondigrybwyll yn mwydro pennau pobl ynghylch ennill a cholli, ddim yn apelio rhyw lawer ato. Ond roedd yn gwerthfawrogi traddodiad y sylfeini crefyddol ar eu gorau:

> Mae'n rhaid i mi eto bwysleisio mor bwysig oedd rhan yr Ysgol Sul a'r Gobeithlu fel sylfaen i bopeth rwy'n ei wybod am ganu a darllen sol-ffa a hen-nodiant, ac am ddysgu cadw'n weddol mewn tiwn, a chanu gwahanol leisiau. Roedd Mam bob amser yn un frwdfrydig iawn gyda'r gweithgareddau hynny, ac mae arnaf gryn ddyled iddi hi am yr hyn ddysgais ganddi.[4]

Eto, gwelai wendidau a gormes y math o fagwraeth a gafodd ei genhedlaeth:

> ... roedd y 60au'n gyfnod o ymryddhau nid yn unig oddi wrth ormes Seisnigrwydd a Phrydeindod, ond hefyd i raddau helaeth oddi wrth ormes gwaethaf Anghydffurfiaeth a Phiwritaniaeth. Roedd mynd i dafarn ynddo'i hun yn weithred oedd yn herio'r drefn roedd y rhan fwyaf ohonom wedi cael ein magu ynddi, lle roedd y dafarn a'r ddiod yn bechod anfaddeuol. Nid dweud ydw i bod yfed yn rhinwedd ynddo'i hun, ond rwy'n meddwl ei bod hi'n anochel ein bod ni fel Cymry wedi mynd trwy'r broses yma o ymryddhau oddi wrth gaethiwed trefn oedd wedi mynd yn rhy gul a haearnaidd, ac unllygeidiog.[5]

Wrth ddilyn y trywydd yma, teg sôn am Undeb y Tancwyr. Anodd olrhain ei ddechreuadau ond gellir dweud i sicrwydd nad undeb llafur mohono. Mae ei achau yn ymwneud ag Aberystwyth a chymeriadau brith megis Alun y Glo, Dennis y Teiliwr, y Ficer o Benstwffwl, Walter Pant-y-barlat, Lyn Ebenezer, ac yn anad neb, Eirwyn Pontsiân. Petai myfyriwr ymchwil yn seilio ei obeithion am ddoethuriaeth ar y pwnc, byddai'n siŵr o ddilyn trywydd a fyddai'n ei arwain at y prifardd Dewi Emrys. Bu rhai o'r aelodau blaenllaw yn eistedd wrth draed y Gamaliel cynganeddol hwnnw ac roedden nhw'n ymhyfrydu eu bod ymhlith ei ddisgyblion methiannus mwyaf gogoneddus. Prin bod yna strwythur na threfn, ond roedd yr aelodau oll yn sicr yn wrth-Galfin ac yn unedig yn y farn fod Piwritaniaeth wedi chwarae hafoc ag anian y Cymro fel creadur a fedrai fwynhau breintiau sylfaenol bywyd.

Yr Eisteddfod Genedlaethol fyddai Pabell Cyfamod y mudiad a chrynhoi ar ei chyrion a wnâi'r aelodau heb fentro ar y Maes ei hun gydol yr wythnos o ŵyl. Roedd yna gysegrleoedd rheolaidd eraill ar gyfer ymgasglu, megis y Stag and Pheasant ym Mhontarsais ger Caerfyrddin, y New Ely yng Nghaerdydd, y Menai Vaults ym Mangor a'r pencadlys, o bosib, oedd Yr Hydd Gwyn yn Aberystwyth. Uchafbwyntiau'r cyfarfodydd fyddai perorasiynau Pontsiân ei hun, saer coed yn ôl ei alwedigaeth ond adleisydd hwyl Cymreictod cyfnod y ffeiriau yn ôl ei grefft. Nid yfed i anghofio a wnâi'r criw ond yfed i gofio hen rialtwch!

Ceid carfan o lymeitwyr sychedig cyffelyb yn y Cymoedd. Os oedd gan Undeb y Tancwyr ei anthem yn canu clodydd yr 'hei leiff', roedd gan yr hwntws prin eu Cymraeg eu cân orchestol hwythau, 'In Rhosllannerchrugog we drank the pubs dry' o waith y bardd gweriniaethol, Harri Webb. Ceir blas pellach o'r awyrgylch yn y nofel, *Dim Heddwch*.[6] Doedd y criw yma ddim yn hidio ffeuen fod drysau caeëdig tai tafarn ar y Sul yn y Gymru Gymraeg yn cael ei ystyried yn arwydd o hunaniaeth y Cymry. 'Yfwn ni ddwsin o boteli ...' oedd hi bob nos ac ystyrid yr ymdrybaeddu yn eli ar enaid clwyfedig. Eto, roedd ysbryd y chwyldro yn atal y criw rhag dablenna i ddifancoll. Roedd yna Gymry ieuanc yn ceisio ymwrthod â throi'n Saeson o ran eu meddylfryd ond eto yn ei chael yn anodd i fyw bywydau yn unol â meddylfryd y Cymro rhydd; roedd taeogrwydd yn faen tramgwydd a'r yfed gorchestol yn ollyngdod.

Arweiniodd cwlt y cwrw at gyhoeddi llyfryn *Caneuon Tafarn* gan y wasg a ystyrid yn wasg swyddogol y chwyldro, sef Gwasg y Lolfa a sefydlwyd gan Robat Gruffudd yn Nhal-y-bont ger Aberystwyth yn 1967. Cyhoeddwyd sawl argraffiad o'r llyfryn. Cafwyd y sylw canlynol yn y Rhagair:

> Llyfryn hylaw y gall y gwerinwr daro yn ei boced cyn ymlwybro tua'i loches nosawl yw hwn (gan obeithio y bydd iddo gofio ei daro'n ôl yn ei boced cyn ymlwybro – yn fwy sigledig efallai – tua'i fwthyn yn ôl). Hyderwn y bydd y gyfrol o fendith iddo, ac y bydd hefyd yn gyfrwng i adfer emynau Seion i'w priod le.[7]

Arwyddwyd y 'Rhagair' gan Athro Alcoholeg, Coleg Llannerch-y-medd a Darlithydd mewn Tafarneg, Academi Cwm-Rhyd-y-Cwrw. Roedd y ddau yn rhannu'r un enw, sef John Jones a honnwyd fod Undeb y Tancwyr wedi noddi'r llyfryn o ddeg ar hugain o 'emynau'. Cyhoeddwyd record *Caneuon Tafarn* (Sain 6) yn ddiweddarach yn honni cyfleu awyrgylch 'noson fawr' o dan arweiniad caib Eirwyn Pontsiân yn y New Ely yng Nghaerdydd. Mae'r broliant yn cyfleu awyrgylch y noson i'r dim:

> 'Chwyth ef i'r synagog, chwyth ef i'r dafarn,' meddai Bardd yr Haf.
> Ar noson go wyntog y gaeaf diwetha, chwythwyd nifer o Gymry
> sychedig trwy ddrws un o dafarndai Caerdydd. (O gofio, wnaeth
> neb feddwl am y synagog.) Ffawd a'u taflodd ynghyd; yn sicr nid
> oherwydd eu lleisiau y dewiswyd nhw. Eistedd o gwmpas y byrddau
> bach, llymeitian tipyn a chanu tipyn, llymeitian mwy a chanu mwy.
> Fe yr âi'r noson rhagddi, roedd y canu'n gwella, ac wrth wella,
> gwaethygu. Ymhlith y dorf roedd ambell i blismon cudd yn amlwg –
> a Pontsiân. A phan âi pethau dros ben llestri, codai Pontsiân ei
> ddeheulaw, rhoddai dro i'w fwstás, bachu ei fawd chwith yn ei
> wasgod, ac wedi gosteg, taflai berlau o flaen y moch. Roedd y moch
> yn mwynhau, ac arbedwyd y llestri. Pontsiân yn ei elfen, wrth y
> ford, wrth ei fodd. Wrth i'r cwmni ymgynhesu, gwreichionai'r
> sgwrs, a chlusten i Gron a Wil a Stan rhwng penillion. Noson i'w
> chofio. Cewch flasu rhannau dethol ohoni ar y record hon. Mawr
> yw eich braint. [8]

Roedd Eisteddfod Genedlaethol y Bala, 1967, yn gofiadwy o safbwynt hwyl yr ieuenctid. Ar y maes gwersylla cafwyd helyntion a chyflawnwyd stranciau megis plufio ceiliog byw. Dyma oedd gan y gohebydd ieuanc o Fôn, Vaughan Hughes, nad oedd ganddo fawr o olwg ar yr hyn a oedd yn digwydd yn y sîn bop yng Nghymru, i'w ddweud am y profiad:

> Y 'Steddfod orau y bues i ynddi erioed a'r un gynta i mi ei mynychu
> am yr wythnos ar ei hyd. Haf '67 oedd hi. Haf y Blodau. Haf yr
> *Hippies*. 'Make Love not War' oedd yr adnod fawr yr haf hwnnw, a
> chyda help merch fferm o Faldwyn, athrawes o Glwyd, a
> llyfrgellwraig o Ddyfed dyna a wnes i. [9]

Yn naturiol roedd y genhedlaeth hŷn yn twt-twtian yr 'ymryddhau' yma ac yn wir, roedd rhai o'r genhedlaeth iau yr un mor ofidus ynghylch rhai agweddau o'r ofera mewn tai tafarn. Gwelai Dafydd Iwan ei hun anghysondeb:

Onid llawer gwell a llawer mwy gweddus a chydnaws fuasai clywed nodau lleddf 'Beth yw'r Haf i Mi?' neu'r 'Gân Sobri' yn dod trwy ffenestri'r New Ely, y Llew Du neu'r Vaults yn lle 'Sanctaidd, Sanctaidd, Sanctaidd Iôr'? Ond efallai mai dadl yw honno gweddusach yn *Byw* na *Lol*, oherwydd onid am eu bod wedi eu sefydlu gyda'r werin fel 'caneuon gwerin go iawn' y mae'r emynau yma mor boblogaidd wedi'r cyfan? Y geiriau a'r achlysur sy'n faen tramgwydd i rai.[10]

Yn ôl yr hanesydd, John Davies, roedd y diota gorchestol ymhlith ieuenctid yn y 60au yn ffactor allweddol o ran esblygiad adloniant Cymraeg:

Roedd diwylliant y dafarn yn rhan hanfodol o'r datblygiadau hyn. Plant y mans oedd nifer sylweddol o'r cantorion Cymraeg, ac yr oedd gan eraill ohonynt rieni dirwestol. Fel y noda Dafydd Iwan yn ei hunangofiant, 'gweithred a oedd yn herio'r drefn' oedd mynd i dŷ tafarn. Tua chanol y 60au, symudodd adloniant Cymraeg dros nos bron allan o festri'r capel i mewn i'r dafarn (neu, efallai, yn ôl iddi), a chafwyd tystiolaeth, drachefn, o gwrwgarwch cynhenid y Cymry.[11]

Wrth i flynyddoedd y 60au dynnu at eu terfyn, roedd cyffro gwleidyddol a chyffro adloniannol yn cyd-gyffwrdd. O'r anniddigrwydd a'r rhialtwch fe luniwyd cyfeiriad i ddiwylliant yr ieuenctid. Cyflwynodd pum aelod hirwallt Y Blew fiwsig roc i'r byd Cymraeg. Cafwyd y ddeuawd Tony ac Aloma yn swyno'r miloedd gyda'r amheuaeth ynghylch eu hunion berthynas yn goglais y dychymyg. Cynhaliwyd nosweithiau mawreddog y *Pinaclau Pop*. Daeth *Disc a Dawn* yn wylio angenrheidiol. Roedd y cyfryngau a'r sîn bop yn bwydo oddi ar ei gilydd unwaith eto. Ffrwydrodd Meic Stevens ar y sîn. Dringai recordiau'r Pelydrau i frig siart *Y Cymro* yn gyson. Roedd cyhoeddiadau beiddgar Gwasg y Lolfa, yn ogystal â delwedd yr argraffdy, yn cael eu croesawu fel chwa o awyr iach anarchaidd 'gwrth-sevydliad'.

Ym mlwyddyn olaf y degawd fe gynhaliwyd arwisgiad brenhinol yng Nghaernarfon. Am ei fod erbyn hynny yn arddel Cymreictod ymosodol, roedd y digwyddiad yn nhre'r Cofis yn brawf ar boblogrwydd ac ar fetel Dafydd Iwan. Erbyn hynny, roedd ei gyfoeswr o Ddyffryn Aman, John Cale, wedi hedfan i Efrog Newydd ac wrthi'n arbrofi gyda sŵn y feiola ar recordiau'r Velvet Underground, grŵp a wthiodd ffiniau'r cyfrwng roc i'w heithaf. Yn ôl yng Nghymru fe grisialwyd naws y cyfnod gan Robat Gruffudd yn ei gerdd 'Melys Yw':

Melys yw dringo i gopa'r Wyddfa
A rhwygo Iwnion Jac, a gweld y darnau'n hedfan
I'r niwl islaw.

Melys yw bodio o Fangor i Gaerdydd
A meddwl yn y bryniau mor braf yw bod yn rhydd
Dan haul Cymru.

Melys yw pisho 'ngole leuad
Ym muarth Ifan Henllys noswyl priodas Penri
A'r cwmni mor feddwol â'r êl.

Melys yw cyfri'r tywod ar draeth Penmon
Gyda Mair, ac Amser yn diflannu i'r gorwel
Yn yr hedd.

Melys yw malu cachu
Bore a nos, yn dwll, yn sobor, 'da'r bois neu gyda'r sêr
Yn enw'r Gwir.

Melys yw bod yn Gymro
A chael peintio'r byd yn wyrdd.[12]

Dyma ychydig o ysbryd Jack Kerouac a beirdd y bît Americanaidd, yn cyhoeddi eu gorfoledd yn eofn, ond mewn gwisg Gymreig, gan sefydlydd Gwasg Y Lolfa. Oedd, roedd yna lawer yn digwydd. Mae yna lawer i'w gofnodi eto wrth olrhain terfyn a throthwy degawd a welai'r ieuenctid yn torri drwy'r tresi.

'Wrth feddwl am fy Nghymru, daw gwayw i'm calon i' – y Dafydd Iwan cynnar. Cafodd gyfle i ganu ar y rhaglen newyddion *Y Dydd* ar y teledu yn wythnosol. Cyfansoddai ei ganeuon gwladgarol ei hun ar ôl sylweddoli nad rhaid oedd dibynnu ar gyfieithiadau o ganeuon poblogaidd y dydd.

Y Pelydrau – (isod) Gwennan, Glenys, John Arthur, Susan ac Edith. Roedd recordiau'r grŵp o Drawsfynydd yn dringo i frig siart Deg Uchaf *Y Cymro* yn gyson. Fe ymddangoson nhw ar raglen deledu Hughie Green, *Opportunity Knocks*, yn canu 'Hwrli Bwrli'.

Y dihafal Eirwyn Pontsian. Codai ei stondin ym mhob Eisteddfod Genedlaethol gan 'daflu perlau o flaen y moch'. Roedd yn ymgorfforiad o hen rialtwch y Cymry. Fe'i clywyd ar y record *Caneuon Tafarn* hefyd, ar label Sain.

6 / Croeso Chwe deg nain

Mae stori Tony ac Aloma – dau benfelyn o Ynys Môn a ogleisiodd galonnau'r Cymry – yn stori ryfeddol. Doedd dim pylu ar eu poblogrwydd ac ni fedrai cynhyrchwyr teledu wneud digon i'w hyrwyddo. Oedd y ddau wedi syrthio mewn cariad â'i gilydd? Awgrymai'r ddelwedd gyhoeddus ar lwyfan eu bod o leiaf yn glòs. Ond oddi ar y llwyfan roedd yna densiynau dybryd rhyngddynt. Waeth beth oedd hanfod eu perthynas, roedd Cymru wedi dwlu ar yr arddangosiad cyhoeddus o serch tragwyddol ac agosatrwydd parhaol. Hyd yn oed os oedd yna anawsterau, doedd y ddau ddim yn swil o bedlera'r ddelwedd siwgraidd, sentimental.

Teitl llyfr Edgar Jones, *Mae Gen i Gariad*[1], oedd teitl record gyntaf Tony ac Aloma yn 1968. Yn ôl y broliant, 'nofel' yw'r llyfr, ac er ei fod yn honni cyflwyno fersiwn Tony o'r berthynas rhyngddo ac Aloma, does yna'r un dyddiad yn cael ei grybwyll gydol y gyfrol. Dyw hyd yn oed dyddiadau geni'r ddau ddim yn cael eu cofnodi. Pa mor gywir, felly, yw'r cynnwys? Petai ond traean ohono'n wir, mae'n stori cystal ag eiddo llawer i bâr cyffelyb o'r byd canu gwlad. Doedd rhoi sylw i helbulon personol cantorion canu gwlad ddim yn gwneud drwg i werthiant eu recordiau. Pa ots os yw ambell 'wendid' yn cael ei orliwio? Yn wir, roedd datgelu'r cymhellion dros gyfansoddi ambell i gân yn hwb i'w gwerthiant. Medrai'r gynulleidfa uniaethu â ffaeleddau'r artistiaid ac edmygu eu gonestrwydd.

Roedd Tony yn glaf o gariad tuag at Aloma a hithau'n gyndyn i gydnabod ei deimladau. Byddai Tony yn mynd i'w blu o weld Aloma yn canfod cysur ym mreichiau dynion eraill. Byddai eu gweld ar lwyfan yn closio at ei gilydd, Aloma efallai mewn sgert fer yn eistedd ar stôl uchel, a Tony yn sefyll yn glòs yn ei hymyl yn strymio nodau 'Mae gen i gariad' ar ei gitâr, yn brofiad fyddai'n goferu o emosiwn. Erbyn diwedd y gân, fe fydden nhw wedi addo'u hunain i'w gilydd nid tan 'un, dau, tri o'r gloch' y bore ond tan ddiwedd eu hoes. Ac eto, doedd y gynulleidfa ddim yn siŵr. Gwelent y tynerwch cyhoeddus a'r fflyrtian agored ar y llwyfan, ond doedden nhw ddim yn sicr ai felly oedd hi i fod pan ddeuai'r cyngerdd i ben a phan ddiffoddid y goleuadau.

O fewn fawr o dro, oherwydd cymaint y galwadau, dibynnai'r ddau ar berfformio i gynnal bywoliaeth. O ran hynny, doedd mentro'n broffesiynol ddim yn benderfyniad anodd i'r ddau. Doedd ganddyn nhw ddim i'w golli. Hogan ysgol oedd Aloma a gweithio dros-dro ar ffermydd dros Glawdd Offa wnâi Tony. Gymaint oedd eu hapêl nes ei bod yn bosib llunio cyfres o raglenni o'u cwmpas. Roedden nhw wedi profi o fewn byr amser fod ganddyn nhw fwy i'w gynnig nag ambell eitem achlysurol. Ym mis Mehefin, 1969, dangoswyd y rhaglen gyntaf o gyfres 'Tony ac Aloma' ar Deledu Harlech gyda Hogia'r Deulyn a'r Perlau yn artistiaid gwadd. Bonws i bob trefnydd Noson Lawen ar y pryd oedd sicrhau presenoldeb y ddeuawd o Fôn. Fyddai'r un neuadd yn wag o weld eu henwau nhw ar boster.

A hyn oll am i'r ddau ddigwydd cyfarfod mewn siop tships yn Llannerch-y-medd. Roedd Tony yn clemio eisiau bwyd ar ôl colli ei ffordd wrth ddosbarthu bwydydd anifeiliaid i ffermydd yng nghyffiniau Mynydd Mechell. Hwn oedd ei ddiwrnod cyntaf yn gyrru'r lorri. Adroddodd yr hanes wrth yr hogan benfelen o'i flaen oedd yn disgwyl ei thro i brynu sglodion. Roedd hi'n gwlana chwerthin ac fe wahoddodd y llanc doniol un ar hugain oed yn ôl i'w chartref. Am y tro cyntaf yn ei fywyd fe welodd Tony delyn go-iawn ar aelwyd Crud-yr-Awel. Benthycodd yntau gitâr ei brawd ac fe gafwyd harmoni cerddorol yn syth bìn. Ac mae'r gweddill, ys dyweder, yn hanes, neu dyna, o leiaf, yw fersiwn 'y nofel'.

Mae fersiwn Aloma ychydig yn wahanol ynglŷn â'r tro cyntaf i'r ddau gyfarfod. Galw i holi hanes ei brawd, Llugwy, er mwyn mynd i ganu'n rhywle neu'i gilydd wnaeth Tony, a'i nain yn mynnu ei bod hi'n canu yng nghlyw y llanc dieithr. Yn absenoldeb Llugwy doedd dim taw ar Tony yn ceisio dwyn perswâd ar Aloma i fynd i ganu yn ei gwmni. Er nad oedd yn hŷn na thair ar ddeg oed roedd Aloma eisoes yn gwneud ychydig o ganu gyda chyfeilles. Nes ymlaen, bu'n rhaid i'r ffrind roi'r gorau i ganu am fod ei mam yn gwrthwynebu'r oriau hwyr. O ganlyniad i hynny y sefydlwyd Tony ac Aloma fel partneriaeth ganu a fyddai'n difyrru ar hyd a lled Ynys Môn yng nghwmni Idris Williams.

Ta beth, tra oedd Tony yn alltud yn Lloegr hedfanai ei feddwl yn ôl i aelwyd Crud-yr-Awel, a'i hiraeth am Aloma'n dyfnhau. Fe'i hudwyd gan yr hogan ysgol gyda'r sanau gwynion, a hynny'n arbennig am eu bod wedi asio'n gerddorol. Bodlonai hynny ysfa'r perfformiwr yn y gwas fferm ond doedd y berthynas ddim i fod yn esmwyth. Hynny, mae'n debyg, sydd i gyfrif am ei ganeuon sensitif a syml. Gosodwyd cytgan 'Wedi colli rhywun sy'n annwyl' ar garreg fedd nain a thaid Aloma ym mynwent Penrhosllugwy ar droed Mynydd Bodafon. Doedd brwydr yr iaith ddim yn mennu ar Tony ac Aloma ond fyddai neb yn gwadu nad oedd yna drydan yn yr awyr a gwefr i'w deimlo o'u clywed yn perfformio. Roedd y sibrydion ynghylch 'salwch' Tony, a'i gyfnod yn Ysbyty Abergele, a'i ymgais i gefnu ar y rhialtwch trwy brynu fan i werthu cŵn poeth yn tanlinellu natur fregus ei berthynas ag Aloma, a hynny yn ei dro yn adlewyrchu breuder pob perthynas.

Un a'u hadwaenai'n well na neb, wrth gwrs, oedd Idris Williams, a fu'n llywio'u gyrfa. Mae ganddo sylwadau treiddgar am natur perthynas y ddau:

> Roedd y ddau mewn cariad yn fawr iawn ond doedden nhw ddim yn gallu byw fel dau gariad. Roedd y naill yn gallu dweud pethau am y llall, ond fiw i neb arall wneud! Fe fydde Aloma yn gallu dweud rhywbeth am Tony neu Tony am Aloma, ond os byddech chi'n cytuno, lwc owt! Roedd o'n gariad unigryw, doedd o ddim yn gariad brawd a chwaer, doedd o ddim yn gariad mab a merch... Ac mae o'n dal i fod.[2]

Gyda llaw, fe gafodd y nofel *Mae Gen i Gariad* ei disgrifio gan Glyn Evans mewn adolygiad yn *Y Cymro*, fel 'y rwj mwyaf diawledig a welodd olau dydd ers dwn i ddim pryd'. Ond aeth ymlaen i ddweud bod angen rhagor o 'stwff sâl da' o'r fath a'i fod yn cefnogi ymgyrch Robat Gruffudd, y cyhoeddwr, yn erbyn crachlenyddiaeth:

Rwy'n gweld y dilynwyr pop yn giglan dros eu copïau. Rwy'n gweld hen wragedd sentimental yn beichio crio drostynt a merched canol oed rhwystredig yn cnoi eu gwefusau wrth ddarllen stori Tony. A chaiff gweision fferm hen hwyl iawn ar ben yr holl firi. [3]

Beth bynnag, rhoddodd y ddau Fonwysyn hwb aruthrol i fwrlwm y canu pop ar ddiwedd y 60au. Adlewyrchu'r bwrlwm hwnnw oedd cyfrifoldeb athronydd a ddychwelodd o'i alltudiaeth yn America. Ar ôl cyfnod byr yn Adran Efrydiau Allanol Coleg y Brifysgol, Bangor, fe benodwyd yr athronydd hwn yn Bennaeth Adran Adloniant Ysgafn BBC Cymru, yng Nghaerdydd, yn 1963. Pa orsaf deledu arall yn y byd crwn all ddweud iddi benodi Pennaeth Adloniant Ysgafn sydd â gradd dosbarth cyntaf mewn athroniaeth o Goleg Prifysgol Cymru a doethuriaeth o un o brif golegau America?

Ond nid athronydd nodweddiadol â'i ben yn y cymylau mo'r Dr Meredydd Evans. Byddai llawer yn ei gofio fel y 'cwac, cwac' o ddyddiau Triawd y Coleg yn cyflwyno'u hunain fel 'Triawd y Buarth'. Dychwelodd i Gymru yng nghwmni gwraig a fagwyd yn nhalaith Michigan ac a oedd yn rhannu'r un diddordeb â'i gŵr mewn cerddoriaeth o bob math. Yn wir, roedd Phyllis Kinney yn gantores opera o fri a oedd wedi dysgu rhai alawon Cymreig, cyn cyfarfod â'i darpar ŵr trwy ddarlithydd o Gymro o'r enw Gomer Llewelyn Jones yng Ngholeg Michigan. Tra oedd yn America cafodd Merêd yr anrhydedd o weld record hir o ganeuon gwerin Cymraeg o'i eiddo, *Concert of Welsh Folksongs*, ar label Folkways, yn cael ei dyfarnu yn un o'r dwsin gorau a gyhoeddwyd yn 1953, yn ôl y *New York Times*.

Gobaith Merêd oedd efelychu camp Sam Jones o ran adlewyrchu a chreu adloniant Cymraeg cyfoes. Ei fwriad oedd cyflwyno'r bwrlwm Cymraeg hwnnw a gofiai o ddyddiau ei blentyndod yn Nhanygrisiau, er y sylweddolai fod pethau wedi newid ers hynny. Y sialens oedd ei osod ar y teclyn a ddeuai'n gelficyn cyfarwydd ar bob aelwyd. Ond bu bron iddo ddanto ar ôl ond blwyddyn yn y swydd. Dyma rai o'r anawsterau, yng ngeiriau Merêd:

Mi oedd hi'n anodd. Toedd yna mo'r adnoddau ar gael. Mi oedd angan hyfforddiant ar bobol i weithio mewn stiwdio deledu. Mi sefydlwyd rhaglen o'r enw *Hob y Deri Dando*, wel, dyna'r peth rhyfedda. Y syniad oedd cael artistiaid i eistedd ar ben byrnau gwair a chanu, ond mi oedd hi'n rhyfadd fel oedd cantorion a arferai sefyll ar lwyfan i ddiddanu yn ei chael yn anodd i eistedd yn naturiol lonydd o flaen camera i ganu. Fe fu'n rhaid dibynnu'n helaeth ar Aled a Reg, y ddau'n medru chwara gitâr, i ganu peth wmbreth o gyfieithiadau a hen benillion ar alawon cyfoes. Mi oeddan nhw'n ddau walch yn gosod darnau o bapur gyda'r geiria ym mhobman a thalai ddim i wneud hynny o flaen camera. Ond roedd yna hwyl i'w gael a rhyw symud mlaen yn ara bach.

Wrth i rychwant adloniant ehangu, fe welwyd cyfle i sefydlu rhaglen fwy cyfoes ei naws. Eisoes roedd *Discs-a-gogo* wedi ennill ei phlwyf ar deledu masnachol a *Top of the Pops* ar rwydwaith y BBC. Sefydlwyd *Disc a Dawn* yn 1967 ond ni chroesawyd yr arloesi gan bawb. Pan ymddangosodd grŵp trydanol o fyfyrwyr hirwalltog o Aberystwyth o'r enw Y Blew fe dderbyniwyd llythyrau o gŵyn. Roedd y bechgyn yn wahanol ac roedden nhw'n creu andros o sŵn, ond cawsant gefnogaeth Merêd:

Mi roedd yna newid graddol o'r pwyslais ar eiriau, lleisio da a harmoni i'r rhythm, bît a bas. Mi oedd Y Blew yn cynrychioli'r eithaf yn hyn o beth yn Gymraeg ar y pryd a toedd pawb ddim yn barod i'w dderbyn. 'Ddim yn Gymreig' oedd y gŵyn. Tybad? Mi oedd yn rhaid ei neud o fel petai'n perthyn i ni. Mi oedd yn rhaid dilyn greddf y bobol ifanc, r'argian, nhw oedd yn iawn. Gydag amsar mi oedd y dynwarad neu'r efelychu, fel yn y 40au, yn troi'n gynhenid.

Fe achosodd Y Blew gryn gynnwrf a dyna, yn anad dim, oedd eu bwriad. Astudio'r gyfraith a wnâi tri ohonyn nhw ac roedd y llall yn astudio Cymraeg. Ond er y gwaith academaidd, fel pob cenhedlaeth o fyfyrwyr, roedd ganddynt ddigonedd o amser hamdden. Treuliwyd oriau bwygilydd yn gosod y byd yn ei le ac yn darogan eu dyfodol. Tasgai menter ac asbri ieuenctid o'u gwythiennau ac roedden nhw am adael eu marc. Ar ôl misoedd o drafod, penderfynodd Dafydd Evans, Geraint Evans, Richard Lloyd a Maldwyn Pate ffurfio grŵp pop trydanol. Ond yn fwy na hynny penderfynwyd mynd ati mewn steil. Benthycwyd dros £2,000 er mwyn trefnu taith trwy Gymru yn ystod haf 1967. Roedd hi'n gyfnod pan oedd tyfu gwallt hir a orchuddiai'r clustiau ac ymestyn at y gwegil yn cael ei ystyried yn her i'r Gyfundrefn. O ganlyniad, rhyw dyfu wnaeth enw'r grŵp!

Bwriad y bechgyn, yn ddi-os, oedd gweddnewid canu pop Cymraeg. 'Y syniad yw cael pobol ifanc i arfer â chanu Cymraeg sy'n wyllt eithafol,' meddai Dafydd. 'Ŷn ni'n ffed-yp â'r sothach sentimental ffug-bop Cymraeg,' meddai Geraint. Ac ychwanegodd Dafydd am Dafydd Iwan, 'mae e'n apelio at Gymry ymwybodol. Mae'n bryd i rywun ddechre sgrechen mewn Cymraeg sâl, er mwyn y bobol ifanc na chlywson nhw erioed neb yn canu caneuon y Beatles a'r Rolling Stones yn Gymraeg'.[4]

Y cam cyntaf oedd sicrhau cyfle i berfformio yn Eisteddfod Genedlaethol y Bala ar ddechrau mis Awst, ond roedd pob neuadd wedi'i llogi a phob noson wedi'i threfnu. Yn y diwedd, cafwyd gwahoddiad i chwarae yn y Babell Lên, o bobman. Hwyrach fod gan hynny rywbeth i'w wneud â chefndir dosbarth canol yr aelodau, a bod y trefnwyr o'r farn y byddai myfyrwyr aeddfed yn siŵr o anrhydeddu safonau a disgwyliadau un o'r mannau sancteiddiolaf ar faes y Brifwyl. Mab hynaf yr Aelod Seneddol, Gwynfor Evans, oedd Dafydd, hanai Geraint o Aberystwyth, Maldwyn o'r Barri a Richard, yr unig un na fedrai'r Gymraeg, o Lundain, er bod ei wreiddiau yn y Canolbarth.

Gormodiaith fyddai dweud i'r Blew achosi reiat yn y Babell Lên ond roedd y selogion yn moeli eu clustiau ac wedi eu hysgwyd. Tarfwyd ar hamddena 'bois y baco shag' ond roedd yr ychydig ieuenctid a oedd yno wedi gwirioni. Doedd rhinweddau awdl a chymhlethdodau'r pedwar mesur ar hugain yn golygu fawr ddim iddyn nhw ar ôl clywed y nodau swnllyd. Er mai canu cyfieithiadau a wnâi'r bechgyn, roedd canu roc Cymraeg wedi ei eni. Doedd dim amau hynny. Clywid pangfeydd yr esgor yn y Cymreiciaf o wyliau'r genedl. Sŵn afieithus ac nid cywirdeb tonyddiaeth oedd yn cael ei gynnig gan y llanciau hirwalltog â'r sbectolau tywyll. Hudai'r sŵn bawb i ddawnsio a tharai bît y drwm a'r gitarau'r corff yn ogystal â'r glust. Be-bop-a-lula.

Parhaodd y cynnwrf yma gydol yr haf wrth i'r Blew berfformio mewn neuaddau ledled y Gymru Gymraeg. Gwariwyd yn helaeth ar bosteri enfawr dwyieithog yn cyhoeddi 'Mae'r Blew yn dod...' Cynhyrchwyd bathodynnau i'w dosbarthu ac fe gyflogwyd nifer o bobol i hwyluso trefniadau'r daith. Gwahoddwyd cyd-fyfyriwr, Dave Williams, i ychwanegu rhagor o sŵn gyda'i gitâr yntau. Doedd dim pall ar y sgrechian o blith y merched ac roedd y bechgyn, hyd yn oed, yn barod i ddawnsio yn hytrach na phwyso yn erbyn y muriau yn ymddangosiadol ddi-hid. Roedd 'Dawns Y Blew' drydanol dipyn yn fwy cynhyrfus na dawns draddodiadol y Twmpath. Doedd ryfedd fod fan y grŵp yn blastar o sloganau wedi eu taenu â lipstig coch. Doedd dim ots eu bod yn Saesneg. Doedd neb wedi meddwl ei bod yn bosib ysgrifennu 'Blew *is fab*' a '*We love the* Blew' yn Gymraeg. Wedi'r cyfan, ni welwyd y fath ymadroddion ar dudalennau cylchgronau'r Urdd na misolion yr Ysgolion Sul.

Nid myfyrwyr oedd mynychwyr eu dawnsfeydd ond ieuenctid cyffredin yn dechrau sylweddoli nad oedd canu geiriau Cymraeg yn dramgwydd i fwynhau afiaith roc a rôl. Dros yr haf hwnnw dechreuodd rocwyr Cymraeg sylweddoli nad y Saesneg Americanaidd oedd unig diriogaeth y cyfrwng newydd. Ehangai peuoedd y *rhythm and blues*. Cyflawnodd Y Blew yr union beth a gyflawnwyd gan Hogia Bryngwran a Hogia Llandegai o ran sgiffl a chanu gwlad, sef rhoi arlliw Gymraeg i fwrlwm a oedd yn sgubo'r wlad. Doedd dim yn anghyffredin yn yr hyn roedd Y Blew yn ei wneud o ran ansawdd y gerddoriaeth – roedd degau eraill o lanciau, gan gynnwys dwsinau o Gymry Cymraeg, wrthi ar hyd a lled y wlad. Ond yr hyn a oedd yn chwyldroadol am Y Blew oedd eu bod nhw'n gwneud hynny yn Gymraeg.

Tra oedd ieuenctid gweddill y byd Gorllewinol yn gorfoleddu yn nelfrydiaeth 'Grym y Blodau', ac yn troi eu golygon tuag at San Fransisco a'r gymuned ddirfodol yno, roedd dyrnaid o Gymry'n dod i oed trwy blufio ceiliog ar Faes B Eisteddfod Genedlaethol y Bala a thiwnio'u cyrff a'u synhwyrau i nodau'r Blew. Do, fe wnaed record ar label Qualiton a'i galw'n *Maes B*, gan gychwyn y chwedloniaeth ynghylch gwersyllfan yr eisteddfod honno.

O ran cerddoriaeth bît, roedd y mwyafrif o'r ieuenctid Cymraeg yn dal i ystyried y Saesneg yn iaith naturiol y cyfrwng. Ffurfio grwpiau

Saesneg oedd yr arfer os oedden nhw am ddenu ieuenctid i ddawnsio. Dilyn y patrwm yma wnaeth Gordon Humphreys, Bryn Jones, Eric Bentley ac Andy Worrell o Fae Cemaes ar Ynys Môn trwy ffurfio'r 'Anglesey Strangers'. Denwyd dilynwyr ledled y Gogledd ac yng nghlybiau Canolbarth Lloegr. Cymry Cymraeg oedd tri o'r aelodau ac oni bai i un o gynhyrchwyr amlyca'r cyfnod, Joe Meek, ei ladd ei hun ym mis Chwefror 1967, pan oedd record gyntaf y Strangers ar fin ei chwblhau, mae'n debygol y byddai cân o'r enw 'Suzanne' wedi llwyddo yn y siartiau. Wrth ganu 'Each night I look at the moon above / I pray for a word from the one I love / To return to me some day / My Suzanne, wowowow, my Suzanne,' poeni bod ei acen yn rhy Gymreig a wnâi Bryn Jones. Doedd hi ddim wedi gwawrio ar yr hogiau cyffredin i fentro canu yn Gymraeg. Yn wir, trychinebus fu eu hymddangosiad ar raglen deledu o'r enw *Gorwelion* ar TWW yn canu cân wedi ei chyfieithu gan un o'r mamau. Doedd canu 'wowowow' ddim yn swnio'n iawn yn Gymraeg ar y pryd. Flynyddoedd lawer yn ddiweddarach, byddai Bryn, o dan yr enw Bryn Chamberlain, yn cyhoeddi casét ar label Fflach gyda'r gân 'Suzanne' yn cael ei chanu yn Gymraeg yn gwbl naturiol.

Os oedd yr isddiwylliant roc Eingl-Americanaidd yn cael ei ddathlu gyda chyfres o wyliau enfawr, yn ymestyn o Ŵyl Ynys Wyth yn 1967 i Woodstock ddwy flynedd yn ddiweddarach, yna roedd adloniant Cymraeg yn cael ei ddathlu trwy gynnal cyfres o Binaclau a Thribannau a Thwrwfeydd Pop yng nghefn gwlad. Ym Mhontrhydfendigaid ym mis Mehefin 1968 fe drefnodd mudiad yr Urdd, trwy law Peter Hughes Griffiths yn bennaf, farathon o ddigwyddiad o dan y teitl *Pinaclau Pop*. Gwerthwyd dwy fil o docynnau ymhell 'mlaen llaw a chymaint oedd y galw nes eu bod yn newid dwylo am brisiau chwyddedig.

Ryan Davies oedd cyflwynydd y *Pinaclau* a chroesawodd i'r llwyfan lu o artistaid: Hogia Llandegai , Helen Wyn, Aled a Reg, Dafydd Iwan, Meinir Lloyd, Huw Jones, Tony ac Aloma, Heather Jones, Y Diliau, Y Derwyddon, Edward, Mari Griffith, Y Cwiltiaid, Treflyn a Siwsan, a'r Pelydrau. Dros y ddwy flynedd ddilynol trefnwyd nifer o nosweithiau ar batrwm y *Pinaclau* ledled Cymru nes i rywrai ddechrau teimlo bod gormod o bwdin yn tagu'r ci. Er eu bod yn denu cynulleidfaoedd niferus, ac arian rhwydd i goffrau elusennau a mudiadau amrywiol, doedd dim posib i'r un artistiaid berfformio yn yr un ardaloedd yn rhy gyson heb syrffedu'r cynulleidfaoedd.

Serch hynny, roedd digon o ddatblygiadau eraill o ran adloniant ysgafn Cymraeg. Am fod cymaint o recordiau Cymraeg yn cael eu cyhoeddi roedd siart 'Y Deg Uchaf' yn *Y Cymro* wedi ei hen sefydlu ac yn farometr wythnosol o boblogrwydd artistiaid. Daeth y cwestiwn 'Pwy sy ar frig y Deg Uchaf?' yr un mor gyfarwydd â 'Pwy sy ar frig y *Top Twenty*?' Roedd yr wythnosolyn ar fin penodi gohebydd i gymryd cyfrifoldeb am dudalen a fyddai'n cael ei neilltuo i adlewyrchu'r bwrlwm.

Wrth i artistiaid ennill eu plwyf yng Nghymru roedd yna ddyfalu a fydden nhw'n troi eu golygon at y byd Saesneg a llwyddiant masnachol. Pan holwyd Hogia'r Wyddfa am eu gobeithion, eu hateb oedd nad oedden nhw'n credu bod ar Loegr na'r Saesneg eu hangen. Roedd eraill yn troi eu golygon i'r byd Saesneg cyn creu argraff yn y byd Cymraeg. Soniwyd yn gyson ar dudalennau'r *Cymro* am obeithion Mike Hudson o Ddinas Mawddwy oedd ar fin rhyddhau recordiau Saesneg. Fel hogyn, roedd Owen Gwynfor Evans wedi trechu Dafydd Iwan droeon yn eisteddfodau'r Urdd yn Sir Feirionnydd. Roedd Helen Wyn wedi troi'n Tammy Jones ac wedi sicrhau cytundeb recordio gyda chwmni blaenllaw. Llwyddodd Elwyn Hughes o Drefor, ym Mhen Llŷn, i'w sefydlu ei hun yn Llundain fel aelod o'r Black and White Minstrels ac fel aelod o driawd yn canu caneuon Negroaidd. Ond y seren fwyaf llachar, yn ddi-os, oedd merch ysgol o Bontardawe ym Morgannwg o'r enw Mary Hopkin.

Roedd gan Mary lais hudolus a bu record Gymraeg ohoni'n canu cyfieithiadau, a gyhoeddwyd gan gwmni Cambrian, ar frig siart *Y Cymro* am dri mis. Cafodd lwyddiant eithriadol pan ymddangosodd ar raglen Saesneg o'r enw *Opportunity Knocks* a geisiai ddarganfod talentau newydd. Ar ôl iddi brofi'n ffefryn pleidleisiau'r gwylwyr, roedd neb llai na'r Beatles am ei harwyddo ar gyfer label recordio roedden nhw ar fin ei sefydlu. Er i Mary geisio dilyn gyrfa yn y ddwy iaith am gyfnod, fe brofodd holl feri-go-rownd y cyhoeddusrwydd (a oedd y tu hwnt i'w rheolaeth) ar y ddwy ochr i Fôr yr Iwerydd yn rhwystr iddi berfformio ar lwyfannau'r *Pinaclau* a'r Nosweithiau Llawen. Yn 1968 roedd 'Those Were The Days' ar frig y siartiau yn Lloegr ac America. Roedd Llundain yn awyddus i hyrwyddo ei Joan Baez neu ei Buffy St Marie ei hun. Doedd dim dychwelyd i Gymru.

Fe gododd ei chyfyng-gyngor gwestiwn diddorol. Vaughan Hughes, wyneb cyfarwydd ar y rhaglen deledu *04 05 AC ATI* a drafodai faterion ieuenctid ar TWW, anfonodd lythyr at *Y Cymro* a hynny ar gorn llwyddiant y lodes o Bontardawe. Byrdwn ei lythyr oedd holi a ddylid annog cantorion i ganu caneuon Cymreig eu naws yn yr iaith Saesneg er mwyn difyrru'r Cymry di-Gymraeg:

> Yng Nghaerdydd yn ddiweddar gofynnais i ddau o brif gantorion pop Cymru, Dafydd Iwan ac Edward, beth oedd eu syniadau hwy am hyn. Datguddiodd Edward mai yn Saesneg y dechreuodd o ganu'n gyhoeddus gyntaf. Ond yn awr, ar ôl gweld bod ei ganeuon Cymraeg yn cael eu gwerthfawrogi, nid oes awydd arno o gwbl i bandro i chwaeth cynulleidfa ddi-Gymraeg.
>
> Cyffesodd Dafydd, fodd bynnag, iddo roi cryn ystyriaeth i'r broblem hon. Gan fod cariad ein prif ganwr pop yn llosgi drwy bob cord a chytsain yn ei ganeuon, mae'n naturiol ei fod eisiau rhannu ei gariad gyda chynifer o bobl ag sydd modd. Fe ŵyr Dafydd o'r gorau y gallai ddyblu ei gylch o edmygwyr pe canai am Gymru yn Saesneg. Serch hynny, mae'n anfodlon cymryd y cam hwn: mae perygl inni fod yn rhy awyddus i rannu'n diwylliant â'r rhai di-Gymraeg. Os rhoddwn ni ein traddodiadau o'u blaenau'n ddidrafferth yna fe fyddwn yn eu hamddifadu o'r awydd i ddysgu Cymraeg. Os gallant gael ffrwythau'r gymdeithas Gymraeg heb orfod gwneud ymdrech i ddysgu'r iaith fe deimlent nad oes raid ymdrechu i ddeall y gwreiddiol.
>
> Pwy all ddadlau'r rhesymeg y tu ôl i'r geiriau hyn? A phwy all beidio edmygu Dafydd Iwan am wrthod dawnsio i diwn y geiniog Saesneg? [5]

Deuai tensiynau i'r wyneb, a gosodwyd canllawiau ar gyfer y 70au, wrth i isddiwylliant Cymraeg ddatblygu ymhlith ieuenctid oedd yn torri'n rhydd o hualau Nosweithiau Llawen ac adloniant a drefnid ar eu cyfer gan oedolion 'sgwâr'. Roedd yna garfan o ieuenctid, dan arweiniad myfyrwyr, am greu eu sîn eu hunain ar sail Cymreictod heriol ac ymosodol. Roedden nhw'n ymwrthod â'r datganiad o israddoldeb oedd ymhlyg yn yr agwedd 'ma' fe/hi yn ddigon da i lwyddo yn y byd Saesneg'. Gwelid y gwrthdaro yma amlycaf yn y ffrae rhwng golygydd *Blodau'r Ffair*, cylchgrawn ysgafn yr Urdd, a golygydd *Lol*, cylchgrawn dychanol y chwyldroadwyr a ymddangosodd gyntaf yn 1965.

Cyhoeddid *Lol* i gyd-ddigwydd â'r Eisteddfod Genedlaethol a doedd yna'r un fuwch sanctaidd ym mywyd Cymru nad oedd yn dod o dan ei lach. Yn rhifyn 1968, roedd yr Urdd yn ei chael hi'n hegar, yn unol â'r arfer, gydag erthygl sbeitlyd yn cynnig cyfarwyddyd ar sut i 'sgrifennu stori garu addas i'w chyhoeddi yng nghylchgronau'r mudiad. Penderfynodd R E Griffith, cyfarwyddwr y mudiad a golygydd *Blodau'r Ffair*, amddiffyn y cyhuddiadau. Mynnai R E fod *Lol* yn ddi-chwaeth a difrïol:

> Wrth geisio difrïo a bychanu gwaith yr Urdd, dangosodd y llanciau adolesent sy'n hybu *Lol* na wyddant mo'r gwahaniaeth rhwng dychan a dirmyg, rhwng sbort a gwawd. Ymddengys nad yw'r math o Gymreictod a feithrinnir gan yr Urdd yn derbyn sêl eu bendith hwy – petai hynny o ryw wahaniaeth. Os mai'r unig ddewis arall yw'r gynhysgaeth a geir yn eu papuryn hwy, mae'n dlawd ar Gymru.[6]

Yng ngholofn lythyrau'r *Cymro*, roedd Elwyn Jones, golygydd *Lol*, eisoes wedi ymateb i lythyr gan dair o ferched o Gaerdydd yn amddiffyn yr Urdd. Aethai rhagddo i nodi'r agweddau hynny a berthynai i'r mudiad a oedd yn codi'r pych arno.

> Neis-neisrwydd y mudiad a'r agwedd 'gwared-ni-rhag-dangos-ein-hochor' sydd mor nodweddiadol ohono. Ei gariad at y teulu brenhinol Seisnig wedyn a'r symbolau hynny o'n Prydeindod yn hytrach na'n Cymreictod. A'r amharodrwydd i dderbyn unrhyw feirniadaeth, pa mor ysgafn a di-falais bynnag y bo... Y mae'r pethau hyn i gyd yn torri ar draws yr ysbryd newydd o ddiffuantrwydd ac onestrwydd sydd ar gerdded yng Nghymru heddiw, ac ni raid i aelodau'r Urdd synnu os tynnir sylw atynt.[7]

Dychwelodd at y frwydr trwy gyfeirio'n uniongyrchol at *Blodau'r Ffair* mewn erthygl a gyhoeddwyd ar dudalen flaen *Y Cymro*:

Mae'n debyg mai ystyr 'sbort' i Mr R E Griffith yw pentwr anferth o englynion a limrigau ar yr un hen destunau a'r rheini gan amlaf yn dibynnu ar air Saesneg yn y llinell olaf am unrhyw ergyd sydd ynddynt. Ceir hefyd ribynnau o ganeuon 'digrif' hir a diflas ar yr un hen destunau. (Beth yw'r rheswm nad oes adroddiad 'digri' ar y *driving test* y tro hwn?)[8]

Ymbellhau oddi wrth y mudiad ieuenctid cenedlaethol Cymraeg, a sefydlwyd i hyrwyddo bywyd ieuenctid, a wnâi carfan o'r to ieuanc. Yn wir, fe sefydlwyd cylchgrawn pop annibynnol o'r enw *Asbri* gan Gyhoeddiadau Myrddin yn 1969. Doedd gan y mudiad ieuenctid swyddogol ddim monopoli bellach ar baratoi deunydd darllen, a hwnnw wedi ei sybsideiddio gan grantiau awdurdodau lleol, ar gyfer y genhedlaeth iau. Roedd y rhifyn cyntaf o *Asbri* yn cynnwys llythyr o gefnogaeth gan Gwynfor Evans, AS Plaid Cymru, wedi ei anfon o Dŷ'r Cyffredin. 'Trwy'r wlad,' meddai, 'o Fôn i Fynwy, y mae'n destun syndod pleserus imi fod canu Cymraeg gan ein grwpiau ifainc yn cael croeso a chefnogaeth mor rhyfeddol. Gwna'r canu hwn gyfraniad gwerthfawr a phwysig i ysbryd ac asbri bywyd y genedl. Mae cenhedlaeth newydd wedi dod i ddeffro Cymru o'i hir lesgedd, a hyfryd dros ei thir yw sain eu halawon newydd yn yr heniaith'.[9]

Yn yr un flwyddyn, lansiwyd rhaglen radio ar y BBC o'r enw *Helô, Sut 'Dach Chi?* ar foreau Sadwrn, wedi ei hanelu at ieuenctid. Y cyflwynydd oedd Hywel Gwynfryn, llanc o Langefni a oedd yn prysur wneud enw iddo'i hun fel darlledwr amryddawn. Tyfodd y rhaglen yn wrando angenrheidiol i filoedd o ieuenctid.

Tebyg i'r 60au ddod i ben o ran ieuenctid yr Eingl-Americanaidd gyda chymanfa gyffuriau, heddwch a chariad yn Woodstock yn nhalaith Efrog Newydd ym mis Awst 1969. Daeth 300,000 ynghyd i wrando ar gerddoriaeth dros ugain o grwpiau mwyaf blaengar y cyfnod dros dridiau o amser. Goferai'r gorfoledd er i'r disgwyliadau bylu'n ddiweddarach.

Yng Nghymru, daeth y 60au i ben ddiwedd mis Mai yr un flwyddyn yn Aberystwyth, yn un o'r *Pinaclau Pop* poblogaidd hynny a drefnwyd i orffen eisteddfod flynyddol Urdd Gobaith Cymru. Digwyddiad yn ymwneud â diffinio hunaniaeth y Gymru newydd oedd y garreg filltir ddaeth â degawd y be-bop-a-lula Cymraeg i ben. Os oedd darlith radio 'Tynged yr Iaith' Saunders Lewis wedi dechrau'r ddegawd yn 1962, profodd un digwyddiad yn yr ŵyl ieuenctid yn glo ar bennod gythryblus ac yn fynegbost i'r dyfodol. Fe fu mater arwisgo mab hynaf y Frenhines Elisabeth o Windsor yn Dywysog Cymru yn rhan o'r agenda wleidyddol ers misoedd. Ystryw gyfrwys o eiddo'r Sefydliad Prydeinig i geisio tawelu cenedlaetholdeb oedd y seremoni yng Nghastell Caernarfon, meddai rhai. Mynnai eraill mai dyma haeddiant y Cymry fel dinasyddion ufudd y Deyrnas Unedig ac nad oedd y Frenhines yn gwneud dim mwy na gwireddu'r addewid a wnaeth ar enedigaeth Charles. Os mai'r bwriad oedd rhannu'r Cymry, a chryfhau'r ymlyniad at y wladwriaeth Brydeinig, yna rhannol fu'r llwyddiant. Mewn sefyllfa lle'r oedd y propaganda swyddogol yn fil gwaith cryfach na llais gwrthwynebiad y lleiafrif fe ddaeth arf effeithiol i'r amlwg, sef dychan.

Roedd prif gân record olaf Dafydd Iwan ar label Teldisc yn wahanol i unrhyw beth a gyfansoddwyd ganddo cynt ac roedd yr ymateb i *Carlo* yn gwbl wahanol i'r ymateb i bob un o'r recordiau blaenorol. Gwerthwyd llawer mwy o gopïau o'r record hon – dros 10,000 – a sicrhawyd cyhoeddusrwydd tipyn ehangach iddi, a hynny oherwydd mai gwrthrych y gân oedd Tywysog Cymru. Enw ar gi oedd 'Carlo' gan amlaf, ond yn y cyswllt hwn, fe'i defnyddiwyd fel Cymreigiad o 'Charles', a gwneud hwyl di-falais am ben diffyg Cymreictod y darpar-dywysog oedd byrdwn y gân:

Mae gen i ffrind bach yn byw ym Mycingham Palas
A Charlo Windsor yw ei enw e,
Tro dwetha yr es i i gnoco ar ddrws ei dŷ,
Daeth ei fam i'r drws a medde hi wrtha i:

Cytgan:
Carlo, Carlo'n ware polo heddi;
Carlo, Carlo'n ware polo gyda dadi;
Ymunwch yn y gân, daeogion mawr a mân,
O'r diwedd ma' gyda ni brins yng Ngwlad y Gân.

Fe gafodd e'i addysg yn Awstralia, do, a Sgotland
Ac yna lan i Aberystwyth y daeth o,

Colofn y diwylliant Cymraeg, cyfrannwr i Dafod y Ddraig,
Aelod o'r Urdd, gwersyllwr er cyn co!
Cytgan

Mae'i faners e'n berffeth, fe wedith e 'plis' a 'thenciw',
Dyw e byth yn cicio'i dad nac yn rhegi'i fam,
Mae e wastad wedi cribo'i wallt, ma'i goleri fe wastad yn lân,
Dyw e byth yn pigo'i drwyn nac yn poeri i'r tân!
Cytgan

Bob wythnos mae e'n darllen Y Cymro *a'r* Herald,
Mae e'n darllen Dafydd ap Gwilym yn ei wely bob nos,
Mae dyfodol y wlad a'r iaith yn agos at 'i galon fach e
A ma' nhw'n dweud 'i fod e'n perthyn i'r FWA!

Doedd neb wedi meiddio gwneud hwyl am ben aelod o'r teulu brenhinol ar gân o'r blaen, heb sôn am ei chyhoeddi ar record. Byddai'r fath weithred ysgeler bron yn gyfystyr â theyrnfradwriaeth. Doedd hi ddim wedi gwawrio ar neb o fewn y byd pop Saesneg i hyd yn oed ystyried y posibilrwydd o ddychanu preswylwyr Buckingham Palace. Ond yng Nghymru, gwelid mater y Frenhiniaeth mewn goleuni gwahanol. Roedd Dafydd Iwan, yn ei ganeuon propaganda, eisoes wedi galw i gof arwriaeth y tywysogion Cymreig a 'fu'n ymladd dros ryddid ein gwlad'. Am ei fod yn arweinydd Cymdeithas yr Iaith Gymraeg, roedd disgwyl iddo arddel ymateb gwleidyddol i'r arwisgiad. I'r cenedlaetholwr pybyr doedd gan Charles Windsor mo'r cymwysterau priodol i'w alw'n Dywysog Cymru. Doedd ei linach ddim yn gysylltiedig ag eiddo'r un tywysog Cymreig. I lawer o'i gyd-fyfyrwyr yng Ngholeg y Brifysgol, Aberystwyth, lle bu'n treulio tymor yn ceisio dysgu Cymraeg, roedd e'n symbol o goncwest a darostyngiad. 'Brad' oedd un gair a ddefnyddid i ddisgrifio'r bwriad i'w urddo mewn seremoni rwysgfawr yng Nghastell Caernarfon, symbol arall o oresgyniad. Ond, ar y cyfan, osgoi syrthio i'r fagl o ymgyrchu'n agored yn erbyn yr arwisgiad wnaeth y mudiadau cenedlaetholgar. Yn hytrach, penderfynodd Dafydd wrthwynebu'r sioe trwy ddefnyddio dychan miniog.

Yn ystod y misoedd yn arwain at yr arwisgo ar 1 Gorffennaf roedd

Cymru'n ferw gwyllt. Doedd Dafydd ddim yn colli cyfle i ganu 'Carlo' yn gyhoeddus, gan wneud hynny gyda gwên lydan y Cymro a gredai mai mater dibwys, yn tynnu sylw oddi ar y wir 'frwydr', oedd yr arwisgiad. Ymunai rhai yn yr hwyl gan ddadlau nad oedd yna feirniadaeth bersonol o'r dyn ifanc ond beirniadaeth o'i statws, a'i deitl a'i anghymhwyster i arddel y teitl 'Tywysog Cymru'. Ond cythruddwyd eraill i'r byw.

Yng Nghaernarfon gwerthwyd mwy o gopïau o'r record *Carlo* na'r un record Saesneg. Ond er bod *Carlo* ar frig siart *Yr Herald Cymraeg* ym mis Chwefror, roedd y papur yn ei chondemnio'n hallt. 'Gyda chywilydd mawr, mae'n rhaid i mi gyhoeddi fod Dafydd Iwan wedi cymryd trosodd safle un yn siart Caernarfon,' meddai'r colofnydd, Stanley Lyall, cyn mynd ati i annog y darllenwyr i beidio â phrynu rhagor o gopïau o record a oedd, yn ei farn e, yn llawn 'casineb' ac nid 'dychan'.[10] Serch hynny, aros ar frig y siart am dair wythnos a wnaeth *Carlo*, a bu'n rhaid i Donald Peers, Amen Corner a Martha and the Vandellas ildio lle ar y brig i Dafydd Iwan. Cyhoeddwyd llun gyda'r capsiwn, 'Dafydd Iwan, sydd wedi dwyn cywilydd arno'i hun ac ar bob Cymro hefo'i record olaf'. Adleisiwyd geiriau Stanley Lyall gan ei gyd-golofnydd, 'Elfed': 'Efallai nad yw'n iawn i Sais fod yn dywysog ar Gymru ond nid oes eisiau cael casineb rhwng y ddwy genedl'.[11] Roedd y golygydd, John Eilian, y bardd a'r Tori adnabyddus, hefyd yn hallt ei sylwadau yn y *Caernarvon and Denbigh Herald*: '...he sings even this "hymn of hate" in his usual tones – those of the love-agonies of a sick seal – which shows that he has no versatility as a singer. But though we have to put up with a lot of things in the name of "pop", we should not have to put up with boorish manners, and with a mock patriotism which is a road to regular profit'.[12]

O ran y cyfansoddwr ei hun, doedd dim byd sinistr y tu ôl i'r gân. Er hynny, sylweddolai ei fod yn cael ei ystyried yn ffigwr dieflig neu'n 'symbol o'r galluoedd erchyll oedd yn meiddio gwrthwynebu'r gŵr ifanc perffaith yma, a oedd, gallech dybio, wedi ennill calon cenedl y Cymry, ac yn perthyn yn agos i'r angylion'.[13]

Bu o dan bwysau i beidio â pherfformio yn un o'r nosweithiau mawr a drefnwyd gan Idris Williams yn y Majestic yng Nghaernarfon ym mis Mehefin. Anfonodd Idris siec iddo yn dâl am beidio â pherfformio. Dyfynnwyd L H Brown, llefarydd ar ran perchnogion y Majestic, yn y wasg, yn amddiffyn y penderfyniad i wahardd yr artist oedd ar ben y siartiau lleol: 'There were rumours from Welsh patrons of the Majestic that if we invited him it could mean people walking round with paint brushes. We do not want any disturbances or paint brush incidents here'.[14] Roedd crybwyll brwshiau paent yn gyfeiriad at ymgyrch aelodau Cymdeithas yr Iaith Gymraeg i beintio arwyddion ffyrdd Saesneg yn wyrdd fel rhan o'r ymdrech i sicrhau arwyddion dwyieithog.

Daeth y gwrthdaro i'w benllanw yn Eisteddfod yr Urdd. Roedd Dafydd eisoes wedi cyhoeddi ei fod am ganu 'Carlo' am y tro diwethaf ym Mhinaclau Pop Pontrhydfendigaid. Gwrthododd mudiad yr Urdd anfon cynrychiolydd i'r arwisgiad, ond gwahoddwyd y Tywysog i alw heibio i wersyll Glan-llyn drannoeth ei urddo. Fe'i gwahoddwyd, hefyd, i'r Eisteddfod i draddodi araith o'r llwyfan yn Gymraeg. Pan gyrhaeddodd y pafiliwn, fe gododd tua 50 o brotestwyr, yn cynnwys Dafydd Iwan, o'r seddau blaen a cherdded oddi yno yn araf gan arddangos posteri gwrth-arwisgo. Sylw'r arweinydd o'r llwyfan i fonllefau o gymeradwyaeth oedd bod mwy wedi aros ar ôl nag oedd wedi gadael. Aeth y gŵr gwadd yn ei flaen i draddodi araith Gymraeg yn llawn llediaith a chyda dogn o hiwmor wrth iddo honni ei fod yn darllen cywyddau Dafydd ap Gwilym yn ei wely bob nos, yn unol â honiad y gân ddychan, a'i fod bellach yn gyfarwydd â 'Merched Llanbadarn'.

Y noson honno, roedd Dafydd yn camu i lwyfan yr Eisteddfod i gymryd rhan mewn cyngerdd. Y diwrnod cynt, roedd T Llew Jones wedi dyfarnu'r Gadair i Gerallt Lloyd Owen, athro ieuanc a sefydlydd comic Cymraeg. Roedd Gerallt, o'r Sarnau, ger y Bala, mewn gwirionedd yn ennill ei drydedd gadair yn yr ŵyl. Cyfansoddodd y bardd pedair-ar-hugain-oed gerddi a oedd yn llawdrwm ar daeogrwydd a mursendod cenedl, a phenderfynodd Dafydd, ar noson araith y

Tywysog, ddarllen rhan o'r gerdd 'Cilmeri' fel cyflwyniad i gân newydd o'i eiddo, 'Croeso Chwe Deg Nain':

Wylit, wylit, Lywelyn,
Wylit waed pe gwelit hyn.

Roedd yr ymateb i'r geiriau dychanol hyn, unwaith eto, yn rhanedig:

... roedd hanner y gynulleidfa – yr hanner blaen mwy na heb – yn
dangos eu hanghymeradwyaeth, a'r hanner cefn yn gweiddi
bonllefau o gefnogaeth lwyr. Ac felly y bu drwy'r gân, ymateb
chwyrn drosti, ac yn ei herbyn. Dyna'r ymateb mwyaf ymfflamychol
a dderbyniais erioed ar lwyfan yng Nghymru, ond doedd y
gwrthwynebiad ddim yn poeni dim arnaf. Roedd y lle'n fyw ac
roedd y ffaith fod yna gefnogaeth gref yn ddigon i wneud iawn am y
gweddill.

Byrdwn 'Croeso Chwe Deg Nain' oedd gwneud hwyl am ben dathliadau'r arwisgo. 'Mae nain yn naw deg / Yn dweud ei bod yn chwe deg / A dannedd gosod taid / Ym myg y Prins,' oedd y geiriau a ganwyd wrth gynffon pob un o'r wyth pennill, yn tanlinellu defnydd ymarferol i'r cofrodd yn hytrach na'i gadw ar y seld:

Mae dychan a hiwmor yn arfau effeithiol iawn i'w bwrw yn erbyn
targedau fel teulu brenhinol Lloegr. Dangosodd Gareth Meils hynny
yn ei gyfres hynod o 'Lythyrau y Cwîn' yn *Nhafod y Ddraig*. Yn y pen
draw, ni fydd Cymru fyth yn wlad rydd heb i ni gael gwared o'r
agwedd wasaidd sydd gan ein pobl tuag at Goron Lloegr. Ond mae
hynny'n mynd i gymryd cenhedlaeth neu ddwy o leiaf. Yn y
cyfamser, mae dychanu'n paratoi'r ffordd, gan ofalu bod digon o
ffeithiau, hanesyddol a chyfoes, yn gefndir ac yn sail i'r dychanu.[15]

Daeth y 60au i ben ar y noson braf honno o Fehefin ym Mhlascrug, Aberystwyth. Dyw hi ddim yn ormodiaith dweud y gellid torri'r awyrgylch yn y Pafiliwn gyda rasel. Ond doedd crib Dafydd Iwan, na'r ieuenctid a oedd yn rhannu ei ddelfrydau, ddim wedi ei dorri. Gwelwyd wrth ffarwelio â'r 60au fod yna gamau breision wedi eu cerdded o ran rhychwant adloniant Cymraeg ers dechrau'r degawd. Crisialwyd y newid gan ohebydd adloniant *Y Cymro*, William H Owen, wrth adolygu'r 60au: 'Yn niwedd y 60au, roedd y Cymry yn canu o'u gwirfodd ac nid fel petaent yn gorfod gwneud hynny fel rhan o ddyletswydd i'r cyfryngau darlledu'.[16]

Diau fod y gorfoledd a'r cadernid a welwyd ar lwyfan Eisteddfod yr Urdd yn drobwynt. Dangosodd carfan o ieuenctid nad oedden nhw am gyfaddawdu ar fater Cymreictod er gwaethaf ystrywiau'r sefydliad Prydeinig. Dangoswyd hynny yn uchelwyl y prif fudiad ieuenctid, mudiad a oedd wedi cyfaddawdu (er y dylid nodi mai oedolion oedd wrth y llyw). Roedd yr ieuenctid yma yn mynegi eu safbwynt heb unrhyw strwythur pendant yn gefn iddynt – roedd llais a chordiau gitâr yn ddigon o arf propaganda. Gwelai D Tecwyn Lloyd, golygydd *Taliesin*, bwysigrwydd eu cynnyrch:

> Mae yna lawenydd am fod yma ddifrifwch sylfaenol ac aberth a dioddef o dan anfad ddwylo meinciau ynadon a heddluoedd a pharchusion dall Cymru'r 60au. Erbyn diwedd y ganrif, fe ddichon y bydd haneswyr a beirniaid llenyddol yn edrych ar y deunydd yma fel cychwyn cyfnod newydd.[17]

Ond doedd golygydd *Y Faner* ddim mor gadarnhaol wrth groesawu'r 70au, ac aeth rhagddo i gwyno am dwf y 'gwareiddiad pop':

> Tybed a welwn ni yn ystod y saith degau ein gwlad yn torri'n rhydd oddi wrth falltod y diwylliant a'r gwareiddiad Eingl-Americanaidd ac yn dibynnu mwy ar ei hadnoddau ei hun ym myd adloniant a diwylliant? Byddai hynny'n fendith ddigymysg i bawb sy'n byw yn ein gwlad fach ni.[18]

Y Diliau – grŵp swynol o Lanymddyfri: Mair Robins, Gaynor John a Meleri Evans – mewn gwrthgyferbyniad llwyr â'r Bara Menyn.

Ar y chwith, Mary Hopkin o Bontardawe yn cael ei derbyn i'r Orsedd. Fe'i collwyd i'r canu Cymraeg ar ôl ei llwyddiant ar *Opportunity Knocks*. Cyrhaeddodd 'Those Were the Days' frig y siartiau yn Lloegr ac America.

Fe fyddai'r cylchgrawn *Asbri* yn cynnal noson flynyddol i ddewis Miss Asbri. Olwen Mary Roberts o Fangor oedd yr enillydd yn 1971, mewn noson a drefnwyd ym Mhafiliwn y Pier, Aberystwyth. Ei gwobr oedd noson allan yng nghwmni Huw Jones. Roedd yr enillydd cyntaf y flwyddyn flaenorol, Rosalind Lloyd, wedi treulio noson allan yng nghwmni Hywel Gwynfryn.

Tony ac Aloma, y ddeuawd o Fôn a gipiodd galonnau'r Cymry. Oedden nhw... neu oedden nhw ddim... mewn cariad?

Y Blew – Richard Lloyd, Geraint Evans, Dafydd Evans, Maldwyn Pate a Dave Williams. Stiwdents a fu'n arloesi trwy ganu roc yn Gymraeg.

7 / Carangarw, Carangara

Eginodd rhai o ddigwyddiadau mwyaf cyffrous 70au cynnar y
ganrif ddiwethaf ym mlynyddoedd olaf y degawd blaenorol. Wrth
i rai artistiaid Cymraeg droi eu golygon tuag at Loegr, roedd eraill, na
wyddai fawr neb eu bod yng nghanol y bwrlwm creadigol yr ochr
draw i Glawdd Offa, yn clustfeinio ar yr hyn a oedd yn digwydd yn y
Gymru Gymraeg, ac yn ystyried dychwelyd i berfformio yn eu
mamiaith. Un o'r rheiny oedd Meic Stevens.

Fe'i magwyd ym mhentref glan-y-môr Solfach ger Tyddewi. Fe'i
ganwyd yno, yn ôl y sôn, yn oriau mân y bore yng nghanol storm.
Hwn oedd mab y trwste. Mae yna goel fod y sawl sy'n cael ei esgor yn
ystod y cyfnod hwnnw rhwng diflaniad nos a thoriad gwawr wedi ei
freintio â'r gallu i gyfathrebu â'r tylwyth teg. Os oes yna wirionedd yn
hynny yna mae'n gaffaeliad i geisio deall a gwerthfawrogi dawn ac
athrylith y swynwr o Solfach. Bu farw ei dad cyn iddo gael ei eni. Bu
farw ail ŵr ei fam hefyd cyn iddo gael ei eni. Collodd y ddau, ynghyd
â brawd ei fam, eu bywydau yn yr Ail Ryfel Byd.

Teg nodi ei fod yn llinach teulu llengar a cherddgar Soli'r Crydd o
Lanfyrnach yng ngogledd Sir Benfro. Roedd Solomon Davies yn
arweinydd y gân yng nghapel yr Annibynnwyr yn Llwyn-yr-hwrdd.
Cynhwysid emyn-donau o waith ei frawd, Dafydd, a'i fab, Dewi ap
Myrnach, yn rhaglenni'r cymanfaoedd canu. Am un arall o'r brodyr,
Walter, sef hen-dadcu Meic, fe ddywedwyd: 'Barddonai yn fwy naturiol,
efallai, na'r un ohonynt, a gallasai yn ddiau, pe ymroddasai, wneud
gorchestion ym myd yr awen'.[1] Awgrym, efallai, o ddyn oriog ei
gymeriad.

Edrydd cyfoedion Meic hanesyn nodweddiadol o'i gampau yn nyddiau llencyndod. Daeth ar draws corff curyll un diwrnod a phenderfynu ei adael mewn llecyn arbennig gan blannu saeth bren ynddo cyn bwrw ati i chwarae gyda'i ffrindiau iau. Roedd pawb wrthi â'u bwâu saeth gwneud yng Nghwm y Pren Helyg yn ffugio hela fel dewrion y llwythau cyntefig a arferai breswylio yn yr ardal. Cyn pen dim byddai Meic yn brolio ei allu fel saethydd ac yn tywys y cryts anghrediniol i'r fan lle gorweddai'r curyll celain fel prawf o'i hyfedredd. Mae'r stori honno hefyd, petai ond yn hanner gwir, yn gymorth i ddeall cymhlethdod y 'deryn y bwn o'r banna' hwn.

Gadawodd Meic bentref Solfach cyn gynted ag y medrai gyda'i ben yn llawn o sŵn yr artistiaid a glywai ar raglenni megis *Saturday Skiffle* yn ogystal â baledwyr a chantorion y felan o America y byddai'n ffureta am eu recordiau. Yn ôl y sôn, fe werthodd y gitâr a brynwyd iddo gan ei fam-gu yn Amwythig ar ôl ei hir blagio er mwyn talu am y tocyn trên i Gaerdydd i ddilyn cwrs mewn celfyddyd. Roedd yn un ar bymtheg oed ac yng nghanol dinas lle'r oedd y gerddoriaeth a glywsai ar y radio ac ar recordiau gartref yn Solfach i'w chlywed yn fyw yn y clybiau a'r tafarndai. Ffeiriodd wynt glân yr heli am wynt brwnt y gweithfeydd dur a mwg y dociau. Ond roedd lledrith y tu ôl i ddrysau'r New Moon, Big Windsor a'r Charleston. Roedd Tiger Bay yn ei anterth a Vic Parker yn frenin y gitâr. Sylweddolodd Meic yn fuan ei fod ar goll heb ei gitâr a chan ei fod wedi ei gwerthu i'w gymydog fe ysgrifennodd ato yn gofyn am gael ei benthyg!

Synnai ffyddloniaid y clybiau at allu'r llanc i drin tannau'r gitâr. A doedd yna ddim swildod o'i ran yntau wrth ddenu sylw a chwennych cyfle. Er ei fod yn cael boddhad wrth fynegi ei hun trwy gyfrwng paent yn ei gwrs coleg, roedd hi eisoes yn amlwg mai'r gitâr oedd ei wir gyfrwng. Manteisiai ar bob cyfle i chwarae cerddoriaeth o bob math o fewn yr idiom fodern. Y 'bwrw iddi' yma oedd ei wir gwrs coleg o ran tyfu'n gerddor. Dyna oedd yn mynd â'i fryd a'i amser:

> Roedd y *jazzers* yn gwisgo trowsus melfaréd a siwmperi llac a
> *chukka boots*, ac yn tyfu barf ac yn gwisgo hetiau brethyn, ac yn
> smygu pib. Am y *rock and roll*, doedden nhw ddim yn siarad

amdano fe. Roeddwn i'n dipyn bach o snob cerddorol oherwydd
doeddwn i ddim yn dweud mod i'n lico *rock and roll*. Roeddwn i'n
dweud, '*I'm a folk singer, you know. That rock and roll, you know, it's
for thickies and Teds*'. Felly, roeddwn i'n dipyn o *schizophrenic* yn
gerddorol ar y pryd. Roeddwn i'n chwarae jazz, roeddwn i'n lico
chwarae'r caneuon gwerin 'ma – beth oedden nhw'n ei alw'n
'skiffle'. Roedd y *jazzers* yn edrych i lawr ar 'skiffle'. Ond roedd rhyw
berthynas rhwng 'skiffle' a jazz traddodiadol, felly roedden nhw'n ei
ddiodde fe.[2]

Cam naturiol ar ôl meithrin hyder o fewn y sîn greadigol yng
Nghaerdydd oedd troi ei olygon tuag at Llundain. Chwiliodd am
gysylltiadau yn y clybiau a'r stiwdios recordio a bu'n ymwneud â rhai
o bobol fwyaf blaengar y maes. Dechreuodd ganu mewn clybiau
gwerin a sylweddoli ei bod yn bosib gwneud bywoliaeth o fath wrth
ddisgwyl am well cyfleon. Tra oedd yn treulio cyfnod ym Manceinion,
ac yn dechrau sefydlu ei hun fel canwr gwerin, daeth gwahoddiad i
baratoi caneuon gogyfer â gwneud record. Dros nos, ar ôl cyfnod o
fawdheglu i bobman a byw ar y nesa peth i ddim, dyma gludiant yn
cael ei ddarparu a'r dillad gorau yn cael eu prynu ar ei gyfer. A hynny
er mwyn creu'r ddelwedd mai Meic Stevens fyddai'r Donovan newydd.
A chan fod Donovan yn cael ei ystyried yn ail Bob Dylan roedd y crwt
o Solfach eisoes yn dechrau credu gweniaith hyrwyddwyr mai fe, felly,
oedd y trydydd Bob Dylan!

Ond dyw pob addewid ddim yn cael ei wireddu a rhaid
dyfalbarhau. Manteisiodd Meic ar gyfleon i chwarae ar sesiynau
recordio artistiaid eraill ac i berfformio yng Ngŵyl Werin Caergrawnt
a Gŵyl Ynys Wyth pan oedd Bob Dylan yno. Dychwelai i dawelwch
Solfach o bryd i'w gilydd a chael achlust o'r cyffro a oedd yn digwydd
yng Nghymru. Doedd Meic, wrth gwrs, ddim yn un i eistedd yn llonydd
yn disgwyl i rywun ei 'ddarganfod' neu'i annog i fwrw iddi. Aeth ati i
rwydweithio er mwyn hyrwyddo'i gerddoriaeth. Creodd argraff, os
nad dilyniant, yn syth bìn ac yn ôl Menna Elfyn, roedd yna arwyddocâd
arbennig i'w ddawn a'i ymarweddiad:

> Ef sydd wedi cau'r bwlch rhwng y canu 'neis-neis' a'r canu pop. Ac
> am hynny mae ei arwahanrwydd yn glod iddo. Yr hyn a edmygaf

fwyaf efallai yw iddo chwalu parchusrwydd canu pop heddiw. Rhoddodd arwyddlun newydd i ganu modern. Cas ganddo lawer iawn o ganeuon Cymraeg heddi sydd yn fwy addas i'r genhedlaeth hŷn yn ei dyb ef. Cyn Meic Stevens ni lwyddodd neb i gyflwyno'r gitâr mewn modd mor hyddysg. Hefyd o'i flaen canai pawb am serch neu 'golli cariad' (ac eithrio athrylith Dafydd Iwan), gwisgai pawb ddillad parch, piwritanaidd. Ymddangosodd y canu yn hen-ffasiwn a diddychymyg... ond astudiodd Meic grefft ac arddull, yr oedd yn wrandäwr parhaus ar ganu gwerinol.[3]

Doedd dim pall ar ei egni ar ddiwedd y 60au. Ar lwyfan ac ar deledu roedd yn cynnig sialens wahanol i eiddo Dafydd Iwan. Doedd y sbectol dywyll a'r wisg anghonfensiynol ddim yn fodd o'i anwylo i gynulleidfaoedd Nosweithiau Llawen. Byddai rhai yn chwerthin am ei ben, tra byddai eraill yn ei anwybyddu, ac yn ei ddioddef tan y deuai'r ddeuawd swynol llawn harmoni nesaf ar y llwyfan. Roedd ei gitâr yn creu gormod o sŵn ac yn rhwystr i glywed y geiriau. Doedden nhw ddim yn ei gymryd o ddifrif ac am nad oedd e chwaith yn cymryd ei hun o ddifrif bob amser, roedd hi'n dalcen caled a phob dim yn troi'n draed moch o bryd i'w gilydd. Doedd neb yn siŵr sut i ymateb i'r fath hwdwch dieithr. Fe wyddai pawb beth i'w ddisgwyl pan ddeuai Dafydd Iwan i'r llwyfan. Roedd angerdd ei eiriau, p'un ai'n croesawu'r propaganda ai peidio, o leiaf yn ddealladwy. Gwisgai'n gonfensiynol a hawdd gweld ei fod yn perthyn i draddodiad Cymreig.

Aderyn drycin na wyddai neb o ble y tarddodd oedd Meic Stevens. Yn sicr, doedd ei osgo ddim yn awgrymu ei fod wedi tramwyo'r llwyfannau eisteddfodol. Doedd e ddim hyd yn oed yn sefyll yn llonydd pan oedd ar lwyfan. O gymharu â'r rhelyw o artistiaid y Nosweithiau Llawen gellid tybio ei fod yn greadur cwbl estron. Roedd ei Gymraeg yn aml yn ddigon sgaprwth. Gwnaeth gelfyddyd o gamdreiglo. Doedd e ddim fel tase fe am ffitio'n daclus i'r un patrwm na thraddodiad. Doedd gwersylla yng Nglan-llyn ddim yn rhan o'i brofiad. Awgrymai ei olwg nad oedd erioed wedi dweud adnod yn yr un oedfa. Doedd ei ganeuon ddim yn apelio at chwaeth y gynulleidfa cefn gwlad draddodiadol. Doedd e ddim yn becso'r un iot am gydymffurfio â rhagfarnau neb. Ond eto, roedd e'n byw er mwyn ei gerddoriaeth.

Nid atodiad i swydd naw tan bump oedd chwarae gitâr a chyfansoddi caneuon iddo. Yn wir, does dim sôn iddo erioed gymryd swydd fel y cyfryw. Fe fu'n bwrw ei brentisiaeth trwy berfformio mewn awyrgylch anffurfiol clybiau gwerin yn ninasoedd Lloegr. Canai Meic ddeunydd gwreiddiol heb ddibynnu ar ystrydebau. Medrai gyfansoddi caneuon yn union fel y medrai eraill gyfansoddi englynion; rhibidirês ohonyn nhw yn codi o wres ei brofiad.

Hyd yn oed os nad oedd yn cael derbyniad gwresog doedd dim pall ar ei frwdfrydedd na'i greadigrwydd ar ddiwedd y 60au. Cyhoeddodd Cwmni Decca sengl o'i eiddo, *Did I Dream?* yn 1965 gan werthu dros 12,000 o gopïau, ac ar label Recordiau'r Dryw, dair blynedd yn ddiweddarach, cyhoeddwyd ei record Gymraeg gyntaf. Y brif gân oedd 'Yr Eryr a'r Golomen', cyfieithiad Hywel Gwynfryn o gân Saesneg gwrthryfel o'i eiddo. Ond roedd 'Tryweryn' yn gyfansoddiad gwreiddiol gan Meic ac yn gân brotest yn ymdrin â boddi Cwm Celyn ger y Bala er mwyn creu cronfa i ddiwallu syched trigolion Lerpwl. Erbyn diwedd '71 roedd wedi cyhoeddi saith o recordiau byrion a oedd i gyd yn brawf o'i athrylith yn cyfansoddi'r dwys a'r dwl. Cyhoeddodd ddwy record arall fel aelod o'r grŵp hwyl, Bara Menyn, yn ogystal â sengl Saesneg ar label Warner Brothers, *Old Joe Blind*.

Er gwychder ei eiriau, llyfnder ei frawddegu a'i feistrolaeth o'r gitâr, ychydig o werthiant fu ar ei recordiau Cymraeg, yn arbennig y tair gyntaf. Prin eu bod yn gwneud argraff ar siart 'Deg Uchaf *Y Cymro*', a hynny er ei fod yn perfformio'n gyson ac yn ymddangos yn rheolaidd ar raglenni fel *Disc a Dawn*. Yna, yng ngwanwyn 1970, cyhoeddwyd *Y Brawd Houdini* ar label Cwmni Sain (Sain 4), ac fe ddechreuodd ddringo i hanner uchaf siart *Y Cymro*. 'Record sy'n ysgwyd y llwch oddi ar silffoedd y canu neis Cymraeg,' meddai gohebydd adloniant y papur, W H Owen.[4] Roedd y ffaith ei bod yn arwydd-dôn i'r gyfres ddiweddara o *Disc a Dawn* hefyd yn help i hybu gwerthiant. Roedd teitl y brif gân yn ddisgrifiad addas o'r canwr ei hun a oedd yn dipyn o rith a bwci-bo bondibethma yn nhyb llawer. Roedd Meredydd Evans, fel tad y rhaglen *Disc a Dawn*, wedi ei gyfareddu ar y cyfarfyddiad cyntaf:

Ar unwaith mi wyddwn fy mod yn cyfarfod â pherson anghyffredin. Ar y pryd roedd ei wisg yn anghyffredin, yn arbennig y clogyn a'r het gantel-lydan ddu, a phan ddechreuodd ganu wyddwn i ddim yn iawn sut i ymateb i'r cyfan. Rywsut neu'i gilydd doedd y brawd hwn ddim yn rhan o'r patrwm stiwdioaidd arferol.
Dros y blynyddoedd cadarnhawyd yr argraff honno dro ar ôl tro. Fe'i dyfnhawyd hefyd. Yn un peth, roedd ei fedr offerynnol yn ei osod ar wahân. Yn y Gymru oedd ohoni ar y pryd ym maes adloniant, dof a diniwed ryfeddol oedd y cyfeiliannau gitâr a glywid ar bob llaw. Gan ddilyn yr hen draddodiad Cymreig o lunio trioedd nid oedd i'w gael ond tri chord yn seinio'n feddal, unffurf! Ond dyma hwn gyda'i gitâr ddeuddeg durdant yn dod â gloywder sain, amrywiaeth dilyniant a byseddu hefyd, oedd yn peri i ddyn foeli'i glustiau yn y fan a'r lle. Ac yn cyd-fynd â'r cyfeilio soniarus hwn roedd llais nad oedd ei debyg i'w gael ymysg perfformwyr Cymreig y cyfnod, yn gyfuniad o graster grymus a thynerwch rhyfedd. Gyda hynny roedd ei frawddegu yn dra gwahanol i'r cyffredin ac yn gwrthdaro'n ffyrnig ar brydiau â rheoleidd-dra y cyfeiliant, ond yn ddieithriad yn effeithiol, yn gafael.[5]

Wrth dynnu sylw at werthiant araf recordiau Meic fe bwysleisiodd Megan Tudur, mewn cylchgrawn a gyhoeddid gan Urdd Gobaith Cymru, rinweddau amlwg ei recordiau cynnar:

Mae pob cân yn uned gelfyddydol berffaith, yn gerdd – yn datblygu'n ofalus ac yn cloi'n gywrain a'r darnau offerynnol yn rhan hanfodol o'r uned; mae'r cyfeiliant gitâr yn rhagori fil o weithiau ar yr hyn a glywir ar y rhelyw o recordiau Cymraeg; mae'r cynhyrchu yn rhagorol – gwrandewch ar y defnydd o'r siambar eco, tracio dwbl, clarinet, saxophone, a bas: ac mae'r geiriau'n farddoniaeth bur. I Mike, mae gwneud record yn gelfyddyd: mae cyfansoddi a chanu cân yn artistwaith.[6]

Pam nad oedd yna werthiant aruthrol i'w recordiau, felly? Cynigiai ddimensiwn newydd i adloniant Cymraeg. Er trwytho'i hun yn y diwylliant pop Saesneg, roedd Meic yn cyfansoddi ac yn perfformio fel Cymro. Doedd dim amau ei fod yn chwa o awel iach mewn cyfnod pan oedd grwpiau yn ddeuawdau a thriawdau unffurf yn codi fel madarch ar lwyfannau Nosweithiau Llawen. Roedd yna sglein cynhyrchu ar ei recordiau o gymharu â'r rhelyw o recordiau Cymraeg y cyfnod. Ond eto, tipyn o gwcw yn y nyth Gymreig oedd Meic Stevens. Ar wahân i'w olwg roedd ei gystrawennu gwallus a'i gamdreiglo doniol yn dân ar groen rhai. At hynny, doedd e ddim yn greadur hawdd i'w drin bob amser. Mynnai yntau mai ar ei delerau ei hun y dylai pawb ei dderbyn ac fe allai hynny arwain at groesdynnu a gwrthdaro. Medrai fod yn ddiamynedd wrth iddo geisio gwthio'r ffiniau. Ymddangosai Meic Stevens fel llong yn hwylio ar drugaredd y tonnau heb fod ganddo fawr o afael ar y llyw. Broc môr o artist mor oriog â thrai a llanw.

Canu a chyfansoddi oedd ei grefft ac roedd yn dibynnu ar y cyfryngau i'w noddi, fel y dibynnai trwbadwriaid mewn canrifoedd cynt ar nawdd llysoedd y tywysogion. Treuliai gyfnodau'n ôl yn Solfach gan ddenu criw brith o bobol i'w ddilyn. Yno, gyda chymorth Geraint Jarman a Heather Jones, y ffurfiwyd Y Bara Menyn; y triawd bondigrybwyll a fyddai'n troedio llwyfannau Nosweithiau Llawen ac yn ymddangos ar *Disc a Dawn* fel y sêr diweddaraf! Ond os mai fel jôc y bwriadwyd y grŵp, fe benderfynodd y cynulleidfaoedd ei anwylo. Roedd yr hwyl a'r ysgafnder yn dderbyniol. Doedd dim her mewn caneuon fel 'Mynd i Laca Li', 'Dihunwch Lan', 'Caru Cymru' ac 'Y Fo'. Gellid ymlacio wrth wrando ar y rhain.

Roedd Geraint wedi gadael yr ysgol, a Heather newydd adael y coleg i ganu'n llawn amser. Roedd Geraint heb ddim arian. Felly, dwedais i, 'Reit, bydd raid i ni wneud rhywbeth i gael pres i'r diawl!' (a finnau hefyd, a Heather). Roeddwn i'n llawn syniadau y dyddiau hynny, yn yr hen ddyddiau. A dyma fi'n dweud, 'Reit, cawn ni ffurfio grŵp. Beth ydyn ni'n mynd i'w alw fe? Bara Menyn'. 'O na! Fedri di ddim galw Bara Menyn ar grŵp.' 'Pam lai? Ffonia i Deledu Harlech nawr a dweud mod i wedi ffeindio grŵp newydd sbon o Brifysgol Aberystwyth o'r enw Bara Menyn, ac maen nhw'n 'sgrifennu caneuon gwych!' Felly, dyma fi'n ffonio Euryn Ogwen Williams ac yn dweud y stori wrtho fe. 'Oes gobaith cael rhaglen?' 'Iawn! Grêt! Tyrd lan!' A dyma ni mewn penbleth nawr oherwydd roedd e'n nabod Bara Menyn. Roedd e'n nabod Heather, wrth gwrs, a Geraint. 'Bydd raid i ni ddweud y gwir wrtho fe nawr!' 'A dweud y gwir, nid myfyrwyr o Aberystwyth ydyn ni... fi a Heather a Geraint yw'r Bara Menyn!'

Felly, ffonion ni Dennis Rees nawr i gwblhau'r *coup*. 'Ie, mae gen i grŵp da.' 'Bydd raid i ni eu recordio nhw nawr.' Aethon ni lan a thorri record. Ond aeth y jôc o chwith oherwydd roedd pobl yn 'sgrifennu ac yn ffonio am y Bara Menyn yn fwy nag amdana i a Heather ar ein pennau ein hunain!⁷

Doedd y triawd anghonfensiynol ddim yn ei chael yn hawdd bob amser wrth wynebu cynulleidfaoedd. Doedd gan yr un o'r tri swyddi naw tan bump ac roedden nhw'n cymryd eu canu a'u diddanu o ddifrif. Roedd hynny ynddo'i hun yn anodd i rai ei ddeall. Doedd y Bara Menyn ddim yn rhan o'r traddodiad. Mewn cyfweliad gyda Megan Tudur roedd y tri yn ddiamynedd:

> Dydyn ni ddim yn meddwl fod yna draddodiad o ganu ysgafn yng Nghymru. Os oes yna draddodiad, mae'r seiliau yn wan iawn beth bynnag. Beth sy gennyn ni yw embryo. Embryo bach, bach yn dechrau datblygu, a llawer iawn o sothach diwerth. Ychydig iawn o bobl yn y byd canu pop yng Nghymru sy'n gwybod beth maen nhw'n ei wneud. Mae rhai ohonyn nhw wedi darganfod y fformiwla sy'n dod â llwyddiant iddyn nhw (ar yr wyneb). Ond ydy hyn yn golygu eu bod nhw'n dda, bod yr hyn maen nhw'n ei wneud yn ysgrifennu'n dda?
>
> Rydyn ni'n datblygu fel grŵp fel mae amser yn caniatáu. Fe fydd pob record yn eitha gwahanol. Y rheswm nad yw *Rhagor o'r Bara Menyn* wedi gwerthu cystal â *Caru Cymru* yw nad ydyn ni'n defnyddio'r un fformiwla. Mae rhai grwpiau yn canu yn yr un steil o hyd. Rhaid yw newid pethau o gwmpas, a darganfod pethau newydd... A dweud y gwir, cân ddychan am y canu pop-wladgarol... oedd 'Caru Cymru', ond fe brynodd pobl hi heb sylweddoli hynny a'i hoffi am ei bod, ar yr wyneb, yn debyg i'r caneuon roedd hi'n eu dychanu... Rydyn ni ar drothwy pethau mawr yng Nghymru y dyddiau yma, dim ond i bobl gadw eu pennau, a chadw'n glòs fel cenedl. Rydyn ni ar drothwy dadeni ysbryd gyflawn. 'Plant y Dadeni Cymraeg' ydyn ni i gyd.⁸

Enghraifft o'r math o grŵp a feirniadwyd gan y Bara Menyn oedd Y Diliau. Ffurfiwyd y grŵp yn 1964 pan oedd Mair, Meleri a Lynwen yn ddisgyblion yn Ysgol Pantycelyn, Llanymddyfri. Cyhoeddwyd *Dwli ar y Diliau* a *Caneuon y Diliau* ar label Qualiton a'u hailgyhoeddi ar label Decca. Roedd y canu clòs swynol yn apelio at gynulleidfaoedd ond roedden nhw'n gwrthgyferbynnu'n llwyr o ran golwg,

ymarweddiad ac arddull i'r Bara Menyn. Doedd yna ddim a oedd yn
heriol mewn caneuon fel 'Y Felin Fach Ddŵr', 'Gall Dwy Law', 'Siôn y
Gŵr' a 'Rho dy Law'. Erbyn 1969, roedd Gaynor wedi ymuno yn lle
Lynwen ac fe gyhoeddwyd nifer o recordiau byrion ar ddechrau'r 70au
yn yr un cywair. Mae cymharu enwau'r ddau grŵp yn awgrymu bod
yna neis-neisrwydd yn perthyn i un a chraster amrwd ond cyffrous
yn perthyn i'r llall.

Yn y gyfrol *Gwreiddiau Canu Roc Cymraeg*, sy'n seiliedig ar gyfres
o sgyrsiau a ddarlledwyd ar radio'r BBC yn 1976, mae Geraint Jarman
yn talu teyrnged i gyfnod y Bara Menyn fel cyfraniad pwysig i'w
ddatblygiad ei hun fel cyfansoddwr a pherfformiwr yn ddiweddarach.
Dengys yntau hefyd y bwlch a fodolai rhwng meddylfryd y Bara Menyn
a'r rhelyw o artistiaid ar y pryd:

> ... roedd pethau difyr yn digwydd. Er enghraifft, roedd Heather yn
> defnyddio llais gwahanol bryd hynny ar gyfer y Bara Menyn. Roedd
> hi'n dynwared pobl fel Y Pelydrau. Roedd Meic yn wahanol hefyd.
> Roedd y grŵp yn rhoi cyfle i swrealaeth Meic. Roedd siniciaeth yn
> dod i mewn i'r peth ac roedd y peth yn hwyl, ac yn gwneud sbort
> am ben beth oedd yn digwydd: mae'n rhaid cael yr elfen yna. Ac
> rwy'n meddwl mod i wedi cario'r elfen yna yn y caneuon rwy'n eu
> gwneud, fel 'Gobaith Mawr y Ganrif' ac 'I've Arrived'. A dyna beth
> oedd apêl y Bara Menyn – roedd hiwmor yna, ac roedden ni'n barod
> i wneud ffyliaid ohonon ni'n hunain.
>
> Beth oedd yn digwydd oedd bod pob math o bobl yn gwneud
> recordiau am gymaint oedden nhw'n caru Cymru ac roedd y peth
> yn jôc, a dweud y gwir. Roedd e wedi mynd yn arwynebol erbyn y
> diwedd. Ond fe 'sgrifennwyd 'Caru Cymru' ac roedd pobl yn
> meddwl ein bod ni o ddifrif! Roedd hynny yn 1969-70 pan oeddwn
> i'n 'sgrifennu fel 'na. Rwy'n cofio i honno gael ei 'sgrifennu yn Solfa.
> Roedd Meic yn byw ar y fferm bryd hynny. Roedd recordiau fel *The
> Gilded Palace of Sin* gan y Flying Burrito Brothers newydd ddod
> mas, ac roedd Pink Floyd a grwpiau felly.
>
> Un diwrnod, des i lawr i gael brecwast ac roedd dyn yn eistedd
> yn y gornel. Roedd e'n ddyn bach od iawn. Gwnes i ddarganfod y
> diwrnod wedyn mai Syd Barratt oedd e, o'r Pink Floyd. Arhosodd e
> fan'na am wythnos, a ddwedodd e ddim byd wrth neb. Roedd e'n
> digwydd bod yn y tŷ pan 'sgrifennwyd 'Dihunwch Lan!' a 'Mynd i
> Laca Li'. Roedd e'n nabod Meic achos roedd Meic yn chwarae gyda
> Gary Farr bryd hynny ac roedd grŵp gyda Gary Farr o'r enw The

T-Bones a datblygon nhw fel The Nice a daeth Emerson, Lake and Palmer o hynny. Roedd pobl fel Kevin Westlake yn y grŵp yna. Roedd e'n rhan o'r Blossom Toes; ac Andy Lee yn rhan o Spooky Tooth. Roedd Andy Lee yn chwarae bas a harpischord ar record Heather *Fe ddaw*. Daeth honno mas fel record sengl ar Cambrian. Roedden nhw'n mynd i mewn i stiwdio a'u gwneud nhw ac roedd e'n hwyl. Roedd y cyngherddau yn hwyl hefyd.[9]

Yn ystod y cyfnod hwn yn Solfach y cyfansoddwyd hefyd yr opera bop *Etifeddiaeth y Mwg* gan Meic a Geraint ar gyfer ei dangos ar Deledu Harlech ar Ddydd Gŵyl Dewi 1970. Hanfod y deunydd, a gynhyrchwyd gan Euryn Ogwen Williams, oedd ffantasi am grwt yn dianc o'r bywyd diwydiannol i Ogof Arthur i chwilio am ysbrydoliaeth. Ni fu fawr o sôn amdani ar ôl y telediad.

Fe fu cyfraniad Meic yn allweddol i gynhyrchu recordiau cynnar Cwmni Sain yn Llundain. Roedd Meic ei hun yn cyhoeddi recordiau ar labeli Dryw, Sain, Newyddion Da (ei gwmni ei hun) a Warner Brothers yn y cyfnod hwn. Yn 1970, ac yntau'n saith ar hugain mlwydd oed, cyhoeddwyd y record hir *Outlander* gydag un gân draddodiadol Gymraeg, 'Dau Rosyn Coch', ymhlith y deg o'i gyfansoddiadau gwreiddiol. Erbyn heddiw, mae copïau o'r record yn newid dwylo am gannoedd o bunnau. Bwriad Warner Brothers oedd rhyddhau cyfres o recordiau hir Meic Stevens dros y blynyddoedd dilynol gan obeithio y byddai ambell gân yn gwneud ei marc ar y siartiau sengl. Ond nid felly y bu. Yn ôl Meic roedd teitl y record yn awgrymu'r dryswch oedd yn ei feddwl:

... dyma Warner Brothers yn cynnig contract pum mlynedd i mi efo cyfle i wneud un albwm bob blwyddyn – a dyma fi yng nghanol y canu Cymraeg! Doeddwn i ddim yn teimlo fy mod i'n gallu mynd i ffwrdd. Roedden nhw eisiau fy hel i ffwrdd i Lundain, i fyw yn Llundain eto. Recordiais i'r albwm a gwerthwyd tua deuddeg mil – mwy na hynny – ond gwerthwyd deuddeg mil yn y pythefnos neu'r mis cyntaf. Dyna pam rhois i'r enw *Outlander* arni achos doeddwn i ddim yn gwybod beth oeddwn i erbyn hyn. Roeddwn i'n gwybod mod i wedi cael fy ngeni yn Solfa ac roeddwn i wedi bod i ffwrdd yn Lloegr am sut gymaint o amser fel mod i'n teimlo'n alltud.

Gofynnon nhw i mi i fynd i Lundain a dweud, 'Well, leave all that
Welsh singing, because it won't come to anything. There's no money
there. There's no market there'. Dwedais i na fedrwn i ddim gadael fel
'na. Roeddwn i mor ddwfn yn y peth, yng nghanol y symudiad.
Collais i'r contract oherwydd hynny, a chyfle i wneud fy ffortiwn
efallai! [10]

Parhaodd y ffynnon Gymraeg i lifo. Ar ôl cyhoeddi record *Y Brawd
Houdini* yng ngwanwyn 1970, ymddangosodd record sengl *Nid Oes
Un Gwydr Ffenestr* ar label Dryw yn yr haf yn ogystal â'r EP, *Mynd i'r
Bala Mewn Cwch Banana* ar label Newyddion Da. Yr haf dilynol
cyhoeddwyd dwy EP arall, y naill, *Byw yn y Wlad* ar label Dryw, a'r
llall, *Diolch yn Fawr*, ar label Sain (Sain 13). Recordiwyd y ddwy olaf
yn Stiwdio Rockfield yn Nhrefynwy a'r ddwy flaenorol yn Stiwdio
Central Sound, Llundain. Pwy feiddiai ddweud nad oedd Meic yn
gynhyrchiol ac nad oedd yn cymryd gofal wrth recordio trwy fod yn
ddyfeisgar yn y stiwdio?

Er bod ganddo ei ddyrnaid o ddilynwyr ffyddlon a brynai ei
recordiau'n ddefodol, doedd y gwerthiant yn ddim byd tebyg i eiddo
recordiau'r Hogia, y ddeuawd o Sir Fôn neu Dafydd Iwan. Roedd y
cynulleidfaoedd yn dal heb wneud pen na chwt ohono. Un funud roedd
ganddo gân ddwys a'r funud nesa cân ddwli. Doedd e ddim yn canu
mewn rhigol gyfarwydd a doedd e ddim yn agored wleidyddol. Canai
Meic Stevens fel petai Cymru yn Gymru Rydd eisoes a medrai dderbyn
y dylanwadau estron gan adael iddyn nhw olchi drosto a chreu
deunydd Cymreig o'r gybolfa. Doedd dim dwywaith fod Meic yn
unigryw o ran ei agwedd ac yn arloesol o ran ei ddawn. Roedd un o'r
caneuon ar y record *Diolch yn Fawr* yn arwydd-dôn sioe hwyr yr oedd
Meic yn gysylltiedig â hi yn Eisteddfod Genedlaethol Bangor, 1971,
sef 'Sachliain a Lludw'. Deuai cyfleon i'w ran.

Ac yna daeth *Gwymon* (Dryw WRL 536) ym 1972. Roedd yr enw'n
annisgwyl o gymharu ag enwau recordiau hir cynt; enw'r grŵp neu
enw'r brif gân, gan amlaf, fyddai'r teitl diddychymyg. Ond o adnabod
Meic a'i gefndir doedd yr enw ddim yn annisgwyl. Y 'gwymon' oedd y
casgliad o ganeuon y daeth y cyfansoddwr o hyd iddyn nhw wrth
whilibowan ar hyd y traeth. Doedd yna'r un gân o'r enw 'Gwymon'

ond dyna oedd y cysyniad y tu ôl i'r casgliad amrywiol. Cynlluniwyd y clawr i gyfleu dylanwad y môr. Y dwsin yma o ganeuon oedd wedi eu golchi i'r lan y tro hwn. 'Y Clawr gan Meic ei hun – ac efe a cynhyrchwyd [sic]y record hon,' meddai'r broliant. Troes y gân 'Traeth Anobaith' ar y siaced yn 'Traeth yn Obaith' ar olwyn y feinyl ei hun. Brychau dibwys oedd y rhain o gymharu â'r cyfoeth a ddeuai trwy'r seinyddion wrth chwarae'r record. Mawredd Meic oedd y modd y medrai greu awyrgylch priodol i bob cyfansoddiad. Gwrandewch ar dynerwch 'Merch o'r Ffatri Wlân', tristwch 'Daeth Neb yn ôl', llawenydd 'O Mor Lân yr Oedd y Dŵr', anobaith 'Gwely Gwag' a rhialtwch 'Carangarw'.

Cafwyd caneuon gwerin cyfoes, cân falen a chaneuon dwli yn ogystal â chyflwyniad o eiriau'r proffwyd Jeremia. Doedd yma'r un gân brotest na'r un gân wladgarol ond eto, roedd yna naws Gymreig i bob cân. Fedrai neb ddweud mai caneuon Eingl-Americanaidd oedd y rhain yn cael eu canu yn Gymraeg. Nid cyfieithiadau mohonynt yn cyfeirio at brofiadau traws-Iwerydd. Roedd y 'gwymon' yma yn rhan o brofiadau'r gŵr o Solfach wedi eu casglu oddi ar draethau cyfarwydd iddo. Doedd y gŵr yma ddim wedi ei lethu gan lyffetheiriau'r profiad Cymreig, ac eto roedd gwrando ar y record yn brofiad o Gymreictod wedi ei ailddarganfod. Pwy arall fyddai wedi medru canu cân yn Gymraeg yn llawn angerdd am golli cariad yn null Muddy Waters, ac ar yr un record eto lwyddo i gyfleu gewyr un o broffwydi'r Hen Destament? Tebyg petai athro cysactlyd wedi mynd ati i loywi Cymraeg Meic a sicrhau bod pob treiglad yn gywir fe fyddai *Gwymon* wedi colli ei gonestrwydd. Beth bynnag, doedd Meic ddim am ddioddef ymyrraeth y pedantig.

I bwy bynnag oedd wedi ymserchu yn y sîn Eingl-Americanaidd, ac wedi danto ar arlwy'r Nosweithiau Llawen, roedd gwrando ar y record *Gwymon* yn brofiad ysgytwol. Doedden nhw ddim yn credu fod deunydd mor gyfoes ei naws yn medru swnio mor naturiol Gymraeg. Un o archifwyr penna'r canu Cymraeg yw Gari Melville o Gwmtawe, sy'n cofio'n dda y profiad o orwedd yn ei wely pan oedd yng Ngholeg Prifysgol Hull a chlywed 'Gwely Gwag' am y tro cyntaf:

'O'n i'n ffaelu credu'r peth. Y boi 'ma'n canu'r *blues* yn Gymraeg.
O'n i ddim wedi meddwl fod y peth yn bosib. O'dd y tinc gonest 'ma
yn y peth. Nid rhywun yn ei neud e fel jôc i ddangos bod hi'n bosib
ei neud e'n Gymraeg. O'n i ishe clywed mwy am y boi 'ma, yr *hep
cat* o Solfa'.[11]

Daeth Meic Stevens y cerddor i oed. Yn union fel llenor a
gyhoeddodd nifer o straeon byrion, roedd yna nofel wedi ei chyhoeddi.
Yn union fel bardd a fu'n cyfansoddi englynion, roedd yna awdl wedi'i
chwblhau. Cyrhaeddodd y cerddor hwn ar ei delerau ei hun mewn
jîns cwiltiog, siwmper, sgarff, het wlân, sbectol dywyll a gitâr ar ei
gefn a chasgliad o ganeuon wedi eu hidlo trwy falwr yr arddulliau
cyfoes. Ar ei orau medrai hudo cynulleidfa swnllyd disgo clwb nos
nes y gellid clywed pìn yn syrthio. Bryd arall, medrai fod yn anwadal
ac oriog ac yn dreth ar amynedd cynulleidfa. Ond doedd dim amau ei
dalent. Gwrthododd blygu i ddymuniadau swyddogion y cwmnïau
mawr i'w wneud yn seren ryngwladol ar draul colli ei Gymreictod
cynhenid.

Tua'r un adeg cyhoeddwyd record hynod arall gan ŵr o Langeitho
yn Sir Aberteifi, Bertie Stevens, ar label Recordiau'r Dryw. Baledwr
ffeiriau oedd Bertie i bob pwrpas a hawdd credu fod yr hynafgwr, er
yn ei 70au, o'r un anian â'r llanc yn ei 20au. Pedair o'r baledi roedd
Bertie wedi eu gosod ar ei gof wrth ddilyn ffeiriau yn ei ieuenctid
oedd ar yr EP. Roedd y ddwy record yn cynrychioli dau begwn canu
gwerin; caneuon yn adrodd straeon i gynulleidfaoedd gwahanol.
Hawdd fyddai dychmygu Meic yn llunio cyfeiliant addas i 'Seimon
Llwyd y Foty' a'r ddau yn taro tant. Byddai'r ddau wedi cyd-ganu
'How much do you want for that old cow?'

Er i Recordiau'r Dryw gyhoeddi casèt o ganeuon Meic a'r Bara
Menyn a oedd eisoes wedi ymddangos ar recordiau byrion yn 1973,
ni chafwyd record arall gan Meic tan bedair blynedd yn ddiweddarach.
Treuliodd lawer o'i amser yn Llydaw. Roedd ei berthynas â'i deulu yn
ddryslyd. Doedd y cyfleon yng Nghymru ddim mor lluosog â chynt.
Hanner agor a wnâi drysau a doedd gan Meic mo'r dylanwad mwyach
i'w gwthio ar agor led y pen. Roedd gwynt gwair melys mariwana yn

amgylchynu pob dim. Fe'i gwelwyd am gyfnod yn gwisgo siwt frethyn gyda gwasgod ac yn trefnu cyngerdd ar gyfer Telynores Maldwyn a Thelynores Eryri yng Ngwesty'r Parc, Caerdydd; eneidiau cytûn. Daeth grwpiau eraill i'r amlwg a daeth cerddoriaeth Geltaidd i fri. Arweinid y dadeni gan y Llydäwr, Alan Stivell, a doedd Meic ddim yn medru canfod ei le o fewn y datblygiadau. Roedd gyrfa gerddorol Meic Stevens mewn tipyn o ferddwr ac yntau yn stablad yn ei unfan. Ond mae un peth yn sicr, gyda rhyddhau *Gwymon* ym mis Gorffennaf 1972, roedd yna record hir Gymraeg wedi ei chyhoeddi a oedd yn waith o gelfyddyd.

Y Bara Menyn – Heather Jones, Geraint Jarman a Meic Stevens. Grŵp a ffurfiwyd o ran hwyl i ddychanu'r grwpiau pop oedd yn codi fel madarch yn y Nosweithiau Llawen.

'O nyni sy'n caru Cymru' – yr hwyl a'r annisgwyl.

Heather Jones; dysgodd Gymraeg yng Nghaerdydd ac anfarwolodd ei hun trwy ganu cyfansoddiad Harri Webb a Meredydd Evans, 'Colli Iaith'.

Meic Stevens, y trwbadŵr o Solfach a fu'n recordio gyda chwmni Warner Brothers yn America cyn bwrw ei goelbren yng Nghymru.

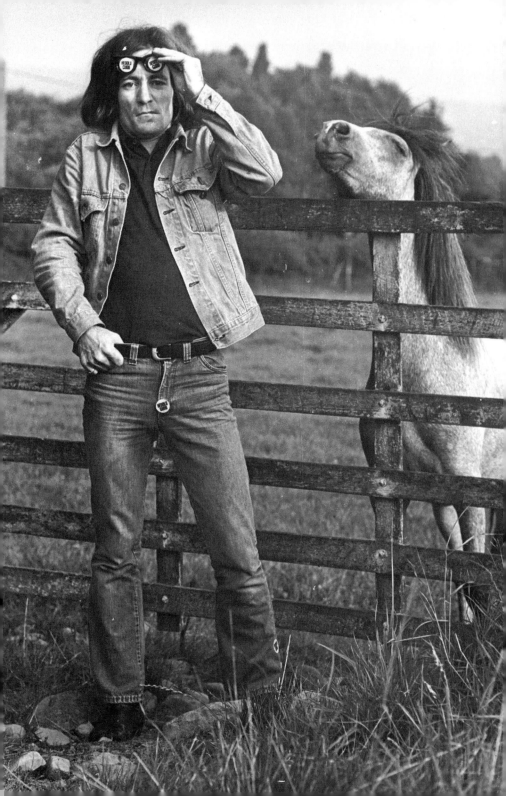

8 / Ie, Ie, 'na fe, 'na fe

Rhoddwyd sylw i'r datblygiadau yn y maes adloniant mewn rhai o'r cyhoeddiadau mwyaf annisgwyl. Penderfynodd golygydd *Lleufer*, cylchgrawn Cymdeithas Addysg y Gweithwyr, fwrw ei hatling trwy osod 'Shamatureiddiwch – clefyd yr hanner gwneud' yn bennawd ar ei olygyddol. Fe fu Geraint Wyn Jones yn gwrando ar y grŵp o Drawsfynydd, y Pelydrau, yn canu ar y rhaglen deledu *Opportunity Knocks*. Roedd 'Hwrli Bwrli' eisoes wedi ei chyhoeddi ar record. Ond nid yr un 'Hwrli Bwrli' a glywid ar y teledu oedd ar gof a chadw. Mater o fynd ati i godi safonau ar sail menter a balchder oedd byrdwn ei sylwadau:

> Y mae apostolion shamatureiddiwch grochaf pan maent yn cyfreithloni'r diffyg medr sy'n amlwg ar ein recordiau pop. Testun islaw unrhyw gylchgrawn safonol, meddai rhywun. Ond na, os nad ydym ni'n snobyddlyd, mae'n rhaid i ni gydnabod fod y gweithgarwch hwn yn rhan o'n diwylliant a'n gwareiddiad ni, ac mae doniau creadigol yn cyfrannu'n hael iddo. Yr aflwydd ydy nad ydy'r ddawn hon yn cael chwarae teg.
>
> Trawsffurfiwyd cân sy'n glonclyd, yn dunaidd fel sŵn un yn chwarae organ geg mewn eglwys gadeiriol, ar y record Gymraeg, yn sŵn crwn, cytbwys, cyfareddol dan law Bob Sharples... mae cwmnïau disgiau Lloegr yn mynd i'r drafferth i gael rhywun i drefnu cefndir, ac yn aml nid cefndir cerddorfaol mo hwn ond cefndir dethol, ond addas i'r gân arbennig, ac yn barod i fynd i'r drafferth i ymarfer.
>
> Mae'r un peth yn wir, wrth gwrs, am y rhaglenni pop ar y teledu. Fe geir cefndir yma, ond cefndir syml, gwag, ydyw fynycha, rhyw grŵp lleol wedi'i logi ar gyfer cyfres, heb fawr o amser i ymarfer a rhoi sglein ar bethau. Mae gan y BBC gerddorfa allai roi help llaw yn hyn o beth drwy ddod i lawr o'u nefolion leoedd a rhoi stamp

broffesiynol ar y canu modern. A pham lai? Bydd nifer o aelodau o Gerddorfa Philarmonig Llundain wrthi'n rhoi help llaw pan fydd y Beatles yn recordio, ac os gall rheiny eu 'hiselhau' eu hunain, pam na all y Gerddorfa Gymreig? Fe roi hynny, mi obeithiwn, baid ar y salwch yn y cyfeiriad yna am byth wedyn. [1]

Ond, eto, ers ennill y gystadleuaeth grŵp pop yn Eisteddfod yr Urdd, Caerfyrddin yn 1967 drwy ganu 'Y Bachgen Llygad-du', roedd Glenys, Susan, Gwenan, Edith a Gareth wedi derbyn galwadau cyson i berfformio ac roedd y recordiau yn cyrraedd brig siart *Y Cymro*. Erbyn cyhoeddi 'Hwrli Bwrli' roedd John Arthur wedi cymryd lle Gareth fel gitarydd, ac o ran pleidleisiau'r gwylwyr roedd Y Pelydrau yn ail clòs ar raglen deledu Hughie Green. Prin bod eu caneuon yn gofiadwy, ac wrth i'r aelodau ddilyn gyrfaoedd mewn gwahanol rannau o Gymru aeth hi'n anos ymarfer a datblygu potensial. Rhoddodd y grŵp y gorau i berfformio yn 1973. Wrth ffarwelio â'r chwe aelod a chan gofio bod Hogia'r Wyddfa a Hogia Llandegai newydd 'ymddeol', roedd gan M H air o werthfawrogiad a gair o rybudd:

Gallai'r grwpiau yma yrru gwefr i lawr asgwrn cefn yn eu canu hiraethus, ein hannog i ddawnsio, ein gwadd i gydganu a hefyd ein goglais i chwerthin ar eu hantics ar lwyfan. Beth arall sydd ei angen mewn artistiaid? Gwared ni rhag y rhai sy'n galw eu hunain yn gritics 'pop' yng Nghymru sy'n mynnu cymharu ein canu ysgafn ni â'r sgrechnadu – y bechgyn mewn powdwr a phaent llachar, â'r llygaid llonydd cyffuriol. Gadewch i ni gyflwyno ein canu yn naturiol heb orfod dynwared, ac mae arbrofwyr fel Huw Jones, Dafydd Iwan a'r Hergest yn hwb i'r galon.[2]

Pwy bynnag oedd yn llechu y tu ôl i'r ddwy lythyren, mae'n rhaid ei fod yn nes at oed yr addewid nag at oed diniweidrwydd.

Cuddio y tu ôl i enw ffug 'Ap Alunfa' a wnâi colofnydd cylchgrawn a lansiwyd gan Urdd Gobaith Cymru o'r enw *I'r Dim*. Wrth olrhain hanes datblygiad canu pop Cymraeg roedd 'Ap Alunfa' yn mynnu dilorni cyfraniad y criw o Drawsfynydd:

Dylanwadodd y Pelydrau ar bop Cymraeg mewn ffordd drychinebus. O'u herwydd, esgorwyd ar ddwsinau o grwpiau merched tlws a hollol ddienaid. Ychydig iawn oedd gan y Pelydrau i'w gynnig, ond roedd amryw o'u dilynwyr yn hollol ddidalent.[3]

Grŵp tebyg i'r Pelydrau o ran anian oedd Perlau Tâf o ardal Hendy-gwyn ar Daf. Ffurfiwyd y grŵp o blith criw o ddisgyblion yr ysgol uwchradd leol gan yr athro mathemateg, John Arfon Jones. Apeliai lleisiau swynol plant trwsiadus a disgybledig at gynulleidfaoedd Nosweithiau Llawen a chyngherddau cysegredig. Cyrhaeddodd recordiau Carol, Beti, Mary, Euros a Tecwyn frig siart *Y Cymro* hefyd. Ar un cyfnod, fe fuon nhw'n perfformio mewn cant o nosweithiau mewn ychydig llai na dwy flynedd. Ond ar ôl i sŵn a sain caneuon siwgraidd megis 'Mynd mae Ein Rhyddid Ni' a 'Câr y Rhain i Gyd' ddechrau ffado, ac ar ôl i'r aelodau ennill eu rhyddid fel ieuenctid, y dechreuodd yr unigolion gyfrannu mewn modd ystyrlon i'r sîn bop.

Roedd gan Bethan Miles, aelod o'r grŵp o ferched, Braster Bro, o Goleg y Brifysgol, Bangor, sylwadau cignoeth am gyflwr 'canu pop Cymru':

Teimlaf fod tuedd mewn grwpiau Cymraeg i fod yn 'stodgie' ac i ganu'r un math o ganeuon (yn gerddorol). Undonog, diflas. Credir yma fod llais swynol yn ddigon i 'wneud' cân bop ac yn ddigon i guddio pob bai. Mae'r cwmnïau recordio yn rhy barod i recordio rhywbeth-rhywbeth. Siŵr iawn mae'r recordiau'n cael eu prynu ond dydy'r prynwyr ddim yn meithrin safonau gwell. Yn wir, dydy recordiau Meic Stevens, y Triban a'r Diliau ddim yn gwerthu'n dda er bod eu cerddoriaeth gymaint gwell na'r rhan fwyaf o grwpiau ac unigolion eraill. Er bod Cymru'n cael ei brolio fel 'gwlad y gân' mae yna apathi cerddorol ofnadwy yn ein mysg ni.

Yna, mae'r modd y cyflwynir cân yn bwysig iawn. Diflas ydy edrych ar dri neu bedwar o bobl yn sefyll fel pe baen nhw wedi eu hoelio i'r ddaear – yn enwedig os ydy'r geiriau'n llawn o ystrydebau a'r tri chord noeth ar y gitâr yn gwrthbwyntio gyda rhan-ganu diddychymyg, undonog.

Dim ond chydig iawn o grwpiau sy ag unrhyw fath o sbarc ynddyn nhw – gormod o fraster lleisiol ac offerynnol megis! Mae angen dod â mwy o ddoniolwch a hwyl i ganu pop Cymraeg a hynny yn y gerddoriaeth yn ogystal ag yn y geiriau. Dim ond y Bara Menyn, y Canu Coch, y Tebot Piws, y Dyniadon Ynfyd Hirfelyn Tesog – a Ni, wrth gwrs – hyd y gwela i sy'n ceisio gwneud hyn.[4]

Grŵp nad oedd yn barod i wrando ar ddim a ddywedai'r un oedolyn oedd y Tebot Piws. Oni bai fod yr aelodau wedi digwydd cofrestru fel myfyrwyr yng Ngholeg Addysg Cyncoed, Caerdydd, mae'n debyg y gellid eu hystyried, o ran golwg ac ymarweddiad, yn ddim amgen na chardotwyr. Byddai rhai yn dadlau mai sarhad ar gardotwyr fyddai'r fath gymhariaeth. Ta waeth, grŵp llawn hwyl oedd y Tebot triphig gyda phedwerydd pig yn ymddangos yn achlysurol ar lwyfan. Hanai Emyr Huws Jones a Stanley Morgan Jones o Sir Fôn, y naill o Langefni a'r llall o Walchmai; Alun Sbardun Huws o Benrhyndeudraeth a Dewi Pws Morris o Dreboeth ger Abertawe.

Doedd Ems ddim yn ymddangos ar lwyfan gyda'r grŵp yn gyson, a hynny, yn ôl y tri arall, am ei fod yn dioddef o anghofrwydd difrifol. Ond yn ôl Ems, roedd y tri arall yn dioddef yr un mor ddrwg o glefyd yr un mor ddifrifol, sef amharodrwydd i rannu gwybodaeth ynghylch trefniadau. Yr un pryd cyfaddefa Ems nad oedd ganddo 'fynadd' i'w holi byth a beunydd i gadarnhau trefniadau. Hyd y dydd heddiw mae Dewi Pws yn dal i amau a oedd Ems, mewn gwirionedd, yn aelod o'r Tebot Piws. Os oedd yn aelod, derbynia fod ganddo resymau teilwng yn ddieithriad dros fethu â chadw cyhoeddiad – dillad gwely'n rhy drwm i'w codi, dolen drws y stafell wely'n rhy anodd i'w throi...

Doedd dim sidetrwydd yn perthyn i'r Tebot Piws. Doedd dim dal pa ddireidi fyddai Dewi Pws yn ei gyflawni ar lwyfan a hynny'n ddiarwybod i'r aelodau eraill. Wedi'r cyfan, hwn oedd 'y gofalwr' a ddaeth ar lwyfan yng nghyffiniau Abertawe pan oedd y gynulleidfa'n alaru disgwyl Hogia Llandegai i'w difyrru, gan fwrw iddi i frwsio'n hamddenol braf. Doedd dim ôl paratoi ar berfformiadau'r Tebot. Dibynnent yn drwm ar elfennau byrfyfyr er mwyn creu rhialtwch. Beth bynnag fyddai'n gorwedd yng nghefn y llwyfan ers ymarfer diwethaf y cwmni drama lleol, byddai bois y Tebot yn siŵr o'u defnyddio fel rhan o'u perfformiad. Dyna pam y gwelwyd Dewi Pws ar un achlysur mewn ffrog goch a choes ychwanegol ac yn cynnal sgwrs â model noeth dro arall. O fethu â dod o hyd i ddim, penderfynai Pws a Stan boeri i wynebau ei gilydd bob tro y ceid y llythyren 'p' yn y caneuon. Codi hwyl oedd y nod, ond doedd pawb ddim yn gwerthfawrogi'r ffresni. Prin y byddai'r un o'r 'Hogia' yn ymddwyn yn y fath fodd. Yn aml, ni fyddai'r gwamalu'n cael ei werthfawrogi. Cafodd

Tudur Aled Davies ei gythruddo i'r fath raddau nes iddo anfon llythyr i'r wasg:

> Yn ddiweddar bûm mewn Cabaret lle'r oedd y Tebot i fod i gymryd rhan, a gallaf eich sicrhau imi glywed un o'r perfformiadau mwyaf gwael a diymdrech gan unrhyw grŵp pop Cymraeg erioed. Ni chredaf eu bod wedi cyrraedd terfyn unrhyw un o'r caneuon oherwydd y gwamalu a'r lol. Roeddwn yn teimlo dros y rhai a weithiodd yn galed i geisio gwneud noson lwyddiannus, a'r gynulleidfa yn gorfod dioddef y fath sothach. [5]

Gwamalu neu beidio, y tebyg yw y dylai Tudur Aled fod yn ddiolchgar fod y Tebot wedi llwyddo i gyrraedd ar gyfer y 'Cabaret'. Torri cyhoeddiadau fyddai'r grŵp yn lled aml. Os oedd eu perfformiadau llwyfan yn ddidrefn roedd eu trefniadau oddi arno yn waeth. Er bod yna 'reolwyr' yn eu cynrychioli, tasg anodd oedd cael gafael ar y pedwar a chadw cownt o bwy oedd wedi addo ar lafar i hwn a'r llall y bydden nhw'n perfformio mewn cyngerdd. Ar ryw olwg, tanlinellai hynny'r ffaith nad oedd y pedwar yn cymryd proffil y Tebot Piws ormod o ddifrif. Doedd y Tebot ddim yn debygol o dderbyn gwahoddiad i ganu yn yr 'Albyrt Hôl', Llundain, ar Ddydd Gŵyl Dewi. Yr hyn na fedrai Tudur Aled ei werthfawrogi oedd anallu aelodau'r Tebot, er yn fyfyrwyr, i sillafu'r gair 'ymarfer' hyd yn oed.

Ond i ieuenctid o gyffelyb anian, roedd y Tebot Piws a'i antics yn chwa o awyr iach yn ystod y pedair blynedd y bu'n ffrwtian. Roedd y caneuon i gyd yn wreiddiol ac yn ffrwyth dychymyg yr aelodau. Doniolwch ieuenctid oedd eu doniolwch yn hytrach na doniolwch wedi ei ddarparu ar gyfer ieuenctid gan oedolion. Yng nghanol caneuon hwyl fel 'Mae Rhywun wedi dwyn fy nhrwyn', 'Helô Dymbo' a 'Blaenau Ffestiniog' ceid ambell un ddwys fel 'Dilyn Colomen' a 'Lleucu Llwyd'.

Arwydd o natur ddigymell y grŵp oedd y ffaith i'r gân 'Godro'r Fuwch' gael ei 'chyfansoddi' ar amrant y tu ôl i'r llwyfan pan ofynnwyd am encôr, a hynny ar alaw roc gyfarwydd 'Walking the Dog'. Cafodd y 'Cerdded y Ci' gwreiddiol ei newid i'r ymadrodd ychydig yn fwy Cymreig yn ddiweddarach ar anogaeth Gareth Meils. Doedd cyfieithu nac efelychu ddim yn nodwedd o'r grŵp, beth bynnag. Roedden nhw'n wfftio'r syniad o benillion yn odli'n dwt ac yn canu clodydd Cymru lân. Ysgogwyd un gân gan arfer gŵr y daeth Dewi ar ei draws yn Sir Benfro o ddweud 'ie, ie, 'na fe, 'na fe' droeon yn ystod sgwrs. Gwreiddioldeb fyddai'n brigo i'r wyneb bob amser.

Yn y Llyfr Pocad Tin sgiwiff hwnnw, *Y Tebot Piws*, ceisia'r awdur, Dafydd Meirion, ddadansoddi arwyddocâd y Tebot. Mae'r aelodau eu hunain wedi gwrthod cydnabod fod yna unrhyw arwyddocâd i'w bodolaeth gan awgrymu mai eu cyfraniad mwyaf i adloniant Cymraeg oedd tewi. Wedi'r cyfan, oedd hi'n bosib cymryd o ddifrif grŵp mor chwit-chwat? Dyma ddadansoddiad craff Dafydd Mei mewn llyfr a oedd, o ran diwyg, yn gymaint o shambyls â'r Tebot ond a oedd yn llawn o ysbryd chwyldro'r cyfnod:

> Roedd yr hiwmor yn hollol Gymreig a'r gerddoriaeth â dylanwad Americanaidd arno. Y Tebot oedd y grŵp a gyfrannodd fwyaf i fyd canu ysgafn Cymraeg. Roedd Dafydd Iwan wedi dechrau'r traddodiad ond grwpiau fel Hogia'r Wyddfa a'r hogiau eraill wedi mynd gam yn ôl ac addasu ffurf y canu newydd i steil yr hen. Daeth y Tebot i gario mlaen ac i arwain y canu ysgafn i'r cyfeiriad cywir. Roedd eu caneuon yn ffres, ysgafn ond hefyd â neges gyfoes ('Ie, ie, 'na fe'). Roedd eu cerddoriaeth yn ffres, ond nid oedd eu dawn yn amlwg ar lwyfan oherwydd diffyg meicroffonau ac ati a hefyd oherwydd iddynt chwarae o gwmpas yn ormodol ar lwyfan. Yn ddiweddarach, daethant i ddibynnu yn ormodol ar James Hogg i gyfeilio iddynt a bu bron iddynt golli y naws Gymreig a oedd ganddynt ar y dechrau. [6]

Elfen o feirniadaeth, hefyd, mewn llyfr a ymddangosai fel petai ei ddudalennau wedi'u torri gyda chyllell fara ddi-awch. Prin bod y llyfr yn wyddoniadurol ei naws o ran cofnodi hanes y grŵp, ac, yn arwyddocaol, nodwyd y byddai unrhyw elw a wnaed o'r gwerthiant yn cael ei wario 'ar ddiod'. Ymateb cyntaf Ioan Roberts wrth adolygu'r gyfrol yn *Y Cymro* oedd tynnu sylw at ddiffygion dylunio a chyflwyniad: 'Mae'r lluniau fel petaent wedi'u tynnu y tu mewn i fol morfil heb fflash,' meddai.[7] Ond gwelai rinwedd mewn cyhoeddi'r math yma o lyfr poblogaidd. Bellach, y mae'r Llyfr Pocad Tin yn drysor yn union fel y rhifynnau arloesol hynny o'r cylchgrawn pop *Sŵn* y bu Dafydd yn eu cydolygu. Doedd casglu ystadegau a ffeithiau ynghylch eu campau na chwennych clod am eu cyfansoddiadau ddim yn rhan o feddylfryd y Tebot Piws. Doedd ganddyn nhw mo'r amser na'r diléit i ddadansoddi'r un dim.

Byddai gwylio'r bois ar lwyfan yn gwmws fel gwylio haid o lanciau'n mwynhau un parti mawr a oedd rhywsut wedi canfod ei hun ar lwyfan Noson Lawen. Daeth y Tebot i ben nid oherwydd ei fod wedi chwythu ei blwc ond am fod yr aelodau'n sylweddoli bod y parti wedi dirwyn i ben. Daeth i ben yn y sioe 'steddfodol 'Gwallt yn y Gwynt' yn Eisteddfod Rhydaman, 1972. Dyw'r CD *Y gore a'r gwaetha o'r Tebot Piws* (Sain SCD 2049) ddim yn cyfleu gwir gyffro gwallgof perfformiadau byw Stan, Sbardun, Pws ac Ems. Oedd tafod Sbardun yn glymau yn ei foch wrth iddo dafoli'r dyddiau da yn ei nodyn broliant?

> Wrth edrych yn ôl ar y dyddiau ynfyd hirfelyn tesog yna, dim ond un peth sy'n edifar gen i – na fasan ni wedi bod ychydig yn fwy gwyllt ac anghyfrifol, a pheidio â chymryd popeth gymaint o ddifri, peidio ag ymarfer gymaint, a pheidio troi i fyny ar gyfer ambell i gig, a bod dipyn bach yn fwy amharchus ac anghofio'r geiria weithia – neu'r cordia hyd yn oed. A chael hwyl – ia, HWYL, – mi fasa hynny wedi bod yn syniad da, a ffeindio enw gwirionach i'r grŵp... ond dyna fo... ie, ie, 'na fe... 'na fe... 'na fe.'[8]

Cofia'r awdur Alan Clayson y profiad o ddod ar draws y Tebot Piws yn ddamweiniol wrth wylio ailddeliad o *Disc a Dawn* ar BBC2 yn ei gartref yn Aldershot:

> Roeddwn i'n sâl ar y pryd ac yn methu gadael y tŷ. Dwi'n cofio teimlo fod yna rywbeth arbennig yn perthyn i'r grŵp. Doeddwn i ddim yn eu deall, wrth gwrs, ond dwi'n siŵr petaen nhw'n perfformio'n Saesneg fe fydden nhw wedi llwyddo. Roedd rhyw asbri arbennig yn rhan o'u perfformiad – ychydig o ysbryd roc a rôl.[9]

Gwelwyd cyfeiriad at y Tebot Piws yn un o'i lyfrau yn olrhain hanes grwpiau pop Prydain:

> More of a trace element in the crucible of British beat were outfits who sung exclusively and wilfully in Welsh, thus setting the ceiling

of their ambition on discs issued on small labels to be plugged on
BBC Wales' pop show *Disc a Dawn*.[10]

Mae'n amlwg nad oedd yr awdur wedi synhwyro fod doniolwch Y
Tebot Piws yn rhan o 'frwydr yr iaith' ac na fyddai'r un o'r aelodau'n
ystyried perfformio'u doniolwch yn Saesneg. 'D'yn ni ddim yn mynd i
Fyrmingham' oedd teitl un o'r caneuon, a hynny'n gyfeiriad at
anfodlonrwydd nifer o artistiaid i deithio i stiwdio yn Birmingham
yn hytrach na Chaerdydd i recordio ar gyfer *Disc a Dawn*.

Yn nyddiau eu hanterth fe fyddai aelodau'r Tebot yn aml yn rhannu
llwyfan â'r Dyniadon Ynfyd Hirfelyn Tesog, grŵp arall o blith y don
newydd nad oedd yn arddel yr handl 'Hogia' neu 'Bois'. Yn unol â'i
enw, roedd y grŵp o saith o fyfyrwyr o golegau Caerdydd yn dueddol
o gyflawni'r annisgwyl. Roedd y prif ddoniolwr, Gruffydd Miles, yn
chwarae'r soddgrwth ac yn cyfansoddi caneuon yn llawn o hiwmor
brathog. Medrai Dewi Tomos, Bili Ifans a Dafydd Meical drin
offerynnau llinynnol yr un mor ddeheuig ac fe ychwanegai Cenfyn
Evans ddimensiwn cerddorol pellach gyda'i drwmped, heb anghofio
gitâr Gareth Nerw, piano Eric Dafis a banjo Dafydd Meical pan oedd
angen. Petai cerddor o Sais am esbonio sut fath o grŵp oedd y
Temperance Seven neu'r Pigsty Hill Light Orchestra fe fyddai'n dweud
eu bod yn debyg i'r Dyniadon.

Fyddai'r saith, wrth gwrs, ddim yn cyrraedd pob cyhoeddiad ond
byddai presenoldeb traean ohonynt yn ddigon i greu difyrrwch, yn
enwedig os byddai aelodau'r Tebot Piws yn llercian ar y llwyfan hefyd.
Ar wahân i'r tyner 'Dyddiau Fu', sef cyfieithiad o 'Yesterday' y Beatles,
roedd teitlau caneuon y Dyniadon yn awgrymu clyfrwch geiriol a
dychan crafog. Fe roddwyd pìn yn swigen ambell sefydliad a
phwysigyn drwy holi 'Sawl C sydd yng Nghricccieth?' a thanlinellu
gloywder gyrfa Brydeinig ambell wleidydd drwy'r gosodiad 'Ai cwdynt
spic e wyrd of Inglish yntil ai was ten'. Roedd 'Dicsi'r Clustiau' yn
gyfeiriad at yr heddlu cudd a fyddai'n tin-droi ymhlith myfyrwyr ac
yn mynychu digwyddiadau popaidd yn y cyfnod cyn yr arwisgo. Ac
onid yw teitlau fel 'Sleeping bag Asbestos fy Nain' a 'Orang Outang o
Ruthun' yn dal i oglais y dychymyg? Y ddwy gân arall sy'n werth eu

galw i gof yw 'Gast' a 'Llond Bola'. Cadwyd eu dylni ar gyfer yr oesoedd a ddêl ar ddwy o recordiau Sain (Sain 10/23).

Mae'n debyg bod ennill cystadleuaeth mewn Eisteddfod Bop a drefnwyd gan ieuenctid capel Methodistaidd yn Ninbych ym mis Ebrill 1969, trwy ganu 'John Jones', wedi bod yn hwb i'r Tebot Piws ddal ati. Roedd £5 yn arian go lew ar y pryd. 'Potiwrs Gwynedd' oedd enw'r grŵp yn wreiddiol, ond penderfynwyd nad oedd yn addas ar gyfer cystadlu mewn digwyddiad a drefnid gan gapel. Ar wahân i hynny, roedd yr enw braidd yn blwyfol a diddychymyg.

Doedd ennill cystadleuaeth debyg mewn Eisteddfod Ryng-golegol yr un flwyddyn trwy ganu 'Carlo, watsha mas' ddim yn gwneud drwg i'r Dyniadon chwaith. Ond doedd yr un o'r ddau yn bwriadu mentro ar hyd y llwybr eisteddfodol. Nid dyna oedd eu hanian. Doedden nhw ddim yn hidio am chwennych clod beirniaid cerdd. Adlewyrchu bwrlwm creadigrwydd y cyfnod trwy ddoniolwch ac ynfydrwydd oedd swm a sylwedd y Tebot a'r Dyniadon. Doedden nhw ddim yn gwisgo crysau gwynion startshlyd a theis ceidwadol na chwaith y *blazers* bondigrybwyll. Roedden nhw'n fwy tebygol o wisgo dillad wedi eu prynu mewn siop ail-law, hyd yn oed os byddai'r Dyniadon, fel y bydden nhw weithiau, yn gwisgo tei dici-bo a siwtiau pengwin.

Rheidrwydd i'r sawl a rannai'r hwyl a gynrychiolid gan y Tebot a'r Dyniadon yn ystod y cyfnod hwnnw oedd mynychu'r Eisteddfod Genedlaethol. Llymeitian, diota, tanco, êlio – dyna fyddai'r norm yn ystod y dydd a mynychu cyngerdd lle na fyddai neb yn sobor gyda'r nos, a throedio'n ôl yn sigledig i'r maes gwersylla yn yr oriau mân ac ail-fyw'r profiad eto drannoeth. Anaml, os o gwbl, fyddai criw'r jîns a'r crysau-T yn mynychu'r prif faes. Fe fyddai clywed sŵn gitâr neu ddau yn cael eu strymio mewn tafarn yn arwain at sesiynau jamio anffurfiol. Roedd gan yr ieuenctid eu trefniant eu hunain o ran dathlu Cymreictod. Uchafbwynt Eisteddfod y Fflint yn 1969 oedd y modd y gorfodwyd Dafydd Iwan i ganu 'Carlo' dro ar ôl tro, a hynny er iddo ddatgan y byddai'n rhoi'r gorau i'w chanu. Doedd dim taw ar y cynulleidfaoedd nes ei fod yn cytuno i sôn am ei ffrind ym 'Mycingham Palas'.

Yn Rhydaman y flwyddyn ddilynol fe lwyfannodd Cymdeithas yr Iaith sioe o'r enw *Peintio'r Byd yn Wyrdd*. Cyfeiria'r teitl at yr ymgyrch beintio arwyddion uniaith Saesneg er mwyn perswadio'r llywodraeth i ganiatáu defnyddio'r Gymraeg yn ogystal â'r Saesneg ar arwyddion ffyrdd. Wrth dafoli dechrau'r 70au, fe ddywed Gwilym Tudur: 'rydym bellach yn anterth y berw hwnnw a elwid yn aml yn chwyldro ac a liwiodd dymer gwleidyddiaeth Gymraeg am flynyddoedd. Daeth herio'r heddlu a'r llysoedd, a charchar, yn brofiad cyffredin i lawer o'r Cymry.'[11]

Carcharwyd Dafydd Iwan ei hun ar ddechrau 1970. I'r genhedlaeth oedd â'i bryd ar dorri'r gyfraith er mwyn sicrhau hawliau'r Gymraeg roedd rhannu hwyl y grwpiau gwallgof yn fodd o ymlacio. Yn ail Ysgol Basg Cymdeithas yr Iaith yng Nghricieth yn 1971 cyflwynwyd sioe o'r enw 'I'r Gad'. Tanlinellai'r datblygiad yma yr hyn a ddywedwyd gan Dafydd Iwan am y defnydd cyson o'r gair 'protest' i ddisgrifio'i ganeuon:

> Nid protestio yw canu am ryddid gwlad. Nid protestio yw canu clodydd arwyr cenedl. Nid protestio yw mynegi'r awydd angerddol i weld iaith a diwylliant cenedl yn byw. Nage, siŵr iawn! Ac yn yr un modd nid mudiad protest mo Cymdeithas yr Iaith ond mudiad sy'n gyfrwng i sianelu'r brwdfrydedd a'r egni cenedlaethol yng Nghymru i bwrpas pendant.[12]

Cyhoeddodd Gwasg y Lolfa gyfres o bosteri yn cyfleu delweddau o'r hyn a olygai i fod yn Gymro a oedd yn barod i herio'r drefn. Un o'r posteri mwyaf cofiadwy oedd hwnnw yn dangos criw o blismyn yn cario Dafydd Huws, y gŵr a sgriblai golofn radio a theledu bigog yn *Y Faner* o dan y ffugenw Charles Huws, oddi ar faes y Brifwyl yn y Fflint. Meiddiodd y gŵr o Lanberis arddangos poster yn gwrthwynebu'r arwisgo a'r pennawd uwchlaw'r llun ohono oedd 'Mae'n drosedd bod yn Gymro'.

Yn Eisteddfod Bangor yn 1971, gwelodd Cwmni Theatr Cymru gyfle i ddiwallu anghenion ieuenctid Cymru trwy lwyfannu sioe seicedelig 'Sachliain a Lludw' gyda Meic Stevens, Heather Jones, a'r Tebot gydag offerynwyr James Hogg yn chwarae rhan amlwg. Daeth

'Bydded Goleuni' Dewi Pws yn anthem yr haf. Roedd taith gerdded drwy Gymru benbaladr, ar ôl yr Eisteddfod, yn un o uchafbwyntiau calendr Cymdeithas yr Iaith bellach. Dros y gaeaf aed â phantomeim cyntaf y Cwmni Theatr, 'Mawredd Mawr' ar daith, gyda Dewi Pws yn chwarae un o'r prif rannau. Roedd yr ymadrodd 'Cymro iach' yn aml ei ddefnydd i ddisgrifio'r sawl a oedd yn gefnogol i'r 'pethe' ar eu newydd wedd. 'Bradwr' oedd y sawl nad oedd ei deyrngarwch gant y cant.

Yn Eisteddfod Genedlaethol Hwlffordd y flwyddyn ddilynol cafwyd sawl digwyddiad a oedd yn allweddol o ran ieuenctid yn canfod eu cyfrwng mynegiant eu hunain. Mewn sesiwn a drefnwyd mewn clwb pêl-droed gan gylchgrawn newydd o'r enw *Sŵn* fe glywyd Gareth 'Gwddfgrafel' Meils yn cydio yn y meic ac yn canu caneuon plant megis 'Gee geffyl bach' yn null cantorion y falen. Tanlinellai hynny'r posibiliadau a'r potensial oedd yna i'r Gymraeg fel cyfrwng i fynegi ing a gysylltid gan amlaf â thrigolion croenddu taleithiau'r caeau cotwm yn yr Unol Daleithiau. Yn gynharach yn y flwyddyn, yn ei rifyn cyntaf un, roedd golygyddion *Sŵn*, Dafydd Meirion ac Alun 'Sbardun' Huws, wedi gosod eu stondin:

> ...mae'n rhaid i ni bobl ifanc wneud rhywbeth ein hunain ynglŷn â'r sefyllfa. Ar hyn o bryd nid yn nwylo'r bobl ifanc y mae y byd pop. Pobl mewn oed sy'n rhedeg y teledu (cynhyrchu a chyfeilio), y cwmnïau recordio (ar wahân i Sain sydd wedi troi rhai o'r recordiau gorau allan) a llawer o'r nosweithiau llawen (sylwch mor boblogaidd yw nosweithiau pop Cymdeithas yr Iaith, e.e. Peintio'r Byd yn Wyrdd ac I'r Gad). Felly mae'n rhaid i ni wneud rhywbeth ynglŷn â'r sefyllfa.[13]

Ar wahân i drefnu'r sesiwn arloesol hwnnw roedd *Sŵn* wedi llogi pabell ar y Maes ar y cyd â'r discoteciwr, Mici Plwm. Ar y Maes yn un o'r pebyll swyddogol yr oedd y cylchgrawn *Asbri* yn cynnal ei sesiwn yntau. Gwahoddwyd Meic Stevens i gymryd rhan mewn trafodaeth. Roedd ei ymddangosiad yn ddigwyddiad ynddo'i hun. Gwisgai'r clogyn arferol, sbectol dywyll ar ei drwyn, gitâr ar ei gefn a chan anwybyddu'r rheol dim alcohol ar y Maes drachtiai'n helaeth o botel o win gyda chymorth cwmpeini rhyw Ddyddgu a Morfudd. Doedd ei gyfraniad i'r drafodaeth ddim yn nodedig ond roedd ei feistrolaeth o'r gitâr yn gofiadwy. Roedd y ddau ddigwyddiad yn arwydd fod ieuenctid Gwalia Wen, ym mhrif ŵyl y genedl, yn torri eu cwys eu hunain. Ac wrth fagu cwils fe fyddai yna dyndra'n ei amlygu ei hun rhwng y ddau gylchgrawn.

Un 'sefydliad' a fedrai ddod â phobl at ei gilydd yn yr eisteddfodau oedd y gŵr a gyflwynai ei hun i bawb ar un adeg fel 'Ifan Fishguard'. Yn ôl ei geidwad, Lyn Ebenezer, doedd neb tebyg i Eirwyn Pontsiân am ddal sylw cynulleidfa ym mha dafarn bynnag y mentrai godi ei stondin:

> Dydw i erioed wedi cyfarfod ag unrhyw un sydd â chymaint stôr o wybodaeth, storïau, cerddi a rhigymau ar ei gof. Ac yn union fel cyfrifiadur, mae ganddo ymateb parod i unrhyw bwnc ond i rywun wasgu'r botwm cywir. Gall gynnal sgwrs ar unrhyw thema dan haul. Ac er mai digrifwr yw Eirwyn yn allanol, mae llawer iawn ohono o dan yr wyneb.[14]

Wrth i ieuenctid dyrru i Eisteddfod Rhuthun ym mis Awst 1973, gan baratoi am wythnos galed o lyshio, ychydig oedden nhw'n ei feddwl y byddai noson 'Tafodau Tân' Cymdeithas yr Iaith ym Mhafiliwn Corwen yn profi'n drobwynt yn hanes adloniant Cymraeg. Erbyn diwedd y flwyddyn, fe fyddai Barrie J Thomas yn cyhoeddi'n derfynol nad oedd uniad rhwng Noson Lawen a chyngerdd pop mwyach:

> Peidiwch â beirniadu canu pop Cymraeg rhagor oherwydd dim ond yn y tair blynedd diwethaf y cafodd ei eni. Nid wyf fi yn bersonol yn credu fod Hogia'r Wyddfa, Hogia Llandegai a'r artistiaid eraill a fu'n mynychu'n llwyfannau ni, yn perthyn i bop Cymraeg. Yr unig eithriad yw Dafydd Iwan, Huw Jones, Meic Stevens, y Tebot Piws, Heather Jones a'r Blew. Roedd y rhai eraill yn wych mewn nosweithiau llawen yn fy marn i ond dim mewn cyngherddau pop.[15]

Un enw o blith y to newydd sy'n absennol o'r rhestr uchod yw Endaf Emlyn, er teg dweud nad oedd y gŵr swil o Bwllheli yn perfformio ar hyd a lled llwyfannau'r wlad. Roedd yn wyneb ac yn llais cyfarwydd ar y cyfryngau ers blynyddoedd ac yn treulio llawer o'i amser hamdden yn sgwennu caneuon ac yn astudio'r grefft o recordio. Roedd ei chwaer, Shân Emlyn, yn awdurdod ar ganu gwerin ac roedd yntau ei hun yn gatholig ei chwaeth gerddorol. Fe'i cymerwyd o dan adain Tony Hatch, un o gynhyrchwyr mwyaf llwyddiannus y cyfnod. Rhyddhaodd sawl record fer ar label Parlophone gyda chân Gymraeg, 'Madryn' ar un ohonyn nhw. Roedd yr un gân i'w chlywed ar record hirfaith Gymraeg o'i eiddo, *Hiraeth*, a ryddhawyd ar label Dryw yn 1973 (WRL 537). Hyd yn oed ar ôl un gwrandawiad, ni ellid osgoi sylweddoli fod hon yn record grefftus tu hwnt.

Endaf, gyda chymorth cyfaill o'r enw Mike Parker (Llundeiniwr a oedd yn aelod o stabal Tony Hatch), fu'n gyfrifol am y cynhyrchu a hynny heb fawr o offer stiwdio. Gwnâi bocs cardbord y tro yn lle drymiau. Y gyfrinach oedd ei daro yn y man iawn. Profodd yr offrwm yn gymaint o garreg filltir o ran cyhoeddi recordiau Cymraeg ag oedd *Gwymon* Meic Stevens. Unwaith eto, roedd dull Endaf o frawddegu a goslefu a chreu awyrgylch yn brawf ei fod wedi astudio'r cyfrwng Eingl-Americanaidd yn hytrach na'r traddodiad eisteddfodol. Doedd hi ddim yn bosib cyflwyno'r casgliad yma o ganeuon ar lwyfan heb golli'r naws arbennig oedd ar y feinyl. Ystyrid *Hiraeth* yn record i'w mwynhau yn nhawelwch y lolfa gan adael i sŵn tonnau'r môr Cymreig olchi dros yr ymennydd. Be-bop-a-lula!

Eto, roedd penderfynu a ddylid cyfrannu at fyd adloniant y Gymraeg neu'r Saesneg, neu'r ddau, yn dal i beri penbleth i rai. Teimlai Endaf Emlyn yn gyffyrddus yn y ddau fyd. Mentrodd yn y byd Saesneg mewn cyfnod pan nad oedd cyfleon ar gael yn y byd Cymraeg i gyflawni'r hyn yr oedd e am ei wneud. Credai eraill y dylid anelu am lwyddiant yn y byd Saesneg unwaith y byddai record yn dechrau dringo siart *Y Cymro*. Troes Helen Wyn eisoes yn Tammy Jones a datblygu'n artist poblogaidd yn y clybiau gan ryddhau recordiau'n gyson. Cafodd Mary Hopkin gychwyn rhyfeddol i'w gyrfa yn y byd Saesneg ac fe'i hurddwyd i'r wisg werdd yn yr Orsedd.

Cafodd merch groenddu ddi-Gymraeg o Lantrisant, Iris Williams, lwyddiant rhyfeddol a gyrfa lewyrchus a'i harweiniodd i ymgartrefu yn America. Ymddangosodd yn gyson ar raglenni fel *Disc a Dawn* a chyhoeddodd nifer o recordiau Cymraeg gan gynnwys *Pererin Wyf* (un o emynau'r Hen Bant a ganwyd ar alaw Americanaidd, 'Amazing Grace'), a fu'n gwerthu fel slecs.

Fe fu sôn y byddai merch o Landysul, Rosalind Lloyd, a fu'n aelod o'r Perlau, yn rhyddhau record ar label CBS ar ôl ymddangos ar y rhaglen deledu *Opportunity Knocks* yn canu cyfieithiad o un o ganeuon Cilla Black. Fe fu sôn y byddai Nia, merch Aled Hughes o'r ddeuawd Aled a Reg, yn rhyddhau rhibidirês o recordiau Saesneg ar ôl sicrhau cytundeb i weithio gyda rhai o ddynion mwyaf blaenllaw y diwydiant. Fe recordiodd Heather Jones, y ferch benfelen o Gaerdydd a ddaeth i amlygrwydd gyda'r Bara Menyn, nifer o recordiau Saesneg na chawsant eu rhyddhau. Gwyddai hyrwyddwyr a rheolwyr y diwydiant pop Saesneg pa fath o artist oedd ei angen ar y 'farchnad'. Doedd gan bob talent mo'r ddelwedd iawn i fod yn seren yn nhyb y trefnwyr. Gweithredu o fewn gofynion y farchnad oedden nhw a gwerthoedd masnachol oedd yn eu rheoli. Roedd degau o Gymry di-Gymraeg yn ei mentro hi yn Llundain a thu hwnt ac yn llwyddo, pobl fel Tom Jones, Dave Edmunds, Andy Fairweather-Low, Shirley Bassey. Doedd Cymreictod ddim yn chwarae rhan yn eu gyrfaoedd nhw.

Yng Nghymru doedd adloniant ysgafn Cymraeg ddim wedi datblygu'n ddiwydiant hunangynhaliol ac fe fyddai'r berthynas â'r byd Saesneg wastad yn fregus ac amwys. Ar ddechrau'r 70au, fe ryddhaodd Max Boyce nifer o recordiau Cymraeg ar label Cambrian. Fe'i gwelwyd ar lwyfannau Nosweithiau Llawen ac mewn cyngherddau ond trwy gyfrwng y Saesneg y sefydlodd y gŵr o Lyn-nedd ei yrfa fel diddanwr. Er hynny, teg dweud i'w ddeunydd a'i hiwmor barhau'n Gymreig a Chymry'r Cymoedd a Chymry alltud oedd ei gynulleidfa. Ond doedd pawb ddim am gyfaddawdu. I rai, roedd pob datganiad o gân Gymraeg yn ddatganiad dros barhad yr iaith Gymraeg. Byddai gosodiad o'r fath yng nghyd-destun y Saesneg yn ddisynnwyr. I'r sawl a simsanai ar y mater, roedd gan Dafydd Iwan air o gyngor:

> Mae sawl grŵp Cymraeg eisoes yn canu llawer o Saesneg, yn enwedig mewn clybiau (a'r rheiny'n aml iawn mewn ardaloedd Cymraeg) ac y mae llawer ohonynt yn rhy barod i ganu yn Saesneg mewn nosweithiau llawen 'for the sake of our...'. Mae rhaglenni

teledu hefyd yn annog artistiaid Cymraeg i ganu yn Saesneg, yn y gobaith y daw hyn ag enwogrwydd ehangach a rhagor o arian – i'r artistiaid ac i bobol y teledu. Wel, meddech chi, beth sydd o'i le yn hyn – onid dyletswydd artist yw diddori ei gynulleidfa, a chan fod y di-Gymraeg yn y mwyafrif onid rhesymol yw canu yn Saesneg? Ond os rhoddwn y lle blaenaf i ystyriaethau fel hyn, dyna ddiwedd nid yn unig ar ganu Cymraeg, ond ar bopeth Cymraeg yn y pen draw. Nid gris isaf yr ysgol i'r byd canu pop Saesneg mo'r maes yr ydym ni'n troi ynddo, ond ysgol gwbl wahanol. Trwy ddal ati i ganu yn Gymraeg, gallwn wneud yr ysgol yn uwch ac yn gryfach. Ac os cawn ein cydnabod y tu allan i Gymru, nid fel rhai cantorion Cymraeg a drodd yn gantorion Saesneg y bydd hynny, ond fel cantorion Cymraeg h.y. cawn ein cydnabod am yr hyn ydym mewn gwirionedd. Cymerwch Edith Piaf er enghraifft – cafodd ei hathrylith hi ei gydnabod ymhell tu hwnt i Ffrainc er mai yn Ffrangeg y canai. Mi wn nad oes deunydd Edith Piaf ym mhob un ohonom, wrth reswm, ond dyna'r esiampl y dylem ei ddilyn... Fe olyga hyn, o bosib, wrthod swllt a derbyn ceiniog o dro i dro, ond yn y pen draw, ni – a Chymru – fydd ar ein hennill.[16]

Un o'r diddanwyr ar restr Barrie J Thomas a rannai bryderon a gobeithion Dafydd Iwan oedd llanc ieuanc o Gaerdydd, Huw Jones. Fe fu'n astudio Ffrangeg yn Rhydychen ond roedd â'i fryd ar rannu gweledigaeth Dafydd. Aeth ati i wireddu'r weledigaeth fel cyfansoddwr, perfformiwr a dyn busnes.

Y Dyniadon Ynfyd Hirfelyn Tesog yn eu gwisgoedd ffurfiol a brynwyd mewn siop elusen. O'r chwith; Cenfyn Evans, Dewi Thomas, Gruff Miles, Morus Elfryn, Bili Evans, Eric Dafydd a Dai Meical.

Y Dyniadon eto, y tro hwn yn tiwnio eu hofferynnau, gyda Gareth 'Nerw' Huws yn eu plith yn lle Morus Elfryn.

Gareth 'Gwddfgrafel' Miles yn Sesiwn Sŵn Eisteddfod Hwlffordd 1970 yn canu fersiynau'r falen o ganeuon plant megis 'Dau Gi Bach' a 'Gee Geffyl Bach' gyda chymorth Hefin Elis ar y gitâr.

Gruff Miles, athrylith ac angor y Dyniadon Ynfyd. Bu farw'n ifanc mewn damwain car.

Steddfod Hwlffordd 1970 – y cylchgrawn *Sŵn* a Disco Teithiol Mici Plwm yn rhannu pabell ar y maes. Y golygyddion, Alun 'Sbardun' Huws a Dafydd Meirion, sydd o bobtu'r discoteciwr.

Iris Williams o Donyrefail. Fel degau o artistiaid di-Gymraeg eraill, cafodd gyfle i ymddangos ar *Disc a Dawn*. Profodd ei fersiwn o emyn William Williams, Pantycelyn, 'Pererin Wyf' yn llwyddiant ysgubol. Bellach, ymgartrefodd yn America gan greu gyrfa lwyddiannus iddi ei hun.

Max Boyce o Lyn-nedd. Bu'n perfformio'n gyson yn Gymraeg ar ddechrau ei yrfa. Roedd ei hiwmor yn heintus. Beth petae wedi parhau i ganolbwyntio ar ganu yn Gymraeg?

Perlau Tâf o ardal Hendy-gwyn – Tecwyn Ifan a'i frawd Euros, Betty Williams, Carol Llywelyn, Mary Rees a John Arfon Jones.

Y Perlau o Lambed – Rosalind Lloyd, Llinos Evans a Dawn Evans.

NORTH WALES' LEADING GROUP

The Anglesey Strangers

Representation:	Recording Manager:	Manager:
DAVID ALAN CHADDERTON PROMOTIONS	JOE MEEK	E. JONES
40 SEA VIEW ROAD	R.G.M. SOUND	CENTRAL STORES
COLWYN BAY	304 HOLLOWAY ROAD	CEMAES BAY
Telephone 2960	LONDON, N.7	ANGLESEY
	Telephone: NOR 4074	Telephone: 278

The Anglesey Strangers – Gordon Humphreys, Bryn Jones, Eric Bentley ac Andy Worrell o Fae Cemaes ar Ynys Môn. Roedden nhw'n perfformio'n gyson yng nghlybiau Canolbarth Lloegr. Doedd hi ddim wedi gwawrio arnyn nhw i fwrw ati i ganu yn Gymraeg.

Y Tebot Piws – Ems, Stan,
Sbardun a Dewi. Gwallgof.

9 / 'Dwi Isio Bod yn Sais'

Ym mis Ionawr 1970, dedfrydwyd Dafydd Iwan i gyfnod o dri mis o garchar am wrthod talu'r dirwyon a gafodd yn sgil ei ran yn yr ymgyrch beintio arwyddion ffyrdd. O fewn mis cafodd ei ryddhau o garchar Caerdydd am fod rhywun anhysbys wedi talu'r dirwyon ar ei ran. Roedd hynny'n siom i Dafydd, ac i aelodau blaenllaw o Gymdeithas yr Iaith, am eu bod yn awyddus i ddefnyddio'r carchariad i godi stêm y frwydr dros hawliau i'r Gymraeg. Byddai ralïau a chyhoeddusrwydd i garchariad aelod mor adnabyddus yn sicr o gynyddu'r pwysau ar yr awdurdodau i ildio. Doedd neb yn siŵr ai cefnogwr a gredai na ddylai fandal dros iaith fod mewn cell carchar oedd yn gyfrifol am dalu'r dirwyon ynteu rhywun a oedd yn cydymdeimlo â'r sefydliad ac yn sylweddoli'r drwg y gellid ei achosi o ganiatáu i'r ddedfryd redeg ei chwrs. Cyfraniad Huw Jones at wewyr dechrau'r degawd oedd ymuno mewn ympryd a bwrw ati i gyfansoddi, recordio a chyhoeddi record yn cynnwys y gân 'Paid Digalonni'. Canodd y gân tu fas i furiau'r carchar a'i chyflwyno fel neges gyhoeddus uniongyrchol i Dafydd yn unigrwydd a thywyllwch ei gell.

Ar yr olwg gyntaf, doedd Dafydd a Huw ddim yn gywion o'r un brid; roedd y naill yn fab y Mans, wedi ei fagu yn y Gymru Gymraeg ac wedi derbyn ei addysg uwch ym Mhrifysgol Cymru, a'r llall yn gynnyrch swbwrbia Saesneg y brifddinas ac wedi mynychu un o golegau Rhydychen. Ond roedd gwreiddiau teuluol Huw ym Meirionnydd a bu'n ymwneud â bywyd Cymraeg Caerdydd trwy weithgareddau'r Urdd. Roedd yn gyfarwydd â hwyl gwersyll Glanllyn, ac er ei fod yn fyfyriwr alltud ar ddiwedd y 60au roedd yn rhan o'r bwrlwm pop yng Nghymru. Dychwelai bob penwythnos i berfformio yn rhywle neu'i gilydd a bu'n gwneud ei siâr o waith teledu gan gynnwys cyflwyno *Disc a Dawn*. Medrai gyhoeddi *Paid Digalonni* mewn byr amser am fod Dafydd Iwan ac yntau newydd sefydlu eu cwmni recordiau eu hunain.

Er nad oedd yr un artist pop yn cael trafferth i gyhoeddi record ar ddiwedd y 60au, roedd yna deimlad cynyddol mai gwantan os nad gwachul oedd safonau recordio a bod angen mabwysiadu agwedd lawer mwy proffesiynol. Ond gan fod yr holl fwrlwm yn rhan o ddiwylliant amatur doedd gan y perfformwyr fawr o glem sut i wella'r sefyllfa. I'r mwyafrif, roedd y clod a'r sylw ar lwyfannau, ac ambell ymddangosiad teledu, yn ddigon o gydnabyddiaeth rhwng cyflawni dyletswyddau gwaith y dydd. Er eu bod yn synhwyro fod pethau'n wahanol yn y byd Saesneg doedden nhw ddim yn ystyried fod y safonau hynny'n berthnasol i'r sefyllfa yn y Gymru Gymraeg. Ond fe ddaeth Meic Stevens i'r adwy. O'i glywed yn sôn am y technegau recordio yn Llundain dechreuodd rhai o'r artistiaid foeli eu clustiau. Gynt, byddai unrhyw neuadd neu ystafell yn gwneud y tro ar gyfer recordio artistiaid Cymraeg cyhyd â bod meicroffon neu ddau ar gael yno. Cofia aelodau'r Tebot Piws am y profiad o recordio am y tro cyntaf mewn parlwr Mans yn ochrau Lerpwl. Er mai amrwd oedd y cyfleusterau recordio, roedd poblogrwydd yr artistiaid yn golygu gwerthiant sylweddol o recordiau ac elw digon dymunol heb lawer o wariant.

Yng nghefn llwyfannau Nosweithiau Llawen a Phinaclau Pop byddai Meic Stevens yn byddaru Dafydd a Huw â'i swae ynghylch yr angen i sicrhau cerddoriaeth gefndir ar recordiau er mwyn cael y gorau o'r caneuon. Soniai byth a hefyd am wahanol offerynnau, am driciau recordio ac am y bobol roedd e'n eu hadnabod o fewn y diwydiant yn Llundain. Roedd Meic yn amlwg yn deall ei bwnc, ac fel cerddor llawn-amser deuai ei rwystredigaeth o glywed cyntefigrwydd ambell record Gymraeg i'r wyneb. Gwrandawodd Dafydd a Huw yn astud gan ddechrau magu plwc i fwrw ati i unioni'r cam. Daeth gyrfaoedd colegol y ddau i ben a doedd y naill ddim yn debyg o ddilyn gyrfa fel pensaer na'r llall yn debyg o ddefnyddio'i radd Ffrangeg at bwrpas ennill bywoliaeth. Ar y pryd medrai'r ddau gynnal eu hunain trwy ganu a doedd dim argoel fod eu gyrfaoedd canu ar fin dirwyn i ben. Doedd cyfnod o garchariad yn ddim mwy na chyfle i roi hoe i'r llais.

Yn gynnar yn 1969 fe wnaed y penderfyniad i fentro, doed a ddelo, a hynny oherwydd ei bod bellach yn gwbl glir bod rhaid gwella ansawdd recordiau Cymraeg os am gynnal yr ymchwydd a'r datblygiad. Doedd dim argoel fod y cwmnïau oedd wedi eu hen sefydlu am fwrw ati o ddifri i ddiwygio, i fuddsoddi ac i chwarae eu rhan bositif eu hunain yn y broses greadigol. Cafwyd benthyciad o £500 gan ŵr busnes o'r enw Brian Morgan Edwards ac ym Mehefin 1969 llogwyd stiwdio yn Llundain er mwyn recordio record gyntaf Cwmni Recordiau Sain. Prin bod Dafydd na Huw yn gweld eu hunain fel dynion busnes cyfalafol yn anelu at wneud hyn a hyn o ffortiwn o fewn hyn a hyn o amser. Gweld angen oedden nhw a gweld nad oedd neb arall yn bwrw ati i ddiwallu'r angen hwnnw. Penderfynwyd mai'r record gyntaf fyddai cyfansoddiad Huw, sef *Dŵr*, ac roedd gan Meic Stevens ran allweddol yn y cynhyrchu.

Anelodd Huw a chriw'r Bara Menyn i gyfeiriad Llundain un bore Sadwrn gan aros dros nos rhywle yn Sir Gaerloyw am fod Meic yn canu mewn clwb gwerin yno. Cafwyd trafferth i gychwyn yn brydlon gynnar fore trannoeth oherwydd effeithiau noson hwyr. Roedd hi'n amlwg y byddai'r criw yn hwyr yn cyrraedd y stiwdio bedwar trac yn y West End. Rhyw fater o hap a damwain oedd pob dim o gofio mai Meic oedd wedi sicrhau defnydd o'r stiwdio fel ffafr, ac roedd llawer o'r trefniadau eraill wedi'u gwneud ar sail sgwrs gyda ffrind i ffrind ffrind. Wedi'r cyfan, onid oedd llacrwydd diofal o'r fath yn rhan o ysbryd y cyfnod? Doedd ffurfioldeb nac amserlenni caeth ddim yn rhan o'r byd recordio Saesneg chwaith. Ar ôl cyrraedd y stiwdio lleddfwyd rhywfaint ar bryderon yr Huw Jones un ar hugain oed:

> Fel y digwyddodd hi, fe ddaeth yna dri offerynnwr reit enwog oedd wedi bod yn chwarae gyda Meic ar ryw adeg neu'i gilydd. Yn anffodus, doedd yr amser cyfarfod ddim yn rhyw benodol iawn, ac

wrth gwrs doedd neb wedi clywed y gân o'r blaen, felly tra oedd y
peiriannydd wrthi'n gosod ambell i feic, dyna lle'r oeddwn i yn
ceisio egluro dirgelion fy system gyfansoddi i dri Sais clên ond
eitha *laid back*.

Erbyn amser cinio, roeddem ni wedi llwyddo i recordio'r trac
sylfaenol, a wir, roedd criw car Caerdydd yn teimlo ein bod wedi
cael cryn hwyl arni. Roedd Meic wedi cael sesiwn hollol
ysbrydoledig wrth roi gitâr i lawr ar gyfer agoriad y gân, ac
roeddwn i'n teimlo fod y cynnwrf roeddwn i'n chwilio amdano o'r
diwedd wedi ei ddal ar y tâp. Roedd hi'n amlwg, fodd bynnag, fod y
peiriannydd druan wedi meddwl y byddai o'n cael mynd adre at ei
wraig a'i blant ar gyfer cinio hwyr, ond rywsut fe'i perswadiwyd o i
fodloni ar rôl yn y dafarn drws nesaf er mwyn i'r hogia gael peint.

'Nôl i'r stiwdio ar ôl cinio, a Meic a'i ffrindiau yn darganfod mwy
a mwy o bethau y gellid eu hychwanegu. Cafwyd tablas (drymiau
Indiaidd) a dyblu'r gitâr a'r llais, a chan mai dim ond pedwar trac
oedd yna roedd yn rhaid gwneud yr hyn a elwir yn *sub mixes*, sef
cymysgu dau neu dri trac gyda'i gilydd ar un, er mwyn clirio lle ar y
traciau eraill ar gyfer mwy o seiniau gwahanol. Gan fod 'Dŵr' yn
gân dros bum munud o hyd, roedd hyn i gyd yn cymryd amser.
Roedd y peiriannydd druan wedi mynd yn gwbwl fud erbyn y
diwedd ond roedd rhywbeth yn ei natur yn ei rwystro rhag
sgrechian. Naill ai hynny, neu fod ganddo ddyled wirioneddol fawr
i'w ffrind yng Nghaerdydd. Erbyn pedwar o'r gloch roedd Meic a'i
ffrind yn rhoi cynnig ar chwarae'r melotron – sef un o'r
allweddellau electronig cynnar. Fe recordiodd y peiriannydd yr
ymarferiad a phenderfynu mai digon oedd digon, felly os
gwrandewch chi'n ofalus ar y sain melotron ar 'Dŵr', gellwch
glywed dyn wrthi yn ceisio dysgu'r cordiau yn hytrach nag athrylith
yn dangos ei ddawn.[1]

Recordiwyd y brif gân ond byddai'n rhaid recordio ail gân ar gyfer
y record rywle arall, rywbryd eto, am nad oedd modd trethu amynedd
y peiriannydd yn Llundain ymhellach y Sul hwnnw. Ond eisoes
gosodwyd safon newydd ar gyfer recordiau Cymraeg a hynny trwy
gyfuniad o athrylith Meic Stevens, menter Huw Jones a chymwynas-
garwch cyfeillion yn Llundain nad oedd ganddyn nhw mo'r syniad
lleiaf am arwyddocâd hanesyddol y pnawn Sul hwnnw. Sylweddolwyd
y gellid defnyddio arbenigedd a fodolai y tu allan i Gymru i hyrwyddo
a hybu be-bop-a-lula Cymraeg.

Hyd yn oed heddiw, mae'n bosib blasu'r wefr o glywed cerddoriaeth gefndir bwrpasol, yn ychwanegu at gyfeiliant grymus a lleisio ymosodol, wrth wrando ar y record *Dŵr*. Roedd y cyfan yn cyfleu rhuthr rhaeadr yn hytrach na diferion nant ddiniwed groyw, loyw. Sut byddai recordiau blaenorol Huw Jones, *Cymru'r Canu Pop* ac *Y Ffoadur* yn swnio, tybed, petaen nhw wedi cael triniaeth gyffelyb? Rhyddhawyd *Dŵr* (Sain 1) ym mis Hydref 1969, ac fe ddringodd i ben siart *Y Cymro* yn go sydyn a theimlwyd bod y fenter a'r buddsoddiad wedi'u cyfiawnhau. Roedd Cwmni Recordiau Sain wedi'i sefydlu a hynny gyda chryn hygrededd. Addas yw'r gymhariaeth rhwng rhaeadr a nant i gyfleu'r modd roedd Cymreictod y cyfnod yn datblygu. Gwelwyd asbri ieuenctid ar garlam ac yn gadael y genhedlaeth hŷn yn y cysgodion.

Rhyddhaodd Huw Jones bedair record sengl arall – gyda'r drydedd, *Daw Dydd y Bydd Mawr y Rhai Bychain* (Sain 21) yn cael ei hystyried gan adolygydd dienw *Sŵn* yn 'record berffaith': 'Fel *Pam fod eira'n wyn* (Dafydd Iwan) ceir cefndir tannau gwych. Mae Heather Jones yn ymuno â Huw ar "Ble aeth yr haul?" a syndod oedd eu clywed yn cyd-fynd mor dda. Ceir defnydd da o offerynnau trydan ar "Adfail".'[2]

Doedd yr adolygydd, wrth gwrs, ddim i wybod y byddai *Dwi Isio Bod yn Sais* (Sain 33) yn cael ei chyhoeddi'n ddiweddarach. Roedd honno'n EP yn yr un mowld; caneuon cryf, bît cadarn a threfniannau cefndir chwaethus. Nid Dafydd Iwan yn unig fedrai gyfansoddi caneuon dychan llwyddiannus. Sgut ar y Sais nodweddiadol yn ei hat fowler a'i drywsus pinstreip bondigrybwyll oedd y brif gân. Arwydd o aeddfedrwydd gwladgarol oedd cyhoeddi'r fath gân o ystyried y ddelwedd arferol o'r Cymro yn cowtowio i'w gymydog ac yn garcus i beidio â dweud na gwneud dim i'w ypsetio. Yn wahanol i *Paid Digalonni*, fe gafodd y record hon ei chwarae'n gyson ar y radio. Doedd hi ddim mor sensitif ei chynnwys yn yr ystyr bod yna gyfeiriad at dorcyfraith neu anogaeth i aberthu trwy wynebu cell carchar er mwyn cyrchu'r nod.

Roedd hyd yn oed 'Na, Na' yn addas i'w throelli ar ddesg y discoteciwr, ac i'r discotecwyr cynnar a geisiai gynnal nosweithiau cwbl Gymraeg daeth cynnyrch Cwmni Sain fel manna o'r nefoedd. Gellid amrywio'r recordiau Cymraeg am yn ail â recordiau offerynnol heb chwarae'r record *Y Brawd Houdini* nes ei bod yn dwll. Cyrchfan Cymry ieuanc y brifddinas bob nos Fawrth oedd clwb o'r enw Barbarellas ym mhen ucha'r dociau. Yno, fe fyddai Hywel Gwynfryn a Huw Ceredig yn troelli recordiau Cymraeg a chyflwyno ambell artist byw. Byddai'r lle yn ferw chwyslyd wrth i acenion o bob rhan o Gymru gymysgu'n un gybolfa uwchlaw'r dwndwr. Wrth i'r BBC a Theledu Harlech gynyddu eu horiau darlledu, tueddai Cymry'r Gorllewin a'r Gogledd heidio i Gaerdydd yn hytrach na Llundain bellach. Cyflogwyd hufen bywyd adloniannol Cymraeg Llundain gan y cyfryngau yng Nghaerdydd er mwyn creu a chynnal rhaglenni adloniant.

Ond roedd y disgo i'w ganfod, law yn llaw â'r Twmpath, yn neuaddau cefn gwlad hefyd. Un o'r arloeswyr oedd Dei Tomos, un o drefnyddion yr Urdd ar y pryd. Datblygodd Disco Dei yn fodd i'r troellwr ei hun greu gyrfa ym myd y cyfryngau maes o law. Ar ddechrau'r 70au roedd Dei yn treulio'i amser yn Sir Drefaldwyn, yn gwneud ei orau i ennyn diddordeb mewn adloniant Cymraeg:

> Rhywbryd tua'r cyfnod y dechreuwyd codi arian at Eisteddfod Genedlaethol yr Urdd yn Llanidloes 1970 y cafwyd y cymysgedd cyntaf o ddisgo a thwmpath – twmpatec? Ar nos Sadyrnau'n benodol roeddan ni'n colli'r Cymry Cymraeg ifanc i ddisgos tua Llanidloes, Y Drenewydd a'r Trallwng. Felly dyma feddwl taro'n ôl a dyna pam yr ymdrech garbwl gyntaf yng Ngharno gyda hanner dwsin o recordiau Cymraeg, os hynny, a hanner dwsin o rai Saesneg. Cyflwyno digon blêr gyda dau drofwrdd digyswllt ac yna olwyn o bapur tryloyw lliw yn troi o flaen lamp er mwyn creu rhyw fath o effaith taflunydd sleidiau. Alun Phillips, y prifathro lleol, oedd y technegydd a finnau'n troelli a mwydro gyda'r meic. Wrth i nifer y recordiau Cymraeg gynyddu erbyn canol y 70au doedd dim rhaid bod yn gas fy ngwyneb yn gwrthod chwarae recordiau Saesneg a chael cwynion diddiwedd fod y miwsig yn rhy ara deg a sgwâr. Fe fûm i wrthi yn troelli ym mhob un o'r hen siroedd, am wn i, ar wahân i Faesyfed a Maldwyn, ac roedd hi'n rheol aur gen i mai Cymraeg oedd y caneuon bob tro. Mater o ddigalondid i mi yn ddiweddarach oedd cael ar ddeall fod y rheol honno y bûm i a throellwyr eraill yn ei harddel, yn gaeth am yn hir, yn cael ei thorri'n gyson.[3]

Wrth i'r mwyafrif o'r grwpiau blaengar ac artistiaid y colegau heidio i recordio gyda Sain roedd y cwmnïau adnabyddus yn gorfod dibynnu ar friwsion. Doedd Sain ei hun ddim yn medru recordio pawb ar unwaith am fod yn rhaid i gwmni newydd ddysgu cropian cyn cerdded. Tuedd ymhlith y cwmnïau sefydledig oedd cynnig recordio unrhyw ddeuawd neu leisydd a fedrai strymio tri chord. Nod y cwmnïau oedd canfod Tony ac Aloma neu Mary Hopkin arall. Doedden nhw ddim am golli cyfle i fachu talentau newydd, yn enwedig gan fod yna gystadleuydd arall yn dechrau ymestyn ei gyhyrau. Bwriad y cystadleuydd newydd oedd gwario amser ac adnoddau ar gynhyrchu caneuon yn hytrach na'u recordio a'u cyhoeddi yn unig. Roedd dyddiau Teldisc, Cambrian a Dryw ar ben o ran delio ag artistiaid oedd yn hyrwyddo'r is-ddiwylliant newydd.

Sefydlydd Cwmni Teldisc oedd John Edwards a fu ar un adeg yn ddarlithydd yn y Coleg Cerdd a Drama yng Nghaerdydd. Lleolid swyddfa'r cwmni yn Abertawe. Fe fu'n fwriad gan Dafydd Iwan a Huw Jones i brynu'r cwmni ar un adeg ond doedd e ddim ar werth. Cyhoeddodd y ddau recordiau ar label Teldisc ond roedd eu rhwystredigaeth ynghylch yr amharodrwydd i fentro ac arloesi gyda thechnegau recordio yn amlwg. Roedd yna deimlad fod rhywbeth-rhywsut yn gwneud y tro o ran recordio yn Gymraeg ac nad oedd y gwrandäwr yn cael bargen deg, na'r artist yn cael chwarae teg. Er bod yna alw am recordiau Cymraeg, a gwerthiant parod, doedd y potensial posib ddim yn cael ei wireddu. Yn ôl Dafydd, doedd dim sôn hyd yn oed am ddefnyddio stiwdio recordio:

> Ni fu recordiau Huw i Teldisc yn llwyddiant ysgubol, ond roedd yntau'n ymwybodol iawn y gallent fod yn llawer gwell o gael eu cynhyrchu'n iawn mewn stiwdio recordio. Roedd fy recordiau i'n gwerthu wrth y miloedd yn eu holl symlrwydd cyntefig diaddurn! Ond roedd pen draw i hynny. Roedd yn rhaid i'r byd recordio Cymraeg symud gyda'r oes, neu gael ei adael ar ôl am byth. Dyna oedd y cymhelliad i sefydlu'r cwmni newydd.[4]

Y tebyg yw mai'r cwmni mwyaf cynhyrchiol oedd Cwmni Cambrian a reolwyd gan Josiah Jones ym Mhontardawe. Roedd

'Joe Cambrian' yn gymeriad dadleuol ac yn barablwr di-baid, a hynny yn yr iaith fain gan amlaf. O edrych yn ôl, mae'r rhan fwyaf o artistiaid a fu'n ymwneud ag ef yn ei gofio gydag anwyldeb gan dderbyn fod yna elfen o'r rôg i'w gymeriad. Cyn sefydlu Cwmni Cambrian yn 1967 fe fu'n gweithio i gwmnïau Qualiton a Teldisc ac yn gweithredu fel cynrychiolydd i gwmnïau Prydeinig. Gwelodd ei gyfle wrth i'r Nosweithiau Llawen dyfu mewn bri ond mae nifer o'r artistiaid y bu'n proffwydo gyrfaoedd llewyrchus iddyn nhw yn dal i ddisgwyl ambell siec y dywedwyd eu bod yn y post. Doedd dim dwywaith fod recordiau Tony ac Aloma yn gwerthu wrth y miloedd ond doedd y taliadau breindal ddim yn eu cyrraedd yn aml. 'Mi oedd o'n medru cynnig yr haul a'r lleuad i bawb ond welsech chi fyth y naill na'r llall. Holi am bres wedyn a chael yr atab, "yn y post, bach, yn y post". Post byth yn cyrradd! Digon annwyl yn ei ffordd, yn toedd,' meddai Aloma.[5]

Mae Hogia Llandegai yn ei gofio fel un o'r clenia o feibion dynion, yn llawn croeso a syniadau ynghylch cloriau dyfeisgar, a gwario ar farchnata, a lletya'r artistiaid fyddai'n recordio gyda Cambrian mewn gwestyau crand. Medrai wneud i bob artist deimlo nad oedd ei well yng Nghymru. Fe recordiwyd record hir gyntaf yr Hogia yn Neuadd y Penrhyn ym Mangor mewn prynhawn. Mater o ganu dwsin o ganeuon un ar ôl y llall oedd hi heb gyfle i ailganu na thacluso dim ar unrhyw frychau posib. Hyd yn oed yn y dyddiau hynny byddai llwyddo i recordio un gân gyfan mewn prynhawn yn fater o frys yn rhai o stiwdios Llundain. Mae'r Hogia'n derbyn nad ydyn nhw i'w clywed ar eu gorau ar y record honno! Edrydd artistiaid eraill y profiad o geisio cornelu Josiah Jones ar ei stondin ar faes yr Eisteddfod a'i holi am fater bach derbyn siec. Caent lond y babell o groeso a rhoddid bwndel o recordiau artistiaid eraill, yn gorau meibion a dynwarediadau o bregethwyr enwog, o dan eu cesail wrth eu hebrwng oddi yno, ond dim sôn am siec.

Y cwmni recordio blaenllaw arall yn y 60au oedd Cwmni'r Dryw yn Llandybïe. Roedd Cwmni Llyfrau'r Dryw eisoes wedi ei sefydlu er 1940 ac fe fyddai'r cwmni recordio'n cyhoeddi llawer o ddeunydd llenyddol yn ddarlithiau a darlleniadau o farddoniaeth. Yr enw a gysylltid â'r ochr recordio oedd Dennis Rees a theg nodi mai fe roddodd y cyfle cyntaf i Meic Stevens recordio yn Gymraeg. Fe fu cyfraniad Recordiau'r Dryw yn nodedig petaem ond yn cofio am yr LP *Gwymon*. Ond glynu at y corau meibion a'r traddodiadol fu hanes y cwmni o Sir Gâr ar y cyfan. Roedd angen ieuenctid wrth y llyw i adlewyrchu bwrlwm ac afiaith yr ifanc. Bellach, roedd yna genhedlaeth o ieuenctid yng Nghymru nad oedd yn ymddiried yn y canol oed i'w cynorthwyo i wireddu'u dyheadau. Byddai Huw Jones a Dafydd Iwan yn gwneud penderfyniadau ynghylch dyfodol Cwmni Sain ar eu liwt eu hunain ac nid ystyriaethau masnachol oedd flaenaf yn eu meddyliau.

Wrth i'r cwmni gael ei draed dano fe symudwyd y swyddfa o Heol Ninian yng Nghaerdydd i 1, Tai'r Ysgol, Llandwrog ger Caernarfon. Fe symudodd hogyn y ddinas i ganol cefn gwlad yn unol â thueddfryd gwladgarwyr y cyfnod i ddyrchafu 'Y Fro Gymraeg'. Yno roedd trwch y prynwyr yn byw a'r bwriad oedd cynnig gwaith i Gymry Cymraeg. Llogwyd stiwdio recordio byd enwog Rockfield, yn ardal Mynwy, i recordio'r LPs cynnar ond erbyn 1975 roedd Sain wedi codi ei stiwdio wyth trac ei hun yn Llandwrog, mewn hen feudy ar fferm Gwernafalau.

Dros y pum mlynedd nesaf prin iddi fod ddiwrnod yn segur gan gymaint o artistiaid oedd yn disgwyl eu tro i greu recordiau hir. Cyflogwyd staff llawn-amser ac aethpwyd ati i gynnig cytundebau ffurfiol i artistiaid, er mwyn sicrhau taliadau cymwys a chyson ar freindal gwerthiant recordiau, a thaliadau'n dilyn troelli'r recordiau ar raglenni radio. Roedd y fath drefniant trylwyr yn gam newydd yn y byd adloniant Cymraeg. At hynny, byddai cynhyrchwyr yn trafod anghenion a gobeithion pob artist cyn dechrau ar y gwaith recordio. Tebyg mai proffesiynoldeb yw'r gair cywir i ddisgrifio'r trefniant. Roedd hynny'n gysyniad dieithr o fewn y byd Cymraeg lle disgwylid i unrhyw beth a oedd yn ymwneud â'r 'Pethe' gael ei gyflawni'n wirfoddol ac o ran dyletswydd. Yn ôl Dafydd Iwan, roedd yn rhaid i bethau newid:

> Os yw'r iaith am fyw go iawn yn y byd go iawn, mae'n rhaid iddi ennill ei thamaid ym myd caled masnach a busnes. A rhaid ei

chysylltu â menter a chystadleuaeth a gwneud elw – nid elw er ei
fwyn ei hun, ond elw er mwyn sicrhau fod yr olwynion yn gallu dal
i droi a throi. Er bod y diwylliant Cymraeg yn ddiwylliant amatur
yn y bôn, gwendid yn hytrach na chryfder yw hynny yn y pen draw
os na all hefyd gael ei gysylltu â llwyddiant a llewyrch masnachol a
safonau proffesiynol.

Bu hyn yn un o gonglfeini Sain o'r dechrau. Fel pobl sy'n mawrygu,
ac yn cefnogi y diwylliant cynhenid amatur, mae Sain wedi ceisio
cymhathu'r diwylliant hwnnw â'r byd proffesiynol ac uwch-
dechnolegol, ac wedi ceisio dangos bod yr iaith Gymraeg yn gallu
gweithio nid yn unig fel iaith ein caneuon, ond hefyd fel cyfrwng
naturiol busnes a masnach a thechnoleg.[6]

Ers dros chwarter canrif bu'r Gymraeg yn gonglfaen holl
weithgarwch Cwmni Sain. Ar wahân i'r bwriad i ddefnyddio'r
technegau recordio diweddaraf, roedd ymlyniad Cwmni Sain wrth y
Gymraeg yn ei wneud yn wahanol i'r cwmnïau recordio eraill.
Dangosodd nad oedd yn rhaid i'r Gymraeg, am ei bod yn iaith leiafrifol,
fodloni ar driniaeth eilradd o ran mynegi ei hun trwy gyfrwng y
diwylliant roc. Er gwaethaf y rheol Gymraeg gadarn, doedd hynny
ddim yn golygu nad oedd lle i'r Saesneg yng ngweithgarwch y cwmni.
Byddai corau meibion bron yn ddieithriad yn cynnwys caneuon
Saesneg ar eu recordiau, ond y Gymraeg yn ddieithriad oedd iaith
canu'r artistiaid gwerin a cherdd dant. Dyma Dafydd Iwan yn tafoli
natur y berthynas a fu rhwng y ddwy iaith:

> Mae'r un peth yn wir am fwyafrif llethol cantorion pop/roc/gwerin
> Cymraeg – yn wahanol i gantorion pop y rhan fwyaf o wledydd
> Ewrop – y Gymraeg yw eu hunig gyfrwng. A siarad o brofiad
> personol, mae'r demtasiwn weithiau'n gryf i ganu yn Saesneg, yn
> enwedig caneuon sy'n ceisio trosglwyddo neges wleidyddol
> Gymreig, ac y mae rhesymeg yn gweiddi am ddefnyddio'r Saesneg
> fel iaith sy'n ddealladwy i bawb ac yn iaith gyntaf i fwyafrif pobol
> Cymru. Ond glynu at y Gymraeg a wnawn – y cyfrwng yw'r neges,
> a'r neges yw'r cyfrwng. Mae'r graddau helaeth hwn o unieithrwydd
> Cymraeg yn ein hadloniant yn sicr o fod yn un rheswm dros gryfder
> sefyllfa'r Gymraeg o gymharu â'r ieithoedd Celtaidd eraill.
> Ond ar yr un pryd, gall fod yn rheswm pam nad yw cerddoriaeth
> Cymru mor adnabyddus dramor ag yw cerddoriaeth yr Alban a
> Iwerddon. Hynny yw, difyrru'n hunain yw ein nod, ac nid difyrru
> eraill. Ond y prif reswm dros y diffyg dramor yw amharodrwydd

artistiaid Cymru i fentro'n amser llawn a theithio'r byd fel y gwna'r Anhrefn, Mabsant, Ar Log a Calennig, a hefyd ein methiant fel gwlad i hysbysebu, dosbarthu a gwerthu'n cynnyrch yn ddigon effeithiol. Ers rhai blynyddoedd bellach, mae Sain wedi wynebu'r sialens hon, ac y mae lle i gredu ein bod o'r diwedd yn dechrau llwyddo i dorri drwy'r llen o ddirgelwch a fu o'n cwmpas fel cenedl. Rhai o'r prif artistiaid a'n helpodd yn hyn o beth yw Aled Jones, Bryn Terfel, Siân James, Bob Delyn, Plethyn, Anhrefn a Catatonia. Yn ddi-os, ein hallforion mwyaf o hyd yw recordiau corau meibion a chorau unedig. Hwn yw'r canu sydd wedi cael y cyhoeddusrwydd dros y blynyddoedd, ac sydd wedi cael ei uniaethu â Chymru agosaf, gymaint felly nes iddo ddod yn ystrydeb braidd. Ond efallai mai dyma yw diben pob ymgyrch gyhoeddusrwydd yn y pen draw – gwneud yr arbennig yn ystrydebol! Ond un nodyn arall ar yr iaith: un ymateb cryf iawn a gawsom oedd siom cynifer o bobl aeth i gyngherddau gan gorau meibion o Gymru ar daith yn America i glywed dim ond caneuon Saesneg ac Americanaidd. 'We can hear those any time; we go to a Welsh concert to hear Welsh songs.' Gair i gall.[7]

Cafodd Cwmni Sain y fath lwyddiant nes ei fod ei hun bellach yn 'sefydliad', ac fe ddaeth o dan y lach ar brydiau o'r herwydd. Wrth i'r byd pop a roc ddatblygu yn fwy cyfyng ei apêl gyda sŵn, yn amlach na pheidio, yn cario'r dydd, roedd hi'n fwyfwy anodd, o dan amodau busnes, i gyfiawnhau gwario ar gynhyrchu soffistigedig ar gyfer cynulleidfa gyfyng. Fe ddeuai tro Cwmni Sain i gael ei ystyried yn dipyn o hen begor a sefydlwyd un neu ddau o gwmnïau recordio newydd mewn rhwystredigaeth. Ond does dim amau menter ac arloesedd Dafydd Iwan a Huw Jones, dau a ddefnyddiai ddychan miniog yn eu caneuon i ysgwyd y Cymry o'u hisraddoldeb. Na, doedd Huw Jones ddim isio bod yn Sais go iawn. Roedd o isio bod yn Gymro a byw ei fywyd yn gyflawn fel Cymro a thrwy gyfrwng y Gymraeg. Doedd dim angen iddo ymddiheuro i'r un Sais am hynny. Doedd dim angen iddo fe na Dafydd i ymgreinio ger bron yr un Sais am eu bod am fyw yn rhydd. Trwy gyfrwng Cwmni Sain fe ddangoswyd fod hynny'n bosib: 'Trefniant da a chynhyrchiad proffesiynol – gobeithio y cawn gymryd y rhinweddau hyn yn ganiataol mewn recordiau Cymraeg o hyn allan a bod dyddiau "gwnaiff unrhyw beth y tro" drosodd,' oedd barn Ioan Roberts wrth adolygu'r record *Dwi Isio Bod yn Sais*.[8]

Aed ati i gymryd gofal i gyflwyno'r be-bop-a-lula ar ei orau ar bob darn o feinyl du.

Huw Jones, a fagwyd yng
Nghaerdydd. Cyfrannodd
ei gân ddychanol 'Dwi Isio
Bod yn Sais' tuag at
leihau'r ymdeimlad o
israddoldeb ymhlith
y Cymry.

Y ddau arloeswr, Huw Jones a Dafydd Iwan. Aethant ati i sefydlu cwmni recordio yn wyneb amharodrwydd y cwmniau sefydlog i fuddsoddi yn y technegau diweddaraf ac i roi sglein ar gynhyrchiad cerddorol recordiau.

10 / 'Tafodau Tân'

Yn ystod cynnwrf cyngerdd 'Tafodau Tân' ym Mhafiliwn Corwen ganol wythnos Eisteddfod Genedlaethol Dyffryn Clwyd, 1973, y gwelwyd gwir ganu roc Cymraeg yn blaguro. Penderfynodd Cymdeithas yr Iaith Gymraeg wahodd cyfuniad o artistiaid y canu cyfoes a'r canu traddodiadol i ddifyrru'r 'steddfodwyr. Yr actor Huw Ceredig oedd yn arwain. Dewiswyd teitl a oedd yn adlewyrchu bathodyn y mudiad a dewiswyd artistiaid a oedd yn adlewyrchu bwrlwm adloniant y cyfnod. Disgwylid i'r artistiaid fod ar dân dros eu gwlad. Ond yn eu plith roedd un grŵp na wyddai neb fawr ddim am ei gefndir. Perfformiodd Edward H Dafis yn gyhoeddus am y tro cyntaf mewn digwyddiad y gellid ei ystyried yn brif gyngerdd y flwyddyn. Ym marn rhai, roedd hynny'n dipyn o gambl ar ran y trefnwyr.

Gwyddai'r rheiny oedd yn agos at y grŵp ei fod wedi mabwysiadu enw colofnydd pop *Y Faner*. Gwyddent hefyd mai un o aelodau'r grŵp, Hefin Elis, oedd yn cyfrannu i'r wythnosolyn o dan y ffugenw hwnnw. Byddai darllenwyr selog yn gwybod fod un arall o aelodau'r grŵp, Dewi Pws, wedi bod yn llythyru'n groes â'r colofnydd. Fe wyddai'r cylch agos hefyd fod Huw Ceredig wedi benthyca £2,000 i'r grŵp i brynu offer trydanol. Awgrymai hynny fod Edward H Dafis o ddifrif yn ei fwriad i greu argraff. Bu tipyn o sôn yn y wasg a'r cyfryngau am 'y gŵr bonheddig'. Y ddau aelod arall oedd Charlie Britten, o Gaerdydd, a fu'n aelod o grwpiau pop tra oedd yn ddisgybl yn Ysgol Gyfun Rhydfelen ym Mhontypridd, a John Griffiths o Bontrhydyfen yng Nghwm Afan, a fu am gyfnod yn aelod o grŵp Saesneg o'r enw Candle.

Datgelwyd fod yr aelodau wedi cyfarfod tua hanner dwsin o weithiau i ymarfer ar gyfer y perfformiad cyntaf. Gellid teimlo'r cyffro wrth i frawd Dafydd Iwan gyflwyno Edward H Dafis i'r gynulleidfa. Cyn pen fawr o dro roedd yna aelodau o'r gynulleidfa ar eu traed ac yn dawnsio yn yr aleon. Fedren nhw ddim peidio ag ymateb â'u pum synnwyr i synau roc a rôl 'Cân y Stiwdants'. Nid cân i eistedd i lawr i wrando arni ydoedd ond cân roedd yn rhaid i bob gewyn a chyhyr ymateb iddi. Gwelwyd Robat Gruffudd, perchennog Y Lolfa ac un o benseiri'r chwyldro, yn ymgordeddu yn llawn afiaith. Gwelwyd dynes benfelen yn yr ystafell oleuadau yn y cefn yn dawnsio yr un mor fyrfyfyr ond gydag ychydig mwy o batrwm. Cyneuwyd matsien a doedd dim modd ei diffodd. Doedd sŵn trydanol tebyg ddim wedi ei glywed yn gyfeiliant i ganu yn y Gymraeg ers dyddiau'r Blew. Edward H oedd etifedd naturiol y grŵp roc arloesol hwnnw.

Yn ogystal â chanu cân wyllt be-bop-a-lula 'Cân y Stiwdants', medrai Dewi gyflwyno cân werin draddodiadol 'Ffarwél i Langyfelach' gyda thinc hiraethus briodol (yn ôl un ffynhonnell, Siemsyn Twrbil o Drelái, Caerdydd oedd awdur y geiriau). Plesiai hynny aelodau hŷn y gynulleidfa ond ar yr un pryd gosododd Edward H Dafis ei hun ar groesffordd heb wybod pa gyfeiriad i'w wynebu – y canu roc amrwd, digyfaddawd neu'r canu gwerin cyfoes Celtaidd. Os oedd yna ddyfalu ynghylch pa lwybr fyddai Edward H yn ei ddilyn, yna fe gafwyd datganiad diflewyn-ar-dafod gan Hefin Elis ei hun:

> Ysgrifennir llawer o rwtsh y dyddiau hyn ynglŷn â'r byd pop Cymraeg. Bron ymhob cylchgrawn a phapur wythnosol fe welir rhyw golofn ddoeth, gan amla, dan ffugenw yn ymestyn o Edward H Dafis i'r Ap Alunfa diweddar. Mewn cylchgronau colegol a phapurau crefyddol ceir trafod brwd ar rinweddau a ffaeleddau y busnes canu pop 'ma. Geilw pawb am 'ddatblygiad' o ryw fath ond heb wybod beth. Haera pawb iddynt syrffedu ar grwpiau gyda gitâr fel eu hunig gyfeiliant, ond eto nid ydynt fodlon ar fod yn rhy arbrofol.
> Arwr llawer o Gymry ifainc yw Alan Stivell o Lydaw, gyda'i driniaeth arbennig o ganeuon gwerin ac ati. Os nad ydych wedi ffoli ar Stivell bellach, a heb brynu ei holl recordiau, rydych yn fwy o fradwr *petit bourgeois* Seisnig nag os troesoch eich cefn ar Blaid

Cymru. Ni all rhai pobl gredu nad yw pawb wedi gwirioni ar ganu
gwerin Cymraeg neu Geltaidd. A oes rhaid i ni oll feddwi ar ganu
gwerin, a gweld unig nod canu ysgafn Cymru fel datblygu ar hyd
llinellau gwerinol? Waeth i mi gyfaddef fy mod yn fradwr ac yn hoff
o grwpiau megis Wizzard, Focus, Nazareth a Slade.
A chymryd fod angen datblygu canu pop, i ba gyfeiriad y dylid
mynd? Cafodd y *discotheque* Cymraeg gryn lwyddiant yn y
blynyddoedd diweddar ond mae angen rhywbeth newydd ar frys i
gadw diddordeb mewn dawnsfeydd Cymraeg. Yng Nghaerdydd, er
enghraifft, lleihau yn wythnosol a wna mynychwyr y disco a'r unig
bwrpas iddo bellach i lawer yw ymestyn oriau yfed. Dangoswyd bod
Cymry ifainc eisiau dawnsio i recordiau Cymraeg, ac felly, y cam
naturiol i gadw ac i ehangu'r gynulleidfa yw ffurfio grwpiau bît
Cymraeg.
   Gwn i'r term 'grŵp bît Cymraeg' ferwino clustiau llawer gan mai
prif nodwedd grŵp bît iddyn nhw yw Seisnigrwydd neu Eingl-
Americaniaeth. Ni allaf ddeall pam mai ond y Sais a'r Ianc a fedd yr
hawl i gerddoriaeth rymus, gynhyrfus. A oes raid i'r Cymry fodloni
yn unig ar ganeuon swynol noson lawenaidd? Efallai fod pechod
mewn codi oddi ar ein tinau Cymreig ac ymgolli i sŵn trydanol
cynhyrfus yn Gymraeg...
   Rhaid cael adain fwy cynhyrfus, fwy swnllyd i'r canu Cymraeg os
yw am fyw am ddegawd arall. Rhan o'r datblygiad hwn oedd
ffurfio'r grŵp Edward H Dafis ac amser a ddengys a oedd ei angen.[1]

Fu yna erioed ddatganiad mwy croyw ynghylch y berthynas rhwng
y traddodiadol Gymreig a'r cynhyrfus Eingl-Americanaidd yng ngolwg
cerddor a oedd wedi addunedu na fyddai'n cyfrannu at y sîn Saesneg.
Roedd Hefin Elis yn barod i Gymreigio cyfrwng a oedd yn prysur
greu cenhedlaeth o ieuenctid unffurf, Americanaidd eu gorwelion.
Ond os oedd yna Gymry ieuanc gwladgarol yn ystyried safbwynt mab
y mans yn 'bechadurus', roedd yna swcwr ar eu cyfer ym modolaeth
grŵp cymharol newydd arall a greodd argraff ar noson y 'Tafodau
Tân'. Doedd dim amau'r naws Geltaidd a berthynai i ganeuon Ac Eraill
ac roedd aelodau'r grŵp yn fwy na pharod i dalu gwrogaeth i Alan
Stivell.
   Roedd taith Hefin Elis i Ddamascus wedi cychwyn bedair blynedd
ynghynt pan gyrhaeddodd Coleg y Brifysgol, Aberystwyth. Buan y
dangosodd ei fod yn gerddor o'i gorun i'w sawdl. Parod oedd i eistedd

wrth y piano ym mha dafarn bynnag y byddai myfyrwyr yn creu
rhialtwch. Roedd yr un mor barod i chwarae'r organ yng Nghapel
Bethel, y Bedyddwyr, yn y dref. Yn wir, cyn cyrraedd Aberystwyth
cafodd gyfle i roi help llaw i'r Blew mewn un ddawns. Ond y Beatles
oedd ei arwyr cynnar a doedd yna'r un llyfr na chylchgrawn a
gyhoeddwyd am y pedwar nad oeddent yn ei feddiant. Ei uchelgais
oedd chwarae mewn bandiau yng nghlybiau'r Cymoedd:

Wrth gwrs, y cam nesaf oedd ffurfio grŵp a mynd o gwmpas y
clybiau yn chwarae hits Gerry and the Pacemakers ac ati. Yr unig
beth a gofiaf am y grŵp cyntaf oedd ei fod mor uffernol fel y bu'n
rhaid i ni roi'r gorau iddi ar ôl rhyw bum cyhoeddiad – roedd y
drymiwr yn dioddef o asthma a doedd hynny ddim llawer o help.
Bûm yn aelod o grwpiau eraill fel y Senators a'r Citations ond ar ôl
cyrraedd y pedwerydd dosbarth bu'n rhaid i mi roi'r gorau iddi ar
gais y prifathro. Credai fod fy ysgol yn dioddef oherwydd fe fyddwn
allan yn hwyr yn aml a doedd y ffaith fy mod yn mynd o'r capel
(Ebenezer, Aberafan) ar nos Sul i chwarae mewn rhyw glwb erbyn
naw o'r gloch ddim yn boblogaidd ar yr aelwyd. Bûm yn aelod o
grŵp reit lwyddiannus a oedd yn rhannol-broffesiynol o'r enw
Misfits am ryw ddeunaw mis. Teithiai'r grŵp o gwmpas y Cymoedd
gan ganu yn Saesneg, wrth gwrs. Doedd canu yn Gymraeg ddim
wedi ein taro. Rwy'n cofio chwerthin am ben Dafydd Iwan yn canu
ar *Y Dydd* un noson. Ni roddais ystyriaeth i'r canu Cymraeg ar ôl
hynny.[2]

Erbyn iddo gofrestru fel myfyriwr yn y Coleg ger y Lli doedd yna
fawr ddim ar ei feddwl ond perfformio yn Gymraeg. Ffurfiodd grŵp
dawns o blith cyd-fyfyrwyr ac roedd hyd yn oed cyn-ddrymiwr Y Blew,
Geraint Evans, yn un o'r aelodau cynnar. Byr fu oes Y Datguddiad a
chyfnewidiol oedd yr aelodaeth ond fe wnaed ymddangosiad ar y
rhaglen *Disc a Dawn*. Ymunodd â grŵp o ferched, Y Nhw, ar gyfer
cystadlu yn yr Eisteddfod Ryng-golegol. Yn Eisteddfod Genedlaethol
Rhydaman, 1970, fe gipiodd y grŵp y wobr gyntaf gyda chân o'r enw
'Siwsi' a ddaeth yn ddiweddarach yn deitl unig record y grŵp.

Fodd bynnag, roedd Hefin yn gerddor a Chymro aflonydd a
diamynedd. Doedd y math o ganeuon a gyfansoddwyd gan Pete
Griffiths a Siân Edwards ar gyfer y pum merch – Helen Bennett, Meinir
Ifans, Heulwen Price, Eleri Llwyd a Christine Jones – ddim wrth ei

fodd. Fel gweithredwr yn enw Cymdeithas yr Iaith roedd yn awyddus i gyflwyno caneuon a fyddai'n bropaganda uniongyrchol ym mrwydr yr iaith. Roedd Dafydd Iwan bellach yn arwr iddo a'r canlyniad oedd ffurfio grŵp o'r enw'r Chwyldro. Prin y gellid bod yn fwy uniongyrchol na hynny.

Aelodau'r Nhw, ar wahân i Ann Loveluck a gymrodd le Christine Jones, oedd aelodau'r Chwyldro. Roedd 'Rhaid yw eu Tynnu i Lawr' yn gyfeiriad at yr ymgyrch ddifrodi arwyddion ffyrdd ac roedd 'Carchar Dros yr Iaith' yn cyfleu profiad a oedd yn ffordd o fyw i garfan o fyfyrwyr. Roedd Hefin ei hun yn un o un ar ddeg a gafodd eu harestio am amharu ar achos uchel-lys yn Llundain yn gynnar yn 1970. Byr fu oes Y Chwyldro, a hynny am iddo gael ei ffurfio at bwrpas arbennig ac unwaith y dihysbyddwyd y pwrpas hwnnw roedd yn bryd iddo dewi. Cyhoeddwyd un record yn gofnod o gyfraniad y grŵp i'r chwyldro. Roedd Hefin ynddi dros ei ben a'i glustiau yn cynorthwyo Dafydd Iwan i baratoi deunydd adloniant ar gyfer Sioeau ac Ysgolion Pasg Cymdeithas yr Iaith. Fe oedd awdur un o ganeuon ymgyrchu penna Dafydd, sef 'I'r Gad', gyda'i naws rocaidd annodweddiadol o alawon arferol y canwr.

Ysgrifennodd y Bnr Edward H Dafis erthygl ddadlennol i'r *Faner*. Hwn oedd ei gyfraniad olaf i'r papur ac roedd yn hynod feirniadol o alluoedd Hefin Elis. O gofio mai Hefin ei hun oedd yn llechu y tu ôl i'r ffugenw roedd hi'n fater o 'O Gymro adwaen dy hun':

> Yn wir, nid yw Hefin Elis erioed wedi perthyn i grŵp 'llwyddiannus'. Rhyw grwpiau merched bach digon swynol ond diantur a digyffro oedd y Nhw a'r Chwyldro, gydag act lwyfan na fu erioed yn ddim amgenach na thamaid i aros pryd o Debot Piws neu Dafydd Iwan. Surbwch llwyfan ydyw ac yr ydym yn ei adnabod fel gitarydd ac organydd a dim arall. Er, mae ei ddawn gyfansoddi wedi blodeuo ar brydiau hefyd. Ddaeth dim o bwys o gyfnod y Datguddiad. Pete Griffiths oedd piau caneuon y Nhw ond yn sgil y frwydr genedlaethol, daeth 'Rhaid yw eu Tynnu i Lawr' a 'Carchar Dros yr Iaith' i'r amlwg gyda'r Chwyldro.
>
> Hwyrach mai'r gân fwyaf adnabyddus o'i eiddo yw 'I'r Gad' a recordiwyd gan Ddafydd Iwan sawl haf yn ôl. Mae hynny'n dangos fod angen personoliaeth y tu ôl i ganeuon cyn y llwyddant i ennill poblogrwydd. Ond, mae amser go lew ers cyfansoddi 'I'r Gad'. Wn i

ddim a gynhyrchwyd mwy o ddeunydd. Hwyrach y dengys y grŵp
newydd hwn a ydyw wedi graddio o siartiau gwladgarol ai peidio...[3]

Wrth i Edward H dderbyn cymeradwyaeth o leiaf cyfran o'r dorf
ym Mhafiliwn Corwen gwyddai Hefin Elis ei fod wedi gweld dyfodol
roc a rôl Cymraeg. Roedd ganddo obeithion pellach ar gyfer y grŵp
ac un o'r rheiny oedd denu canwr arall i gynorthwyo Dewi. Bu eisoes
yn llygadu lleisiwr posib ac roedd y gŵr hwnnw yn canu yng Nghorwen
ar yr un llwyfan y noson honno fel aelod o grŵp arall – neb llai na
Cleif Harpwood o'r grŵp Ac Eraill. Roedd Cleif yn hanu o'r un cefndir
â John a Hefin yng Nghwm Afan ond ei fod wedi mynychu Ysgol
Gyfun Rhydfelen ac yn gyfarwydd â Charlie Britten o'r herwydd. Roedd
yn 'steddfodwr ac yn barod i dalu teyrnged i'r hyfforddiant hwnnw o
ran llwyfannu'n hyderus a geirio'n eglur.

Ffurfiwyd Ac Eraill dros flwyddyn ynghynt a bu'n perfformio yn
Eisteddfod Genedlaethol Hwlffordd. Myfyrwyr oedd yr aelodau – Cleif
ac Iestyn Garlick yng Ngholeg y Drindod, Caerfyrddin, Phil 'Bach'
Edwards yng Ngholeg y Brifysgol, Caerdydd a Tecwyn Ifan yn y Coleg
Diwinyddol ym Mangor. Am fod cartrefi Phil a Tecwyn yng
Nghaerfyrddin fe fyddai'r pedwar yn cwrdd yn lled gyson ac yn trafod
eu syniadau cerddorol yng nghyd-destun y frwydr dros Gymreictod
yn y Ceffyl Du yn y dref ac yn y Stag and Pheasant ym Mhontarsais.
Roedd Tecwyn, wrth gwrs, yn un o aelodau gwreiddiol Perlau Tâf
ond wedi aeddfedu tu hwnt i'r math o ganu sentimental a oedd yn
nodweddiadol o'r grŵp ysgol hwnnw. Fe awgrymodd yn gynnil ei
resymau dros droi cefn ar y grŵp:

> Doedd dim 'bad feibs' rhyngom ni ond roedd yn gas gen i wisgo
> dillad arbennig i berfformio gyda Perlau Tâf. Mae'n siŵr fod yna
> fwy o fân resymau – na alla i eu cofio nawr – a oedd yn gyfrifol am
> y symud.[4]

Doedd sŵn trwm, trydanol ddim yn apelio at y bechgyn ond roedd
sŵn trwm, gwerinol yn eu goglais, yn arbennig y math o sŵn roedd
Alan Stivell yn ei greu. Fel rhan o'i genhadaeth Geltaidd fe fyddai'r
Llydäwr yn cynnwys alawon o'r gwledydd Celtaidd yn ei berfformiadau
llwyfan. Daeth 'Bwthyn fy Nain' yn un o'r ffefrynnau ac roedd ei

arloesi'n cryfhau'r syniad o gwlwm cerddorol Celtaidd. Tra bod Stivell, a grwpiau Gwyddelig yn arbennig, yn chwarae darnau offerynnol fel rhan annatod o'u perfformiadau, doedd gan y Cymry, wrth gwrs, mo'r hyder i wneud hynny ar y pryd. Wedi'r cyfan, 'sbaddwyd y traddodiad offerynnol Cymreig gan y diwygiadau crefyddol.

Fel mab traddodiadol y Mans roedd yn rhaid i Tecwyn ganolbwyntio ar gyfansoddi geiriau a gorau i gyd petai'n bosib cyfleu neges trwyddyn nhw. Erbyn Steddfod Dyffryn Clwyd roedd prif gân record gyntaf y grŵp, 'Tua'r Gorllewin', yn cael ei hystyried yn anthem Mudiad Adfer.

Edrych f'anwylyd ar yr haul yn machlud ar y gorwel
Mae cysgodion tywyll eisoes yn y glyn.
Nid oes un seren i'w gweld heno fry yn y nen
A dydi'r lleuad heb godi eto dros y bryn.

Tyrd i ffwrdd gyda mi,
Awn yn ôl i'n cynefin;
Dwed y doi di heno gyda mi,
Tyrd, awn yn ôl tua'r gorllewin.

Fe gafodd ein cyndadau eu twyllo gan bobol ar hyd yr oesau,
Fe gredent y cyfan ddywedwyd wrthynt hwy;
Dygwyd gwerth ac urddas oddi wrth y genedl gyfan
Ond sicrhawn na ddigwyddo hynny byth mwy.

Tyrd i ffwrdd gyda mi...

Ac yno yn y gorllewin y cawn ddechrau
Gan ddangos ein cryfder i'r byd,
Ciliwn i barhau er mwyn adfer,
Adferwn ein hetifeddiaeth i gyd.

Tyrd i ffwrdd gyda mi...

Wyt ti'n cofio'r pentre bach yma a phawb yn siarad Cymraeg
Dim ond rhyw bum mlynedd 'nôl?
Yna aeth y swyddi'n brin bu'n rhaid i'r Cymry symud i ffwrdd,
A daeth y lladron estron yn eu lle yn ôl.

Tyrd i ffwrdd gyda mi ...

Gosodai Mudiad Adfer bwyslais ar gynnal Cymreictod cymunedau Cymraeg ar hyd arfordir y Gorllewin. Athronydd y mudiad oedd Emyr Llewelyn a'i neges benna oedd annog ieuenctid i ymsefydlu ym mhentrefi'r ardaloedd Cymraeg a byw eu bywydau trwy gyfrwng y Gymraeg. Cafodd y mudiad gryn ddylanwad ar Tecwyn:

> Dwi wedi bod dan ddylanwad Emyr Llewelyn ac wedi clywed a darllen ei areithiau fe, a siarad â fe. Mae'r pethau mae e'n ddweud yn fy ysgwyd i: dwi ddim yn gwybod pam ond maen nhw'n cael rhyw effaith arna i ac wedyn dwi'n gweld fod yna bosibilrwydd gwneud rhywbeth allan o'r hyn dwi'n 'i deimlo a'i weld.[5]

Cynigiai 'Tua'r Gorllewin' elfen o ramant o gymharu â'r realiti a gynigid gan 'I'r Gad', anthem mudiad blaengar arall y cyfnod, Cymdeithas yr Iaith. Roedd gan Ac Eraill ei gefnogwyr o ran ei gyfeiriad cerddorol a'i ddelwedd fel lladmerydd syniadau Mudiad Adfer. Onid oedd caneuon fel 'Catraeth' a 'Marwnad yr Ehedydd' yn enghreifftiau o'r ymdriniaeth Geltaidd a roddid i'r traddodiadol tra bod 'Cwm Nant Gwrtheyrn', a'i arwyddocâd fel canolfan dysgu Cymraeg, yn tanlinellu meddylfryd y grŵp?

Grŵp arall o 'stiwdants' oedd yn creu tipyn o argraff ar y pryd oedd Hergest. Fe fuon nhw'n rhannu llwyfan gyda'r Tebot Piws yn ei berfformiad olaf yn Eisteddfod Hwlffordd. Roedd Delwyn Davies yn hanu o Aberdâr, Elgan Phylip o Aberystwyth, Derek Brown o Gaerfyrddin a Geraint Davies o Abertawe. Roedd y dylanwadau arnyn nhw'n wahanol unwaith eto. Harmonïau clòs grwpiau tebyg i Crosby, Stills, Nash and Young, Buffalo Springfield a Loving Spoonful oedd yn apelio at y pedwar ond roedd ambell gân fel 'Dewch i'r Llysoedd' yn cadarnhau eu bod hefyd yn canu o safbwynt y profiad Cymreig. Ffrwyno'r dylanwadau Eingl-Americanaidd ac nid eu hefelychu oedd y bwriad. Ar y pryd roedd Charlie Britten a John Griffiths, ar y drymiau a'r gitâr bas, yn eu cynorthwyo ar lwyfan pan fyddai'n gyfleus, a'r un modd yn y stiwdio recordio.

Y ddau 'dafod' a gynrychiolai'r elfen draddodiadol oedd Elfed Lewys ac Arfon Gwilym, y naill yn faledwr a'r llall yn gerdd-dantiwr a'r ddau yn ymgyrchwyr brwd yn enw Cymdeithas yr Iaith. Un o'r baledi a gyflwynwyd gydag arddeliad gan Elfed oedd 'Tafarn y Rhos'. Er iddo ei chyflwyno'r noson honno ym Mhafiliwn Corwen fel 'baled o waelod Shir Aberteifi' fe ddywed eraill mai Sam y Delyn o Bontrhydyfen fyddai'n ei chanu. Fe gyflwynodd Arfon hanes crymffast o gawres o'r enw Marged Fwyn Ferch Ifan o ochrau'r Wyddfa, a oedd yn adnabyddus am gael y gorau ar unrhyw ddyn a fentrai ymgodymu â hi. Roedd Leah Owen yr un mor hyddysg yn y traddodiadol. Fe enillodd yr hogan o Rosmeirch, Ynys Môn, y gystadleuaeth canu 'Cân Werin' droeon yn yr Eisteddfod Genedlaethol ac fe gafodd lwyddiant yr wythnos honno yn 1973.

Hanai merched Sidan o'r gogledd-ddwyrain. Roedden nhw'n haeddu eu lle ar y llwyfan ar gownt eu swynoldeb a Chymreictod agored eu caneuon: 'Ai Cymro wyt ti?', 'Achub yr Iaith' a 'William Morgan'. Y ddau 'dafod' arall oedd Huw Jones a Dafydd Iwan. Fe dynnodd Huw y to i lawr gyda'i 'Dwi isio bod yn Sais' dychanol ac fe gyffyrddodd Dafydd Iwan â thannau'r galon gyda'i gân goffa i'r cenedlaetholwr llawen, D J Williams. Mewn cywair gwahanol, fe sbardunodd y gynulleidfa i weithredu gyda'i anthem 'I'r Gad' ac fe'u gorfododd i bensynnu gyda dwyster y cwestiwn 'Pam fod eira yn wyn?'

Doedd yna'r un o'r Hogia na'r Bois yn agos at lwyfan 'Tafodau Tân'. Dyma'r flwyddyn y cyhoeddodd Hogia'r Deulyn o Ddyffryn Nantlle eu bod yn canu 'Wil Coes Bren' am y tro olaf a dyma'r flwyddyn y cyhoeddodd Hogia'r Wyddfa eu bod yn 'ymddeol'. I'r sawl sydd am flasu ychydig o naws goncwerus Cymru'r cyfnod mae'r record *Tafodau Tân* yn ei chyfleu i'r blewyn. Mae cyfraniad y gynulleidfa yn gymaint o offrwm ag eiddo'r artistiaid. Os am wybod faint o'r gloch oedd hi ar adloniant y cyfnod dyma'r record sy'n dystiolaeth o'r datblygiad.

Roedd Edward H Dafis a'i 'Gân y Stiwdants', nad oedd iddi eiriau penodol, wedi cyrraedd. Cyhoeddodd nad oedd raid wrth harmoni lleisiol i ddiddanu. Profodd nad trwy eistedd yn unig y mae gwerthfawrogi pob dim. Anadlodd Ac Eraill fywyd newydd i'r traddodiadol, a bwriad Hergest oedd asio'r dylanwadau Eingl-Americanaidd at bwrpas Cymreig. Gwelwyd nifer o fynegbyst cerddorol tuag at y dyfodol yn yr arlwy nwydwyllt, Celtaidd-freuddwydiol a soniarus esmwyth. Profodd Cymdeithas yr Iaith Gymraeg yn gymaint o gatalydd i ddatblygu adloniant cyfoes ei anian ag oedd i ddeffro ymwybyddiaeth o Gymreictod. Yng ngeiriau Gwilym Tudur:

> Y Gymdeithas hefyd yn anad neb (ond cwmni Sain efallai) a hybodd adloniant miwsig Cymraeg i'r ifanc. Wedi'r Tafodau Tân yng Nghorwen y flwyddyn hon, un o'r nosweithiau mawr hen-ffasiwn, daeth llu o grwpiau roc i gynnal fflam diwylliant newydd poblogaidd, a diedifar Gymreig, y bu'r mudiad iaith yn ffwrnais iddo.[6]

Er bod eisteddfodau bach a mawr yn cynnwys cystadlaethau canu pop yn eu rhaglenni ers tro, doedd y rheiny ddim wedi meithrin artistiaid o fri. Ar wahân i Sidan, a fu'n cystadlu yn unol â gofynion yr Urdd beth bynnag, doedd yr un o artistiaid newydd 'Tafodau Tân' yn uniongyrchol ddyledus i'r diwylliant eisteddfodol. Roedd y diwylliant canu pop a roc yn ffynnu yn y byd Saesneg heb gymorth unrhyw eisteddfod, wrth gwrs. Yn wir, roedd un o golofnwyr rheolaidd *Asbri*, Huw Evans, yn drwm ei lach:

> Dangoswch gitâr drydan i feirniad eisteddfod a dyna ddeg marc wedi ei golli cyn dechrau. A deg marc am wisgo'n gyfoes a chadw'r gwallt yn hir (os ydych yn fachgen). Pa syndod felly oedd gweld mai merched oedd dros dri-chwarter o'r rhai'n cystadlu yn rhagbrofion y Bala. Y bechgyn sy'n monopoleiddio'r siartiau ac ati ym mhob gwlad ond merched sy'n rhedeg canu pop eisteddfodau Cymru. Os am weld coes bert ewch i 'steddfod. Ond os am ganu cyfoes safonol – cadwch draw.
> Nid oes gobaith gweld 'Beatlemania' neu 'T-Rextasy' yn gysylltiedig â grwpiau Cymraeg – mae 'Woman's Lib' wedi cydio'n barod. Felly os ydych chi am wobr am ganu pop mewn eisteddfod rhaid i chi:-
> 1. fod yn ferch (a dangos tipyn o goes)
> 2. wisgo'n deidi
> 3. nabod y beirniad
> 4. ganu cân 'neis-neis'
> 5. osgoi canu pop mewn gwir ystyr y gair
> 6. beidio defnyddio offer trydan (ar wahân i organ)
> 7. beidio trafferthu cael cyfeiliant addas (fe wnaiff unrhyw beth y

tro, ond i chi ganu'n neis a geirio'n iawn).

Wel, dyna rai o gasgliadau Ifans i chi ar ôl blynyddoedd o brofiad yn y maes, fel cystadleuydd, cyfansoddwr, hyfforddwr a gofalwr grŵp, gohebwr, aelod o'r dyrfa – a beirniad! Na, pob parch i eisteddfodau ond rhywbeth arall fydd yn meithrin canu pop datblygiadol. Ac nid *Cyfle'n Curo* h.y. *Opportunity Knocks* ar y teledu fydd e chwaith. Ni ddaw gwell safon o ganu pop hyd nes bydd rhagor o bobl yn ennill eu bara beunyddiol wrtho, ac y bydd yn cael ei drefnu'n broffesiynol.[7]

Gellid ychwanegu hefyd y byddai o fantais i artist i feithrin 'agwedd', ac i gredu yn yr hyn y mae'n ceisio'i gyflawni o fewn cyd-destun Cymreictod ymosodol, gan asio ac addasu'r Eingl-Americanaidd i'w ddiben ei hun yn hytrach nag efelychu'n slafaidd.

Ac Eraill – Alun 'Sbardun' Huws, Phil 'Bach' Edwards, Tecwyn Ifan a Iestyn Garlick yn anelu eu golygon 'Tua'r Gorllewin'.

Dafydd Meirion, a fu'n aelod o'r Datguddiad byrhoedlog cyn bwrw ati i sefydlu *Sŵn*, y cylchgrawn pop Cymraeg.

Edward H Dafis

Cleif 'Prendelyn' a'r bois ar lwyfan Cymdeithas yr Iaith yn Nhwrw
Tanllyd Pontrhydfendigaid.

Hergest

Un fersiwn o'r Datguddiad – Hefin Elis, Dafydd Meirion, Helen Bennet a Geraint Evans (gynt o'r Blew).

Sidan – Caryl Parry Jones, Meinir Evans, Sioned Evans, Gwenan Evans a Gaenor Roberts.

Y Nhw – Heulwen Price, Christine Jones, Helen Bennett, Meinir Ifans, Eleri Llwyd, Hefin Elis a Pete Griffiths.

11 / Torri'n Rhydd

Creodd y gân 'Nia Ben Aur' gryn argraff yn Eisteddfod Dyffryn Clwyd ac yn ystod y misoedd dilynol tyfai gobeithion o'i hamgylch. Tecwyn Ifan gyda chymorth Cleif Harpwood oedd wedi cyfansoddi'r gân, a hynny ar ôl cael eu cyffroi gan gerdd T Gwynn Jones, 'Tir Na N-og'. Roedd y chwilfrydedd Celtaidd yn parhau a Chleif, oherwydd iddo gymhwyso'i hun i fod yn athro drama, o'r farn y gellid ei ddatblygu'n sioe. Perswadiwyd awdurdodau'r Eisteddfod i gomisiynu sioe yn seiliedig ar y chwedl i'w pherfformio yn y prif bafiliwn yn Eisteddfod Caerfyrddin 1974. Neilltuwyd £4,000 ar gyfer y fenter ac fe gyflogwyd Wynford Elis Owen i gyfarwyddo'r sioe. Byddai bron pawb a oedd yn rhywrai yn y byd adloniant cyfoes yn cymryd rhan. Ieuenctid o gyffelyb anian oedd wrth y llyw yn rhoi bywyd newydd i'r chwedl am 'y ferch dlysaf a welodd Osian erioed' o Wlad y Bythol Ieuanc.

Doedd dim amau bod yma botensial ar gyfer sioe y gellid ei chymharu â sioeau Llundain ond un na fyddai'n eu hefelychu. Apelio'n uniongyrchol at anian y Cymro fyddai *Nia Ben Aur* trwy gloddio cyfoeth chwedloniaeth y traddodiad Celtaidd. Roedd Nia ac Osian, mab un o frenhinoedd y Gwyddyl, wedi byw'n gytûn yn Nhir Na N-og ers tri chan mlynedd yn fythol ieuanc eu gwedd. Dechreuodd Osian hiraethu am Iwerddon ac fe fentrodd yn ôl am dro. Cyn gadael gwynfyd ei gartref cafodd ei siarsio gan Nia i beidio ar unrhyw gyfrif â gosod ei draed ar y ddaear. Cafodd ei siomi o ddeall fod ei dad a'i gyfeillion wedi marw ac mewn eiliad o wallgofrwydd, wrth helpu i godi carreg fawr, torrodd cyfrwy ei farch ac fe syrthiodd i'r ddaear. Wrth i'w draed daro'r tir fe heneiddiodd ar amrant a bu'n rhaid iddo fyw yn hen ŵr musgrell yn hiraethu am Nia. Gellid teimlo'r cyffro a'r dyheu yn ystod yr wythnosau yn arwain at noson yr 'opera werin'.

Pan gyhoeddwyd record *Tafodau Tân* (Sain 1007D) aeth yn syth i frig siart *Y Cymro* ym mis Ionawr 1974 a bu'r gwerthiant yn uchel dros y misoedd canlynol. Roedd yna brynwyr oedd am ail-fyw'r profiad o fod ym Mhafiliwn Corwen, ac eraill, nad oedden nhw yno, am flasu'r awyrgylch. Roedd y darn hwnnw o feinyl yn gofnod o achlysur na fu ei debyg na chynt na chwedyn. Rhoddwyd y gwreichion a deimlwyd yn y digwyddiad ar gof a chadw. Yn ystod y misoedd dilynol, roedd yna eiddgarwch i'w deimlo ynghylch datblygiad yr artistiaid newydd. Roedd yr artistiaid eu hunain yn barod i roi arweiniad. 'Mae cymaint o ganwyr pop Cymraeg yn ddiweddar,' meddai Iestyn Garlick, 'wedi ceisio efelychu'r canu pop Saesneg, ac mae hyn wedi achosi dirywiad mawr yn y byd pop Cymraeg. Mae'n hollbwysig, yn fy meddwl i, i fynd yn ôl at yr arddull Geltaidd o ganu.'[1]

Erbyn hyn roedd *Y Cymro* yn cofnodi ac yn dadansoddi'r datblygiadau o fewn y maes adloniant. Gwelai Ieuan Bryn arwyddocâd arbennig i brif gân record *Tua'r Gorllewin* (Sain 34). 'Galwad obeithiol i adfywhau'r gymdeithas Gymraeg yn y Gorllewin yw'r gân hon, galwad i ddwyn bywyd newydd i'r gymdeithas naturiol Gymraeg yno cyn iddi farw.'[2] Cafwyd ar ddeall fod y gân 'Carchar' yn seiliedig ar garchariad Tecwyn Ifan o ganlyniad i un o ymgyrchoedd Cymdeithas yr Iaith. Dychmygir carcharor o Gymro ar ei wely angau yn ymbil ar yr offeiriad i sicrhau y bydd ei enaid yn ymweld â'r mangreoedd 'lle addolai Dewi Sant ac y gwnaed Llywelyn Fawr yn ben'. Roedd y syniad yn gyfarwydd yn llenyddiaeth chwyldro Iwerddon wrth i 'arwyr' ferthyru eu hunain trwy ympryd yng ngharchardai Lloegr. Cyfeiriai'r gân 'Hen Ŵr o'r Coed' wedyn at dristwch hynafgwr yn ymweld â'i gynefin ac yn gweld coed pin ar dir a arferai fod yn gynefin i goed derw. Condemnio rhaib cyfalafiaeth yn damsang ar dirwedd natur oedd neges y gân. Gwelai Ieuan Bryn arwyddocâd tu hwnt i ychydig funudau o adloniant yng nghaneuon Ac Eraill:

> Canu sy'n cyflwyno neges yw eu canu, canu sy'n alwad i frwydr dros barhad y Gymraeg a pharhad y gymdeithas yn y broydd Cymraeg.

Canu sy'n lleisio ing y Cymry Cymraeg sydd bellach yn y lleiafrif. Ond canu sy'n seinio buddugoliaeth, canu sy'n gyforiog o obaith. Mae gan y grŵp lawer eto i'w ddysgu cyn y bydd eu perfformiadau'n wirioneddol broffesiynol. Bydd angen coethi eu cyflwyniad llwyfannol, meistroli mwy eto ar y cefndir offerynnol, a dysgu disgyblaeth lleisiol. Y mae hyn i gyd o fewn eu cyrraedd; y mae llwyddiant digamsyniol yn eu haros.[3]

Mewn ymgais i gynnal ei hygrededd fel mudiad ieuenctid, roedd yr Urdd wedi lansio cylchgrawn newydd o'r enw *I'r Dim* i olynu *Hamdden*, a ddaeth i ben yn 1972 ar ôl wyth mlynedd o'i gyhoeddi. Yn y rhifyn cyntaf o'r offrwm newydd cyhoeddwyd tudalen gyfan o lythyrau bywiog, ac eiddo 'Elin Davies, Sir Fôn' yn cynnig swadan i'r mudiad:

Clywais fod yr Urdd yn bwriadu cyhoeddi cylchgrawn newydd bywiog ar ein cyfer ni. Roedd *Hamdden* yn llawer rhy sych ac amhersonol. Yr argraff roeddwn i'n gael oedd mai pobl mewn oed oedd yn ysgrifennu'r rhan fwyaf ohono ac yn trio stwffio eu diddordebau nhw arnom ni bobl ifanc. Doedd o ddim yn cynrychioli barn pobl ifanc Gymraeg o gwbl. Dim rhyfedd iddo gael ei gladdu.[4]

Er nad oedd enwau'r staff golygyddol yn cael eu datgelu ar dudalennau *I'r Dim* roedd yna bwt o ymateb wrth gynffon y llythyr:

Mae llwyddiant unrhyw gylchgrawn ar gyfer yr ifanc yn dibynnu i raddau helaeth ar gyfraniad pobl ifanc iddo. Efallai'n wir fod *Hamdden* yn rhy *glossy* ac uchel-ael. Bydd llythyrau, erthyglau, storïau, cerddi a chaneuon gennych chi'r darllenwyr yn dderbyniol iawn. Dyna'r hyn sy arnom ei eisiau – eich barn chi ar bob math o destunau.[5]

Cyhoeddwyd llythyr yr un mor amheus ei awduriaeth o dan yr enw 'Dafydd ap Siencyn o Gaerdydd'. Roedd e'n cwyno am brinder recordiau Cymraeg, yn canmol Cambrian am eu diwydrwydd, yn esgusodi Dryw am mai cwmni cyhoeddi llyfrau oedden nhw'n bennaf ac yn cystwyo Sain am gyhoeddi recordiau o ran 'diddordeb amser hamdden ar gyfer *television personalities*'.[6] Cynigid abwyd o docyn llyfrau neu docyn recordiau gwerth 50c am bob llythyr fyddai'n cael ei gyhoeddi. Pan ymddangosodd yr ail rifyn ddiwedd yr haf ni chafwyd gwybod a oedd 'Elin Davies' wedi ei phlesio ac ni chafodd 'y gŵr o Gaerdydd' gyfle i ddarllen erthygl yn gwyntyllu patrwm gwaith neu bolisïau'r tri chwmni recordio yr oedd e'n feirniadol ohonyn nhw.

Ond roedd yna gyfrannwr o'r enw Ap Alunfa (un o staff y mudiad, Geraint Davies, a oedd hefyd yn aelod o'r grŵp Hergest) yn cynnig sylwadau miniog am y byd canu pop. Yn yr ail rifyn manteisiodd ar ei gyfle i roi clusten i gyhoeddiadau eraill yn yr un maes yn ogystal â'r cyfryngau torfol:

> Mae'r unig raglenni pop a gafwyd ar y teledu eleni, *Disc a Dawn* a *Cyfle* yn byw mewn byd arall, ac o'n cylchgronau pop, dyw *Asbri*'n ddim mwy na phapur pop lleol i ardal Caerfyrddin a byr iawn fu oes *Swn*. Ychydig fu cyfraniad y cyfryngau torfol at ei gilydd i dwf a datblygiad canu pop Cymraeg.[7]

Wrth restru ei wyth gân bop Gymraeg orau doedd dim lle i ganeuon o eiddo Perlau Tâf, Tony ac Aloma na'r Pelydrau. O fewn dau rifyn arall roedd *I'r Dim* ac Ap Alunfa wedi tewi.

Os nad oedd ieuenctid yn heidio i brynu *I'r Dim* roedd yna bobol yn y byd cyhoeddi yn cymryd diddordeb ynddo ac yn dyheu llwyddiant iddo. Penderfynodd Glyn Evans, adolygydd cyson *Y Cymro*, beidio â rhoi sylw i'r rhifyn cyntaf rhag ofn y byddai ei sylwadau'n rhy llawdrwm. Ond ar ôl i'r ail rifyn ymddangos, daeth i'r casgliad fod yna 'rhyw barchusrwydd a difrifoldeb yma',[8] sef yr union beth nad oedd ei angen mewn cylchgrawn wedi ei anelu at ieuenctid: '...dydi rhywun ddim yn teimlo cynnwrf yr ifanc wrth ddarllen *I'r Dim*', meddai ymhellach. Doedd colofnydd pop *Y Faner*, Edward H Dafis, ddim yn ganmoliaethus chwaith wrth fwrw golwg ar ei gynnwys:

> Mae cylchgronau ieuenctid yr Urdd bob amser rhyw bum mlynedd ar ei hôl hi. Mae'r mudiad mor boenus o araf yn sylwi ar dueddiadau ac yn arafach fyth yn eu derbyn a'u cymhwyso... Nid yw tafarnau byth yn bod a does neb byth yn yfed. Barn pobl gwlad y tylwyth teg hwyrach... Eithr yn ôl y rhifyn cyntaf, nid wyf yn credu y gŵyr i ble nac at bwy y mae'n cyfeirio. Nid yw'n cymryd unrhyw agwedd ac o ganlyniad nid oes cymeriad iddo. Yn *Swn* gallem ymdeimlo fod ieuenctid yn siarad â'i gilydd ar ei dudalennau. Pobol yn ymbalfalu yn y tywyllwch yn ceisio profi eu gorau glas fod yr Urdd hefo hi a geir yn *I'r Dim*. Mae'r canlyniad damaid yn drist fel

pobl canol oed sy'n mynnu gwisgo'r ffasiynau ieuenctid diweddaraf.[9]

Doedd Edward H ddim yn ystyried *Sŵn* nac *Asbri* yn gylchgronau heb eu brychau chwaith. Ni chredai fod y naill na'r llall yn taro deuddeg nac yn taro tant ymhlith y darllenwyr yr anelid i'w plesio. Roedd yn hallt ei feirniadaeth o arddull ail rifyn *Sŵn*:

> Trist, serch hynny, yw canfod arddull mor druenus yn britho'r cylchgrawn; ymddengys cystrawennau anghywir, camsillafu, camdreiglo, trosi priod-ddulliau estron, yn fynych, ynghyd â rhyw ddiffyg mynegiant llyfn a chryno.
> Un maes lle y mae *Sŵn* yn tra rhagori ar *Asbri* yw hiwmor herfeiddiol ac ifanc. Mae hiwmor *Asbri* un ai'n blentynnaidd, neu'n perthyn o ran naws i raglenni radio ugain mlynedd yn ôl. Yn sicr, nid yw'n adlewyrchu hiwmor ieuenctid Cymru heddiw.[10]

Ar ddechrau 1974, gwelwyd cryn werthu ar record sengl Edward H (Sain 38). 'Ffarwél i Langyfelach Lon' a 'Gwrandewch' oedd y ddwy gân, y naill yn drefniant gan Dewi Pws a'r llall yn gyfansoddiad breuddwydiol o'i eiddo tebyg i rai o'i ganeuon difrifol o gyfnod y Tebot Piws. Ond y datblygiad penna yn hanes y grŵp oedd penderfyniad Cleif Harpwood i adael Ac Eraill er mwyn ymuno â'r rocwyr ac i fwrw ati i baratoi'r record hir gyntaf.

Teg nodi bod Cleif 'Prendelyn' tua'r adeg yma hefyd wedi recordio sengl ar gyfer yr Urdd yn seiliedig ar aelod go iawn o'r mudiad, sef Jên Lethbridge o Gilfynydd ger Pontypridd. Trefnodd y mudiad daith o gwmpas ysgolion Cymru gan aelodau Edward H, ac eraill, mewn ymgais i newid delwedd a denu cefnogaeth y di-Gymraeg.

Roedd Alun 'Sbardun' Huws, gynt o'r Tebot, bellach yn aelod sefydlog o Ac Eraill a gwelwyd Huw Williams, o'r Bala, yn ymuno fel lleisiwr, a John Morgan, o Nant-y-moel yng Nghwm Ogwr, yn ymuno fel offerynnwr. Daeth ffidil, mandolin a phib yn rhan annatod o sŵn y grŵp. Ond cynnal dawnsfeydd fyddai Edward H bellach ac nid cymryd rhan mewn cyngherddau. Roedd 'Pishyn', 'Tŷ Haf' a 'Cadw Draw' ynghyd â fersiwn *reggae* o 'Mari Fawr Trelech' ac, wrth gwrs, 'Cân y Stiwdants' yn gwneud yn siŵr nad oedd neb wedi ei ludo i'w sedd.

Ceisio cyflawni'r un diben wnâi'r Mellt yn ardal Llanrwst a'r Gasgen yn Sir Drefaldwyn. Ond doedd Niel Owen yn Nhregaron ddim yn credu y gallai Asparagus, y grŵp roedd e'n aelod ohono, ganu ond un neu ddwy gân Gymraeg ar y gorau yn eu perfformiadau. Yn ei farn e byddai'n ormod i'r grŵp a'r gynulleidfa pe baen nhw'n torri'r arfer o ganu yn Saesneg dros nos. Amheuai obeithion Edward H Dafis o fedru dal ati:

> Mae Edward H yn ffodus iawn i gael offer mor ddrud ar gychwyn gyrfa ond ofnaf eu bod yn gosod eu safonau yn rhy uchel yn rhy gyflym, fel y gwnaeth y Blew, y Datguddiad a'r Mwg Drwg. Fel y gwelwyd yng Nghorwen roedd gan y grŵp gynulleidfa barod, ond a fyddai Pws yn fodlon chwarae i ddyrnaid o bobl mewn dawnsfeydd ym mhentrefi bach Sir Aberteifi?[11]

Fel yr awgrymai'r enw, roedd yr Atgyfodiad, o dan arweiniad Arfon Wyn, yn canu caneuon crefyddol. Galw am adfywiad crefyddol a wnâi 'Cynnwrf yn ein Gwlad' a deisyf ar yr Ysbryd Glân i ddisgyn gan olchi pawb a wnâi 'Disgyn mae y glaw'. Ymhlith yr aelodau fu'n gysylltiedig â'r grŵp roedd y brodyr Dafydd a Gwyndaf Roberts a John Gwyn. Fe fyddai'r tri yn ddiweddarach yn hawlio sylw fel aelodau o grwpiau blaengar. Grŵp a fyddai'n hawlio sylw ehangach ar gorn ei ymddangosiad yn yr Eisteddfod Ryng-Golegol oedd Mynediad am Ddim. O wrando ar y criw o Aberystwyth yn canu 'Beti Wyn' roedd yn amlwg bod traddodiad 'grwpiau myfyrwyr' yn mynd i barhau.

Digwyddiad o bwys cyn Eisteddfod Caerfyrddin oedd cyhoeddi record hir gan Heather Jones, *Mae'r Olwyn yn Troi* (Sain C503) gyda chyffyrddiadau fel sŵn carnau ceffylau yn gwneud i'r gwrandäwr foeli ei glustiau. Daeth y lodes o Gaerdydd i amlygrwydd pan enillodd y gystadleuaeth gân bop yn Eisteddfod yr Urdd, Caerfyrddin yn 1967 trwy ganu cân wedi ei chyfansoddi gan ei chariad, Geraint Jarman, 'Beth sydd i mi?' Cofia fynychu Gwersyll Glan-llyn pan oedd Dafydd Iwan yn canu caneuon Saesneg fel 'I Wish I was Single Again'. Gadawodd gwrs hyfforddi yng Ngholeg Caerleon ar ei hanner er mwyn canolbwyntio ar ganu. Treuliodd dipyn o amser yn Solfach yng nghwmni Geraint a Meic Stevens a llu o gymeriadau brith. Roedd yna dipyn o fynd a dod.

Cyfarfu â Meic am y tro cyntaf yn y Drenewydd yn 1968. Fe'i cofia'n gwisgo clogyn Sergio Leone a het Clint Eastwood, yn cario'r ces gitâr mwyaf erioed ac yn gwisgo trywsus lledr. Dyw hi ddim yn ormod dweud i'r cyfarfyddiad wrth brynu pecyn o tships newid cyfeiriad ei bywyd. Ymhen blwyddyn roedd y Bara Menyn wedi ei ffurfio a hynny fel jôc. Prin y gwyddai beth fyddai'n digwydd nesa o adael trefniadau yn nwylo Meic. Ar un achlysur, cofia nad oedd fawr o hwyl perfformio ar Meic wrth iddo orwedd ar wastad ei gefn ar y llwyfan ar ôl bod yn drachtio siampaen.

Roedd gan Heather Jones ei gyrfa ei hun hefyd yn seiliedig ar ei llais nodedig. Gyrrai ei chyflwyniad digyfeiliant o eiriau'r bardd Harri Webb ac alaw Meredydd Evans, 'Colli Iaith', iasau trwy gynulleidfaoedd. Canai'r ferch o Gaerdydd, a ddysgodd Gymraeg, eiriau oedd ymhell tu hwnt i rychwant arferol cân bop. Ni ellid dychmygu cân o'r fath yn cael ei chanu yn Lloegr. Roedd geiriau 'Colli Iaith' yn ymwneud â holl hunaniaeth y Cymry ac ing eu parhad. Torrwyd tir newydd ym marn Edward H Dafis:

> Does dim amheuaeth nad y rhain yw rhai o'r geiriau cenedlaethol gorau a osodwyd i gerddoriaeth. Hyfryd yw clywed geiriau gwleidyddol mor ffres, diriaethol a chaboledig, yn hytrach na'r syrffed o eiriau sydd naill ai'n disgrifio harddwch daearyddiaeth Cymru fach, neu sy'n sôn am ryw obaith niwlog y bydd i'r genedl ddiosg ei hualau oll yn y bythefnos nesaf.[12]

Enillodd Heather un o gystadlaethau *Disc a Dawn*, unwaith eto yn canu cân o waith Geraint Jarman, 'Pan Ddaw'r Dydd'. Cyhoeddodd Sain ddwy record fer o'i heiddo a buddsoddwyd amser ac arian yn paratoi'r record hir.

Heather ddewiswyd i chwarae rhan Nia yn yr opera werin *Nia Ben Aur* gyda Cleif Harpwood yn cymryd rhan Osian. Hefin Elis oedd y cyfarwyddwr cerdd a chyfansoddwr y gerddoriaeth. Mawr oedd y disgwyl am nos Iau'r brifwyl yng Nghaerfyrddin. Roedd y pafiliwn cyfan yn dyheu llwyddiant y fenter wrth i oreuon cerddorol ieuenctid y genedl ddod at ei gilydd i ddangos eu doniau. Hon oedd eu hawr fawr ar ôl cyflwyno nifer o sioeau ar y cyrion yn ystod y blynyddoedd cynt. Y gobaith oedd profi nad oedd yn angenrheidiol i gantorion ieuanc fynd i'r West End yn Llundain i gymryd rhan mewn miwsical. Gallai'r cyfan fod yn gynhenid ac yn lliwgar gynhenid.

Pan oedd hi bron yn amser i ddechrau, roedd y llefarydd, Gruffydd Miles (Dyniadon Ynfyd), yn barod yn ei le o flaen y llwyfan. Yn ei ymyl roedd bwced o ddŵr a chyflenwad helaeth o fêl i'w gynorthwyo i gynnal ei lais. Cafwyd rhai eiliadau cychwynnol petrusgar gyda'r trefniadau sain ond fe ddaeth y Nia ysblennydd i'r golwg ac ennill calon y dorf. Cafwyd ymddangosiad ffrwydrol gan y Brenin Ri (Dewi Pws) ond byr fu ei gyfraniad. Hyrwyddai osgo'r ceiliog ben domen yn ei drywsus gwyn tyn, siaced ddisglair a'i frest noeth. Roedd lleisiau merched y grŵp Sidan, o Ysgol Glan Clwyd, yn heintus glir fel cloch. Ond ar y cyfan, bu'r trefniadau sain yn fwy o drafferth nag o gaffaeliad a bu'n rhaid aros nes rhyddhau record hir (Sain C519) o brif ganeuon y sioe er mwyn eu gwerthfawrogi.

Ar faes yr Eisteddfod, hefyd, gwelwyd neb llai na Tony ac Aloma yn hyrwyddo'u record ddiweddara ar label cwmni newydd o'r enw Gwawr. Yno yn eu gwarchod roedd yr 'impresario' a droes at y weinidogaeth, Idris Williams. Yn gynharach yn y flwyddyn roedd y ddau wedi cymryd rhan mewn rhai perfformiadau o daith *Pan Ddêl Mai* a drefnwyd gan Gwmni Theatr Cymru yn ail-greu ychydig o ramant cyfnod Dafydd ap Gwilym. Beth amser ynghynt, roedd Aloma wedi bod yn ei lordio hi ar y QE11 yn difyrru'r teithwyr gyda'r Hennessys a hynny yng nghwmni Joe Loss a'i Gerddorfa a Los Paraguayos yn Tangier. Offrwm arall Cwmni Gwawr oedd record gan sefydlwyr y cwmni, Eric Dafydd ac Eurof Williams, yn perfformio o dan yr enw Bili Dowcar a'r Gwylanod.

Doedd hi ddim yn bosib prynu offrwm Recordiau MAC (Mudiad Amddiffyn Cymru) oddi ar gownter yr un stondin. Byddai'r record yn cyfnewid dwylo o ganlyniad i wahoddiad uniongyrchol i'w phrynu. Ar y naill ochr y cyfeiliant penna oedd sŵn ffrwydro ac ar yr ail ochr sŵn llosgi am yn ail ag ynganu'r geiriau 'Sais' a 'tân'. Roedd y record yn ymwneud â'r ymgyrch losgi tai haf ac yn gyfeiriad at garchariad John Jenkins am ddeng mlynedd am ei ran yn gosod bomiau. Ysgogwyd yr ymgyrch losgi tai haf oherwydd pryder y gallai Cymreictod cymunedau glan-y-môr ar hyd y Gorllewin gael ei golli os na ellid rheoli nifer y cartrefi a werthid yn dai haf. Roedd John Jenkins yn gyn-filwr a oedd wedi penderfynu defnyddio trais yn erbyn eiddo megis pibellau yn cludo dŵr o gronfeydd yng Nghymru i ddiwallu syched trigolion Lloegr. Tacteg oedd hyn i ddihuno'r Cymry i fynnu mwy o hawliau ac i rybuddio'r sefydliad Prydeinig fod cenedlaetholdeb yn dal yn y tir. Doedd dim dychan yn agos at gynnwys y record – dim ond ei dweud hi fel yr oedd hi, yn y traddodiad gweriniaethol Gwyddelig, trwy chwarae â thrais a thân. Doedd y record ddim yn gyfraniad at fwrlwm adloniant y cyfnod.

Parhau i fynegi barn yn lled ddiflewyn-ar-dafod amharchus a wnâi'r cylchgrawn *Sŵn*. Dyma oedd gan Alun Sbando i'w ddweud wrth adolygu record Hergest *Aros Pryd*: 'Y gân sy'n taro'r glust gyntaf yw "Blodeuwedd" (biti na fuasai hon wedi ei recordio tua deg mlynedd yn ôl – buasai canu Cymraeg wedi cyrraedd rhywle erbyn heddiw) ond mae'r caneuon eraill yn fwy diddorol ar ôl gwrando mwy arnynt. Record uffernol o ddiddorol gan grŵp anniddorol'.[13]

Pan ofynnwyd i Alun 'Sbardun' Huws, cyd-olygydd *Sŵn* ar y pryd, am ychydig o gefndir yr adolygydd 'Alun Sbando' dyma oedd ganddo i'w ddweud:

Person diddorol iawn oedd Alun Sbando – yn enedigol o Lerpwl ond wedi ei fagu yn Nhywyn, Meirionnydd. Ei enw iawn oedd Alan Strathbotham, ond newidiodd i Alun Sbando yn fuan wedi iddo symud i Dywyn gyda'i deulu. Mae'n debyg iddo alw ei hun yn 'Sbando' ar ôl y gair 'sbandolics' a ddefnyddir yn Sir Feirionnydd am arian. Magodd ddiddordeb yn y sîn bop Cymraeg yn gyflym iawn ac roedd ei gefndir Sgowsaidd yn help garw – cofier mai adeg y Mersey Beat enwog oedd hyn. Cyfrannodd yn helaeth i *Sŵn* ond yn sydyn iawn diflannodd oddi ar wyneb y ddaear. Clywais rywdro wedyn ei fod wedi mynd i wneud VSO yn Papua New Guinea. Does neb wedi clywed dim amdano wedyn. Cyd-ddigwyddiad llwyr oedd y ffaith fod ei enw braidd yn debyg i fy un i.[14]

Roedd un o aelodau Hergest, Geraint Davies, wedi gosod ei stondin yn un o rifynnau blaenorol *Sŵn*:

> Mae'r pedwar ohonom wedi bod mewn grwpiau eraill, ac wedi cael profiad o wahanol deipiau o ganu. Gobeithio y gellir sianelu'r gorau i greu cyfanwaith newydd. Grŵp democrataidd yw Hergest. Mewn ffordd, pedwar canwr unigol yn defnyddio'r un cefndir ydym, yn hytrach nag un grŵp gydag un arweinydd ac un canwr ac un cyfansoddwr. Nid ydym yn un o 'grwpiau'r Chwyldro' yn yr ystyr ein bod yn canu dim ond caneuon protest a gwladgarol, am fod perygl o fynd yn ystrydebol. Mae gennym ganeuon protest ond bod pob un yn ganlyniad o deimlad dwfn tuag at y pwnc. Dyna yw'n caneuon yn fwy na dim: caneuon personol yn deillio o brofiadau corfforol a meddyliol.[15]

Ar ôl wyth rhifyn o golbio tipyn o bawb a phopeth, yn arbennig methiant y teledu o ran adlewyrchu'r sîn bop, trodd golygyddion *Sŵn* eu bustl tuag at y cylchgrawn *Asbri*. Cyhoeddwyd y llythyr canlynol o eiddo 'W Roberts, Towy View, Caerfyrddin':

> Pryd ydach chi olygyddion *Sŵn* yn mynd i sylweddoli fod eich stwff braidd yn 'boring' a sych a dihiwmor. Ydach chi'n meddwl mai trwy regfeydd a rhyw gartŵns gwarthus di-ffraeth mae ennill calon y bobol ifanc? Os felly does dim i chi ond coblyn o siom (sylwer yr ansoddair 'coblyn' nid rhyw reg fudur). Pam na ddilynwch chi batrwm *Asbri*, y cylchgrawn pop sydd wedi profi ei hun? Onid oddi wrth eraill y mae dysgu?[16]

Pa un ai ffrwyth dychymyg Dafydd Meirion a Dafydd Miaw, a olynodd Alun 'Sbardun' Huws fel cyd-olygydd ers y pumed rhifyn, oedd y llythyr ai peidio roedden nhw'n sicr yn gyfrifol am yr ateb:

> (Gol. Big dîl (hen Gymraeg Pen-y-groes), rhywbeth newydd sydd angen ar y Cymry heddiw nid dilyn wrth ryw hen batrymau sych. A gan eich bod wedi dod â rhegfeydd i fyny, ewch i unrhyw dafarn ble y mae pobol ifanc a myfyrwyr ac mi gewch GOBLYN o fraw. Un peth bach arall, faint yw eich oed?)[17]

Adlewyrchai'r llythyr y tyndra a fodolai rhwng y ddau gylchgrawn. Doedd yr un o'r ddau yn derbyn nawdd ar gyfer cyhoeddi fel y gwnâi'r mwyafrif o gylchgronau Cymraeg. Ond ni welwyd nawfed rhifyn *Sŵn* a daeth y cyfnod o godi dau fys ar y sefydliad i ben. Bu'n llwyfan i dipyn o ddweud go blaen. Ac am ei fod wedi codi o ganol y bwrlwm doedd dim amau ei berthnasedd. Parhaodd *Asbri* i ymddangos yn rheolaidd ac roedd hi'n ddigon diogel i bob aelod o'r teulu ei ddarllen heb gael eu cythruddo.

Erbyn y Nadolig, cyrhaeddodd record hir hir-ddisgwyliedig Edward H, *Yr Hen Ffordd Gymreig o Fyw* (Sain C510) y siopau. Fe'i cynhyrchwyd yn Llundain gyda chymorth Mike Parker, y gŵr a fu'n cynorthwyo Endaf Emlyn i baratoi ei recordiau hir yntau. Roedd y gân agoriadol o waith Hefin Elis, 'Cadw Draw', yn ernes o benderfyniad y grŵp i wthio'r ffiniau. Doedd neb wedi canu fel hyn am ferch yn Gymraeg o'r blaen:

> *Ti yw'r hyllaf, ti yw'r tewaf a'r teneuaf yn y byd i gyd.*
> *Gall dy drwyn di droi i'r dde ac i'r chwith yr un pryd.*
> *Rwy'n dy garu fel rwy'n caru cyfog gwag ac oglau tail.*
> *Rwyt ti'n gwneud i mi deimlo'n sâl ac yn waeth bob yn ail.*

Dwy gân yn yr un cywair ffwrdd-â-hi oedd 'Pishyn' a 'Tŷ Haf' tra bod 'Rosi', 'Ti', 'Mistar Duw' a 'Drudwy' yn fwy meddylgar. Roedd 'Hedydd' a 'Pontypridd' yn brawf bod gan y grŵp ddiddordeb mewn deunydd gwerin o hyd yn ogystal â roc a rôl pur. Gwerthwyd 998 o gopïau o'r record o fewn pythefnos a bron i 3,000 o gopïau o fewn dwy flynedd. Fe fu Eurof Williams yn adolygu'r record:

Ar ôl sesiwn hir o wrando ar y record deuthum i sawl penderfyniad yn ei chylch, a'r pwysicaf ydy'r ffaith mai hon yw'r record hirfaith gyntaf gan grŵp trydanol yn Gymraeg, ac felly dylanwadau Seisnig ac Americanaidd o angenrheidrwydd sydd arni. Felly beth arall oedd i ddisgwyl o'r record yma ond ymgais i gyrraedd safonau ucha'r artistiaid mae'r grŵp yn eu hedmygu fwyaf? Ac i mi, yn ei ymdrech i wneud hyn, mae nifer o'r caneuon yn cyffroi'r cof yn fwy na'r glust – i geisio cofio'r dylanwadau sydd ar y grŵp, yn hytrach na chwilio am ei wreiddioldeb.

Gallaf glywed adlais o Neil Young, Beachboys a'r Beatles ar y record heb sôn am ein Meic Stevens ein hunain. Mae'r trefniadau yn dioddef o'r un clefyd ond nid yw hynny i ddweud bod y caneuon yn waeth o'r herwydd. Ar ddiwedd y gân draddodiadol 'Pontypridd' mae'r 'riff' orau a mwyaf 'teit' ar y record, gyda'r grŵp yn swnio'n hollol broffesiynol a hyderus...

Erbyn hyn rwy'n dechrau cymharu'r record â *Rubber Soul* y Beatles a gyhoeddwyd yn 1965. Mae rhyw ddeuddeg cân ar honno hefyd, ond o'i chwarae drosodd a throsodd mae rhywbeth yn gwneud i mi symud y nodwydd oddi ar bump neu chwech o'r traciau. Felly gyda'r record hon; ar ôl clywed 'Cadw Draw', 'Pontypridd' a 'Ti' af at yr ail ochr i wrando 'Rosi', 'Calan Gaeaf' a 'Ffarwél' sy wastad yn codi gwên.

Gwn yn iawn wrth ysgrifennu'r adolygiad hwn bod llawer wedi gwirioni yn llwyr ar y record... ond rwy'n dal i gredu fod y gymhariaeth â *Rubber Soul* y Beatles yn hollol deg – wedi'r cyfan onid ddwy record hirfaith ar ôl hynny y daeth *Sergeant Pepper*? Felly mae mor bwysig i'r grŵp barhau i chwarae yn neuaddau Cymru.[18]

Ta beth am unrhyw gymhariaeth â recordiau Saesneg neu Americanaidd ni fedrai neb ddweud fod unrhyw ddylanwad neilltuol yn llethu'r record. Prin y byddai trosi'r geiriau i'r Saesneg yn gwneud caneuon Saesneg/Seisnig ohonyn nhw. Roedd roc a rôl Edward H Dafis mor Gymreig â ffagots a phys marchnad Pontypridd. Torrwyd yn rhydd o gysgod yr Eingl-Americanaidd hollgofleidiol. Ac eto, roedd yr elfen werin yn dal yno ac er bod Dewi Pws yn medru cyfleu roc a rôl ar ei fwyaf gwallgof ar lwyfan roedd e'n dal i arddel y trywydd gwerin:

Roedd y Tebot yn iawn ar gyfer canu mewn Nosweithiau Llawen ond yr hyn sydd eisiau yn awr yw grwpiau Cymraeg i gynnal dawnsfeydd. Cael grŵp Cymraeg sy'n weddol wreiddiol ond yn canu yn Gymraeg, dyna sydd eisiau... Rym ni'n gobeithio atgyfodi'r hen ganeuon gwerin Cymraeg a'u cyflwyno nhw mewn dull modern heb eu llygru nhw – fel y mae Alan Stivell wedi llwyddo i'w wneud gyda chaneuon Celtaidd. Ac mae ei ganeuon e yn hynod boblogaidd gyda phobol ifanc.[19]

Roedd ieuenctid yn torri'n rhydd o linynnau ffedogau'r sefydliadau hynny yr arferid eu hystyried yn fudiadau ieuenctid. Doedd Urdd Gobaith Cymru ddim yn medru darparu deunydd darllen credadwy ac apelgar ar gyfer ieuenctid mwyach. Doedd y mudiad ddim wedi llwyddo i waredu cysgod hiwmor di-fflach *Blodau'r Ffair* o dudalennau ei gylchgronau. Torri eu cwys eu hunain wnâi'r ieuenctid trwy fwrw ati i gyhoeddi eu cylchgrawn eu hunain. Waeth beth am wendidau *Sŵn* roedd e o leiaf yn brawf o antur a menter y Cymry ieuanc. Roedd sefydlu Gwasg Y Tir gan y golygyddion ym Mhen-y-groes, ger Caernarfon, yn dilyn patrwm a osodwyd eisoes gan Wasg Y Lolfa yn Nhal-y-bont ger Aberystwyth. Eisoes sefydlwyd cwmni recordiau Sain gan y to iau ar gyfer y to iau a cham naturiol oedd ceisio sefydlu cylchgrawn i gyflawni'r un dyheadau.

Bygwth datblygu i wahanol gyfeiriadau a wnâi'r adloniant ysgafn. Nid y Noson Lawen oedd yr unig gyfrwng difyrrwch mwyach. Gellid mwynhau cynyrfiadau roc a rôl mewn dawnsfeydd neu synau Celtaidd gwerinol mewn cyngherddau. Mynnai cenhedlaeth o gerddorion a diddanwyr ieuanc gymryd o ddifrif yr her o ddarparu profiadau Cymraeg cyflawn ym mha agwedd bynnag o ddiddanwch cyfoes yr oedd gan y gynulleidfa ddiddordeb ynddo. Er hynny, ceisio profi bod y canu pop Cymraeg wedi cyrraedd croesffordd, a'i fod mewn merddwr, oedd byrdwn rhaglen radio ar y BBC, *Pop ar y Glorian,* a ddarlledwyd yn ystod mis Hydref 1974. Ni soniodd y cyfranwyr am artistiaid a wnaeth gyfraniad sylweddol yn braenaru'r tir. Ni soniwyd am Y Blew, Y Tebot Piws, Y Datguddiad, Y Bara Menyn, Edward H na Hogia Llandegai. Ni soniwyd chwaith am gyfraniad y discoteciau na chyfraniad rhai unigolion o fewn y cyfryngau. Rhaglen wedi ei pharatoi gan bobol hŷn yn y gred gyfeiliornus eu bod yn deall byd yr ieuanc ac yn medru cyfrannu at ei fwrlwm ydoedd.

Fe fu cwyno cyson oherwydd methiant y cyfryngau i adlewyrchu'r bwrlwm a chyfrannu'n greadigol tuag at ei barhad. Roedd y rhaglen deledu a roddai blatfform i artistiaid, *Disc a Dawn,* ar y BBC, yn gocyn hitio cyson ond prin bod y feirniadaeth bob amser yn deg a chyfiawn. Brigai rhwystredigaeth i'r wyneb a hynny, unwaith eto, am mai 'hen gonos', i bob pwrpas, oedd wrth y llyw. Cynyddai'r persbectif nad oedd y to hŷn, mewn unrhyw alwedigaeth, yn deall anghenion y to iau.

SWN

TUDALEN 9
SUT I FOD YN ENWOG
TUDALEN 2
ORIEL YR ANFARWOLION!

Rhifyn 1 Ebrill/Mai 1972

Y PAPUR POP

DEUFISOL

12c

Tu Mewn

Tudalen 8
Dadansoddi DISC A DAWN
Tudalen 12
'PENBLWYDD' SAIN yn 21
Tudalen 14
POSTYR ANGHREDADWY YN RHAD AC AM DDIM!!

PWY UFFAR ydi HWN?

Theatr Ddieithr AR DAITH

CLIVE ROBERTS
STEWART JONES
MICHAEL POVEY

MAI (1–13)
1–Y Gegin, CRICIETH
2–Ysgol Glanymor, PWLLHELI
3–Neuadd Goffa, AMLWCH
4–Ystafell Jazz, Prifysgol BANGOR
5–Neuadd Buddug, Y BALA
6–DOLGELLAU
8–Ysgol Uwchradd Glan Clwyd, LLANELWY
9–LLANFYLLIN
10–Neuadd Acholiadau, Prifysgol ABERYSTWYTH
11–CAERFYRDDIN
12–Theatr Stiwdio Casson, CAERDYDD
13–Theatr Casson, CAERDYDD

RYDYCH NEWYDD BRYNU EICH COPI CYNTAF O SWN A ydych chwi am brynu'r rhifynnau sydd i ddilyn? Mae'n rhaid i'r papur yma fod ar y blaen i bob dim arall sydd yn y byd pop. Am ei fod allan bob deufis mae'r papurau wythnosol yn cael y blaen arnom gyda newyddion & ati. Felly bydd yn rhaid i SWN fod ar y blaen gyda syniadau gwreiddiol ac nid ydym ni yn brin o'r rhain.

Mae'r byd pop ar hyn o bryd yn weddol ddistaw ac mae'n rhaid meddwl sut y gellir rhoi mwy o gyffro ynddo. Mae'n rhaid arbrofi. Mae SWN yn gobeithio gwneud hyn, nid yn unig ar dudalennau'r papur, ond hefyd yn ymarferol o fewn y byd pop. Gwyliwch y rhifynnau sydd i ddod am fanylion. Ond cofiwch mae'n rhaid cael eich cefnogaeth, chwi. Felly darllenwch SWN o glawr i glawr, mwynhewch o, a gwneud digon o SWN os nad yw papeth fel y dylai fod.

Y GOLYGYDDION

Tudalen 5 –SWN yn siarad â HEATHER JONES!

Rhai o'r cylchgronau
oedd yn rhoi sylw i
ganu pop Cymraeg.

Y Brenin Ri – Dewi Pws yn perfformio yn y sioe *Nia Ben Aur* yn
Eisteddfod Caerfyrddin 1974.

Gyferbyn: Dewi Pws ar y ffordd i ben 'Mynydd Gelli Wastad' ac yn gwisgo'r
macyn gwddf coch – rhan o lifrai Edward H a phob un o'u dilynwyr pybyr.

Osian a Nia – Cleif Harpwood ac Heather Jones yn chwarae'r prif rannau yn yr opera werin *Nia Ben Aur*.

12 / 'Dixi Daun'

Un raglen deledu Gymraeg a hoeliai sylw ieuenctid, a'r teulu cyfan, ar ddiwedd 60au a dechrau 70au'r ganrif ddiwethaf oedd *Disc a Dawn*. Dyma olynydd y rhaglen *Hob y Deri Dando*, ac yn debyg i *Discs a Gogo* ar deledu masnachol Prydeinig, a *Top of the Pops* ar rwydwaith y BBC, roedd y rhaglen Gymraeg ar nos Sadyrnau yn ceisio rhoi cyfle i artistiaid hybu gwerthiant eu recordiau. Dyhead pob cyw berfformiwr oedd ymddangos ar *Disc a Dawn* er mwyn gosod y sticer ar ei ges gitâr, derbyn galwadau i berfformio mewn Nosweithiau Llawen a chael cynnig i dorri record. Mewn geiriau eraill, roedd llwyddo i gyrraedd y rhaglen, a llwyddo ar y rhaglen, yn gam tuag at enwogrwydd.

Datblygodd fformat a chynllun y rhaglen o gyfres i gyfres. Cyflogwyd amrywiaeth o gyflwynwyr yn cynnwys Gareth Owen, a ddilynodd yrfa fel cyfreithiwr yng Ngheredigion yn ddiweddarach, Ronnie Williams, Dewi Pws, Huw Jones, Endaf Emlyn a Mici Plwm. Rhydderch Jones a Ruth Price, o dan adain pennaeth Adran Adloniant BBC Cymru, Meredydd Evans, oedd wrth y llyw. Aed ati i ddarlunio rhai caneuon ar ffilm ond er gwaethaf pob dyfeisgarwch, doedd y rhaglen ddim yn plesio pob beirniad. Wrth i'r bwlch rhwng artistiaid megis Hogia'r Wyddfa a Tony ac Aloma ar y naill law a Meic Stevens a Hergest ar y llall ymledu, cynyddu wnâi'r feirniadaeth fod y rhaglen yn syrthio rhwng dwy stôl. Doedd yr ieuenctid ddim yn blês fod eu rhieni a hyd yn oed eu teidiau a'u neiniau'n cael eu swyno gan rai o'r perfformwyr. Nid felly oedd hi pan fydden nhw'n gwylio'r rhaglenni Saesneg cyfatebol. Roedden nhw wedi hen arfer â thwt-twtian aelodau hŷn y teulu wrth wylio'r Dave Clark Five neu'r Rolling Stones.

Byddai'r cynhyrchwyr yn eu hamddiffyn eu hunain trwy ddweud nad oedd yr un dewis o artistiaid ar gael yn Gymraeg ag oedd yn Saesneg ac nad oedd yr artistiaid Cymraeg i gyd o safon dderbyniol. Doedden nhw ddim chwaith am wahodd yr un artistiaid yn ôl i'r stiwdio yn ormodol. Fe fydden nhw, felly, yn rhoi cyfle i artistiaid nad oedden nhw'n adnabyddus yn y byd Cymraeg, a hynny er mwyn ceisio'u denu i berfformio yn Gymraeg. Enghreifftiau o hynny oedd artistiaid megis Iris Williams, Triban a'r Hennessys. Ond, ym marn rhai, roedd hi'n boenus o amlwg nad oedd yr artistiaid hynny'n gartrefol mewn awyrgylch Gymraeg a'u bod yn dreth ar amynedd y gwylwyr. Doedd beirniad radio a theledu *Y Faner*, Charles Huws, ddim yn enwog am ei seboni. Defnyddiai yntau ddychan fel arf hefyd:

Rwyf wedi rhoi'r gorau i obeithio dim gan bobl *Disc a Dawn* bellach. Rhagddi yr aiff y gyfres beth bynnag ddywedith neb, yn y dull gor-lathraid presennol. O am ddyddiau 'Sgubor Lawen'! A'r duedd ddiweddaraf oll yw mynd mor wirion â'r hen Westgate druan yn y *Western Mail* wrth geisio dod o hyd i bobl gyda chysylltiad â Chymru. 'Dyma hi yn syth o lwyfannau Llundain wedi dychwelyd i'r hen wlad o'r diwedd (roedd ei hen nain yn mynd i farchnad Abergafenni bob dydd Llun ar y trên o Henffordd). Ddalltwch chi ddim gair ddeudith hi ond be 'di'r ots am hynny, 'nte? Eich feri own Myrtle Myfanwy. (Myrtle Montague maen nhw'n 'i galw hi yn Lloegar ond rydan ni'n hoffi Cymreigio'r enwa 'ma chi. Pop o naws Gymreig sydd gennym ar 'Dixi Daun'.)[1]

Roedd Edward H Dafis yn drwm ei lach ar agwedd arall o'r rhaglen a flinai lawer o artistiaid a gwylwyr, sef y gerddoriaeth gefndir a ddarperid ar gyfer y caneuon. Cerddor amryddawn ond di-Gymraeg, Ted Boyce, aelod o staff y BBC, oedd yn gyfrifol am y trefniannau. Doedd Edward H, yn sicr, ddim yn gyfaill iddo:

Oni ddaeth yn amser i werthu (neu roi) Ted Boyce a'i griw i Fyddin yr Iechydwriaeth neu i Alun Williams at 'Old Tyme Dancing'? Nid yw'r mwyafrif o'r cerddorion yn hyddysg yn yr iaith sy'n cadw'r pres yn eu pocedi, nac ychwaith yn gwneud ymdrech i'w hadnabod. Yn ogystal â'r anghyfiawnder ideolegol, gall hyn effeithio'n arw ar ddehongliad yr arweinydd o'r caneuon, fel y digwydd yn aml, pryd y clywir cerddoriaeth gefndir hollol anghydnaws â'r gân ei hun.

Ynglŷn â'r cerddorion eu hunain; pam na all Ted 'Arpeggio'
Boyce chwilio am ddull newydd i orffen cân, yn hytrach na'r
diweddglo *Come Dancing*-aidd a glywir i 95 y cant o'r caneuon?
Pam na ellir cynnig dyn y clarinet a'r sacsoffon fel gwobr raffl i
Ferched y Wawr? Pam na ddywed rhywun wrth Derek 'Glissando'
Boote fod *tone control* ar ei gitâr £150, a bod mwy o *intervals* yng
ngherddoriaeth y Gorllewin na'r 4ydd a'r 5ed perffaith? Pam na
ddaeth Siôn Corn â drymiau go-iawn i John Tyler er mwyn iddo
gael lluchio'r tuniau bisgedi a'r brwshus dannedd sydd ganddo ar
hyn o bryd? Pwy a all ateb yr holl gwestiynau tyngedfennol hyn?[2]

Dilyn yr un trywydd a wnâi prif erthygl y rhifyn cyntaf o'r cylchgrawn
Sŵn. Yn amlwg, roedd y golygyddion yn torri eu boliau eisiau cyhoeddi'r
cylchgrawn petai ond er mwyn lambastio *Disc a Dawn*:

A yw'r bobl sy'n trefnu'r gerddoriaeth gefndir yma mewn cysylltiad
digon da â cherddoriaeth bop Gymraeg? Ydyn, mewn un ystyr –
maent mewn cysylltiad ag artistiaid sy'n apelio at y bobl hŷn, e.e.
Tony ac Aloma, Hogia'r Wyddfa, am mai dyma'u petha nhw. Ond i
mi, nid hyn yw CANU POP! Mae canu pop IAWN i fod i anelu at y
bobl ifanc. Gwir, mae 'na le i'r math cyntaf o ganu pop (sef Tony ac
Aloma ac ati), ond nid ar sioe bop, a dyna, am wn i, yw *Disc a Dawn*
i fod. Os am gael eitemau fel hyn, wel iawn, ond galw'r rhaglen
wedyn yn 'sioe deuluol'.

Mae *Sŵn* yn cynnig fod trefnydd cerddoriaeth *Disc a Dawn* allan
o gysylltiad â cherddoriaeth bop gyfoes. Felly 'does dim ond un peth
y gellir ei wneud – cael gwared ohono. Enghraifft dda o raglen wedi
ei difetha'n llwyr gan y cefndir oedd *Disc a Dawn* lle ymddangosodd
Dafydd Iwan, y Tebot Piws, Y Triban, Heather Jones a Robert
Young. Roedd yr artistiaid ganddynt... ond beth wnaeth *Disc a
Dawn* ond difetha act Dafydd Iwan a'r Tebot Piws. Roedd y cefndir
i'r Triban yn eitha, a chan fod Heather Jones yn canu yn
ddigyfeiliant ni allent wneud llanast o'r gân – diolch byth.
Gorfodwyd i Dafydd Iwan a'r Tebot dderbyn cefndir nad oedd yn
siwtio'r caneuon.

Beth oedd mor arbennig yn Robert Young? Canwr eitha ond a
oedd y ffaith ei fod wedi dysgu un gân Gymraeg yn ddigon i'w gael
ar y rhaglen? Mae hyn yn digwydd yn amal, ond fel arfer mae'r
artistiaid yn Gymry di-Gymraeg. Os ydynt yn ddi-Gymraeg, yn dod
o Gymru ac yn cymryd rhan yn y byd pop Cymraeg, e.e. aelodau o'r
Triban, Hennessys ac efallai James Hogg (yn enwedig ar ôl eu
perfformiad yn 'Sachliain a Lludw') mae hyn o bosib yn ddigon o
reswm ond ni allai Robert Young lenwi yr un o'r cymwysterau hyn.[3]

Os nad oedd hynny'n ddigon, fe fu'n rhaid i griw'r rhaglen ddioddef llid un o wleidyddion amlycaf y cyfnod, George Thomas. Yn ôl y Llafurwr o Donypandy, a gynrychiolai un o etholaethau Caerdydd, roedd y rhaglen wedi ei 'meddiannu gan y cenedlaetholwyr, mor effeithiol â *coup* militaraidd'. Ymunodd Aelodau Seneddol Llafur di-Gymraeg eraill megis Leo Abse ac Alec Jones yn y clochdar drwy honni fod cân a enillodd gystadleuaeth a drefnwyd gan y rhaglen yn cyfeirio at wrthwynebwyr cenedlaetholdeb fel 'bradwyr'.

Bu'n rhaid i Meredydd Evans ddelio â'r cyhuddiadau. Anfonodd lythyr hirfaith at George Thomas yn ei atgoffa o'r traddodiad anrhydeddus o gyfansoddi caneuon gwladgarol yn ymestyn 'nôl at gyfnod Mynyddog a Cheiriog yn y ganrif flaenorol. Pwysleisiodd nad oedd dim yn newydd yn y duedd ac nad lle'r BBC, beth bynnag, oedd dweud wrth gystadleuwyr beth ddylai a beth na ddylai fod yn destun caneuon. Byrdwn y mwyafrif o gyfansoddiadau cystadlaethau *Disc a Dawn* oedd deisyf ymreolaeth i Gymru a pharhad y Gymraeg. 'Cael Cymru'n Gymru Rydd' oedd y gân fuddugol o waith Robin Gruffydd a Rod Thomas a ganwyd gan Iris Williams yn 1974.

Disc a Dawn roddodd gyfle i James Hogg, grŵp o gerddorion di-Gymraeg o ardal Caerdydd, i gyfrannu i'r byd pop Cymraeg. Cychwynnodd hyn draddodiad anrhydeddus o offerynwyr nad oedden nhw'n medru'r Gymraeg yn datblygu'n gonglfeini'r maes. Fe fu'r grŵp yn cyfeilio ar recordiau byr Heather Jones ac fe roeson nhw gic haeddiannol yn nhin y sîn bop Gymraeg. Ond cafwyd sawl rhybudd na ddylid gadael i'w harddull ddylanwadu'n ormodol ar gynnyrch y cyfnod rhag creu unffurfiaeth a merddwr. O leiaf roedd y ffaith iddyn nhw gael cyfle, a'i dderbyn, yn arwydd bod y sîn roc Cymraeg ar ei brifiant ac y gallai cerddorion eraill, boed yn Gymraeg eu hiaith neu'n ddi-Gymraeg, a oedd yn cyfrannu i'r byd Eingl-Americanaidd, hefyd gyfrannu i'r byd Cymraeg. Be-bop-a-lula.

Serch hynny, doedd *Disc a Dawn* ddim yn plesio'r Solomoniaid. Roedden nhw'n disgwyl i'r rhaglen fod yn fwy na ffenestr siop ddi-liw i ganu pop Cymraeg. Disgwylient iddi osod ei stamp ac i greu ei chymeriad ei hun. Wedi'r cyfan, onid cyfrwng creadigol oedd teledu?

Ofnwyd na fyddai hynny'n bosib hyd nes y byddai pawb allweddol wrth y llyw yn meddu ar ddealltwriaeth lwyr o gyfrwng y teledu, a'r cyfrwng pop, yn ogystal â chydymdeimlad â'r byd Cymraeg. Gwelai Charles Huws hynny'n glir:

> Mae *Disc a Dawn* yn rhan o ddilema pawb sy'n malio am y Gymraeg. Gadawer i bawb a fedd farn a syniadau gyfrannu tuag at ddod o hyd i'r trywydd cywir iddi. Y mae gennym lwyddiant radio *Helô, Sut 'Dach Chi?* yn sylfaen, a dim ond mater o amser a chwys yw hi nes cawn raglen deledu lwyddiannus hefyd.[4]

A doedd dim dwywaith fod *Helô, Sut 'Dach Chi?* yn llwyddiant ysgubol. Angor y rhaglen bob bore Sadwrn oedd Hywel Gwynfryn. Roedd gan y gŵr ieuanc o Langefni lond pen o Gymraeg rhywiog, hiwmor byrlymus, a dawn i drin geiriau. Cyflwyno recordiau am yn ail â rwdlan creadigol oedd hanfod y rhaglen. Roedd y cynhyrchydd, Gareth Lloyd Williams, yn gwneud yn siŵr fod Hywel yn cadw'i wrandawyr yn gwbl effro gyda'i wamalu ffraeth. Mabwysiadwyd llawer o'i ddywediadau bachog gan wrandawyr fel rhan o'u clebran dyddiol. 'Hysbys', er enghraifft, fu 'hysbyseb' ar ôl i wrw'r gwifrau dalfyrru'r gair.

Prin oedd y recordiau pan lansiwyd y rhaglen yn 1967 ac roedd yn fater o reidrwydd i fod yn ddyfeisgar er mwyn cynnal diddordeb gwrandawyr. Dros y blynyddoedd fe leisiwyd y gŵyn fod yr un recordiau'n cael eu chwarae'n rhy aml ond ni chafodd y cyflwynydd erioed ei gyhuddo o fod yn *boring*. Cyswllt personol rhwng y cyflwynydd a'r gwrandäwr oedd yn hanfodol. Datblygwyd hen grefft y cyfarwydd i siwtio idiom fodern. Medrai Hywel ei wneud ei hun yn gartrefol ymhob aelwyd a daeth ag ambell gymeriad fel Hiwbyrt a Sidni i'w ddilyn. Eto, roedd eu 'dyfeisio' yn rheidrwydd. Yng ngeiriau Hywel:

> Gwalch oedd Hiwbyrt, wrth gwrs, a fyddai'n gwneud hwyl am fy mhen ac yn fy ngalw yn Cwynfryn a Gwyfyn a phob dim ond fy enw cywir, a hynny er boddhad y gynulleidfa. Cynrychiolai Hiwbyrt yr elfen honno o'r gynulleidfa a fyddai yn gwneud hwyl am fy mhen a hefyd cynrychiolai elfen ohonof innau wrth iddo wneud hwyl am ben rhyw sefydliad neu'i gilydd – rhywbeth na fedrwn ei wneud fel

Hywel Gwynfryn. Tebyg oedd pwrpas Sidni a gynrychiolai'r gweithwyr cyffredin, a feddai rywfaint o hynodrwydd, a chan mai 'handiman' yn y BBC oedd o, profai fod yna weithwyr digon cyffredin ac ambell chwilen yn eu pennau yn gweithio fanno hefyd.[5]

Daeth y rhaglen i ben ar ôl naw mlynedd pan benderfynwyd ehangu'r gwasanaeth radio Cymraeg a gwahodd Hywel i fod yn angor rhaglen foreuol ddyddiol ar wasanaeth Radio Cymru, *Helô Bobol*. O ran ei ddawn, profodd Hywel Gwynfryn ei hun yn gymaint meistr ar ei gyfrwng ag y gwnaeth y Gwyddel, Terry Wogan, ar donfeddi radio'r rhwydwaith Prydeinig. Ni lwyddwyd i sefydlu rhaglen deledu debyg yn ymwneud ag adloniant ysgafn gyda'r un awdurdod. Er i Hywel ei hun ddablach yn y maes yn ddigon hyderus a chymen profwyd mai agosatrwydd y meicroffon radio oedd ei wir gyfrwng.

Ar ôl i *Disc a Dawn* ddod i ben yn 1973 gwantan fu'r ddarpariaeth deledu o ran y canu pop. Ychydig o gyfle gafodd Edward H Dafis i'w brofi ei hun ar y teledu ym mlynyddoedd ei anterth. Darlledwyd *Gwerin '74* a rhoddwyd sylw i Alan Stivell ac artistiaid Celtaidd eraill. Erbyn 1976 roedd gŵr wyth ar hugain oed o Sir y Fflint wedi ei benodi yn gynorthwy-ydd cynhyrchu i Ruth Price. Bwriadai Pete Edwards, mab yr actor Meredith Edwards, newid pethau. Cyfaddefodd ar goedd yr hyn a ystyriai yn rhai o wendidau'r gorffennol:

> Fel adran rydym yn ymwybodol o'r beirniadu hallt a fu o rai cyfeiriadau o'r cyfresi adloniant diweddaraf, a chydnabyddwn ein bod yn tueddu i fod yn or-ganolog yma yng Nghaerdydd. Oherwydd hyn rydym yng nghanol cynnal dau ddeg dau o ragbrofion mewn canolfannau ledled Cymru o hyn i ddiwedd yr Hydref. Ein gobaith yw canfod wynebau a synau newydd.[6]

Fe fu Pete yn gweithio yn y theatr y tu hwnt i Gymru gan fagu gorwelion eangfrydig a meithrin synnwyr o safon perfformio a olygai fod rhaid anelu i gyflawni'r gorau bob amser. Bwriad y bachan yma oedd cydio'n dynn yng nghyrn yr aradr a dilyn y wedd yn ddiwyro nes cyrraedd pen y dalar. Parod oedd i fentro i unrhyw gyfeiriad er mwyn gwthio'r ffiniau. Parotach fyth oedd i weithio gyda phobol o'r un anian. Roedd y llanc diwastraff ei eiriau yn hyddysg yn y be-bop-a-lula. Roedd yna ambell enaid hoff cytûn a oedd yr un mor ddidostur adeiladol

wrth adolygu recordiau er mwyn chwynnu'r symol. Dyma adolygiad
Edward H Dafis o record y grŵp, Genod Ni:

Credais, ar ddiwedd y 60au, inni weld yr olaf o gloriau ag arnynt
ferched yn sefyll yn ffurfiol ger llyn neu afon, yn gwenu'n hawddgar,
ac yn dal gitâr neu ddwy ond, ffiaidd beth, ym 1972 oleuedig, wele
un arall!

'Mae'r oll yn gysegredig' – geiriau o'r math gwaethaf a glywir yn y
gân hon. Gwyddom oll, bellach, mor hardd yw Cymru, a brysied y
dydd pan welwn yr olaf o'r caneuon 'El Dorado' hyn. Mae'r gân
yma'n waeth na 'Mae'n Wlad i Mi' sydd flynyddoedd yn hŷn. Does
gan y genod ddim lleisiau addas i ganu 'pop'; maent yn rhy glasurol
eu naws, a chonfensiynol ac anniddorol yw'r gynghanedd. Ni
chyfranna'r gitâr undonog ddim tuag at wella'r cyflwyniad. Bydd y
gân yn siŵr o fod yn llwyddiant ysgubol:

'Mi Glywaf Dyner Lais' – tebyg i Ieuan Gwyllt wylltio'n go arw ar
ôl clywed y trefniant yma o'i eiriau. Mae'r genod fel petaent yn
cymryd y geiriau'n ysgafn ac yn eu canu'n union fel petaent yn canu
cân werin mewn tafarn. Ni cheir dim amrywiaeth rhwng y pennill
cyntaf a'r olaf. Byddai disgrifio'r perfformiad fel un di-
argyhoeddiad yn dra charedig. Ond, dyna ni, mae pawb yn canu
caneuon Cristnogol heddiw, beth bynnag fo'u cred neu ddiffyg cred;
mae'n talu:

(O.N. Clywais si fod rhyw Ffrancwr wedi cyfansoddi alaw arall
erbyn hyn, heblaw 'Plaisir d'Amour', ond ni dderbyniwyd cadarnhad
eto.)

Ochr II: 'Dici Bo' – y gân waethaf yn y Gymraeg. Cofiaf i mi
glywed hon ar *Disc a Dawn* rai blynyddoedd yn ôl, ac er i gannoedd
o ganeuon erchyll ymddangos ers hynny, saif hon ar ei phen ei hun.
Ni allaf feddwl am ansoddeiriau parchus i'w disgrifio. Nid af i
fanylion gan fod cymaint o lol yn y gân. Mae'r teitl ei hun yn
ddigon; yna cawn ' ...boi smashing...', ' ...made to measure...',
'...siwt Moss Brothers...' Yn ôl ei ddisgrifiad cyfaill go hagr yw'r
Dici Bo 'ma.

b) 'Miri Melyn' – Mae hon bron mor ddrwg â 'Dici Bo'. Cawn ein
sicrhau fod posib caru yn sêt gefn Mini heb '...lol na strach...' Dwn
i ddim? Beth ddywedai Alec Issigonis neu'r Arglwydd Stokes tybed?
Cân yn llawn gimics a geiriau estron unwaith eto. Pam fod llawer o
ganeuon Genod Ni yn gorffen yn yr eglwys? Dyheadau, efallai? Plîs,
Glyn Roberts ac Ann Parry, peidiwch â sgwennu rhagor o betha fel
hyn.

c) 'Ffarwél' – y gân orau ar y record. Mae'r alaw yn ddymunol a'r
geiriau'n ddigon derbyniol, er bod y perfformiad hwnt ac yma

braidd yn flêr ac arw. Cawn atgof o ganu penillion yma ac acw, ond trueni nad yw'r gynghanedd yn newid yn rhai o'r penillion. Rhaid fod 'Sain' wedi mynd i archifau'r BBC i gael piano y 40au ar y gân hon. Fe'm hatgoffir o nosweithiau llawen Neuadd y Penrhyn gan sain y piano. Daw'r gân ddymunol i ben gyda chord hynod simsan.[7]

Does dim cofnod fod Genod Ni wedi cyhoeddi record arall. Chawson nhw ddim lwc yn dringo siart *Y Cymro* gyda'r record yma chwaith. Teg nodi taw cwmni recordiau Tŷ ar y Graig oedd yn gyfrifol am y record. Sefydlwyd y cwmni gan ddau weinidog, ac yn ogystal â chyhoeddi llyfrau yn y cywair crefyddol, roedden nhw'n mentro i'r un cyfeiriad yn y byd recordiau. O fewn ychydig flynyddoedd o'i sefydlu fe roddwyd y gweithgarwch recordio yn nwylo Sain.

O ran adolygu, er mwyn gwahanu'r grawn oddi wrth yr us, medrai Arfon Gwilym ei dweud hi hefyd. Bu'n adolygu rhai o recordiau Cwmni'r Dryw gan ganolbwyntio ar offrwm y Gwyngyll, criw o ferched o Ynys Môn:

Mae'n anodd dweud yn union at ba garfan o wrandawyr recordiau Cymraeg yr anelir y record hon; yn siŵr nid at bobl ifanc blaengar y mae'n well ganddyn nhw'r canu Cymraeg cyfoes a phroffesiynol. Saith o ferched o Lanfairpwll sy'n canu ar y record, yn nes at y canol oed na'r ifanc yn ôl y llun sydd ar y llawes – nid bod hynny'n gondemniad ynddo'i hun, wrth gwrs.

Mae yma leisiau cyfoethog. Mae yma ymgais ganmoladwy i gyfansoddi alawon gwreiddiol ar eiriau hen a newydd. Ond mae'n bosib fod y lleisiau'n rhy gyfoethog i'r math o ganu ysgafn sydd yma, a go wan yw geiriau fel hyn yn y gân gyntaf:

Holant beth yw pwrpas cadw'r iaith,
Rhaid mynd i'r cyfandir i gael gwaith;
Ni fydd neb yng Nghymru cyn bo hir,
Ewropeaid ydym oll trwy'r tir.

Nid yw'r ddelwedd 'bopaidd' y ceisir ei chreu drwy gyfrwng y drymiau a'r organ yn taro deuddeg o gwbl. A dweud y gwir mae'r organ yn debyg iawn i'r math o sŵn a geir ar organ mewn tafarn neu sinema. Popeth yn iawn i un neu ddwy o ganeuon, ond nid y cwbl does bosib? Byddai cyfeiliant piano neu delyn yn welliant mawr petai ond o ran amrywiaeth.

Y gân orau ar y record yw 'Hiraeth am Gymru', mae'n debyg am i'r geiriau a'r alaw gael eu cyfansoddi gan yr un person, sef Bethan Bryn Jones. Hi hefyd sy'n hyfforddi'r grŵp. Cân araf, ar bwnc digon teimladwy, a rhywsut mae lleisiau'r merched yn gweddu'n well yma nag ar y tair cân arall. Digon prin y bydd unrhyw ruthro mawr i'r siopau i brynu'r record. Ond ta waeth am hynny. Yn ôl y llawes mae'r cwmni'n brysur drwy'r gaeaf yn cadw cyngherddau a nosweithiau llawen ar hyd a lled y wlad. Os felly, dalied ati, ferched.[8]

Does dim sôn i'r criw yma, chwaith, gyhoeddi ail record a phrin iddyn nhw roi'r wlad ar dân gyda'u perfformiadau mewn nosweithiau llawen pa mor aml bynnag y bu'r rheiny. Cyhoeddwyd llun o'r Gwyngyll yn *Y Goleuad*, wythnosolyn y Methodistiaid Calfinaidd, ac fe ddisgrifiwyd yr aelodau fel saith o wragedd priod, pump ohonyn nhw'n aelodau o Ysgol Sul Capel Rhos-y-gad a dwy'n aelodau o Ysgol Sul Capel Rhosgadfan.[9]

Wrth i'r gyfres *Disc a Dawn* ddod i ben fe ddaeth gyrfa Meredydd Evans o fewn y BBC i ben hefyd. Ar ôl deng mlynedd fel Pennaeth yr Adran Adloniant penderfynodd ymuno ag Adran Efrydiau Allanol Coleg y Brifysgol Caerdydd er mwyn trefnu a chynnal dosbarthiadau nos ar hyd y de-ddwyrain. Fe fu ganddo ystod eang o gyfrifoldebau dros faes adloniant ac yn ddi-os ei greadigaeth fwyaf llachar oedd y gyfres gomedi *Fo a Fe*. Gwenlyn Parry a Rhydderch Jones oedd awduron y sgriptiau a fu'n cyfleu'r gwrthdaro rhwng y Gog a'r Hwntw trwy gymeriadau Ephraim (Guto Roberts), yr organydd capelgar, a Twm Twm (Ryan Davies), y colier a gadwai golomennod. Deil y gyfres yn ddoniol hyd heddiw. Ond doedd hi ddim yn plesio Pwyllgor Materion Cymdeithasol y Methodistiaid Calfinaidd ar y pryd:

Y mae'n ofidus gennym er hynny weld a chlywed y defnydd aml a wneir o regfeydd, cabledd ac yfed diodydd meddwol, nad ydynt yn aml yn cyfrannu dim at gomedi sefyllfa nac at gyfoeth cymeriad. Andwyir rhaglen deuluol dda fel *Fo a Fe* gan y duedd hon, ac yn wir y mae'r arferion llygredig yma yn britho dramâu ac adloniant ysgafn...[10]

Dyma sut yr aeth Merêd ati i ateb y cyhuddiadau:

Ffaith bwysig i sylwi arni yn y cyswllt hwn yw bod y rhegi a'r diota
yn ddieithriad yn gysylltiedig â'r cymeriad Twm Twm. Ni ellid
darlunio TT heb rywfaint o regi a rhywfaint o ddiota. Ni ellid
darlunio Ephraim chwaith heb ddyfynnu adnod ac emyn.
Ymhellach, pe darllenid y sgriptiau yn fanwl fe welid bod rhegfeydd
TT fel rheol yn codi o wylltineb. Nid yw byth, fel y dwedwn, yn
rhegi mewn gwaed oer. Nid yw chwaith yn gableddus – fel y dywed
yn un man wrth ymateb i gerydd gan Ephraim, ni orchmynnwyd
iddo erioed i beidio â chymryd enw'r diafol yn ofer. I diriogaeth y
diafol y perthyn rhegfeydd TT...
    Ynglŷn â'r busnes yfed 'ma, does gen i ond un sylw cyffredinol
i'w wneud – ni allaf feddwl am unrhyw enghraifft o ymddygiad
anweddus yn gysylltiedig â diota TT. O'r safbwynt hwn rhyw ddiota
digon diniwed oedd diota 'Fe'... roedd 'Fo' wrth gwrs yn
llwyrymwrthodwr.[11]

Rhan o ddoniolwch sylfaenol y gyfres, wrth gwrs, oedd 'gwendidau'
Twm Twm a'r modd y byddai'n ymateb i foesgarwch Ephraim. Heb
hynny ni fyddai yna gomedi. Roedd y ddau ond yn adlewyrchu
cymeriadau cyfarwydd i'r gwylwyr. Dyna pam roedd creadigaethau'r
sgriptwyr yn gredadwy ac yn taro deuddeg. Ac un o gaffaeliadau Merêd
oedd sicrhau bod yna actorion teledu proffesiynol ar gael i gyflenwi
anghenion y cyfrwng. Un wers a ddysgodd ar ôl y gyfres gyntaf honno
o *Hob y Deri Dando* oedd yr angen i feithrin talent a fedrai weithio
gyda chamera teledu – disgyblaeth wahanol i berfformio ar lwyfan
neuadd bentref. Dyna pam y cyflogwyd pobol fel Bryn Williams, a
fu'n aelod o'r *Black and White Minstrel Show* a gynhyrchwyd gan
deledu'r rhwydwaith, a Ryan Davies, wrth gwrs, a oedd yn un o sêr
gweithgareddau Aelwyd yr Urdd yn Llundain. Roedd yn rhaid wrth
gnewyllyn o actorion a diddanwyr i fod wrth law yn barhaol er mwyn
creu amrywiaeth o raglenni adloniant.

    Datblygodd *Ryan a Ronnie* yn sioe deuluol boblogaidd gan feithrin
hiwmor a oedd yn Gymreig ei naws. Byddai'r ddau'n cael eu cymharu
â *Morecambe and Wise* ar y rhwydwaith. Yn wir, ar ôl sefydlu sioe
deledu Saesneg yn seiliedig ar hiwmor y Cymoedd fe dreuliodd Ryan
Davies a Ronnie Williams yr haf yn difyrru ymwelwyr yn un o theatrau
Blackpool. Fe fu'r ddau hefyd yn cynnal cyngherddau ledled Cymru
gan gyflwyno toreth o ddiddanwyr 'canol y ffordd'. Ond roedd yr elfen

be-bop-a-lula wedi'i gyfyngu i ddynwarediadau Ryan a Ronnie o artistiaid fel Huw Jones ac Iris Williams. Doedd neb tebyg i Ryan am ganu 'Myfanwy' yn goferu o deimlad na chwaith rhai o'i gyfansodd-iadau ei hun megis 'Nadolig? Pwy a ŵyr?' a 'Ti a dy ddoniau'. Cymaint oedd ei ddawn fel y medrai Ryan ganu cerdd dant mewn clwb nos a chael gwrandawiad!

Ar ôl *Helô, Sut 'Dach Chi?* fe ddaeth *Ymbarél* a phartneriaeth arall, sef Wynford Elis Owen fel cyflwynydd ac Eurof Williams fel cynhyrchydd. Rhoddwyd cyfle i'r gwrandawyr glywed tapiau o ganeuon artistiaid ac ambell recordiad o sesiwn byw. Wrth i'r gwasanaeth ehangu, fe ddaeth Dei Tomos a Richard Rees a'u rhaglenni bore Sadwrn yn chwarae recordiau a chyfweld amrywiaeth o bobl. Doedd dim lle i gwyno am ferddwr a diffyg cyffro mwyach. Ffrwyno'r hyn a oedd yn digwydd oedd yr her a'i gyflwyno gyda graen. Ac roedd yna bobl a droes eu cefn ar y sîn Gymraeg oedd yn awr yn dechrau gwrando a chymryd sylw ac yn ystyried cyfrannu.

Serch hyn i gyd, roedd colofnydd radio a theledu *Y Cymro*, Ned Thomas, o'r farn nad oedd y cyfryngau wedi llwyddo i adlewyrchu'r bwrlwm mewn modd creadigol:

> Gall fod pethau eraill yn rhwystro'r awdurdodau darlledu rhag cefnogi pop Cymraeg fel y dylent – y pellter daearyddol-seicolegol rhwng Caerdydd a Gwynedd (lle mae cymaint o weithgarwch): hefyd, o gofio honiadau George Thomas am *Disc a Dawn*, synnwyr gwleidyddol; ond, yn fwy na dim, yr anallu i weld fod angen cyflwyniad gwahanol ar ddefnydd sy'n gynnyrch sefyllfa wahanol i'r un a greodd y pop Eingl-Americanaidd wrth gymharu'r ychydig gantorion yng Nghymru a'r llif parhaol dros y ffin.
>
> Mae'n bryd i'r cyfryngau roi eu hadnoddau gorau i gyflwyno'r ychydig artistiaid o wir safon sydd gennym yn y maes, ac i wneud hynny mewn dull nad yw'n dynwared *Top of the Pops*. Os oes modd i Edward H gyfuno'r traddodiadol, gwerin a roc, siawns nad oes modd arbrofi yn yr un ffordd yn deledol.[12]

Recordio *Disc a Dawn* – cynulleidfa wadd yn y stiwdio.

Rhydderch Jones, Ruth Price a Glenys Forrester – tîm cynhyrchu *Disc a Dawn*.

Emyr ac Elwyn – deuawd ganol-y-ffordd.

Yr Hennessys – grŵp Gwyddelig-Gymreig o Gaerdydd. Cafodd Dave Burns, Frank Hennessey a Paul Powell gyfle i ganu'n Gymraeg ar *Disc a Dawn*.

Rene Griffith o Batagonia.
Meistr ar y gitâr Sbaenaidd a
pherfformiwr oriog.

Hywel Gwynfryn

Yr anfarwol amryddawn Ryan Davies. Medrai hawlio
gwrandawiad i gerdd dant mewn clwb swnllyd.

13 / Chwysdrabŵd stegetsh

Yn ystod haf 1971 roedd Myfyr Isaac mewn penbleth ynghylch dewis gyrfa. Hyderai ei deulu y byddai'n gadael pentref Llanafan, ar gyrion Aberystwyth, i ddilyn cwrs peirianneg yng Nghaerdydd. Ond, ar ôl cryn wewyr meddwl, penderfynodd y crwt dwy ar bymtheg oed ei hanelu hi am Hambwrg, yng Ngorllewin yr Almaen, gyda'i gitâr ar ei gefn. Byth ers iddo dderbyn gitâr yn anrheg gan ffyddloniaid eglwys y plwyf roedd Myfyr wedi gwirioni ar y canu roc. Pa grwpiau bynnag fyddai'n perfformio yn neuaddau Aberystwyth fe fyddai Myfyr yno, wrth ymyl y llwyfan, yn gwylio ac yn gwrando ar arddulliau'r gitarwyr. Cwta dri mis y parodd ei arhosiad yn Hambwrg ond roedd y profiad o wrando ar gerddorion clybiau'r porthladd yn gyfwerth â thair blynedd o goleg iddo. Bu'n rhaid iddo gysylltu â'i deulu i fegian am arian i dalu am docyn llong yn ôl i Gymru.

Ar ôl dychwelyd, nid ildiodd i'r demtasiwn o gydio yn y cwrs yng Ngholeg Llandaf. Roedd twymyn y gitâr wedi cydio ac fe benderfynodd ymuno â chriw o'r un anian ac ymgartrefu mewn bwthyn ger pentref Eglwyswrw yn Sir Benfro. Buan y sylweddolodd fod diogi a chwennych profiadau arallfydol yng ngoleuni'r sêr yn mynd â mwy o fryd y criw nag ymarfer trin tannau gitarau. Doedd cyfyngu ei dalent i gyfeilio mewn sgets gyda chriw Clwb Ffermwyr Ifanc ddim yn rhoi digon o foddhad iddo. Cododd ei bac a throi am Gaerdydd i barhau â'i brentisiaeth yng nghlybiau'r brifddinas. Erbyn diwedd y 70au, ar ôl profiad helaeth yn y byd Eingl-Americanaidd, yn cynnwys cyfnod yn America gyda'r grŵp Budgie, roedd Myfyr wedi cyfrannu'n helaeth at y byd Cymraeg.

Yn ystod yr un cyfnod roedd hogyn o Benrhyndeudraeth yn ysu i gefnu ar wersi ysgol er mwyn chwarae gitâr yn llawn amser. Roedd Dafydd Pierce eisoes wedi ffugio ei fod yn hŷn na'i oed er mwyn chwarae gyda bandiau mewn clybiau ar hyd y Gogledd. Treuliodd dipyn o'i amser yn Llundain gan droi ymhlith cerddorion roc blaenllaw'r cyfnod. Cyn pen dim roedd yn hedfan i Los Angeles i chwarae ar record Chris Jagger, brawd yr enwog Mick. Cyrhaeddodd *The Adventures of Valentine Vox the Ventriloquist* waelodion siartiau America ac fe gyfeiriwyd at Dafydd fel *'the wild Welshman'* mewn adolygiad yn y cylchgrawn *Rolling Stone*. Daeth Dafydd yn gyfarwydd â bywyd hedonistaidd y byd roc lle'r oedd pob pleser ar gael am bris. Ond doedd cnocio ar ddrysau stiwdios recordio er mwyn cael gwaith sesiwn ddim yn dasg hawdd. Ar ôl tair blynedd dychwelodd i Gymru a thrwy siawns dechreuodd gyfrannu at y sîn Gymraeg.

Yn ystod yr un cyfnod roedd tri Chymro Cymraeg o orllewin Sir Gaerfyrddin a Chymro di-Gymraeg o Hwlffordd wedi ffurfio grŵp o'r enw Rainbow. Roedden nhw'n diddanu cynulleidfaoedd neuaddau a chlybiau yn y de-orllewin ac wedi hen arfer â chynyddu'r sŵn pan oedd yna berygl o glatsio. Fe berswadiwyd Sulwyn Rees, Cleif Richards, John Davies a Colin Owen i fentro perfformio yn Gymraeg. Fe ffurfiwyd y grŵp Chwys a chyda help Ronw Protheroe, aelod o grŵp o'r enw Talcen Crych, fe luniwyd nifer o ganeuon amrwd gyda theitlau sbagal fel 'Neville y Bugail', 'Neidio mewn Porfa' a 'Menyw Bumpunt'.

Digwyddiadau mwyaf cynhyrfus '75 a '76 oedd y *Twrw Tanllyd* a drefnwyd gan Gymdeithas yr Iaith ym Mhontrhydfendigaid ym mis Mehefin. Yn y *Twrw* cyntaf y daeth Chwys i amlygrwydd cenedlaethol gan greu argraff gyda'i sioe yn hytrach na'i gerddoriaeth. Roedd gan Sulwyn gwpwrdd dillad helaeth ar gyfer perfformio 'Gŵr Bonheddig Hael'. Defnyddiai neidr ffug a chwip, yn ogystal â goleuadau, fel rhan o'r act. Ar ôl misoedd o chwarae mewn clybiau di-nod yn y de-orllewin, am fawr mwy na 'diolch yn fawr', roedd y bechgyn yn cael sylw a chymeradwyaeth torfeydd o ieuenctid yr un mor chwysdrabŵd stegetsh ag oedden nhw, a hynny o ganlyniad i gyfnewid iaith eu mynegiant.

Un ar ddeg awr o gerddoriaeth ddi-dor oedd yr addewid yn y *Twrw* cyntaf ym Mhafiliwn y Bont. Doedd dim amau bellach nad oedd y grwpiau mwyaf blaengar yn hidio'r un ffeuen am Nosweithiau Llawen. Roedden nhw'n medru chwarae gerbron cynulleidfa o ieuenctid o'r un anian heb boeni am ferwino clustiau na phechu teimladau'r un Anti Jên ac Wncwl Wil. Dengys rhestr yr artistiaid a wahoddwyd i gymryd rhan pa mor ddwfn oedd isddiwylliant ieuenctid Cymraeg wedi gwreiddio: Cwrwgl Sam, Gwair, Neli, Potes Maip, Gododdin, Unwaith Eto, Mynediad am Ddim, Talcen Crych, Mimosa, Meic Stevens, Brân, Hergest, Huw Jones, Dafydd Iwan ac Edward H Dafis yn ogystal â Chwys a Disgo'r Ddraig.

Roedd Edward H, yn arbennig, wedi creu criw o ddilynwyr ar batrwm yr hyn roedd y grŵp Status Quo wedi'i greu yn y byd Saesneg. Bois Ffostrasol oedd ar flaen y gad gyda'u dillad denim a'r macynnau coch am eu gyddfau yn arfbais ar y llwyfan hefyd. Yn union fel y byddai Francis Rossi yn cerdded ar lwyfan ac yn cyfarch y dorf trwy ddweud, '*hold on, let me scratch my bollocks,*' byddai Dewi Pws yn medru cyfarch cynulleidfa Gymraeg yn yr un cywair cyn taro nodau'r gitâr. Gwahoddiad i'r gynulleidfa i rannu hwyl oedd perfformiadau byw Edward H yn hytrach na gwahoddiad i wrando ar gerddoriaeth ddyrchafol. Yng ngeiriau Dewi:

> Pan fydd Quo yn mynd ar lwyfan ma' nhw'n rhoi'r argraff o beidio gwybod beth fydd yn digwydd nesa. Smo nhw wedi paratoi dim byd. Ma' nhw'n cerdded ar y llwyfan, digwydd gweld gitâr, ei phigo lan a whare. Mwynhau. Ma' nhw'n gwmws fel y bois cyffredin yn y gynulleidfa. Falle fyddan nhw'n drachtio o botel gwrw yng nghanol cân ac yn poeri ar y llawr. Sdim byd yn prima donnaish am y grŵp. Yr un peth 'da Edward H, wi'n teimlo. Trio ei gwneud yn hawdd i'r mecanics a'r seiri yn y gynulleidfa deimlo'n gartrefol. Sdim ishe becso mo'r dam, nag oes e? Ar Fynydd Gelli Wastad smo nhw'n becso dam, byt, nag y'n nhw.[1]

Bu'n flwyddyn dda i Edward H. Nid gwrando'n slafaidd a wnâi'r cynulleidfaoedd mwyach ond ymateb yn reddfol swnllyd aflonydd.

Gwelwyd tystiolaeth amlwg o'r modd roedd y grŵp wedi gafael yn nychymyg ieuenctid ym Mhafiliwn Eisteddfod yr Urdd ym Mhorthaethwy ar y nos Sadwrn. Ar ôl i'r gynulleidfa gymysg ei chwaeth fwynhau perfformiadau Mynediad am Ddim, Arfon Gwilym a Dafydd Iwan fe neilltuwyd y llwyfan ar gyfer Edward H. Fu yna erioed y fath rycsiwns. Heidiodd yr ieuenctid o'u seddau i'r tu blaen a gwelwyd arswyd, panig a phryder ar wynebau swyddogion y mudiad. Bu rhai o'r stiwardiaid mor ffôl â chyhuddo Edward H o fod yn anghyfrifol drwy achosi'r fath bandemoniwm. Diffoddwyd y cyflenwad trydan am gyfnod. Bu'n rhaid i swyddogion yr Urdd dderbyn esboniad Dewi, a sylwadau llai cwrtais Charlie, mai mwynhau eu hunain oedd yr ieuenctid yn yr un modd ag y bydden nhw ymhob gig o eiddo'r grŵp. Ildiodd y swyddogion ac fe symudwyd y rhesi cadeiriau yn y blaen er mwyn caniatáu i'r cynnwrf barhau.

Doedd dim disgwyl i'r cyffro bylu pan ddaeth yn amser i'r pump droedio i'r llwyfan i ddiweddu'r ail *Dwrw Tanllyd* ym Mhontrhydfendigaid ar Fehefin 26 1976. Eisoes cyhoeddodd Edward H y byddai'n chwalu ym mis Medi ac roedd heidiau o ieuenctid am dalu gwrogaeth i grŵp roedden nhw bellach yn ei ystyried yn rhan o'u prifiant. Nid yn annisgwyl fe lewygodd Cleif ar derfyn y perfformiad a hynny'n tanlinellu'r straen a wynebai'r grŵp bob penwythnos. Ar y pryd mae'n bosib y byddai Edward H wedi medru mentro yn broffesiynol. Ond roedd gan yr aelodau gyfrifoldebau eraill a gwyddent, pa mor ofalus bynnag y bydden nhw'n trefnu gyrfa'r grŵp, y byddai'r dyfodol yn fregus ac o bosib yn fyrhoedlog. Doedden nhw ddim yn cael gwaith teledu ar y pryd a doedd trefnwyr dawnsfeydd ddim yn enwog am eu graslonrwydd wrth arwyddo sieciau. Arferai'r bois barodïo'r trefnwyr:

> Allwch chi ddod i wneud cyngerdd fach. Allwn ni ddim talu llawer.
> Ond bydd pryd bach o fwyd da yn y'ch dishgwl, a diawch bois,
> whare teg, chi'n gwneud gwaith da. Chi'n dod te?[2]

Yn ôl rhaglen y noson *Twrw Tanllyd* roedd gan Cleif Harpwood nifer o bwyntiau i'w codi ynglŷn â'r holl syniad o alluogi canu roc Cymraeg i sefyll ar ei draed ei hun:

Gair mawr ydy proffesiynoldeb, a dydy agwedd felly ddim yn ddigon i rai. Breuddwyd pell ydyw ar hyn o bryd, yn bennaf oherwydd prinder gwaith a diffyg cyfalaf i dalu'r symiau sy'n angenrheidiol i gadw grŵp ar safon weddol dderbyniol o fyw. Does dim elw mewn canu Cymraeg, dim ond digon i dalu costau teithio a'r ddyled 'nôl i'r banc. Pan fo petrol yn agos i'r 80c y galwyn mae rhedeg fan a sawl car i'r Gogledd ac yn ôl yn ddigon o faich heb sôn am dreuliau gwesty.

Fe gymerodd dair blynedd i dalu'r ychydig filoedd o bunnoedd yn ôl i'r banc, ac erbyn hyn mae'r teithio cyson bob pythefnos yn mynd yn dreth ar bawb. Daw Charlie o Lundain bob tro, a'r gweddill o wahanol rannau o Gymru. Mae'r straen ar ben ein gwaith dyddiol yn ormod.

Gobeithiaf y cawn ddyfodol o ddatblygiadau amlochrog er mai'r cyfryngau fydd yn gorfod cario'r baich yn awr. O ddweud hynny rhaid sôn am raglen 'bop' a welais yn ddiweddar. Unwaith eto, cawsom hanner awr o'r sain mwyaf amhroffesiynol a'r cynhyrchu diddychymyg arferol. Rwy'n ddig wrth weld ymateb technegydd sain mewn stiwdio sy'n wfftio tâp proffesiynol oherwydd ei fod yn y Gymraeg. Rhywbeth israddol yw grwpiau Cymraeg yn y lle cyntaf i'r technegwr o Sais.

Rhaid dysgu ein gwersi yn y busnes yma a derbyn beirniadaeth. Er hynny cofiwch nad jôc ydy mentro ar lwyfan a gwybod eich bod mewn dyled aruthrol, ac yn teimlo'r blinder o deithio dair neu bedair awr o flaen llaw cyn hyd yn oed cyrraedd y llwyfan. Yna edrych allan i'r dorf sy'n eich disgwyl mewn neuadd enfawr gan wybod mai system sain gyfyngedig sydd gennych oherwydd prinder cyfalaf. Rhaid meithrin agwedd broffesiynol at eich gwaith er hynny a bod ar eich gorau.

Rhaid i drefnyddion sylweddoli nad eu mudiad nhw'n unig sydd mewn dyled ond y grŵp hefyd. Un o'r profiadau gwaethaf a gawsom oedd chwarae o flaen dwy fil o bobl am awr a hanner a'r trefnydd yn gwrthod ein talu'n llawn. (Nid *Twrw Tanllyd '75* – Gol.) Roedd ganddo'r fath wyneb yr wythnos ganlynol i gyhoeddi elw o naw cant o bunnoedd mewn papur cenedlaethol.[3]

Daeth gyrfa'r grŵp Chwys i ben yn y *Twrw* hwnnw. Ers ei ymddangosiad syfrdanol yn y *Twrw* cyntaf, flwyddyn ynghynt, roedd wedi chwythu ei blwc. Gwreiddiodd anniddigrwydd ymhlith y cerddorion o fewn y grŵp am nad oedd modd datblygu fformiwla dreuliedig. Roedd yna grwpiau eraill hefyd mewn cyfyng-gyngor ac yn ystyried chwalu, newid aelodaeth neu gyfeiriad cerddorol. Roedd hyn i gyd yn arwydd o aeddfedrwydd y be-bop-a-lula. Doedd dim yn sefyll yn ei unfan. Doedd dim merddwr. Mewn erthygl arall yn rhaglen y *Twrw Tanllyd* synhwyrodd Dafydd Iwan fod yna asbri a llawenydd ym mrwydr ieuenctid i'w mynegi eu hunain fel Cymry:

Tua deng mlynedd yn ôl roedd ymgyrch Cymdeithas yr Iaith yn erbyn Swyddfa'r Post yn poethi, ac roedd y byd pop Cymraeg yn cynhesu iddi. Roedd cysylltiad agos rhwng y ddau. Wedi dyddiau Triawd y Coleg a blynyddoedd olaf bendigedig Bob Tai'r Felin, bu cyfnod o dawelwch cymharol. Yna daeth Hogia Llandegai i roi gwisg Gymraeg i ganu sgiffl, a Hogia Bryngwran, Aled a Reg ac eraill – y rhain oedd y proffwydi cynnar, ond yna gwawriodd y byd canu poblogaidd newydd gyda thinc pendant o genedlaetholdeb iach, herfeiddiol, yn amlwg ynddo.

Ddiwedd y 60au a dechrau'r 70au, roedd twf y canu pop Cymraeg yn cydredeg â thwf cenedlaetholdeb ac ymgyrchoedd grymus Cymdeithas yr Iaith. Roedd hyder newydd yn y tir, a pheth cwbwl naturiol oedd i ganeuon ieuenctid Cymru adlewyrchu'r hyder hwnnw.

Am gyfnod, roedd teledu yn ffenestr ac yn llwyfan i'r canu newydd. Ond fel y datblygodd y canu, tynnwyd llenni ar ffenestri'r teledu. Dechreuodd y pynditiaid a'r siniciaid sôn fod y byd pop Cymraeg yn marw. Mae'n debyg fod cynnwys 'gwleidyddol' llawer o'r canu'n dân ar groen y Llywodraeth, ac yn stwmp ar stumog penaethiaid ofnus y byd darlledu. Beth bynnag fo'r gwir reswm, anwybyddwyd agwedd gyfan ar ein diwylliant cyfoes gan y teledu ers rhai blynyddoedd bellach.

Ond diolch i'r drefn, daliodd y cantorion a'r cyfansoddwyr ati, ac amlhaodd y recordiau. Datblygwyd hyder offerynnol ac arbrofwyd mewn sawl dull cyfoes. A'r hyn sy'n wych yw fod y grwpiau trydan wedi dod i fri yn yr union adeg y gwelwyd diddordeb cynyddol mewn canu gwerin traddodiadol a Cherdd Dant. Diolch i grŵp adloniant Cymdeithas yr Iaith, cawn wledd gynhyrfus arall yn y Bont eleni. Daliwn ati. Mae hyn oll yn rhan o'n brwydr fawr i fynegi'n hunain fel Cymry. Llawenydd y frwydr honno yw rhythm ein dawns a chynnwrf ein cân.[4]

Ar lwyfan *Twrw Tanllyd* 1977 gwelwyd penllanw cyfnod o ddatblygiadau cyffrous. Ieuenctid oedd yn trefnu'r digwyddiad, ieuenctid oedd yn perfformio yno ac ieuenctid oedd y gynulleidfa. Byddai pawb a oedd ynglŷn â'r *Twrw Tanllyd* yn cyffesu eu bod ar dân dros barhad y Gymraeg. Roedd yna wefr mewn mynychu rhai o'r gwyliau pop mawr Saesneg, ond ym Mhontrhydfendigaid, y wefr oedd cael bod yn rhan o chwyldro Cymraeg. Gwahoddwyd tua hanner y nifer o artistiaid a wahoddwyd i'r *Twrw* cyntaf. Roedd Mynediad am Ddim wedi gwrthod y gwahoddiad am nad oedden nhw'n credu fod eu caneuon gwerin digyfeiliant, ac ambell gân o waith Emyr Huws Jones i gyfeiliant gitarau acwstig, yn gweddu i'r fath achlysur. Ond roedd Josgin, grŵp o Gaerdydd, yn falch o'r cyfle i dorri ei ddannedd er mai prin oedd y gynulleidfa yn gynnar yn y pnawn.

Yn un o ysgolion uwchradd dwyieithog y gogledd-ddwyrain y sefydlwyd Sidan; grŵp o bum merch ac un bachgen. Un o athrawon Ysgol Glan Clwyd, Yr Wyddgrug, Austin Savage, oedd eu rheolwr yn ystod y cyfnod cynnar pan fydden nhw'n difyrru cynulleidfaoedd capeli yn yr ardal. Fe enillodd Sidan gystadleuaeth y grŵp pop yn Eisteddfod Jiwbilî yr Urdd yn Y Bala, 1972, gyda'r gân 'Lliwiau', pan oedd Dafydd Iwan yn beirniadu, ac fe gyhoeddwyd dwy record fer (Sain 27/40). Lleisiau swynol yn canu harmonïau clòs rhyfeddol oedd i'w clywed ar ganeuon fel 'Cymylau', 'Ai Cymro wyt ti?' a'r emyn-dôn 'Sara'. Roedden nhw mor wahanol i'r grwpiau merched bondigrybwyll, boed y Ceisiaid, Awel y Mynydd neu Glychau'r Nant, a fyddai'n britho tudalennau *Asbri*. O dan adain Hefin Elis fe gyhoeddwyd record hir ryfeddol yn amlygu doniau amryddawn y merched, *Teulu Yncl Sam* (Sain C517).

Gadawodd Hefin ei swydd fel athro ym Mro Morgannwg i ymuno â Chwmni Sain yn llawn amser fel cynhyrchydd. Gwelwyd ei stamp fel cynhyrchydd, trefnydd a chyfansoddwr ar y record yma. Tebyg bod y dewis o deitl yn adlewyrchu ei ddiléit yn yr Eingl-Americanaidd. Ni wadai'r dylanwadau cerddorol o Loegr ac America. Byddai bob amser yn eu ffrwyno a'u haddasu yn sicrwydd ei Gymreictod ei hun. Roedd y modd y llwyddodd i berswadio Caryl Parry-Jones i ganu 'Dwi ddim isio' yn atgoffa'r gwrandäwr o arddull Suzi Quatro. Bellach mae 'Ble'r ei di?' a 'Paid â deud' yn cael eu hystyried yn glasuron Sidanaidd. Mae'r sawl a glywodd y merched yn canu 'Sara' mewn awyrgylch eglwys yn llawn adlais naturiol yn freintiedig. Erbyn diwedd y flwyddyn, fodd bynnag, cyhoeddodd Sidan ei fod yn chwalu.

Cyhoeddodd Caryl ei bod yn cefnu ar y canu neis-neis er mwyn newid delwedd ac ymuno â datblygiadau newydd. A'r fath ddelwedd a'r fath ddatblygiad a welwyd!

Fe brofodd y grŵp Brân sawl metamorffosis. John Gwyn, myfyriwr o Fethesda yn astudio Swoleg yn Lerpwl, oedd yr unig aelod sefydlog. Y brodyr Dafydd a Gwyndaf Roberts o Lwyngwril yn Sir Feirionnydd oedd yr aelodau gwreiddiol ynghyd â Nest Howells o Ynys Môn. Cyhoeddwyd record fer ar label Gwawr ac fe brofodd 'Tocyn' a 'Gwynant' yn boblogaidd. Ond roedd yna artistri yn perthyn i John ac roedd ei olygon ar gyflawni gorchestion amgenach na chreu rhythm a bît y ddawns. Ar ôl i'r brodyr adael i ddilyn eu diddordeb mewn canu gwerin, fe roddodd John wahoddiad i Dafydd Pierce i ymuno â Brân fel gitarydd yn ogystal â Paul Westwell, o Gwmafan, ar y drymiau. Hwn oedd y Dafydd Pierce a fu'n treulio tair blynedd yng nghwmni Rock Brynner a Chris Jagger a'u tebyg yn Los Angeles. Dychwelodd i Groesor a doedd yn gwneud fawr ddim ar wahân i yrru ei fotobeic ar draws rhostiroedd. Ond roedd artistri'r gitâr yn dal ar flaenau ei fysedd. Yn ôl ei arfer, roedd John Gwyn yn disgwyl ymroddiad llwyr i sicrhau llwyddiant Brân:

> Hwyrach fod rhai yn ddiamynedd gyda'r math o gerddoriaeth a chwaraeir gennym ond rwy'n sicr yn y pen draw, ar ôl perffeithio ein fformiwla, y bydd ein dyfalbarhad wedi talu ar ei ganfed. Wrth gwrs, does dim yn waeth mewn cyngerdd neu ddawns, na gweld ymateb llipa oddi wrth gynulleidfa. Y peth hawsaf yn y byd, er mwyn eu boddhau hwy, fyddai chwarae cyfres o ganeuon roc a rôl – ond dydyn ni ddim eisiau gwneud hynny. Rydym yn benderfynol o chwarae yr hyn rydym ni yn mwynhau ei chwarae, gan obeithio y daw cynulleidfaoedd o dipyn i beth i'w fwynhau hefyd. Mae cywireb o fewn cerddoriaeth yn bwysig i mi.
>
> Dyna a wnaeth Edward H Dafis wrth gwrs. Roedd yr Edward H a glywyd ar record yn wahanol i'r Edward H a welwyd ar lwyfan. Chwarae'r caneuon dawnsiadwy a wnâi ar lwyfan oherwydd mai dyna ddymuniad y gynulleidfa. Fel canlyniad, ar record yn unig y clywyd y caneuon gorau cerddorol ac felly ni fedrai'r grŵp ddatblygu'n gerddorol. Nid gosod bai ar y grŵp oherwydd hyn a wnaf, ond ceisio dangos y gwahaniaeth rhwng agwedd Edward H ac agwedd Brân.[5]

Dioddefai'r grŵp Hergest o glwy'r mynd a dod, ac fe bwysleisid, gwaetha'r modd, hyd at boendod fod gan y grŵp bolisi o ganiatáu i bob aelod gyfansoddi caneuon. Delwyn Siôn a Geraint Davies oedd y ddau aelod sefydlog ac roedd y record hir gyntaf, *Glanceri* (Sain C528) wedi ei pharatoi. O wrando ar y record roedd yn amlwg fod yna sawl trywydd posib y gellid ei ddilyn ond doedd yna neb o fewn y grŵp yn ddigon dewr nac yn ddigon hirben i roi arweiniad. Echblygrwydd naturiol Delwyn oedd yn cynnal y grŵp ar lwyfan ond rhoddwyd gormod o ffrwyn ar ei ddawn er mwyn hyrwyddo doniau symol yr aelodau eraill.

Un artist ar lwyfan *Twrw Tanllyd* 1976 a oedd yn amlwg wedi penderfynu newid delwedd oedd Heather Jones. Cerddodd ar y llwyfan yn gwisgo siôl am ei hysgwyddau ac yn canu rhai o benillion 'Colli Iaith', cyn taflu'r siôl o'r neilltu a gwahodd ei cherddorion i daro nodau roc trwm. Blinodd y benfelen o Gaerdydd ar fod yn gantores werin yn cyfeilio iddi hi ei hun ar y gitâr acwstig. Fe gofiai am ddyddiau gwallgo'r Bara Menyn ac roedd hi wedi ymserchu yn nelwedd Janis Joplin, y gantores gras a fu farw ar ôl cymryd gormod o gyffuriau. Penderfynodd wisgo trywsus lledr du a chanu'n ymosodol ddi-gyfaddawd. 'Jiawl', 'Cân Janis' a 'Bachgen' roedd hi'n ei gynnig i gynulleidfa *Twrw Tanllyd* gyda chyfeiliant rhai o gerddorion profiadol Caerdydd yn ei gyrru a'i chynnal. Chwiliai am anfarwoldeb trwy weiddi canu 'Ti yw'r bachgen tipsi, ti sy'n hoffi wisgi', ond swildod oedd yn ei nodweddu yn hytrach nag ysbryd o beidio â becso dam.

Yr Eisteddfod Genedlaethol yn Aberteifi oedd y cyfle nesaf i flasu berw'r be-bop-a-lula. Ar ddechrau'r wythnos roedd Edward H yn perfformio yng Ngwesty Llwyndyrus a bu'n rhaid troi degau o be-bopwyr oddi yno. Ar y nos Iau trefnodd Urdd Gobaith Cymru ddigwyddiad awyr agored yng nghanol adfeilion Castell Cilgerran. Yn anffodus, bu'n rhaid rhoi'r gorau i'r noson oherwydd nam trydanol cyn i Hergest ac Edward H berfformio. Cyngerdd Cymdeithas yr Iaith yn y Pafiliwn oedd y cyfle mawr olaf i weld Edward H yn perfformio mewn Eisteddfod Genedlaethol. Roedd yno amrywiaeth o artistiaid eraill yn cynnwys Côr Aelwyd Caerdydd, y digrifwr Elfyn Lewis,

Bois y Felin, Dafydd Iwan a Hergest. Ond disgwyl yn eiddgar am Edward H oedd yr ieuenctid yn y dorf.

Ar ôl profiad Porthaethwy fe ddysgwyd gwers. Y tro hwn, sicrhaodd y Gymdeithas fod yna res o wŷr cydnerth yn gwarchod y llwyfan rhag i'r cryts a'r crotesi ruthro i'w ben. Ac roedd eu hangen. Wrth i Dewi Pws a Hefin Elis daro nodau 'Pishyn' fe ruthrodd yr ieuenctid gwichlyd o'u seddau i'r pen blaen ac fe straffagliodd y gynulleidfa hŷn i gyfeiriad y drysau cefn. Er bod golygfeydd o'r fath yn gyffredin mewn cyngherddau roc Saesneg, roedd yn ddatblygiad newydd yn y byd Cymraeg. Roedd Hefin, John, Charlie, Dewi a Cleif yn joio mas draw. Gwelwyd Dewi yn cripian i'r dde a'r chwith cyn belled ag y medrai ymestyn ei gordyn gitâr. Neidiodd ar ben stôl y piano drudfawr fel y gwnâi Little Richard slawer dydd gan ddal i dynnu synau cynhyrfus o grombil ei gitâr. A-wop-bop-a-lŵ-bop-lop-bam-bŵm. Hwn oedd yr arwr roc a rôl!

Ymgordeddai Cleif Harpwood fel gwiber o amgylch y meic ac fe gyfrannai'r aelodau eraill yr un mor ddiwyd at yr hwyl. Byddai'r Arglwydd Rhys, sefydlydd yr Eisteddfod gyntaf wyth gan mlynedd ynghynt yn Aberteifi, wedi gwerthfawrogi'r hwyl a'r nwyd. Gwelwyd gwên o foddhad ar wyneb Hefin Elis ar derfyn y perfformiad. Roedd y profiad wedi diffinio rhan o lencyndod y 'steddfodwyr ieuanc. Medrai cenhedlaeth gyfan ddweud 'roeddem ni yno'. Roedd cic gitarau trydan Edward H cyn gymaint ag eiddo cwrw macsi cynhaeaf gwair ffermydd Cwm Gwaun. Roedd y pump yn chwys drabwd stegetsh.

Concrwyd pafiliwn prifwyl y Cymry gan gitarau roc a rôl a channoedd o ieuenctid nwydwyllt. Fyddai'r brifwyl fyth yr un fath. Hesb o weithgareddau ieuenctid oedd yr eisteddfod flaenorol yng Nghricieth, ond roedden nhw bellach yn rhan o'r ŵyl a hynny ar eu telerau eu hunain. Os oedd y cyfryngau'n gyndyn i adlewyrchu'r hyn oedd yn digwydd, ac yn hwyrfrydig i gyfrannu ato'n greadigol, roedd yn ymddangos fod yr ieuanc wedi codi dau fys ar y gwasanaethau darlledu. 'Popeth yn iawn, fe awn ni ati ein hunain,' oedd eu harwyddair.

John Gwyn a Nest Howells o'r Brân cynnar. Y ddau aelod arall oedd y brodyr Dafydd a Gwyndaf Roberts.

Sulwyn Rees – 'Gŵr Bonheddig Hael' y grŵp Chwys.

Gyferbyn: Delwyn Sion – aelod o Cyfeillion Crist, Hergest ac Omega.

Myfyr Isaac yn cael
gwersi gitâr gan
Rhisiart Arwel

Mynediad am Ddim

218

PAFILIWN PONTRHYDFENDIGAID

Mehefin 26ain 3—12 o'r gloch

A		
R	EDWARD H. DAFIS	JOSGIN
T	•	•
I	MYNEDIAD AM DDIM	CHWYS
S	•	•
T	HERGEST	BRÂN
I	•	•
A	GRŴP HEATHER JONES	SIDAN
D	DISGO'R DDRAIG GOCH	

219

14 / Gobaith Mawr...?

Yng nghanol 70au'r ganrif ddiwethaf cyhoeddodd Cwmni Recordiau Sain doreth o recordiau hir gan artistiaid a apeliai at yr ieuanc. Arwydd o hyder cyffredinol y cyfnod oedd parodrwydd yr artistiaid hyn i gyfansoddi digon o ganeuon ar gyfer record hir ac ymrwymiad Cwmni Sain i geisio creu gweithiau o gelfyddyd ohonynt. Dangosodd *Gwymon* gan Meic Stevens a *Hiraeth* gan Endaf Emlyn beth oedd yn bosib o ran creu sŵn, geiriau a llawes. Gellid edrych ar gyhoeddi record hir yn union fel cyhoeddi cyfrol o lenyddiaeth.

Gellid ystyried Meic Stevens ac Endaf Emlyn yn awduron a chanddynt rywbeth gwerth chweil i'w ddweud. Roedd y naill wedi hen arfer â pherfformio ar lwyfannau er mwyn denu dilynwyr ac edmygwyr selog ond doedd y llall erioed wedi perfformio o flaen cynulleidfa fyw. Er hynny, hawdd oedd gwerthfawrogi *Hiraeth* fel creadigaeth dychymyg ar waith mewn stiwdio recordio. Roedd disgwyl i record hir fod yn gyfanwaith a fyddai'n rhoi pleser i'r gwrandäwr dros gyfnod o amser, yn wahanol i'r record fer neu record sengl a fwriedid yn bennaf i hyrwyddo llwyddiant masnachol. Doedd cyrraedd brig y siartiau ddim o reidrwydd yn rhoi sêl bendith celfyddyd ar record – roedd mwy i baratoi record na gosod meicroffon o flaen artist a gofyn iddo ef neu hi ganu cân, a'i gadael ar hynny.

Er bod Cwmni Sain erbyn hyn wedi agor stiwdio yn Llandwrog, doedden nhw ddim yn gorfodi artistiaid i'w defnyddio. Doedden nhw ddim yn mynnu chwaith y dylai Hefin Elis gynhyrchu pob record. Yng Nghaerdydd y recordiwyd *Gobaith Mawr y Ganrif* (Sain C522), record hir gyntaf Geraint Jarman a gynhyrchwyd gan yr artist ei hun a'i gyfeillion o Gaerdydd. Yn ôl y gwybodusion, mae yna naws ac awyrgylch gwahanol yn perthyn i bob stiwdio ac mae gan bob cynhyrchydd ei ddull a'i arddull wahanol o weithio. Roedd yn bwysig meithrin yr amrywiaethau hynny os oedd Cwmni Sain i ddatblygu ei hygrededd.

Rhyw weiren gaws o lanc oedd Geraint Jarman. Er bod ganddo gysylltiadau teuluol yn y Gogledd roedd yn un o hogiau'r ddinas go iawn. Roedd yn gefnogwr pybyr o dîm pêl-droed 'Kediff City' ac yn gyffyrddus ei fyd wrth droedio'i phalmentydd a chwilmentan ei chilfachau. Chlywyd fawr o sôn amdano ar ôl i'r Bara Menyn chwalu. Newydd adael Ysgol Uwchradd Cathays oedd e yn y cyfnod hwnnw ar ddiwedd y 60au ac roedd wrthi'n ysgrifennu tomenni o farddoniaeth. Prin ei fod yn cael ei ystyried yn lleisydd nodedig gyda'r Bara Menyn. Doedd e ddim, chwaith, yn medru chwarae offeryn go iawn. Gan amlaf, byddai'n ysgwyd y maracas neu'n eistedd yn ei gwrcwd ar y llwyfan yn darllen ei farddoniaeth a cheisio dyfalu beth fyddai Meic Stevens yn ei wneud nesa.

Ymddangosai ffrwyth ei awen mewn cylchgronau ac fe gyhoeddodd Llyfrau'r Dryw gyfrol o'i waith, sef *Eira Cariad*. Canwyd clodydd y bardd ifanc ar y siaced lwch gan Bobi Jones, y llenor a'r bardd a fagwyd ar aelwyd ddi-Gymraeg yng Nghaerdydd:

Ni chanodd neb fel hyn yn Gymraeg (a gallaf glywed ambell barchusyn yn diolch am hynny). Gwir ei fod ef, megis Pantycelyn o'i flaen, wedi ymddihatru o'i draddodiad i raddau helaeth, ac yn cerdded yn borcyn mewn cwmni defodol, cwmni a oedd wedi mynd yn dra chynganeddol a chyfeiriadol ac adleisiol. Ond y mae ar yr un pryd wedi dod yn glust-denau i oslef ei amseroedd yng Nghymru. A dengys ei benillion, heblaw dylanwad beirdd diweddar dwyrain Ewrob, megis Holub, Popa, Herbert, ac eraill, fod Cymru heddiw'n perthyn rywsut yn seicolegol yn agos iawn i'r estroniaid cyfoes hyn; ac yn sicr, gallwn ddysgu mwy am lenydda yng Nghymru wrth edrych tua gwlad Pwyl heddiw (ac ers canrif) nag y gallwn wrth syllu tua Lloegr.

Y mae hwn yn fardd hynod ifanc hefyd. Y mae ei lawenydd yn ifanc, wrth gwrs. Ond y mae ei wae yn ifanc, ei ddadrithiad yn ifanc, hyd yn oed ei aeddfedrwydd yn ifanc. Ac felly, y mae'r llwydni, sy'n perthyn i'n hamseroedd ni, yma wedi ei ireiddio. Fe fydd ei dôn ef fel y'i clywir yn y gyfrol hon yn ychwanegiad lliwgar eithriadol at y gytgan orfoleddus o ganu ifanc yng Nghymru ar hyn o bryd.[1]

Ond doedd pawb ddim yn gwirioni 'run fath. Perthynai Vaughan Hughes yn nes at genhedlaeth Geraint ac roedd ganddo glust fain o ran yr hyn fyddai'n taro deuddeg ymhlith y Cymry Cymraeg ieuanc. Mewn adolygiad o'r gyfrol meddai:

> Dwi'n cael yr argraff mai yn Saesneg y mae Geraint yn meddwl. Mae ôl straen ar ei gystrawen a'i eirfa, fel pe bai wedi bod yn cribo'r *Geiriadur Mawr* am air addas i gyfleu ei syniad Saesneg. Ambell waith caf yr argraff iddo eiriadura yn unig er mwyn creu effeithiau.[2]

Tua'r un adeg â chyhoeddi *Gobaith Mawr y Ganrif*, fe gyhoeddwyd ail gyfrol o farddoniaeth Geraint Jarman, sef *Cerddi Alfred Street*. Pan roddwyd sylw iddi yn *Y Cymro* roedd yr adolygydd dienw yn ei chael yn anodd i gymeradwyo'i gosod ar unrhyw silff lyfrau:

> Hiraeth, unigrwydd, poen ac anobaith yw'r pynciau sy'n cynhyrfu awen Geraint Jarman. Os mai lle sy'n codi'r felan ar rywun mor aml yw Alfred St, mae'n anodd gwybod sut y gall unrhyw un fyw yno.
>
> *Stryd Saesneg*
> *mewn dinas Saesneg;*
> *Caerdydd,*
> *prifddinas Cymru,*
> *dyna lle rwy'n byw,*
> *byw mewn gwacter,*
> *yn chwilio am gariad.*
>
> Mae'n anodd osgoi'r casgliad, wrth ddarllen trwy'r cerddi, ei fod yn wynebu problemau personol dyrys iawn, o leiaf yn ystod cyfnod cyfansoddi'r gyfrol hon. Yn amlach na pheidio, all y darllenydd wneud dim mwy na dyfalu ynghylch natur ei ofidiau, ond beth bynnag ydynt, dyw eu defnyddio fel sail i gyfrol gyfan yn ychwanegu dim at bleser y darllenydd. Mewn gwirionedd, mae'r holl beth yn syrffed ac yn ddiflastod. Hwyrach mai cydymdeimlo â'r bardd ddylem ni yn ei enbydrwydd. Hwyrach mai ceisio anwybyddu cynnwys y cerddi a ddylem hyd eithaf ein gallu a chanolbwyntio yn hytrach ar ei arddull a'i fynegiant. Mae tristwch yn esgor ar ragor o dristwch, a pheth digalon yw gweld bardd ifanc yn colli ffydd a gobaith mewn bywyd.
>
> Bardd pruddglwyfus yw Geraint Jarman yma, bardd yn byw mewn

stryd yng nghanol dinas fawr, amhersonol, oeraidd. Bardd sy'n
methu cyffroi ac ysbrydoli.[3]

Hwyrach fod yr adolygiad yn dweud mwy am ansawdd adolygu'r
cyfnod nag am farddoniaeth Geraint Jarman ei hun. Ar ryw olwg gallai
sylwadau o'r fath fod yn hwb i'r record *Gobaith Mawr y Ganrif*. Wedi'r
cyfan, roedd ieuenctid yn gwerthfawrogi'r sawl a oedd yn ei dweud hi
fel yr oedd hi, ac os pruddglwyfus oedd y cywair, bydded felly. Doedd
llais yr ieuenctid hynny nad oedd yn ymhyfrydu yng ngheinion y
gynghanedd, na disgyblaeth y *vers libre* ddim yn cael ei gynrychioli
gan y beirdd cydnabyddedig ar y pryd, beth bynnag.

Roedd y nofelydd, Aled Islwyn, eisoes wedi mentro dweud, ar ran
ei genhedlaeth, fod caneuon Geraint Jarman yn dyrchafu canu pop i
dir cyfuwch â barddoniaeth:

> Mae 'Rhaid dihuno cariad' yn farddoniaeth ddarluniadol synhwyrus
> ac esthetig ar gân. Y mae penillion fel y rhain ynddynt eu hunain yn
> dyrchafu ein canu cyfoes i ddosbarth mwy parhaol na'r rhelyw o
> ganu gwerin Ewrob.[4]

I rai, roedd Geraint Jarman yn fwy o fardd nag y byddai'r holl griw a
ymgasglai'n flynyddol yn y Babell Lên fyth. Onid hobi oedd barddoni
i'r rheiny? Onid oedden nhw'n osgoi trafod realiti cignoeth?

Beth oedd i'w ddisgwyl y tu mewn i gloriau *Gobaith Mawr y Ganrif*
felly? Yn sicr, fyddai yna'r un offrwm yn clodfori prydferthwch Cymru.
Dyw magwraeth dinas ddim yn fagwraeth sy'n meithrin sentiment.
Roedd yn amlwg fod golwg Geraint Jarman ar y byd yn wahanol i
eiddo'r mwyafrif o Gymry Cymraeg. Fel y dywedodd ef ei hun:

> Ni allaf aros yn hir iawn mewn ardal wledig neu mi af yn wirion, a
> rhaid i mi ddychwelyd i gynhesrwydd ardaloedd fel Grangetown a
> Splot. Rwy'n adnabod y bobl yno a'u dull o fyw. Edrych ar Gymru
> drwy eu llygaid hwy a wnaf, ond fy mod yn fwy ffodus na'r
> mwyafrif ohonynt, yn medru'r Gymraeg ac wedi cael cyfle i garu ac
> i ddeall Cymru.
>
> Mae'r hyn y mae artist yn sefyll drosto yn bwysig yn fy nhyb i;
> rhaid i'w ganeuon fod yn onest a didwyll. Dyna pam rwyf wedi
> gwirioni ar Bob Marley ar y foment. Mae Jamaica yn wlad
> annibynnol er 1962 ac yn ddiweddar poblogeiddiwyd ei
> cherddoriaeth *reggae* gan Marley, ond mae mwy iddo na hynny.

Defnyddio cerddoriaeth fel propaganda a wna er hybu
Rastafariaeth, sef y gred mai Ymerawdwr Ethiopia, Haile Selassie,
a sefydlodd Cymdeithas er Uno Affrica, yw'r Meseia.
    Nid yw aelodau'r mudiad yn torri eu gwallt ac fe'u gwisgant yn
stribedi hir clymedig. Credant y dylai pob dyn tu fas i Affrica
ddefnyddio dulliau di-drais i ddychwelyd i ymsefydlu. Maent yn
aml yn cyfeirio at ddigwyddiadau yn y Beibl i esbonio eu crefydd.
Mae smygu marijuana yn rhan annatod o'r gred hefyd.
    Mae Marley yn gerddorol o flaen ei amser ond mae'r *reggae*
eisoes yn dechrau cydio ar draws y byd, a hyd yn oed i'w glywed ar
recordiau Sain, ac mae Dafydd Iwan i'w glywed yn sôn am
gyffuriau yn y 60au ar ei record hir! Mae'n debyg y byddai rhai yn
dweud bod Alan Stivell yn cynrychioli 'achos' hefyd, ond, hyd yma,
nid yw wedi apelio ataf. Teimlaf iddo fynd yn rhy bell o'i wreiddiau
drwy geisio concro America.[5]

Mae'r rhain yn sylwadau dadlennol ac annisgwyl o ystyried cefndir
Anghydffurfiol y mwyafrif o'r artistiaid pop Cymraeg ar y pryd. Sut
Gymru roedd Geraint Jarman yn ei gweld, felly, trwy lygaid pobl Splot
a Grangetown?

    Dychanu agwedd o'r bywyd Cymraeg a oedd yn anathema i Geraint
a wnâi'r brif gân. Ni fedrai goleddu'r syniad fod y sawl a yfai gwrw fel
ych, ac a fyddai'n cnuchio pob cyfle posib, yn cael ei ystyried yn 'uffar
o gês'. Roedd 'I've Arrived', wedyn, yn sôn pa mor hawdd yw hi i gael
sylw yng Nghymru, a'r gweddill yn ganeuon yn cyfleu darluniau o
Gaerdydd. 'Lleisiau Gwallgofrwydd' oedd y gân fwyaf cignoeth yn sôn
am drybestod meddwl y sawl sy'n glaf mewn ysbyty seiciatryddol.
Cafwyd cyffyrddiad o guriad *reggae* ar 'Lawr yn y ddinas' a churiad
trwm ar 'Lle mae'r bobl wyllt yn byw' a 'Merched Caerdydd (na pham
rwy'n wan)'. Y ddeuawd serch 'Pethe Brau', a ganwyd gyda chymorth
Heather Jones, ei wraig ar y pryd, oedd yn cloi'r record.

    Rhoddodd *Gobaith Mawr y Ganrif* ddimensiwn newydd i'r bwrlwm.
Roedd y ffresni a'r gogwydd gwahanol i'w croesawu ynghyd â
chyfraniad cerddorion di-Gymraeg a oedd yn hen lawiau ar chwarae
mewn grwpiau o gwmpas Caerdydd. Os nad oedd yn cael ei dderbyn
fel 'bardd' gan y frawdoliaeth lenyddol, geidwadol byddai'n anodd i
neb wadu ei fod yn egin artist roc. Gellid synhwyro naws Caerdydd
drwy'r bît a'r geiriau. Doedd ei ymateb i rai agweddau o'r bywyd

Cymraeg ddim yn gonfensiynol. Doedd ei ganeuon ddim yn bropaganda ond yn fynegiant gonest o'i brofiadau ac roedd ei ddiddordeb mewn Rastaffariaeth yn ennyn chwilfrydedd. Tybed beth fyddai ymateb adolygydd anhysbys *Cerddi Alfred Street* petai'n gwrando ar y record *Gobaith Mawr y Ganrif*?

Fel yr awgrymwyd ar ddechrau'r bennod, artist nad oedd ei swildod yn caniatáu iddo berfformio'n gyhoeddus oedd Endaf Emlyn, a hynny er iddo gyhoeddi dwy record hir yn dilyn yr ardderchog *Hiraeth*. Mike Parker, unwaith eto, oedd yn ei gynorthwyo i baratoi *Salem* (Sain C512). Drwy ddewis llun adnabyddus Curnow Vosper fel testun, roedd e wedi dewis un o'r eiconau Cymreig pennaf. Onid oedd copi o waith yr arlunydd yn hongian ym mharlwr pob aelwyd yng Nghymru ar un adeg? Fe fu Siân Owen, Ty'n y Fawnog, i'w gweld ar bapur lapio sebon am gyfnod hefyd. Roedd cyfansoddi cylch o ganeuon yn seiliedig ar yr addolwyr yng nghapel bychan y Bedyddwyr yng Nghwm Nantcol ger Llanbedr ym Meirionnydd yn her a apeliai at ddychymyg Endaf. Llwyddodd i greu'r un naws wledig a'r un ymdeimlad o dangnefedd ag a deimlwyd yn y llun.

Roedd *Syrffio (Mewn Cariad)* (Sain C551), yn ddatblygiad uniongyrchol o *Salem* ac yn brawf unwaith eto o hoffter Endaf o drin cysyniad a chreu cyfanwaith. Penderfynodd ddychmygu hynt y llanc ifanc yn y llun a'i anfon dros y môr. Syrthiodd mewn cariad â Dolores yn Santiago ond yna fe'i gadawyd ar ynys yn dilyn llongddrylliad. Yno, roedd y brodorion yn ei drin fel 'duw' ond roedd yr hiraeth am Laura o ddyddiau Salem yn drech nag ef. Awgrymai enwau caneuon fel 'Shanghai', 'Broc Môr' a 'Bandit yr Andes' naws egsotig ac atgyfnerthwyd hynny gan effeithiau sain yn cyfleu'r syrffio. Byddai'n bosib datblygu deunydd y ddwy record yn sioeau llwyfan. Llwyddodd Endaf, y llenor a'r cerddor, i gyflwyno dimensiwn newydd i'n diwylliant nad oedd o reidrwydd wedi'i gyfyngu i fyd yr ieuanc. Roedd yna aeddfedrwydd a soffistigeiddrwydd yn perthyn i'w waith a oedd yn ganlyniad i'r broses o'i drwytho ei hun ym mhosibiliadau'r stiwdio recordio.

Perfformiwr yr un mor swil oedd Morus Elfryn. Am gyfnod yng nghanol y 60au bu'n aelod o driawd y Cwiltiaid o ardal ei gynefin yn Llandysul. Roedd y grŵp yn nodedig nid yn unig am fod y tri yn mynychu'r un capel Undodaidd ond am eu bod hefyd yn llythrennol yn gwisgo trywsusau cwiltiog. Ar ôl i'r grŵp chwalu, bu Morus yn canu ar ei ben ei hun. Enillodd gystadleuaeth rhaglen radio yn canu 'Heibio'r Af' o waith Nan Bowyer ar alaw o eiddo Pete Seeger. Cyhoeddodd Sain record hir *I Mehefin (Lle bynnag y mae)* (Sain C526), gyda llawes drawiadol yn dangos Morus yn gwisgo siwt wen ac yn dal pibell glai a gwydraid o win tu fas i dafarn. Rhoddwyd cefndir niwlog i'r cyfan yn awgrymu mai poenau serch oedd byrdwn y mwyafrif o'r caneuon. Mae'r pennill isod yn nodweddiadol o ganeuon y gŵr o bentref Pontsiân:

> *Troi a throi y mae fy meddwl,*
> *Mae fy ymennydd o dan gwmwl,*
> *Troi a throi yng ngwres y machlud.*
> *Troi a throi, diolch am hwyrddydd.*

Mae'n drueni na wnaed fawr ddim i farchnata'r ddelwedd o'r enaid bregus trwy berfformio'n fyw.

Yn ystod yr un cyfnod fe gyhoeddwyd tair record hir yn seiliedig ar sioeau. Rhyddhawyd record hir o'r sioe *Nia Ben Aur* (Sain C519), gydag Eirug Wyn yn dolennu'r caneuon yn dilyn marwolaeth y llefarydd gwreiddiol, Gruffydd Miles, mewn damwain ffordd. Aflwyddiannus fu'r ymgais i'w llwyfannu yn Theatr y Sherman, Caerdydd, a Theatr Felinfach ger Aberaeron, er mwyn ceisio gwneud iawn am y diffygion sain yn y cyflwyniad gwreiddiol yn Eisteddfod Caerfyrddin. Roedd perfformiad Dewi Pws fel y Brenin Ri unwaith eto yn ysgubol ac yn awgrymu y gellid llunio opera roc yn seiliedig ar y cymeriad.

Y BBC oedd wedi comisiynu Hywel Gwynfryn ac Endaf Emlyn i gyfansoddi *Melltith ar y Nyth*, yn seiliedig ar un o straeon y Mabinogi, ar gyfer ei theledu. Rhydderch Jones oedd yn cyfarwyddo a dewiswyd Gillian Elisa i gymryd rhan Branwen a Dewi Pws i gymryd rhan

Matholwch, ei gŵr a brenin Iwerddon. Dewiswyd Robin Griffith i chwarae rhan Bendigeidfran, brawd Branwen, a Dafydd Hywel i chwarae rhan Efnisien, ei hanner brawd yntau a gŵr drwg y chwedl. Er nad oedd yn cael ei ystyried yn ganwr o fri, gan Dafydd y cafwyd y perfformiad mwyaf dirdynnol.

Y drydedd opera i'w chyhoeddi ar record oedd *Gorffennwyd!* (Sain C544), o waith Hefin Elis yn delio â'r cyfnod yn arwain at y Croeshoeliad. Gwnaed fersiwn deledu o'r opera yn ddiweddarach. Emyr Wyn oedd yn chwarae rhan Crist, Dewi Pws ran Jiwdas, Cleif Harpwood ran Pedr a Caryl Parry Jones ran Mair Magdalen. Gwisgai Jiwdas gap stabal a sbectol dywyll ac roedd Iesu Grist yn gwisgo denims. Hyd y gwyddys, prin fod y record na'r rhaglen wedi creu fawr o argraff ar Ysgolion Sul y wlad na'r cyhoeddiadau enwadol.

Yn y cyfnod yma hefyd y tyfodd Mudiad Adfer yn fusnes. Byddai'n prynu ac adnewyddu tai mewn ardaloedd Cymraeg er mwyn eu gosod i Gymry Cymraeg. Hanfod athroniaeth y mudiad oedd gorseddu'r Gymraeg fel iaith swyddogol y Fro Gymraeg a sicrhau haen o lywodraeth benodol ar gyfer ei gwarchod. Ond roedd Cymdeithas yr Iaith yn ei gweld hi'n wahanol. Cynnal y Gymraeg fel prif iaith gymdeithasol yr ardaloedd Cymraeg ac ymgyrchu am haen o lywodraeth benodol ar gyfer Cymru gyfan oedd ei nod. Fel rhan o'i hymgyrch i ennill calonnau a meddyliau'r to ifanc fe gyhoeddodd Adfer record yn cynnwys caneuon gan amrywiaeth o artistiaid adnabyddus. Ond doedd *Lleisiau* ddim yn bropaganda 'Adferol' fel y cyfryw. Fe'i paratowyd gan Eric Dafydd ac Eurof Williams o Gwmni Gwawr. Record anwastad ei chynnwys ydoedd ond roedd arni ambell berl unigol megis 'Dŵr, Halen a Thân' gan Dewi Pws yn llawn cyffyrddiadau breuddwydiol fel a nodweddai ei gyfansoddi ar ei orau. Craffer ar y geiriau hyn:

> *O dan y lleuad fe gawn wrando*
> *Ar sŵn y blaidd a'r cadno'n udo.*
> *Yn nistawrwydd lleddf y bore bach*
> *Cawn glywed angau'n sgrech y wrach.*
> *Ond pan ddaw'r haul yn ôl i'r dyffryn*

Cawn glywed plant yn chwerthin.
Cymer ddŵr, halen a thân,
Dim ond rhain sy'n puro'n lân.

Cyhoeddwyd record hir Ac Eraill, *Diwedd y Gân* (Sain C546), flwyddyn ar ôl i'r grŵp chwalu. Yn anad dim, roedd y record yn brawf o'r potensial na chafodd ei wireddu yn nyddiau anterth y grŵp. Fe fu yna sôn am ddatblygu sŵn Celtaidd ond gyda cholli Tecwyn Ifan, yr asgwrn ccfn o ran cyfansoddi, cloffi wnaeth y grŵp er yr ymdrech i ddatblygu'r ochr offerynnol. Er mwyn cystadlu â'r grwpiau o Iwerddon a'r Alban ar gylchdaith y gwyliau gwerin a'r clybiau ar draws Ewrop, byddai'n rhaid ymroi'n llawn amser i'r dasg. Os nad oedd Ac Eraill yn barod i fentro'n llwyr broffesiynol a dibynnu ar eu canu am fywoliaeth roedden nhw o leiaf wedi rhoi awgrym mai dyna oedd y ffordd ymlaen.

Record hir nodedig yn y traddodiad Cymraeg oedd record gyntaf Leah Owen, *Leah* (Sain C537), ar label Sain. Am ei bod yn hen law ar droedio llwyfannau eisteddfodol, a chael llwyddiant, roedd ei geirio o ganeuon sensitif a'i gallu i liwio nodau penodol yn wefreiddiol. Ond doedd hi ddim yn un o ffefrynnau llwyfannau Nosweithiau Llawen a chyngherddau. Doedd hyfforddiant eisteddfodol ddim yn dysgu artistiaid sut i drin cynulleidfaoedd. Bodloni chwiwiau beirniaid yn hytrach na chodi hwyl llond neuadd o bobol oedd yn cael y sylw blaenaf.

Cyhoeddodd cwmni Gwawr record hir o ganeuon gan Tony ac Aloma, sef *Tipyn o Gân* ond doedd yna ddim yr un galw am eu gwasanaeth ag oedd ar ddechrau'r 70au. Ar ôl cyfnod o dryblith, roedd y ddeuawd yn ceisio ail-greu rhin y gorffennol.

Ar y llaw arall, nid oedd pylu ar y galw am wasanaeth Dafydd Iwan. Ar lwyfan, yn fyw, yr oedd Dafydd ar ei orau. Ar ôl Eisteddfod Cricieth yn 1975 aeth â'i sioe un dyn, *Llosgi'r Gannwyll*, ar daith trwy Gymru. Roedd yn ffynnu ar ymateb cynulleidfa a hynny yn nhraddodiad yr hen Gymry. Ei record hir, *Yma Mae 'Nghân* (Sain C509), oedd un o'r recordiau hir cyntaf i'w cyhoeddi gan Sain yn 1972. Ar wahân i record hir i blant, ar y cyd ag Edward Morus Jones, *Fuoch*

Chi Erioed yn Morio (Sain 507) y flwyddyn ddilynol, *Mae'r Darnau yn Disgyn i'w Lle* (Sain C545) yn 1976 oedd ei gasgliad nesaf o ganeuon ar record hir. A doedd y paratoi ddim yn fêl i gyd. Yng ngeiriau Dafydd:

> Dwi ddim yn mwynhau canu mewn stiwdio, nac ar deledu o ran hynny, os nad oes pobl yno yn gwrando arna i. Rwy wedi gwneud ambell i raglen deledu gyda chynulleidfa ac roedd hynny'n iawn. Ond rhowch i mi stiwdio wag a dwi'n cael dim hwyl arni. A dweud y gwir, ges i drafferth mawr efo *Darnau yn disgyn i'w lle*; cael dim hwyl ar y canu. Yn y diwedd, y llais yn mynd. Roeddwn i'n dechrau meddwl fod y diwedd wedi dod. Ond roeddwn i'n cael dau ddiwrnod yn y stiwdio a chael dim hwyl arni o gwbl ac yna cyngerdd ac mi fuasai fy llais yn fendigedig a fuaswn i'n cael dim anhawster o gwbl.
>
> Rwy wedi gwneud ambell i beth yn y stiwdio rwy'n hapus arno, ond ar y cyfan fydda i ddim yn hoff o wrando ar fy recordiau, nac ar y teledu, oherwydd rwy'n gwybod y buaswn i'n well ar lwyfan, ac mae'n rhaid gen i mai cynulleidfa yw'r unig beth sydd yn gallu tynnu hwnna allan ohona i. Os caf i gynulleidfa yn ymateb yn iawn, mi fedra i ganu am oriau, ac mi fydda i'n gwneud yn aml iawn.[6]

Cyhoeddodd Hergest ddwy record hir o fewn byr amser i'w gilydd ar label Sain. Parhau yn faen tramgwydd i ddatblygiad y grŵp oedd y cecru mewnol parhaus ynghylch pa gyfeiriad i'w ddilyn. Roedd Arfon Wyn a Delwyn Siôn wedi cyhoeddi record fer o dan yr enw Cyfeillion Crist ond doedd Geraint Davies ddim am weld Hergest yn datblygu i gyfeiriad Efengylaidd ar unrhyw delerau. Roedd Derek Brown am weld drymiwr a gitarydd bas yn ymuno'n barhaol ac am na chafodd ei ffordd, gadawodd i ffurfio Cwrwgl Sam. Byddent yn dibynnu ar Charlie Britten a John Griffiths i gynorthwyo, pan fyddai'n gyfleus, ar y drymiau a'r gitâr bas. Doedd dim dal pwy oedd wedi ail/trydydd-ymuno neu ail/drydydd-ymadael â'r grŵp pan fyddai'n perfformio'n gyhoeddus. Doedd hynny o fawr o bwys i'r gynulleidfa, mewn gwirionedd, ond roedd eu cefnogwyr yn siomedig pan na chafwyd cân debyg i 'Blodeuwedd' ar y record hir *Glanceri*. Roedd y gân ysgafn roc a rôl pur honno wedi cyffroi cynulleidfaoedd, a phetai'r aelodau'n medru rhoi'r gorau i'r cecru, a chanolbwyntio ar ddiwallu angen, gallai'r grŵp yn hawdd fod wedi sicrhau dilyniant tebyg i eiddo Edward H Dafis.

Erbyn cyhoeddi'r record *Ffrindiau Bore Oes* (Sain C554), roedd Derek wedi dychwelyd i'r gorlan. Fe fu'r criw yn ymarfer o ddifrif, ac ar wahân i nifer o ganeuon llawn harmoni roedd ganddyn nhw un gân, sef 'Dinas Dinlle', yn nhraddodiad 'Blodeuwedd'. Roedd y sŵn hafaidd hamddenol a gyflwynwyd i gynulleidfaoedd Eisteddfod Aberteifi yn dechrau cydio. Doedd dim dwywaith fod y gân 'Harbwr Aberteifi' hefyd yn cyniwair ymdeimlad o awelon cynnes a machludau mwyn ar hyd traethau euraid. Roedd Delwyn hefyd wedi paratoi record hir unigol, *Strydoedd Bangor* (Sain C556), yn amlygu ei ddoniau fel cyfansoddwr a pherfformiwr ac yn tanlinellu'r hurtrwydd o beidio â rhoi lle blaenllaw iddo er hyrwyddo llwyddiant Hergest.

Recordiau yr oedd disgwyl eiddgar amdanyn nhw oedd recordiau'r grŵp Edward H Dafis. Doedd yna ddim cecru mewnol yn mennu ar ddatblygiad Edward H. Gwyddai'r bois mai Hefin Elis oedd y bòs. Roedd y lleill wedi penderfynu nad oedd yna unrhyw bwrpas chwysu yn enw'r grŵp os nad oedd yna andros o hwyl i'w gael. Amlygai'r hwyl hwnnw ei hun yn ormodol yn y stiwdio weithiau er mawr ddicter i Hefin. Wrth baratoi *Y Ffordd Newydd Eingl-Americanaidd Grêt o Fyw* (Sain C534), roedd Dewi a Charlie wedi colli pob rhithyn o hunanddisgyblaeth ac yn chwerthin yn aflywodraethus dim ond iddynt giledrych ar ei gilydd. Yn ôl Dewi:

> Odd Charlie'n edrych mor ddoniol, gyda'r *cans* am ei ben yn ei wneud i edrych fel Norman Wisdom a phob tro y dechreuai ganu, r'odd rhaid i fi chwerthin. Yn y diwedd roedd rhaid i fi fynd mas, gorwedd lawr, ac yna esgus fy mod i newydd ddihuno, codi, gwisgo, ymolch a cherdded mewn i'r stiwdio mewn pryd i ganu gan anghofio am y bois eraill – ond bob tro roedd Britton yn agor ei ben, o'n i'n chwerthin nes bo fi'n corco. Yng nghanol y rhialtwch fe sylwes i fod gwên fach ar wyneb Elis ond y funud nesaf 'ma fe'n gwylltio ac yn fy nhowlu i mas.[7]

Ond beth am ffrwyth y sesiynau recordio? Doedd apêl *Y Ffordd Newydd Eingl-Americanaidd Grêt o Fyw* ddim cymaint ag apêl *Yr Hen Ffordd Gymreig o Fyw*. Gwerthwyd dros fil yn llai o gopïau er bod y cynnwys o ran caneuon rywbeth yn debyg. Tybed ai'r teitl oedd yn dramgwydd? Byddai *Y Ffordd Newydd Gymreig Grêt o Fyw* wedi bod yn deitl mwy addas a pherthnasol. Gellid ystyried 'Yn y Fro', y gân agoriadol, yn anthem i Fudiad Adfer gyda'i hawgrym y dylai Saeson adael y broydd Cymraeg ac roedd 'Mynydd Gelliwastad' yn nhraddodiad caneuon y falen. Ond fe fyddai un gân a 'sgrifennwyd gan Dewi Pws pan oedd yn sefyllian yng ngorsaf reilffordd Amwythig, 'Lisa Pant Ddu', yn ei chynnig ei hun fel man cychwyn ar gyfer y record hir gysyniadol *Sneb yn Becso Dam* (Sain C553). Roedd hi ar werth erbyn Eisteddfod Aberteifi ac o fewn chwe mis, gwerthwyd 1,635 o gopïau, sef mwy nag a werthwyd o'r record hir flaenorol mewn blwyddyn. Ond dim ond 195 o gopïau o record fer yn cynnwys dwy o'r caneuon oddi ar y record hir, 'Ar y Ffordd' a 'Singl Tragwyddol' (Sain 63), a werthwyd yn ystod yr un cyfnod. Defnyddiwyd arddulliau *reggae* a ffwnc i olrhain hanes Lisa Pant Ddu, merch o'r wlad a aeth i'r ddinas a chael ei hudo gan fyd y cyffuriau. Yng nghanol ei thrueni a'i thrybestod mae'n dyheu am yr hen ffordd Gymreig o fyw ym Mhant Ddu. Fe fu Endaf Emlyn yn adolygu'r offrwm:

Ers talwm, roedd gwneud record hir yn y Gymraeg fel codi tŷ unnos. Roedd amser yn fyr a'r nos yn ddu o'n cwmpas, a rhaid cyfaddef mai digon simsan a blêr oedd y gwaith i'w weld yng ngolau dydd. Ond mae pethau wedi newid yn ddiweddar, ac yn brawf o hynny, daw sleifar o record newydd gan Edward H i hitio stondinau'r Steddfod yn ddifrycheulyd ac yn gadarn.

Mae nifer o ffactorau yn gyfrifol am y tro hwn ar fyd. Y pwysicaf yw ymdrechion a thalent y grŵp ei hun – llais arbennig Cleif, crefft a gallu Hefin, pŵer ac egni Charlie, sylfaen John yn gadarn fel y graig ac athrylith miniog Dewi. Roedd galluoedd y pump yn amlwg o'r cychwyn ond ar y record hon mae'r hogiau'n cyrraedd eu llawn dwf fel grŵp, a'r synthesis o dalent o syniadau yn gosod safon newydd o recordio yng Nghymru...

Ac mae hon yn record gyffrous, a pheth braf yw troi'r lefel i fyny ar yr offer hyd nes bod y nodwyddau ar y *meter* yn plygu bron, ac Edward H yn bygwth codi'r to, a'r cymdogion yn bygwth symud. Mae sŵn Llandwrog yn lân ac yn glir, ac mae'n bleser gwrando ar Edward H yn ei drin. Gwrandewch ar sŵn drymiau Charlie ar 'Plentyn Unigrwydd' a 'Cofio'r Dechrau', ac yn wir ar yr holl record o'r ergyd felys gyntaf i'r olaf, o'r 'tom-toms' fel padelli pren yn taro gwaelod pydew dwfn, a sŵn snêr fel ergydion gwn.

Gwrandewch ar sŵn 'byw' Edward H ar yr ail gân, 'Ar y ffordd' – roc pur a gonest. Gwrandewch ar y sŵn llawn a geir ar 'Brenin Cyffur' ac ar y darlun clyfar a geir o'r dafarn yn y 'Golau Llachar'. Sŵn glân y lleisiau; does neb yn taro'r gytgan fel Edward H. Llais Cleif, ein canwr gorau, yn dal ei dir yng nghanol berw'r grŵp. Braf clywed mwy o lais Dewi ar y record hon hefyd, weithiau'n gras ac weithiau'n dyner, ac yna 'Gwenwyn yn y Gwaed' yn hongian gyda'r mwg uwch ein pennau. Sylwer hefyd ar gyfraniad lleisiol trawiadol Geraint Griffiths.

Mae'r gwaith offerynnol yn fwy hyderus nag erioed, gyda rhai effeithiau diddorol fel y 'riff' ar 'Angau'. Ar 'Duwies y Palmant' ceir datblygiad newydd yn yr arddull gydag ymgais at steil a elwir yn 'funk' yn Saesneg. Mae'r rhithmau bachog yma'n anodd i'w cadw dan reolaeth, ond mae Edward H yn dal ei afael ar y ffrwyn ac yn amlwg yn cael blas ar yr arddull.

Cryfder pennaf y grŵp yw gallu ei aelodau i gyfansoddi. Mae ffyrm Elis, Harpwood a Morris yn arloeswyr yn y busnes o briodi'r Gymraeg i fiwsig roc a'r record hon yw eu campwaith. Mae'r gerddoriaeth ei hun yn ardderchog a'r caneuon yn afaelgar, a geiriau Cleif a Dewi yn taro deuddeg bob tro, weithiau'n codi gwên ac weithiau'n cyffwrdd i'r byw wrth adrodd hanes Lisa Pant Ddu. O ran ffurf, mae'r gyfres yma o ganeuon, sy'n dilyn helyntion y ferch yn daclus a'r darluniau a gyfleir yn fyw a chlir. Y record orau felly, ac eto, y record olaf. Edward H yn gadael y llwyfan a'r dorf ar ei thraed yn galw am fwy.[8]

Roedd un o feistri'r cyfrwng wedi'i blesio. Mae'n rhaid bod Hefin Elis ar ben ei ddigon ar ôl darllen y fath ganmoliaeth. Onid oedd ei ffiol yn llawn? Roedd wedi profi fod Edward H yn fand stiwdio yn ogystal ag yn fand llwyfan. Roedd wedi ymwrthod â'r demtasiwn o baratoi record ffarwél yn llawn o ganeuon ffwrdd-â-hi roc a rôl a fyddai, o bosib, wedi boddhau'r torfeydd. Gellid yn hawdd fod wedi gosod y caneuon hynny fel 'Cadw dy hun yn Gymro', a chwaraeid yn gyson mewn dawnsfeydd ar record, a chreu ychydig o naws yr Edward H byw, ond, na, roedd her wedi ei gosod a sialens i'w hwynebu.

Mynnai'r Bnr Elis wthio'r ffiniau a herian y gynulleidfa. Doedd e ddim am i'r grŵp gael ei ystyried yn ddim mwy nag efelychiad o Status Quo. Doedd dim aros yn yr unfan i fod. Gwelwyd unig gyfraniad George J Roberts ar dudalennau *Y Faner* yn adolygu'r record. Awdur

yn ysgrifennu o dan ffugenw eto a'i arddull yn rhyfedd o debyg i eiddo'r
sawl a ysgrifennai'r golofn Radio a Theledu yn yr un cyhoeddiad o
dan y ffugenw Charles Huws. Roedd gan George J bethau mawr i'w
dweud am offrwm olaf Edward H:

> Deuddeg cân gydag o leiaf wyth ohonynt yn ganeuon roc, soled da.
> Math ar opera-roc sy'n dilyn helyntion yr hogan ddrwg, Lisa 'yr
> oedd iechydwriaeth gul Pant Ddu yn gwneud iddi deimlo'n drist'.
> Chdi a fi, babi! Plant post Hiroshima yn chwilio am wirionedd
> newydd. Dim gwirionedd newydd chwaith, dim ond ei fod yn
> Wirionedd i Ni rhagor un ail-law nain a thaid. Sut y gall Hefin Elis
> sgwennu'r opera *Gorffennwyd!* ar yr un gwynt â *Sneb yn Becso Dam*,
> meddai'r piwritan ynof ag sy'n creu euogrwydd ynglŷn â chynnwys
> llinell am grefydd mewn erthygl o wamalu? Ond dacw Gwilym O
> Roberts yn ein nerthu drwy'r cawdel i gyd. Does neb yn becso
> cymaint â'r un sy'n becso dam.
>
> A ddichon dim da ddyfod o'r Taleithiau Unedig? Oedd Madog yn
> llwyr sylweddoli'r hyn a wnâi? 'What we need,' ebe'r Blue Mink, 'is a
> great big melting pot.' Dyna'r peth diwethaf yr ydym ei angen. Tydi
> Muhammed Ali ddim eisiau plant 'khaki', chwedl yntau. Dydan ni
> ddim yn dweud bod caethwasiaeth yn beth da am ei fod wedi
> cynhyrchu'r *blues*, ond gwaddol y cymysgu hiliol hwn yw'r roc y
> gwyddom amdano.
>
> I fwydo'r dysgwyr yr oedd arnynt newyn am gwrs-brys yn yr
> heniaith, mewnforiwyd yr Wlpan o Israel. (Anghofiwyd anfon eu
> Hen Destament yn ôl iddynt hwy.) Dyna fu Edward H Dafis i'r byd
> pop Cymraeg. *Crash course* pedair blynedd mewn roc er mwyn
> gweld canu pop Cymru'n prifio a dod at ei goed. Mawr fu'r
> llwyddiant. Pump o hogiau y mae'r canu o America yn gymaint
> rhan o'u cynhysgaeth â chanu cynulleidfaol a chrefydd yr Iddew.
> Brid newydd gyda digon o hyder i daro tannau'r gitâr flaen cystal ag
> y tarodd eu tadau erioed nodau eu horgan gapelyddol ...
>
> Roedd yn well gen i'r record hir *Hen Ffordd Gymreig o Fyw* na
> *Ffordd Newydd Eingl-Americanaidd Grêt o Fyw*, ond does dim os
> mai'r drydedd yma yw'r aeddfetaf oll. Does dim cymhariaeth rhwng
> safon sain yr LP gyntaf a hon. Mae sŵn hon yn llawnach o'r hanner,
> yn fwy soffistigedig yn ei defnydd o offerynnau ac yn creu
> awyrgylch. Heb fanylu, defnyddiwyd yr offer 'stereo' droeon ar hon.
> Mae llawer iawn o impio arddulliau goreuon y byd pop Eingl-Ianci
> yma eto wrth gwrs, a thra bo rhai pwnditiaid pop yn ymhyfrydu yn
> y ffaith eu bod wedi darganfod enghraifft o gerdd-ladrad,
> ymhyfrydu yn y ffaith wna Edward H. Bu'r 'benthyg' tonau ac

arddulliau yn rhan annatod o ddatblygiad y 'genre' p'un bynnag, o Bob Dylan i lawr.

Mae'n well gen i'r ail ochr na'r gyntaf, a'r unig gân nad yw'n haeddu ei lle arni yw 'Brenin Cyffur' – baled swrth, undonog, wan nad yw'n amrywio nac yn mynd i unrhyw gyfeiriad. Efallai fod hyn i fod i adlewyrchu effaith y cyffur! Ond mae 'Duwies y Palmant' fel balm ar ei hôl. Sŵn rhydd iachus; sŵn y disgo. *'Neat work by Charlie Britton on percussion'*. Brawd mwy cwbl wahanol i'w chwaer ni welais erioed. Y cosmopolitan rywsut *versus* y cynhenid. Mae ei waith is-Baker uwch-Stanley, ynghyd â bas dibynadwy John Griffiths – yr unig Gymro Cymraeg ym Mhort Talbot – yn sylfaen safonol a solet i berfformiadau mwy amlwg y cantorion a'r gitâr flaen.

'Gwenwyn yn y Gwaed' yw fy hoff gân ar y record. Mae'n fy atgoffa o ryw gân neu'i gilydd gan Mike Bloomfield. Byddant yn siŵr o wybod p'un! Y rhythmau a gwaith gitâr *blues* yn f'atgoffa o ddyddiau Clapton yn Blues Breakers John Mayall. Profiadau chwerw'r Moog! 'Singl Tragwyddol'. I'r nef felly, drwy gyfrwng y Maharishi. Mae holl elfennau *hit* bop lwyddiannus yn hon reit lawr at y ffalsettos sbeitlyd, 'Maharishi i fi, Maharishi i fi / Tyn dy arian mas a rho fe i gyd i fi'.

Nid yw'r gân 'Cloriannu' yn ddim nemor cyflwyniad bach soniarus, Pwsaidd i'r gân ffarwél *déjà vu* 'Hen Ffordd Gymreig o Fyw' lle nad oes 'neb yn becso dam'. Cân soled i orffen gan ddal y nodyn yn hir a hyfryd ar yr 'h-e-e-e-n' yn y gytgan.

Cyfle i Dewi Pws fynd trwy ei bethau yw 'Y Golau Llachar'. Darn o lol chwil nad yw'n fwy o gân nag addasiad byrfyfyr ar 'Bottle of Wine'. Cenir y gân mewn acen Cocni sy'n siarad Cymraeg, a chlywir y sŵn parti mwyaf rhyfeddol yn y cefndir. Cenir piano megis yr un yng nghaneuon naws 20au Paul McCartney. Nid dyma'r unig gân y mae'r geiriau'n aneglur ynddi ar y record. Mae 'Cofio'r Dechrau' yn nes ymlaen yn nodweddiadol Bwsaidd. Geiriau a delweddau rhamantaidd Nwy-yn-y-Nenaidd. 'Wyt ti'n cofio'r dechrau, cyn y chwalu mawr?' Dyma'r Pws sensitif oddi mewn i'r gragen falu awyr. Mae'r gân hon yn toddi yn gyfrwng sŵn *bottleneck* Fleetwood Macaidd (fel rhai pethau *Abbey Road*) i gân arall, 'Angau' sy'n ymgeisio at sŵn arallfydol *bizarre* heb lwyddo cystal â'r 'Gwrando' cynharach o'u heiddo i greu awyrgylch. Roedd ffrantigrwydd honno'n gafael, a'r 'Tyrd i Edrych ar y Wawr yn Torri' dilynol yn parhau yn un o'm ffefrynnau.[9]

Trwy gyfeiriadau niferus yr adolygydd at 'ddylanwadau' hoelion wyth y cyfrwng gosodwyd Edward H Dafis ei hun ar yr un pedestal â'r mawrion. Nid efelychu'n slafaidd a wnaed ac nid dwyn yn ddigywilydd, ond derbyn dylanwadau a'u defnyddio'n adeiladol i greu o'r newydd. Eto, o ran gwerthiant, ni chroesodd y 3,000 ac ni chyrhaeddodd y 2,813 o gopïau o'r *Hen Ffordd Gymreig o Fyw* a werthwyd dros gyfnod o ddwy flynedd. Roedd hyd yn oed y troellwr uchel ei barch, John Peel, wedi chwarae traciau oddi ar *Sneb yn Becso Dam* ar ei raglen ar Radio 1 gan ddweud, '*all the sleeve notes are in Welsh and I can't read them and that's how it should be*'.

Tra bod Edward H yn paratoi ar gyfer ei angladd roedd Brân yn dioddef o boenau genedigaeth. Cyhoeddwyd *Ail-Ddechrau* ar label Gwawr gyda'r teitl yn cyfeirio at gychwyn newydd yn dilyn diflaniad y brodyr Roberts ac ymddangosiad Paul Westwell a Dafydd Pierce. Erbyn hyn, roedd Myfyr Isaac, yn ei fflat yn Grangetown yng Nghaerdydd, yn dechrau cymryd diddordeb o ddifri yn yr hyn a oedd yn digwydd yn y byd roc Cymraeg:

> Mwynheais y rhaglen deledu ar Edward H Dafis yn ddiweddar a chredaf bod ei record *Sneb yn Becso Dam* yn dipyn gwell na *Hen Ffordd Gymreig o Fyw*, o ran cynnwys a chynhyrchu. Mae record Geraint Jarman eto yn hynod o addawol ond roeddwn yn teimlo bod y cymysgu'n wan ar *Ail-Ddechrau* Brân, a'r canu yn swnio fel tase geiriau yn cael eu darllen i'r meics.
>
> Rwy'n credu ym mha iaith bynnag y cenir ac y gwneir recordiau mae'n werth rhoi amser ac ymdrech i'r cynhyrchu bob amser. O wrando ar y recordiau uchod teimlaf fod amser yn cael ei neilltuo ar eu cyfer ond ddim digon – tri chwarter o'r amser a'r ymdrech angenrheidiol.
>
> Pan ydych yn gwrando ar record grŵp fel Styx mae'r sŵn agoriadol yn eich taro fel sŵn llawn gyda'r cytbwysedd cywir rhwng yr offerynnau – dyna mae'n rhaid i'r recordiau Cymraeg anelu ato.[11]

Parhaodd i ddilyn helynt y sîn Gymraeg a bu ei glust fain yn gwrando ar ail record hir Brân, *Hedfan* (Sain C570). Wrth ei hadolygu rhestrodd nifer o frychau. Ond eto gwelai aeddfedrwydd yn datblygu:

> Os yw'r nodiadau hyn yn swnio'n feirniadol, brysiaf i nodi bod y record yn un rwy'n falch o'i chael ymhlith fy nghasgliad o recordiau hir. Mae llawer o amrywiaeth arni a llawer o gyffyrddiadau cwbl wreiddiol ymhlith wmbreth o ddylanwadau amlwg. Petai yn record Saesneg byddai'n cynnig cystadleuaeth i lawer o grwpiau sy'n ennill

llond whilber o arian am recordiau gwaeth.

Mae cyfraniad Dafydd Pierce yn sefyll mas ac mae'n amlwg bod ganddo brofiad helaeth fel gitarydd blaen. O'i chymharu â record hir gyntaf y grŵp, *Ail-Ddechrau*, mae llawer o'r caneuon wedi eu trefnu'n bwrpasol o gwmpas llais Nest, ac mae ei lleisio'n ystwythach. Mae drymio Paul Westwell yn gyson gywir ac mae'n cyfrannu at unoliaeth y caneuon heb dynnu sylw ato'i hun. Nid wy'n gwrando llawer ar recordiau Cymraeg a'm hymateb cyntaf o glywed hon oedd syndod bod y safon cystal. O'i chymharu ag *Ail-Ddechrau* ymddengys i mi fod Cwmni Sain wedi cael offer recordio newydd, ac edrychaf 'mlaen i glywed mwy o'r grŵp, sydd mewn termau adaryddol yn swnio'n debycach i fwyalchen na'r frân a'i hadenydd ar led ar lawes y record.

Roedd John Gwyn mor feirniadol ag erioed ac yn benderfynol o gyrraedd y safon uchaf posib. Er bod tri mis wedi'i dreulio'n cymysgu *Hedfan* doedd e ddim yn blês gyda'r gwaith gorffenedig:

> Does dim dyfnder yno a gwendid pennaf recordiau Cymraeg o hyd yw diffyg dychymyg i greu cefndir a fydd yn creu teimlad naturiol o hapusrwydd ym meddwl y gwrandäwr, heb ei fod yn gorfod eistedd i fyny a phenderfynu a yw'r gân yn dda ai peidio.[12]

Cyhoeddwyd record hir o ddwsin o ganeuon cyfarwydd Huw Jones, *Adlais* (Sain C574), gyda nifer o'r caneuon wedi eu hailrecordio mewn stereo. Doedd yna'r un gân newydd ar y record ac felly hwn oedd y casgliad cyflawn o'i ganeuon gorau, ac roedd yn brawf ei fod yn rhoi'r gorau i gyfansoddi a pherfformio er mwyn canolbwyntio ar ddatblygu Cwmni Sain. Bu'n sôn am ei yrfa ac yn arbennig am y cymhellion tu ôl i gyfansoddi 'Dwi Isio Bod yn Sais':

> Roedd rhai'n camddeall bwriad y gân ac yn credu mai gwneud hwyl am ben Saeson a wnawn, tra mai math arbennig o Gymro oedd gennyf mewn golwg – y taeog. Credaf mai'n problem fwyaf ni yng Nghymru yw penderfynu ein perthynas â'n cymdogion. Mae rhai Cymry yn dioddef o daeogrwydd gant y cant ac yn mynnu troi i siarad Saesneg ymhob sefyllfa pan fo Sais yn bresennol, a chanlyniad hynny yw siarad Saesneg pan nad yw'n bresennol. O dan y taeogrwydd mae atgasedd hiliol bron yn llechu ym mêr esgyrn rhai Cymry ac mae eu hymateb felly yn sylfaenol wrth-Seisnig. Cân oedd hon i roi cyfle i bobl sylweddoli beth yw Cymreigrwydd mewn perthynas â Seisnigrwydd. A ydynt am fynnu

eu hawliau sylfaenol neu barhau i ddefnyddio'r Sais fel cocyn hitio? Cân yn rhoi cyfle i ddewis rhwng Prydeindod a Chymreictod. Mae'r cyfeiriad at Hughie Green yn ddoniol ar un olwg ond mae mor drist hefyd oherwydd ceir clybiau di-ri mewn ardaloedd Cymraeg, â mwyafrif y cwsmeriaid yn Gymry Cymraeg, yn cael eu bwydo gan iaith Hughie Green. Fy llinyn mesur i yw ceisio ystyried beth petai Hughie Green yn bygwth Ffrainc.[13]

Roedd ganddo sylw creiddiol arall wrth sôn am ei ymrwymiad i weithredu trwy gyfrwng y Gymraeg, o safbwynt recordio artistiaid a gweinyddu swyddfa mewn ardal Gymraeg: 'Os mai ail iaith fydd y Gymraeg drwy Gymru gyfan yna chwarae bod yn genedl fyddwn ni,' meddai.[14]

Golygai'r holl recordiau bod yna fwy o ddewis ac amrywiaeth ar gael i'w chwarae ar raglenni radio o bob math. Roedd chwarae caneuon oddi ar y recordiau'n gyson yn fodd o gyrraedd cynulleidfa ehangach, o hybu gwerthiant ac o gynyddu enillion yr artistiaid. Ond doedd pawb ddim yn croesawu'r datblygiad. Roedd Iorwerth Cyfeiliog Peate, y gŵr yn anad neb a sefydlodd Amgueddfa Werin Cymru yn Sain Ffagan, wedi ei gythruddo:

...fe'n boddir yn gyson o ddydd i ddydd gan y cantorion a'r offerynwyr pop, a'r mwyafswm o'r canu a'r offerynnu yn affwysol o sâl o'u barnu oddi ar safonau isel y 'byd popyddol' hyd yn oed – 'tiwniau diflas tan y daflod' chwedl yr hen fardd gynt. Dirywiodd Radio 4 Cymru i raddau helaeth i fod yn llwyfan i ryw hanner dwsin (mwy neu lai) o berfformwyr y buasai llawer ohonom yn barod i dalu am eu distawrwydd. Am rai o'r 'duwiau modern hyn' a glodforir o dro i dro gan eich beirniad radio, teg dywedyd ein bod ninnau'n *bored stiff*.[15]

Chymerodd neb fymryn o sylw o'i sylwadau. O ran yr ieuenctid, seiliwyd gobeithion mawr y ganrif yn yr artistiaid hynny a oedd yn cymryd eu crefft o ddifrif ac yn mynegi'u safbwyntiau yn onest.

Hefin Elis, un o benseiri'r canu roc Cymraeg fel beirniad, perfformiwr, cyfansoddwr a chynhyrchydd recordiau.

Steddfod yr Urdd, Porthaethwy 1975. Bu'n rhaid atal perfformiad Edward H am gyfnod am fod y gynulleidfa ieuanc wedi rhuthro o'u seddau i flaen y llwyfan, yn groes i ddymuniadau'r stiwardiaid.

Y dorf wedi cyffroi unwaith eto mewn gig Gymraeg.

Geraint Jarman – 'Gobaith
Mawr y Ganrif'.

Leah Owen – hen law ar
droedio llwyfannau
eisteddfodol a chantores
werin nodedig.

Rhai o recordiau'r cyfnod

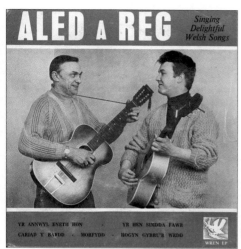

Un o'r recordiau Cymraeg cyntaf i gynnwys sŵn gitâr.

Lluniwyd broliant y record hon gan Gwyn Erfyl.

Perlau Taf – grŵp o ddisgyblion ysgol a'u hathro Mathemateg.

Y Cwiltiaid – Tri Undodwr o ardal Y Smotyn Du.

Mae 'Defaid William Morgan' i'w chlywed
ar hon.

Roedd Y Triban yn canu yn Gymraeg a
Saesneg. Ydych chi'n cofio 'Dai Corduroy'?

Sidan – genod ysgol yn nodedig am eu
hasio lleisiol a'u caneuon aeddfed.

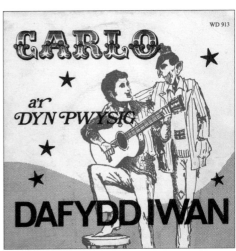

Roedd Carlo yn gwerthu fel slecs yng
Nghaernarfon.

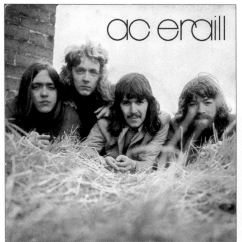

Ac Eraill – grŵp mudiad Adfer. Emyr Llewelyn ei hun luniodd froliant y record.

Llygod Ffyrnig – grŵp rocracs ffyrnig-ei-adwaith i'r NCB.

Recordiwyd y brif gân mewn stiwdio yn Llundain gyda chymorth Meic Stevens a'i gyfeillion.

Y Derwyddon – 'yn wyneb haul a llygaid merched'.

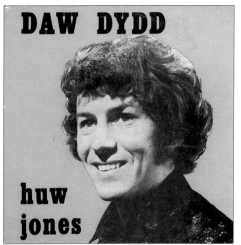

DAW DYDD

huw
jones

Mae'r brif gân ar y record hon yn seiliedig
ar gwpled o eiddo'r bardd Waldo Williams.

BARA'MENYN

Bara Menyn – grŵp dychanol. Geraint,
Heather a Meic yn gwneud hwyl am ben y
'grwpiau pop'.

Tony ac Aloma – doedd Cambrian ddim yn
medru cynhyrchu digon o recordiau o'r
ddeuawd o Fôn i foddhau'r gynulleidfa.

Hogia'r Wyddfa'n barod i 'sefyll yn y
bwlch'.

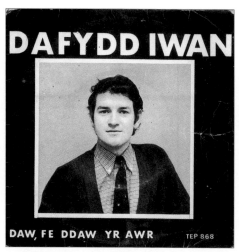

Dafydd Iwan, y pensaer ieuanc.

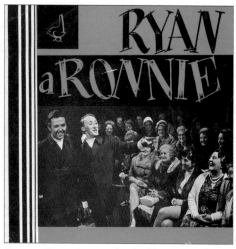

Ryan a Ronnie – medrai'r ddau wneud i bobl chwerthin.

Y Dyniadon – yn llawn hiwmor ynfyd a gwallgof.

Caneuon Tafarn – recordiwyd hon 'yn fyw' yn y New Ely yng Nghaerdydd.

Dwi Isio Bod yn Sais – *Huw Jones yn dychanu'r Sais ystrydebol.*

Hogiau'r Wyddfa yn rhoi bri ar geinion ein llên.

Mary Hopkin – swynodd y Beatles, a chyrhaeddodd frig y siartiau ym Mhrydain a'r Unol Daleithiau.

Hergest – shwbi dwbi, shwbi dwbi bapa.

Meic Stevens – Meic a'i deulu yn byw yn y wlad.

Y Tebot Piws – cynlluniwyd clawr y record hon gan Elwyn Ioan.

Y Trwynau Coch – gwaharddwyd y brif gân oddi ar donfeddi Sain Abertawe.

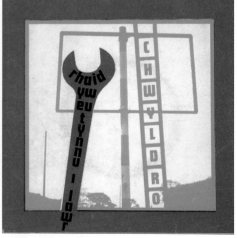

Y Chwyldro – grŵp un record oedd Y Chwyldro.

Rhai o'r recordiau hir...

Daliodd Bob Tai'r Felin i ganu am 'Mari Fach Fy Nghariad' fel ebol blwydd tan y diwedd.

Dafydd Iwan – record hir o ganeuon dwys yn 1976.

*Y ddau frawd o
Gefneithin, Jac a Wil.*

*Gwymon yn torri tir
newydd. Record hir gyntaf
Meic Stevens.*

Salem – *cyfres o ganeuon yn seiliedig ar lun enwog Curnow Vosper.*

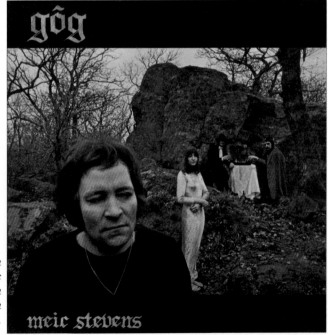

Ar ôl cyfnod yn alltud yn Llydaw cyhoeddodd Meic ei ail record hir, gyda'r llun clawr yn awgrymu grym pwerau'r fall.

*Heather Jones –
cyfansoddwyd y mwyafrif
o'r caneuon gan Geraint
Jarman.*

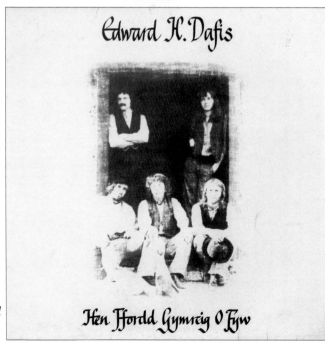

*Bu gwerthu mawr ar record
hir gyntaf Edward H.*

Hiraeth – *defnyddiodd Endaf Emlyn focs cardbord i greu sŵn drymiau ar ei record hir gyntaf.*

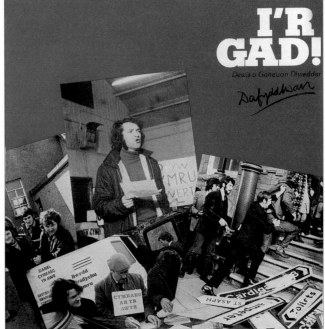

I'r Gad – *caneuon y chwyldro yng nghyfnod y peintio a'r malu arwyddion.*

Record hir gyntaf Geraint Jarman, y Cymro dinesig.

'Sneb yn Becso Dam – record gysyniad gan fois y macynon gwddf coch.

Ffrindiau Bore Oes –
*record orau Hergest? Mae
'Dinas Dinlle' i'w chlywed
ar hon.*

Syrffio – *Dilyniant i*
Salem.

Ni chafodd ail record hir
Edward H gystal
derbyniad.

Injaroc – *record gaboledig
y siwpyrgrwp.*

*Jîp – record yn llawn
delweddau o'r ddinas.*

*Y Dref Wen – galwad
Tecwyn Ifan i ail adfer
bro.*

15 / Brezhoneg Raok

Yng nghanol y 70au roedd yna ŵr barfog â'i wallt yn disgyn at ei ysgwyddau a ystyrid yn waredwr y byd canu gwerin. Rhoddwyd bri o'r newydd ar ganu alawon gwerin yng Nghymru a hynny, yn rhannol, o ganlyniad i ddegawdau o waith cenhadol Cymdeithas Alawon Gwerin Cymru. Ond Llydawr oedd y catalydd diweddaraf. Treuliodd Alan Stivell Cochevelou ran o'i blentyndod ym Mharis ond fe aeth ati i ailddarganfod diwylliant ei bobl a phenderfynu bwrw ati i adennill eu balchder trwy ganu eu caneuon. Gollyngodd y cyfenw er mwyn arddel y 'Stivell' a olygai 'ffynnon fywiol'. Sylweddolodd fod llawer o alawon ei bobl yn gyffredin i bobloedd Celtaidd eraill gan awgrymu fod yna gwlwm clòs wedi bodoli ar un adeg. Chwaraeai alawon Gwyddelig, Cymreig ac Albanaidd yn ei gyngherddau ac ar ei recordiau. Telyn Geltaidd fechan, o waith ei dad, oedd ei brif offeryn. Ni chanwyd telyn o'r fath yn Llydaw ers pum canrif.

Cyfyngu eu hunain i draddodiadau eu gwledydd eu hunain a wnâi'r rhelyw o gantorion gwerin Celtaidd. Ond roedd Alan Stivell yn wahanol am y credai fod modd arwain dadeni cerddorol trwy gyflwyno'r ceinciau Celtaidd i'r holl fyd. Doedd e ddim am gael ei adnabod fel canwr gwerin Llydewig pan oedd ar deithiau yn America ond, yn hytrach, fel canwr gwerin Celtaidd a ddigwyddai hanu o Lydaw. Roedd ganddo griw o offerynwyr ac fe fyddai, o bryd i'w gilydd, yn trydaneiddio'r alawon er mwyn rhoi naws rocaidd iddyn nhw. Pan ymddangosodd yn Theatr y Capitol yng Nghaerdydd ym mis Ionawr 1976, fe'i cariwyd ar ysgwyddau'r dorf o'r llwyfan i'r stryd ac yn ôl, ac yntau'n dal i chwarae'r bombard, y gynulleidfa'n ei ddilyn ac yn dal i ddawnsio. Er ei fod yn ddiymhongar ddwys llwyddai i gyfareddu cynulleidfaoedd gyda'i driniaeth o alawon ei gyndeidiau Celtaidd.

Yng Nghymru roedd Y Chwyldro a Dafydd Iwan, yn enw Cymdeithas yr Iaith Gymraeg, wedi cymell ieuenctid i frwydro dros hawliau i'w hiaith gan fod yn barod i wynebu llysoedd barn a dedfrydau o garchar. Roedd Tecwyn Ifan yn benodol, ac Edward H Dafis i raddau llai, yn enw Mudiad Adfer yn cymell ieuenctid i gysegru'u ffordd o fyw i sicrhau parhad y Gymraeg drwy ei defnyddio ym mhob agwedd o'u bywydau yn y broydd Cymraeg. Roedd Alan Stivell yn cymell dimensiwn arall i'r chwyldro. Doedd e ddim am ymgyrchu'n wleidyddol dros y Llydaweg yn ei wlad ei hun. Credai y dylai cerddorion Celtaidd hyrwyddo'u diwylliannau ar y cyd yn hytrach nag yn unigol os oeddynt am ennill parch rhyngwladol. A doedd hi ddim o bwys ganddo sut byddai'r alawon yn cael eu cyflwyno. Roedd amlygu cerddoriaeth draddodiadol fel amlygu enaid a byddai hynny'n hwb i falchder cenedl.

Gwerthwyd dros 300,000 o gopïau o'i dair record gyntaf yn Ffrainc erbyn 1973 ac fe fuon nhw ar frig y siartiau. Roedd e'n fwy poblogaidd na Charles Aznavour. Roedd ei benderfyniad i adael ei swydd mewn ffatri bapur a chanolbwyntio'n llawn amser ar ledaenu'r chwyldro cerddorol trwy'r clybiau gwerin, y gwyliau a'r *Fest Noz* wedi talu ar ei ganfed. Defnyddiodd yr wybodaeth a gasglodd drwy astudio Saesneg ac Astudiaethau Celtaidd ym Mhrifysgol Rennes i hyrwyddo'r dadeni. Eisoes, dangosai gwerthiant rhyfeddol ei recordiau fod yna newid agwedd yn digwydd. Dyma Alan Stivell yn esbonio sut yr aeth ati i godi statws canu gwerin ei wlad:

> Mae rhai pobol wedi eu carcharu gan gerddoriaeth ysgrifenedig. Ond mae cerddoriaeth Geltaidd yn anodd ei 'sgrifennu – rhaid mynd i mewn iddi yn ddyfnach na hynny, neu mae pethau pwysig fel y rhythm a'r ffordd mae'n cael ei chanu yn mynd ar goll. Roedd pobl Llydaw yn dal i lynu wrth yr hen ganu Lladinaidd – cha-cha ac ati – ac yn casáu popeth Llydewig. Penderfynais fod yn rhaid mynd ati i gychwyn chwyldro gofalus yng ngherddoriaeth Llydaw, trwy greu sŵn cyfoes allan o'r canu gwerin traddodiadol. Roedd pobl y radio yn Ffrainc yn arfer chwerthin am ben canu

Llydewig. Erbyn hyn maen nhw nid yn unig yn gorfod ei gymryd o ddifrif, ond yn gweld fod modd hyd yn oed ei fwynhau! Nid y radio sy'n dweud wrthyf fi beth i'w wneud. Fi sy'n cynhyrchu'r hyn a fynnaf a hwythau'n gorfod ei dderbyn am fod y gwrandawyr yn eu gorfodi.
Yn Llydaw roedd y bobl wedi arfer teimlo'n israddol ac yn ddibwys, a bod rhaid iddyn nhw efelychu'r Ffrancwyr ym mhopeth. Dydyn nhw ddim yn teimlo lawn mor israddol erbyn hyn.[1]

Gynt, roedd hyd yn oed cerddorion adnabyddus Llydaw, megis Glenmor a fyddai'n canu clodydd y wlad a'r diwylliant, yn tueddu i wneud hynny yn Ffrangeg. Cymerodd Alan Stivell y cam seicolegol pwysig o roi'r lle blaenaf i'r Llydaweg yn ei berfformiadau. Bu ei fuddugoliaeth yng nghystadleuaeth y Gân Geltaidd yn yr Ŵyl Ban-Geltaidd gyntaf yn Cillairne yng Ngweriniaeth Iwerddon yn 1971 yn hwb i'w yrfa. Rhan bwysig o'i genhadaeth oedd addysgu. Ar wahân i gyhoeddi record o dan y teitl *Renaissance of the Celtic Harp* (Philips 6414 406) yn 1971, gyda darnau o waith ap Huw wedi eu codi o Lawysgrif Penllyn yn cynrychioli cyfraniad Cymru, fe gyhoeddodd *Before Landing* (Fontana 9286 999BD) yn 1977, record a gyflwynai hanes Llydaw ar hyd yr oesoedd trwy gyfrwng cerddoriaeth.

Bu'n sôn ymhellach am ei obeithion ac am yr hyn, yn ei farn ef, oedd yn rhwystro'r hen ganu Cymreig rhag cydio. Roedd creu argraff yn America yn bwysig i Alan Stivell a hynny nid yn unig er mwyn gwerthiant recordiau a chreu cyfoeth:

Rheswm arall dros lwyddo yn America yw seicoleg. Mae math o snobyddiaeth yn bodoli yn Ffrainc na cheir mohono yn unman arall, sy'n dweud bod rhaid llwyddo yn America cyn cael eich derbyn o ddifrif. Pan lwyddaf yno bydd rhagfarn yn erbyn Llydawwyr, sy'n dal i fodoli yn Ffrainc, yn diflannu'n llwyr.
Y delyn yw fy mhrif offeryn a defnyddio gitarau trydan ac ati i gyfoethogi rhythm y caneuon Celtaidd a wnaf. Mae mwy o apêl mewn triniaeth o'r fath i feddyliau'r mwyafrif o ieuenctid yn Llydaw. Rwy'n derbyn dylanwad America ond dwi'n gwrthod bod yn Americanwr.
Dydy'r Cymry ddim mor barod i ddawnsio, a beth ddigwyddodd i'r traddodiad offerynnol? Rwy'n credu bod dylanwad y canu Tiwtonaidd o'r Almaen wedi gwneud y Cymry i ganu'n lleddf, gan roi'r caneuon gwerin traddodiadol naill ochr.

Diwygiadau crefyddol oedd yn bennaf cyfrifol am hyn, ynte?
Rwyf am i'r Llydaw-wyr sylweddoli mai Llydaw-wyr ydynt gan
obeithio y byddant yn ymddwyn felly wedyn. Rwyf am iddynt
sylweddoli gogoniant eu diwylliant, a'r un modd y Celtiaid eraill.
Rwyf am iddynt ymateb i'm cerddoriaeth Geltaidd, oherwydd eu
cerddoriaeth hwy ydyw wedi'r cyfan.²

Tipyn o faniffesto a thipyn o weledigaeth, felly.

Yn 1973 fe gafodd ei ddyfarnu yn 'Bersonoliaeth Gwerin y
Flwyddyn' gan yr wythnosolyn cerddorol *Melody Maker* a dyfarnwyd
ei record *Chemins de Terre* yn record werin y flwyddyn. Bwriad y
Llydawr oedd defnyddio'i enillion i sefydlu papur dyddiol a gorsaf
radio ar gyfer ei bobol gan obeithio creu gweriniaeth Lydewig yn y
pen draw. Rhoddodd rybudd amserol i'r Celtiaid am y gwelai fod tuedd
i oryfed ymhlith ieuenctid. Credai mai diffyg balchder oedd yn gyfrifol
am y gorddiota yma ac ofnai y gallai'r cenhedloedd Celtaidd ganfod
eu hunain yn yr un picil â llwythau'r Brodorion Cyntaf yn America a
Chanada.

Doedd dim dwywaith fod yr hyn a gynigid gan Alan Stivell yn
dipyn gwahanol, dyweder, i'r hyn a gynigid gan Hogia'r Wyddfa a'r
holl draddodiad o ganu corawl a chanu emynau. Roedd recordiau o
Gymanfaoedd Canu yn dal yn boblogaidd, nid am eu bod yn gofnodion
o oedfaon o fawl, ond am eu bod yn ddigwyddiadau adloniadol. A
fyddai cenhadaeth Alan Stivell yn cael unrhyw ddylanwad yng
Nghymru? Roedd Ac Eraill yn sicr o dan ei ddylanwad a bu sôn y
byddai'r grŵp yn recordio yn Ffrainc ond ddaeth yna ddim o hynny.

Grŵp 'Celtaidd' arall a fyddai'n cael croeso yng Nghymru ar y
pryd oedd y Chieftains o Iwerddon. Fe fu pedwar o'r aelodau
gwreiddiol yn chwarae yng ngherddorfa werin adnabyddus Sean
O'Riada, Ceolteori Chaulann, ar ddiwedd y 50au. Ar ôl cyhoeddi pedair
record hir ac ychwanegu tri aelod arall penderfynwyd troi'n
broffesiynol yng nghanol y 60au. Paddy Moloney, y gŵr bychan
cellweirus a chwaraeai'r pibau Gwyddelig a'r chwisl dun, oedd yr
arweinydd. Yr aelodau eraill oedd Sean Potts, Michael Tubridy, Martin
Fay ac yna Sean Keane, Peadar Mercier a Derek Bell. Ymhlith yr
offerynnau roedd ffliwt, consertina, ffidil, bodhrán a'r delyn.

Hyfforddwyd Derek Bell i ganu'r delyn yn y dull clasurol ac roedd yn aelod o Gerddorfa Gogledd Iwerddon.

Medrai'r Chieftains dynnu oddi ar waddol cyfoethog o alawon gwerin yn cynnwys y lleddf a'r llon. Fe fyddai'r alaw bob amser i'w chlywed yn gryf pa offeryn bynnag a ddewisid i'w chyflwyno. P'un ai'r ffliwt, y pibau neu'r chwisl dun fyddai'n ei chyflwyno, gwahoddid yr offerynnau eraill i ymuno fesul un ac yna'r esgyrn neu'r bodhrán yn pwysleisio'r rhythm. Am fod yna gynifer o Wyddelod alltud a phobl o dras Wyddelig yn byw ledled Lloegr ac America, ni fu'r grŵp fawr o dro yn ei sefydlu ei hun fel grŵp o fri rhyngwladol.

Byddai rhai o'u cyflwyniadau, megis 'Bonaparte's Retreat', yn sôn am ddifodiant y gwareiddiad Gwyddelig, yn para am chwarter awr. Roedd darn fel 'Casadh an Sugain' (Troi'r rhaff) yn gyforiog o hiwmor wrth i'r offerynnau ddarlunio llanc ifanc â'i fryd ar ennill serch yn cael ei annog gan wrthrych ei ddyheadau i blethu rhaff, ac yntau, wrth ei phlethu, yn nesáu at riniog y drws ac yn ei 'droi' ei hun o'r aelwyd yn unol â dymuniad y ferch! Mae 'Samhradh, Samhradh' (Tymor yr haf) a 'Mna na hEireann' (Y Wyddeles) wedyn yn llawn hedd, hoen a harddwch. Wrth gwrs, mae chwarae 'jigs' a 'reels' yn ail natur i'r Chieftains fel pob cerddor Gwyddelig. Cyn gryfed oedd eu traddodiad cerddorol fel y medrent gyflwyno creadigrwydd o'r newydd i alawon a oedd wedi eu chwarae gyntaf ganrifoedd ynghynt. Ac roedd y pwyslais ar yr offerynnol yn hytrach na'r lleisiol yn gwneud yr hyn a oedd gan y Chieftains i'w gynnig yn haws i'w werthfawrogi. Ond i ba raddau fedren nhw ddylanwadu ar yr hyn a oedd yn digwydd yng Nghymru?

Yn sicr, doedd yna ddim yr un cyfoeth traddodiad wedi goroesi yng Nghymru. Ymhlith y cerddorion Gwyddelig yn bennaf y gwelwyd yr arbrofi a'r gwthio ffiniau. Cyhoeddodd grŵp o'r enw Horslips record a ddisgrifiwyd fel symffoni Geltaidd, *A Book of Invasions* (DJM DJF 20498) yn 1976 yn darlunio dyfodiad llwyth o'r enw Tuatha de Dannan i Iwerddon. Roedden nhw'n bobol hyddysg a golygus ac yn feistri ar bob celfyddyd a dewiniaeth. Trwy ddewiniaeth y byddai'r Tuatha'n sicrhau goruchafiaeth yn hytrach na thrwy ryfela. Ond fe ddiflannodd y llwyth tua 350cc i deyrnas gudd sy'n gyfochrog â'r haul. Cyhoeddodd Horslips record arall, *Aliens* (DJM DJF 20519), flwyddyn yn ddiweddarach yn honni iddynt ddilyn eu hynt yn y dirgel a bod eu dylanwad i'w weld yn yr Unol Daleithiau.

Cyfansoddodd Alan Stivell 'symffoni Geltaidd' hefyd. Tra oedd y Cymry ieuanc yn cyfansoddi operâu roc-gwerin yn pwysleisio'r cefndir lleisiol, roedd eu cefndryd Celtaidd yn cyfansoddi symffonïau roc-gwerin yn pwysleisio'r cefndir offerynnol. Un eithriad oedd grŵp o Iwerddon o'r enw Tŷ Bach a glywid yn canu 'Taenam Ort' a 'Maireidin', sef cyfieithiadau o 'Tyrd i Ffwrdd' a 'Lleucu Llwyd', sef dwy o ganeuon y Tebot Piws! Ni wyddom a oedd y tri Gwyddel – Colm MacSealaigh, Gearoid O'Murchtu a Cionnaith Mac Diarmada – yr un mor wallgof â'r tri Chymro!

Rhaid cydnabod hefyd fod yna wahaniaethau sylfaenol yn ogystal â thebygrwydd cyffredinol rhwng traddodiadau cerddorol y gwledydd Celtaidd. Mae llawer o ganeuon Gaeleg wedi'u cyfansoddi gan Albanwyr alltud ac felly'n tueddu i fod yn hiraethus. Gan amlaf, mae eu halawon yn y mesur triphlyg sy'n awgrymu cysylltiad â dawnsio. Cyfansoddwyd alawon Gwyddelig ar gyfer dawnsio hefyd a cheir ynddynt lawer o addurniadau. Fodd bynnag, undonog yw alawon Llydewig ar y cyfan, sy'n awgrymu bod mwy o gyntefigrwydd yn perthyn i'r traddodiad hwnnw. Hanfod y 'Kan ha diskan', sef y cyfeiliant i ddawnsio, yw bod un llais yn canu cymal a llais arall yn ymuno ar nodau olaf y cymal, a'r llais cyntaf yn ailymuno eto ar nodau olaf y cymal, a pharhau felly yn dragywydd.

Drwy hap, fe ffurfiwyd grŵp Cymreig a fyddai'n rhannu llwyfannau gwyliau Celtaidd gyda goreuon y gwledydd Celtaidd eraill. Bwriadai BBC Cymru ffilmio Gŵyl Geltaidd yn Lorient ym mis Awst 1976 ac roedd angen rhywun neu rywrai i gynrychioli Cymru. Roedd Dave Burns, chwaraewr mandolin o Gaerdydd a chyn-aelod o'r Hennessys, ar gael, ynghyd â ffidlwr o'r enw Iolo Jones o Gaerffili, a oedd newydd orffen astudio cerddoriaeth ym Mhrifysgol Rhydychen. Gofynnwyd i'r brodyr Gwyndaf a Dafydd Roberts o Lwyngwril ym Meirionnydd i fynd i Gaerdydd i'w cyfarfod i weld beth oedd yn bosib ei drefnu.

Roedd y ddau newydd roi'r gorau i chwarae gyda'r band roc Brân, ac roedd yn wybyddus fod ganddynt gefndir o ganu gwerin a'u bod yn delynorion medrus.

Penderfynodd y criw fwrw ati i ymarfer y caneuon gwerin y byddai'r Hennessys yn arfer eu chwarae. Buont yn ymarfer ar y llong ar y ffordd i'r ŵyl ac fe enwyd y grŵp yn Ar Log o'r herwydd. Mae'r gweddill, ys dyweder, yn hanes. Synnai cerddorion profiadol o glywed y grŵp wrthi'n ymarfer yn Lorient a hynny am fod yr alawon yn ddieithr iddyn nhw. Doedden nhw ddim yn ymwybodol fod yna alawon gwerin Cymreig yn dal ar gof a chadw ac yn cael eu chwarae. Ar anogaeth aelodau o grŵp y Dubliners, yn bennaf, fe benderfynodd Ar Log, y grŵp dros-dro, ddal ati.

Ni allai neb frolio cyfoethocach cefndir o ran cerddoriaeth werin yng Nghymru na Dafydd a Gwyndaf Roberts. Telynores Maldwyn, Nansi Richards, oedd wedi'u rhoi ar ben y ffordd o ran canu'r delyn. Mae'r ddau yn fawr eu dyled iddi, fel y cyffesodd Dafydd:

Un ar ddeg oed oedd Gwyndaf, a minnau'n naw yn dechrau. Peth arall pwysig yw dull Nansi o ganu'r delyn deires, y dull traddodiadol, sef ar yr ysgwydd chwith, er mwyn cael at yr hanner tôn a'r tannau bach. Pwysleisiai fod ymarferiadau yn bwysig gan roi pwt o alaw i mewn fel abwyd i dorri ar undonedd y rheiny. Pwysleisiai hefyd ddysgu cyflym heb gopi, darnau fel Pwt ar y Bys, Clychau Aberdyfi a'r hen alaw gynharaf, Cainc Dafydd Broffwyd. Yn bennaf oll doethineb ei chynghorion, ac o bob cyngor y pwysicaf oll, cyngor telynor Ceiriog iddi hi pan ddysgai hithau'r delyn gynt. Ei ddull o bob amser, meddai Anti Nansi, oedd canu'r delyn yn ysgafn, dyner a'i ddywediad nas anghofir oedd 'Nid o rym corff y cenir telyn'. Un enghraifft yn unig yw hwn o'r stôr o gynghorion a dywediadau sy'n dal i aros yng nghof rhyfeddol Nansi Richards.[3]

Etifeddodd Nansi lawer o'r hen draddodiadau oddi wrth sipsiwn a fyddai'n difyrru yn nhafarndai ardal Pen-y-bont-fawr. Doedden nhw ddim wedi cael eu heffeithio gan lach y diwygiadau crefyddol ac fe fydden nhw'n chwarae'r hen alawon yn llawn llawenydd. Ar ei chof ac ar flaenau ei bysedd y diogelwyd yr alawon, fel y gallai, ymhen amser, eu trosglwyddo i eraill. Does dim modd gorbwysleisio hynodrwydd Nansi fel llinyn traddodiad. I'r sawl a ymhyfrydai yn nifyrrwch y Cymry roedd dod ar ei thraws pan oedd yn ei hwyliau yn union fel darganfod cnapyn o aur. Sylweddolai Roy Saer fod ganddi ddoniau unigryw:

> Sôn am rywun yn artist at flaenau'i bysedd! A chanddi demprament i fynd gyda'i hartistri. Roedd hi ar bigau'r drain dim ond o weld peiriant recordio. Ond pan fyddai'r awen yn dod heibio doedd lle nac amser – na pheiriant recordio – yn cyfri dim iddi. Yn oriau mân y bore y recordiodd hi rai o'i champweithiau pennaf ar y deires, ac mae'r goreuon o blith y rheiny'n ysgytwol, dybia i. Wrth wrando arnyn nhw mae dyn yn gorfod rhyfeddu, nid yn unig at ddawn aruthrol Nansi ei hunan, ond hefyd at fawredd y traddodiad offerynnol Cymreig a ddaeth i lawr iddi o delynor i delynor.[4]

Wrth baratoi i lansio Ar Log, gwyddai'r brodyr yn union faint o'r gloch oedd hi ar y traddodiad canu gwerin yng Nghymru:

> Mae'r ychydig fandiau dawnsio gwerin yng Nghymru wedi glastwreiddio'r alawon gyda'u *accordions* ac ati, yn union fel y *showbands* yn Iwerddon. Cyflwyno'r alawon traddodiadol Cymreig yn union fel y gwna'r Chieftains yng nghyswllt Iwerddon yw'r bwriad.[5]

Ategwyd hynny gan Dave Burns a fagwyd yn ardal Wyddelig Newtown ym mhen ucha dociau Caerdydd, ac a oedd yn llinach y paffiwr, Jim Driscoll:

> Nid wyf am funud am awgrymu ein bod cystal â'r Chieftains ac mae'n debyg na fyddwn ni byth; ond y pwynt pwysig yw nad yw'r Chieftains erioed wedi cyfaddawdu eu cerddoriaeth. Maent yn annhrydanol ond eto'n gwbl draddodiadol ac yn fyd-eang eu hapêl bellach. Mae Ar Log am ddangos bod mwy i ganu Cymreig na chorau a Harry Secombe, a hynny heb gyfaddawdu ag offerynnau trydanol fel y gwnaeth Alan Stivell.[6]

Er mwyn ennill bywoliaeth, rhaid oedd i Ar Log berfformio'n amlach y tu allan i Gymru. Doedd hi ddim yn bosib perfformio tair neu bedair gwaith yr wythnos trwy'r flwyddyn yng Nghymru. A beth bynnag, teithio tu hwnt i ffiniau eu gwledydd oedd y norm ymhlith artistiaid gwerin proffesiynol y gwledydd Celtaidd eraill. Trwy deithio, llwyddodd Ar Log i roi llwyfan ehangach i gerddoriaeth Gymreig ac wrth fwynhau'r *craic*, yn dilyn y perfformiadau mewn gwyliau mawr, roedden nhw'n dysgu oddi wrth yr offerynwyr eraill. Dyna sut y mae traddodiadau'n cael eu hymestyn a'u cyfoethogi. Ond roedd rhai cenedlatholwyr yn ystyried Ar Log yn fradwyr am fod y grŵp yn perfformio tu fas i Gymru'n amlach nag yng Nghymru.

Arwydd o dlodi'r traddodiad offerynnol yng Nghymru oedd y ffaith fod Iolo Jones a John Sheahan o'r Dubliners yn edmygu'r un chwaraewr ffidil, sef Martin Byrnes o Swydd Clare a oedd wedi cyhoeddi ond un record. Doedd yna'r un ffidlwr Cymreig y medrai Iolo ei efelychu. Byddai eraill yn rhyfeddu at ddawn y brodyr i chwarae'r delyn deires oddi ar yr ysgwydd chwith yn arbennig pan oedden nhw ar deithiau yn Ne America, lle'r oedd yna delynau traddodiadol o bob math. Ymateb Derek Bell, telynor y Chieftains, bob tro y byddai'n gweld a chlywed y delyn deires fyddai 'bejasus, it's amazing'. A thra oedd ei goesau'n dal yn heini byddai myrdd yn rhyfeddu at allu Dafydd i ddawnsio dawns y glocsen. Roedd yr Almaen yn gyrchfan cyson ac roedd perfformio yn yr Eisteddfod Genedlaethol ac mewn gwyliau fel Gŵyl y Cnapan yn Ffostrasol yn dal yn uchafbwyntiau blynyddol.

Chwifiwyd baner Cymru gan wneud i rai, beth bynnag, sylweddoli nad gwlad o gorau meibion a gwragedd mewn hetiau uchel yn canu'r delyn mo Cymru. Pan oedd angen cynrychiolwyr o Gymru yn y gwyliau Celtaidd mawr roedd Ar Log yn gymorth hawdd i'w gael i'r trefnwyr. Er bod Meic Stevens wedi gwneud Llydaw yn ail gartref iddo'i hun am gyfnod yn y 70au doedd e ddim wedi cymryd at y ddisgyblaeth a oedd yn angenrheidiol er mwyn teithio o ŵyl i ŵyl. Yn ogystal â pherfformiadau cyson Ar Log ar draws y cyfandir, roedd cyflwyniadau Alan Stivell o 'Ffarwél Aberystwyth' a 'Bwthyn Fy Nain' ledled y byd fel rhan o'i Brezhoneg Raok yn cyhoeddi bodolaeth Cymru.

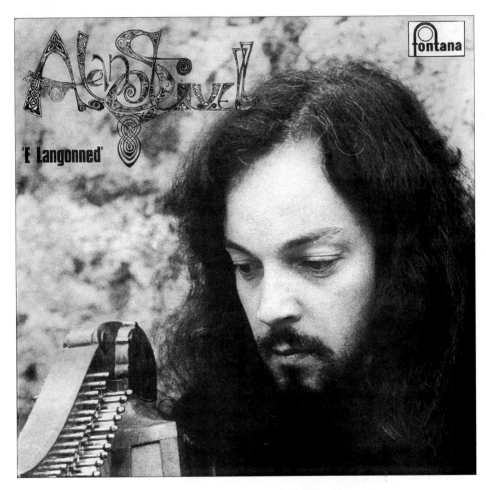

Alan Stivell, yr enigma Llydewig a roes fri ar y canu Celtaidd.

Ar Log yn
eu dyddiau
cynnar.

Gwyndaf Roberts

251

16 / Wa McSpredar a Mary Lou

Peidied yr un ymchwilydd sydd am astudio troeon gyrfa Mynediad am Ddim â darllen y gyfrol *Digon Hen i Yfed! Dathlu Deunaw Oed Mynediad Am Ddim 1974–1992*. Ychydig o fanylion ffeithiol sydd ynddi a hynny, o bosib, am i'r grŵp dreulio'i yrfa'n torri syched. O ddarllen cyfraniadau'r gwahanol aelodau, o'r ychydig maen nhw'n ei gofio, hawdd credu iddynt fwynhau deunaw mlynedd o *craic* Cymraeg. Neu o'i gyfleu yn nhermau'r ymchwilydd academaidd, fe roddwyd llonydd o'r diwedd i fwci-bo dirwest fel rhan o'r ffordd Gymreig o fyw! Rhwng y diota fe lwyddodd y grŵp i ganu ambell gân gofiadwy.

Gellid dweud mai noddwr penna'r grŵp oedd Llundeiniwr o'r enw John Purcell, tafarnwr y Blingwyr/Skinners yn Aberystwyth. Yno byddai'r grŵp yn ymarfer yn feunosol a fyddai hi ddim yn anarferol gweld John yn ymuno â nhw ar eu mynych deithiau a hynny heb gyfaddawdu'r un iot ar ei gymeriad fel cocni. Roedd hwyl Mynediad am Ddim yn hwyl i bawb.

Eisoes roedd gan y Blingwyr enw o fod yn gyrchfan i gantorion gwerin pan fydden nhw ar ymweliad ag Aberystwyth ac fe gynhelid nosweithiau gwerin mewn ystafell yng nghefn y dafarn yn gyson. Ond roedd Emyr Wyn a'r criw yn benderfynol o ddangos bod y traddodiad gwerin yn dal yn fyw ac nad oedd wedi ei gyfyngu i nosweithiau ffurfiol. A chan amlaf, roedd y traddodiad yn pefrio wrth i leisiau asio'n bwerus gadarn neu'n dawel fregus yn ôl gofynion y gân dan sylw. Doedd ryfedd fod y criw mor hyderus wrth ddifyrru mewn Nosweithiau Llawen ffurfiol. Doedd ryfedd chwaith eu bod yn cychwyn trwy ganu 'Moliannwn' er mwyn annog y gynulleidfa i ymuno a pharhau i ymuno weddill y noson. Fe fydden nhw'n perfformio fel petaen nhw'n fyddar i unrhyw draddodiad 'steddfodol a oedd wedi amharu ar naturioldeb cyflwyniad y gân werin. Doedd 'Hen Ferchetan' a 'Mari Fach fy Nghariad' ddim wedi cael eu canu gyda'r fath afiaith ers eu cyfansoddi.

Cael cymeradwyaeth a llwyddiant yn yr Eisteddfod Ryng-Golegol yn 1974, gyda'r gân 'Beti Wyn' yn bennaf, oedd yr hwb i fentro ymadael â'r Blingwyr ambell noson a chodi tâl am ddifyrru mewn neuaddau cefn gwlad. Yr aelodau gwreiddiol oedd Emyr Wyn, Robin Evans, Graham Pritchard, Iwan Roberts, Mei Jones a Dewi Jones. Gadawodd Dewi ymhen dwy flynedd ac yn eu tro fe fu Alun 'Sbardun' Huws, Emyr Huws Jones, Rhys Ifans, Geraint Davies a Peter Jones yn aelodau. Robin, Graham ac Emyr oedd y tri aelod sefydlog o'r dechrau tan i'r grŵp ddathlu ei ben-blwydd yn ddeunaw oed. Hanai Robin o Ben Llŷn a Graham o Ynys Môn tra bod Emyr yn hanu o'r Fforest ger Pontarddulais yn y Sir Gâr ddiwydiannol. Mei, Monwysyn arall, fu'n sôn am gymhellion y grŵp wrth baratoi i dderbyn cyhoeddiadau:

> Mae angen dod â hiwmor a doniolwch 'nôl i'n Nosweithiau Llawen fel y gwnâi cwmnïau'r ardaloedd gwledig ers talwm. Mae ein caneuon yn tynnu ar bob math o destunau ac rydym yn amrywio ein harddull o'u cyflwyno. Defnyddiwn tua saith o offerynnau gan gynnwys ffidil, banjo, mandolin, pib a'r offeryn Gwyddelig bodhrán ac mae Emyr Wyn, Robin a minnau yn gyfrifol am y lleisio. Gobeithiwn felly ein bod yn apelio at ddant pawb mewn rhyw fodd neu'i gilydd.[1]

Emyr Wyn oedd angor y grŵp ac fe brofodd ei hun yn gyfathrebwr hyderus tanigamp ar lwyfan o safbwynt llais ac ystum. Roedd Mynediad am Ddim fel petai'n byw mewn byd hollol wahanol i'r 'Hogia' a 'Bois' oedd wedi ei flaenori. Criw o fyfyrwyr oeddynt, wedi dod at ei gilydd yn unol yn y gred bod angen adfywio'r traddodiad gwerin i'w hen ogoniant. I wneud hynny, roedd yn rhaid dychmygu'r hen rialtwch a'i gyflwyno mewn gwisg gyfoes heb y cysgod eisteddfodol yna a roddai fri ar ddewis y gorau a chreu cynulleidfa o feirniaid yn chwilio am ddehongliad byth a beunydd. Gwerthfawrogi'r hyn a oedd yn gynhenid Gymreig ac ymuno yn yr hwyl oedd unig ddisgwyliadau Mynediad am Ddim o ran y cynulleidfaoedd.

Ymddangosai fod gan yr aelodau oll yr arfau miniog angenrheidiol ar gyfer y dasg. Roedden nhw wrthi'n eu trwytho'u hunain yn y traddodiad gwerin ac ar yr un pryd yn ddigon hyderus i gyflwyno caneuon gwreiddiol o eiddo nifer o gyfansoddwyr ond yn bennaf o eiddo Emyr Huws Jones (Ems). O ran perfformio'n fyw, nod Mynediad am Ddim oedd tynnu'r to i lawr a dyna a wnacd yn ddieithriad. Byddai'n anodd i'r un gynulleidfa beidio ag ymlacio yn eu cwmni. Llwyddodd yr aelodau i ymddihatru o unrhyw arferion anffodus a fagwyd ar y gylchdaith steddfodol pan oedden nhw'n iau. Ar ryw olwg, roedd gan Emyr Wyn fwy o groes i'w chario na'r lleill am iddo fod yn gantor poblogaidd yn nyddiau bachgendod cyn i'w lais dorri. Doedd e ddim yn hoff o gael ei atgoffa o'r cyfnod angylaidd pan fyddai'n canu emynau, ond mae'n siŵr fod y geiriau a welwyd ar lawes un o recordiau Teldisc yn ei ddisgrifio i'r blewyn:

> ...[he has a] charming manner, pleasant appearance, the capacity to be his age, and a great love of singing which he really communicates to an audience. Rarest of all is a quality of voice which is warm, soft and soothing in texture.[2]

Beth bynnag, er bod arllwys galwyni o ddiodydd poethion i lawr ei lwnc a smygu fel simdde wedi rhoi pen ar y llais angylaidd, roedd o leiaf yn bwrw ati i ddiddanu gyda sêl y cenhadwr. Bron nad oedd yn ceisio gwireddu'r geiriau a 'sgrifennwyd gan Arfon Gwilym wrth fwrw golwg ar ddatblygiadau yn y maes gwerin yn ystod 1976:

> Os gwêl y werin Gymraeg yn dda i roi heibio'r arfer rhagrithiol o ganu emynau yn nhafarnau ein gwlad, a mabwysiadu yn eu lle hen ganeuon gwerin Cymru, hwyrach y bydd gobaith am adfywiad go iawn, cyn i'r cyfan fynd ar goll ar silffoedd yr amgueddfeydd ac yn llyfrau'r casglwyr.[3]

Ond, yn ôl tystiolaeth Mei, roedd un clefyd Cymreig yn tueddu i filwrio yn erbyn dyheadau'r criw, sef y trefnydd cybyddlyd:

> Nid ydym yn codi llawer am ymddangos mewn cyngerdd – £45 rhwng saith – ond yn anffodus mae llawer o drefnwyr cyngherddau

yng Nghymru yn disgwyl i ni berfformio'n rhad, am fod yr elw at
'achos da', ac maent yn credu bod rhywbeth o'i le pan fo artistiaid
yn gwneud elw ariannol o ddiddori cynulleidfaoedd. A chan nad
ydym yn medru perfformio'n Saesneg mae cylchoedd y clybiau
allan ohoni, mae'n debyg.[4]

Ta beth, hawdd fyddai dychmygu'r bechgyn yn cael eu trawsblannu
i gyfnodau cynt ac yn perfformio mewn Nosweithiau Llawen ar
ddiwedd y ddeunawfed ganrif, tebyg i'r rhai a ddisgrifir gan Hugh
Evans yn ei gyfrol *Cwm Eithin*:

> Cedwid y Noson Lawen pan fyddai rhywun yn ymadael â'r ardal,
> neu rywun yn dychwelyd ar ôl bod i ffwrdd am amser, ac yn aml
> heb unrhyw achos neilltuol yn galw, ond er mwyn y difyrrwch
> diniwed. Gwahoddid telynor o rywle arall, oni byddai un yn y lle y
> cedwid y Noson Lawen; ond roedd y delyn yn gyffredin iawn yn
> anheddau'r ffermwyr. Cenid gyda'r tannau, cyfansoddid englyn neu
> ddarn o farddoniaeth am y gorau, adrodd straeon Tylwyth Teg ac
> am ysbrydion, a thrafod yr hanesion diweddaraf.
> Nid oedd bron yr un capel Ymneilltuol o fewn y wlad gant a
> deugain o flynyddoedd yn ôl. Nid oedd y cyngerdd na'r ddarlith
> wedi eu geni. Nid oedd ond ychydig o wasanaeth crefyddol yn y
> llannau ar y Sul. Nid oedd y werin yn myned i'r eisteddfod, dim ond
> ychydig o feirdd a llenorion. Nid oedd gan y bobl gyffredin unrhyw
> fan cyfarfod ond y dafarn. Ond ar nosweithiau hirion y gaeaf yr
> oedd y Noswaith Lawen a'r Noswaith Weu. Ni fûm erioed mewn
> Noswaith Lawen. Credaf mai'r gwahaniaeth rhyngddynt oedd fod y
> Noswaith Lawen yn cael ei chynnal fel rheol yn y ffermydd lle y
> byddai cegin helaeth, neu o'r hyn lleiaf lle fel Hafod Lom a digon o
> le ynddo i 'ganu cainc ar fainc y simne'. Ond am y Noswaith Weu,
> gellid ei chynnal hi mewn tyddyn bychan neu fwthyn gweithiwr, ac
> felly yr oedd yn sefydliad mwy cyffredinol na'r Noswaith Lawen.
> Pan geid pawb i eistedd, gwelid y merched i gyd yn hwylio i weu,
> pob un â'i hosan a'i gweill a'i phellen edau, a deuai ambell lanc â'i
> weill a'i bellen edau i weu gardas er mwyn hwyl. Ond ychydig iawn
> a dyfai'r sanau yn y Noswaith Weu, oherwydd byddai straeon digrif
> y llanciau a'u gwaith yn tynnu'r gweill o dan y pwythau yn eu
> rhwystro. Gofelid bob amser am gael digrifddyn neu un da am
> ddywedyd straeon, a cheid toreth o straeon Tylwyth Teg a straeon
> am ysbrydion. Fel rheol adroddid digon o'r diweddaf i beri gormod
> o ofn ar y merched fyned adref eu hunain, a châi'r llanciau esgus i
> fyned i'w danfon.[5]

Anodd dychmygu criw Mynediad yn gweu sanau ond fe fydden nhw, y Monwyson Mei, Graham ac Ems yn arbennig, wedi bod wrth eu boddau yn rhan o'r rhialtwch yn Nhafarn y Britannia ar Sgwâr Llannerch-y-medd, Ynys Môn, ar ddechrau'r ugeinfed ganrif. Adwaenid y tafarnwr Robert Jones fel y 'Telynor Cymreig' ac roedd ganddo ddau frawd yn ymarfer y greft. Dyma ddisgrifiad Eryl Wyn Rowlands o noson yn y Britannia:

> Yn wir, y gred gyffredinol yw mai Bob oedd y mwyaf dawnus o'r tri brawd – yn enwedig ar ôl peint neu ddau. Fel cynifer o delynorion ei gyfnod, ni fedrai ddarllen yr un nodyn o gerddoriaeth, dim ond chwarae o'r glust. Arferai'r tri brawd chwarae alawon Cymreig gydag amrywiadau celfydd. Cofiai 'Telynores Maldwyn' amrywiadau'r 'Telynor Cymreig' ar yr alaw 'Llwyn Onn' ar ei chof ac roeddynt yn wir orchestol. Teiliwr oedd 'Telynor Gwalia' hefyd, yn delynor medrus fel ei frodyr ond yn llawer distawach ei natur na'r 'Telynor Cymreig'. Enw answyddogol y 'Britannia Inn' oedd 'Tŷ'r Delyn'. Ganrif yn ôl byddai rhialtwch mawr yno gyda'r nosau. Galwai cwsmeriaid y teilwriaid heibio'n aml iawn, nid i yfed fawr ddim ond i ymuno yn yr hwyl a'r canu. I ddweud y gwir, cwrw gwan iawn a geid yn y 'Britannia' yn ôl pob sôn. Dyma senario noson yno tua 1900.
>
> Mae Bob yn eistedd ar stôl ar ganol y llawr gyda'i delyn, a rhwng wyth a deuddeg yn eistedd ar stolion mewn cylch o'i gwmpas. Dechreua chwarae cainc a elwid 'y rowndar'. Y gamp wedyn fyddai i bawb yn ei dro o'r cylch nyddu pennill ffraeth a phigog i 'slimio' i mewn i'r 'rowndar'. Os methai rhywun gael pennill na fyddai eisoes wedi ei chanu y noson honno, neu fethu taro i mewn, byddai'n cael ei fwrw allan o'r cylch yn ddiseremoni. Ar ddiwedd y noson byddai ond rhyw un neu ddau medrus ar ôl yn canu ymlaen am oriau. Dyma esiamplau o'r math o benillion a genid:

> *Os wyt am 'mryson canu*
> *Cod dy stôl ac eistedd arni,*
> *Mi a ganaf tan y bora*
> *Cyn y rhoddaf iddi'r gora.*

> *Tebyg yw dy lais di'n canu*
> *I hen fuwch pan fo hi'n brefu,*
> *Neu gi bach yn hepian cyfarth*
> *Wedi colli'r ffordd i'r buarth.*

Sionyn gegin gegog
A lyncodd bedwar pennog,
Ugain cwpaned o datws llaeth
Ac ugain brechdan driog.

Cau dy geg y cena cegddu
Gwell o lawer i ti dewi,
Pe cawn i hanes gof am gyflog
Mi rown glem ar flaen dy dafod.[6]

Un o driciau Emyr Wyn fyddai canu ribidirês o bytiau o ganeuon gwerin gan lithro o un gainc i'r llall yn ddidrafferth. Ond doedd y criw ddim yn ddibynnol ar y caneuon cyfarwydd a berthynai i oes y ceffyl a chynt er mwyn codi hwyl. Medren nhw wneud caneuon cyfoes fel 'Wa MacSpredar' yn ganeuon cyfarwydd. Does dim sicrwydd beth yw cefndir y gân ond mae'n ymwneud â myfyriwr o'r Bala a adwaenid, yn naturiol, wrth y llysenw 'Wa', ac roedd y 'Marylou' y cyfeirir ati yn lanhäwraig yn Neuadd Pantycelyn lle'r oedd y myfyrwyr Cymraeg yn lletya. Hoeliodd Mynediad am Ddim ei enw am ddoniolwch ar y gân yma ac fe roes deitl i'r record hir gyntaf a gyhoeddwyd ar ddiwedd 1975 (Sain C521). Roedd honno, yn ogystal â'r ddwy ddilynol, *Mae'r Grŵp yn Talu* (Sain C564) yn 1976 a *Rhwng Saith Stôl* (Sain C703) yn 1977, hefyd yn cynnwys perlau o ganeuon o waith Ems. Yn ogystal â bod yn lladmeryddion y canu gwerin roedd Mynediad am Ddim hefyd yn rhoi llais i ganeuon fel 'Cofia dy wyneb' a 'Pappagio's' sydd wedi tyfu'n glasuron. Roedd ymateb Ems, wrth iddo glywed yr ail record hir am y tro cyntaf, yn union fel natur freuddwydiol ei gyfansoddiadau:

> Roeddwn yn gorwedd yn fy ngwely y bore cyntaf ar ôl derbyn copi o'r record *Mae'r Grŵp yn Talu*, a rhwng cwsg ac effro, clywn Emyr Wyn i lawr y grisiau yn ei chwarae drosodd a throsodd tua saith y bore. Cefais ryw fath o freuddwyd bod alaw 'Stori Wir' wedi ei recordio gan chwaer Virginia Woolf. Ai wedi ei dwyn yn anymwybodol wyf felly? Mae hynny yn fy mhoeni. A oedd gan Virginia Woolf chwaer beth bynnag? [7]

Pwysleisiodd pa mor anodd oedd hi i gerddor a chyfansoddwr di-gar fel ef i ymuno â Mynediad ar lwyfannau. Yn ystod wythnos Eisteddfod

Aberteifi 1976 lletyai Ems yng Ngwesty Blaendyffryn, ger Llandysul, sydd cryn bellter o dref Aberteifi. O ganlyniad, penderfynodd na fyddai'n ymuno â'r grŵp ar gyfer cyhoeddiad awyr agored yng Nghastell Cilgerran ar y nos Fercher. Wedi'r cyfan, pa obaith fyddai ganddo o ganfod cludiant yn ôl i'w westy am ddau o'r gloch y bore? Ond rhoddodd ei air y byddai'n ymuno â'r grŵp yn y pafiliwn ar y nos Wener, ond fe gododd anawsterau:

> ... roeddwn wedi bod allan yn y bae yn pysgota drwy'r dydd, ac ar ôl dod 'nôl aeth fy nghyfeillion eu ffordd eu hunain gan fy ngadael ar fy mhen fy hun yn Aberteifi. Roedd fy ngitâr gennyf ond er chwilio am weddill y grŵp, roedd drws pob tafarn ar gau ac ni ddeuthum o hyd iddynt. Eisteddais ar y palmant am hydoedd yn darllen *Y Cymro* gan obeithio y dôi un ohonynt heibio ond collais amynedd a llogais dacsi yn ôl i Flaendyffryn. Fe gostiodd hynny bedair punt i mi.[8]

Anodd, yn d'oedd?

Myrddin ap Dafydd, yn ei gyflwyniad i'r gyfrol, *Digon Hen i Yfed!*, sy'n crynhoi athrylith caneuon Ems:

> ...daeth talent Ems â haen newydd o ganu gwerin cyfoes i gyfoethogi'n traddodiad. Caneuon 'y gornel glyd', 'yng nghwmni'r bois yn y dafarn neu ferch wrth y tân', yw'r rhain; caneuon ydyn nhw sy'n rhoi mynegiant i un cyfnod, un cariad, un criw ond bellach maen nhw'n perthyn i bawb ac i bob cyfnod, hyd yn oed os nad oes yna barti caws a gwin mor aml ar y lloer erbyn hyn ...
> Ac fe dyfodd y caneuon yn anthemau; pob un â'i lle, pob un â'i chywair. Mae Pappaggio's yn bod o hyd, ble bynnag y bo'n 'anodd trio'i hanghofio hi'; mae gennym i gyd ynys lle nad oes rhaid 'poeni am y glaw a lle mae tonnau'r môr yn braf' ac rydan ni i gyd wedi ystyried 'efallai nad af byth i ffwrdd' ond yn gorfod cyfaddef 'na allaf fod yn neb ond fi'. Sawl gwaith, sgwn i, y mae 'Ti yw fy ffrind' wedi mynegi yr hyn yr oedd yn amhosibl i ambell ddau ei ddweud wrth ei gilydd. Wrth i Mynediad roi bywyd yn y caneuon, y caneuon oedd ein bywydau ninnau.[9]

Cyfansoddodd Myrddin ei hun amryw o ganeuon cofiadwy ar gyfer Mynediad megis 'Ymlaen i Hyddgen' a 'Llynnoedd du ein gwlad' sydd wedi eu hanfarwoli ar feinyl. Fe'i hystyrid yn un o'r 'criw' oherwydd pan fyddai Mynediad yn cadw cyhoeddiad rywle byddai haid o gefnogwyr yn mynnu ei hebrwng. Roedd yna hwyl o fod yn rhan o'r cyffro, ar lwyfan, ac oddi ar y llwyfan:

Yn fy Eisteddfod Ryng-golegol gyntaf – Bangor '75 – roedd perfformiadau'r grŵp yn ysgubol. Does dim rhaid bod yn syber a pharchus i fod yn Gymreig a llwyddodd Mynediad i ddod â miri newydd i'r hen noson lawen oedd yn prysur lwydo ar lwyfannau gwlad. Cof da am eu taith ar y cyd â Dafydd Iwan pan gydion nhw o ddifri yng nghynulleidfa'r Commodore yn Aber a chofio'u greddf naturiol wedyn hyd yn oed o flaen y camerâu wrth ffilmio *Cawl a Chân* ar fferm Pen-y-bryn. I fyfyriwr tlawd fel fi, roedd enw'r grŵp yn ffaith economaidd handi iawn ar brydiau. Pwy yn Aber na chariodd un o'r cesus gitârs llawn sticers rheiny rywbryd neu'i gilydd?

Fe ddaeth fy nghyfle innau ym Mhlas Maenan un nos Galan pan aeth y noson ymlaen mor bell i'r flwyddyn newydd nes bod cardiau'r Dolig canlynol eisoes ar werth yn y siopau pan roesom y gorau iddi. Dro arall, trip dros y Pasg i Galway mewn fan Folcswagen las. Cofio rhyfeddu yn y neuadd anferth honno wrth i'r dyrfa ymateb i'w canu a chychwyn curo dwylo i gyfeiliant y llinell gyntaf – 'Roedd Dafydd ap Gwilym yn dipyn o fardd'. Mae gan y grŵp rywbeth arbennig sy'n apelio y tu hwnt i ffiniau moroedd ac ieithoedd ac mae'r pum iaith sy'n eu cyflwyno ar y record *Torth o Fara* yn dweud llawer amdanynt.

Noson arbennig arall sy'n dod yn ôl drwy niwl amser yw yr un ar y pier yn Aber pan oedd cwmni Sain druan yn ceisio recordio'r grŵp yn fyw. Yn anffodus, roedd y pwmpiau trydanol y tu ôl i'r bar yn amharu ar ansawdd y sain, a chan fod y pwmpiau mor brysur, wel... Yna, Gŵyl y Cnapan 1991, pan rannodd Mynediad lwyfan â'u hen arwyr, y Dubliners.[10]

Yn anffodus, does dim record yn cofnodi perfformiad byw gan Mynediad am Ddim ar gael. Yn y cof yn unig y mae'r cyffro a'r rhialtwch. Roedd y record *Torth o Fara* (Sain C737) yn 1978 yn cynnwys dwy ar bymtheg o ganeuon gwerin traddodiadol ac wedi ei hanelu at y farchnad Geltaidd ryngwladol. Fyddai hi ddim wedi bod yn amhosib i'r grŵp lwyddo y tu allan i Gymru er mai grŵp lleisiol oedden nhw'n bennaf ac yn canu'n Gymraeg yn unig. Yn sicr, fe wnaethon nhw argraff bob tro y buon nhw ar daith dramor. Fe ymwelwyd â Llydaw yng nghwmni Dafydd Iwan yn ystod haf 1978, a'r haf dilynol cafwyd gwahoddiad i berfformio fel y prif atyniad mewn gŵyl werin yng nghyffiniau Brest. Yn Llydaw y daeth Dafydd i wir werthfawrogi dawn y grŵp:

> Digon o fynd, digon o fywyd ac egni, llwyth o greadigrwydd
> cerddorol – yn offerynnol ac yn lleisiol – ond bob amser yn llawn
> hiwmor a hwyl… Mae gwrando ar Mynediad yn hwyl. Ac o brofiad
> personol, gallaf dystio fod rhannu llwyfan â nhw hefyd yn hwyl. Yn
> enwedig felly ar daith fel yr un a gawsom yn Llydaw ym mis Awst
> 1978. Mae'r manylion yn pylu bellach, ond erys y cof am y
> gwmnïaeth, y tynnu coes, y poteli mynych, y cysgu ar welyau
> cynfas, Mari Malw, a thrwy'r cyfan yr hwyl a'r canu.
>
> Ie, y canu diderfyn; ac un noson yn arbennig mewn eglwys
> wledig yn Landunves. Y lle dan ei sang, ond digon o ofod ar ôl i
> sicrhau fod yno atsain fel cloch. Mynediad yn gollwng eu
> hofferynnau, ac yn canu cân werin yn ddigyfeiliant, a'r lleisiau'n
> diasbedain rhwng y trawstiau. Harmoni fel organ, yn codi i'r
> entrychion, a Llydaw a Chymru yn un am funudau anfarwol.[11]

Mae gan Sbardun atgof am y modd roedd yr hwyl Celtaidd yn medru asio, a hynny yn ystod ymweliad â Gweriniaeth Iwerddon:

> Tafarn yn ardal Salthill o ddinas Galway, ganol y prynhawn. Mae'r
> lle dan ei sang. Yn y gornel, mae hen ŵr yn canu baled drist yn ei
> famiaith. Fe allech glywed pìn yn disgyn. Ar ddiwedd y gân,
> bonllefau o gymeradwyaeth a rhywun yn gweiddi *'How about a
> song, lads? Wouljer man on the fiddle there give us a toon?'* Graham
> yn wêdio i mewn i 'King of the Fairies'. Rhai yn curo dwylo wrth i
> Graham gyflymu. 'Mwy o staes ynddi,' meddai un ohonom ni.
> Rhywun arall yn gosod llond hambwrdd o beintiau Guinness o'n
> blaenau, a'r ewyn gwyn yn hedfan. Rhyw Wyddel yn ymuno yn y
> dôn efo'r *penny whistle*, un arall yn dechrau taro'r bodhrán. Mae'r
> 'stafell yn dechrau troi, a phopeth yn un berw gwyllt, hapus.[12]

Tarodd Huw Jones, un o sefydlwyr Cwmni Sain, yr hoelen ar ei phen wrth bwyso a mesur rhagoriaeth Mynediad am Ddim:

> Rhyw *throwbacks* cerddorol oedden nhw – fel pe bai'r Blew ac
> Edward H heb ddigwydd – i oes rywle rhwng Bob Roberts Tai'r
> Felin a'r Tebot Piws. Roedd hi'n help i werthfawrogi eu hathrylith
> greadigol os oeddech chi'n gwybod be yn hollol oedd 'sbredar', pwy
> oedd 'Wa' a 'Beti Wyn' a beth oedd y dylanwadau llenyddol oedd
> wrth wraidd caneuon fel 'Arica', ond yn fuan iawn roedd beirniaid
> cenedlaethol mor flaengar â Hywel Gwynfryn yn cydnabod fod gan
> yr hogia anhrydanol yma rywbeth i'w gynnig i'r genedl.[13]

Doedd dim dwywaith fod gan Mynediad am Ddim ar eu gorau beth wmbreth o'r elfen honno sy'n medru hoelio sylw cynulleidfa, sef presenoldeb. Nid heb reswm y byddai Emyr Wyn yn cael ei alw yn 'Demis Roussos' ar un adeg ond roedd ganddo'r doniau hanfodol ar gyfer difyrru waeth beth oedd maint ei gorff. Roedd pob un o'r aelodau eraill yn gerddorion praff.

Pam na fydden nhw wedi troedio'r llwybr Celtaidd? Yr un hen stori o rywbeth a ddechreuodd fel hwyl coleg yn mynd yn gynyddol anodd i'w gynnal wrth i'r aelodau wasgaru a dilyn gyrfaoedd. Amharodrwydd i fentro er profi eu bod gystal bob tamed am gynnal y *craic* ag oedd y Dubliners a'r lleill. Ansicrwydd pa un ai canu cyfansoddiadau Ems oedd eu dyletswydd neu chwistrellu bywyd newydd i'r caneuon a'r ceinciau gwerin.

Waeth beth y gellid bod wedi ei gyflawni, mae'n deg dweud bod Mynediad am Ddim wedi llwyddo i wneud codi hwyl Cymreig mewn tafarndai yn brofiad cartrefol. Cynigiwyd cwrs carlam mewn codi hwyl trwy gydio yn yr hyn oedd ar fin mynd ar goll gyda thewi Bob Tai'r Felin, a'i ysgwyd nes ei fod yn ymddangos ar newydd wedd. Ac, wrth gwrs, nid yw aelodau Mynediad am Ddim wedi cyhoeddi eu bod yn ymddeol.

Mynediad am Ddim ar ben to – Dewi Jones, Myrddin Jones, Graham Pritchard, Robin Evans, Emyr Wyn, Iwan Roberts ac Emyr Huws Jones (Ems).

17 / 'Ia, Deudwch Chi 'Rŵan'

Gwythïen nad oedd wedi ei disbyddu oedd y wythïen werinol. Brigai lle bynnag y ceid cymunedau Cymraeg cryf ac unigolion brwd. Doedd yna neb yn fwy o ymgorfforiad o'r ysbryd Cymreig radical na Elfed Bach, fel y'i hadwaenid. Lle bynnag y byddai'r Parch. Elfed Lewys yn codi ei babell byddai'n twrio am yr hynodrwydd a oedd o'i gwmpas yn rhywle. Roedd yn gymaint o ladmerydd y traddodiad gwerinol mewn cornel tafarn ag yr oedd o negesydd yr efengyl o bulpud capel. Yn ei fyd ef roedd cwrdd ag enaid byw a feddai ar stôr o straeon a chaneuon yn ddull llawer mwy effeithiol o drosglwyddo diwylliant na'r teledu. Nid heb reswm y seiliodd Dewi Pws un o'i gymeriadau yn ei gyfres deledu *Torri Gwynt* ar Elfed Bach a'i alw'n 'Elfed Celt'. Fe gydiodd yr enw.

Fe'i cysylltir yn bennaf ag adloniant gwerinol Aelwyd Penllys yn ardal Llanfyllin. Fe ddaeth yr Aelwyd i sylw cenedlaethol drwy ennill y gystadleuaeth Noson Lawen yn Eisteddfod yr Urdd, Caerfyrddin, yn 1967. Ymhyfrydai Elfed yn hen arfer y Canu Plygain a geid yn yr ardal o boptu'r Nadolig. Roedd yntau a Nansi Richards, Telynores Maldwyn, yn eneidiau cytûn. Rhannai'r ddau ragfarn iach tuag at unrhyw sefydliad ac awdurdod. Serch hynny, byddai Elfed yn hoff o adael ei farc ar sefydliadau ac awdurdod. Fe enillodd ar ganu alaw werin ddwywaith yn yr Eisteddfod Genedlaethol ac unwaith yn Eisteddfod Gydwladol Llangollen a hynny er nad oedd yn or-hoff o'r syniad o ganu cân werin fel 'unawd'. Byddai'r carchardai y bu'n preswylio ynddyn nhw yn enw Cymdeithas yr Iaith yn diasbedain i sŵn caneuon gwerin. Fe'i clywir ar y record *Tafodau Tân* yn canu baled 'Tafarn y Rhos' gydag arddeliad.

Pan symudodd i ardal Tyddewi, ni fu fawr o dro yn trefnu gwersi dawnsio gwerin mewn tŷ capel a hyd yn oed plygain mewn capel di-drydan a phrin ei ddefnydd. Ar ôl symud i ardal Llandysul, wedyn, fe'i gwnaed yn gadeirydd cyntaf pwyllgor Gŵyl Werin y Cnapan. Byddai'r pastwn y cydiai ynddo'n holbidág â'i law dde yn symbol i'w gysylltu â difyrwyr oesoedd a fu. Prin y byddai dim yn digwydd yn hanes Cymdeithas yr Hoelion Wyth, yn y de-orllewin, heb fod Elfed yno yn rhywle. Anodd credu y byddai'r grŵp gwerin Plethyn wedi ei ffurfio heb anogaeth y cawr ar goesau byrion. Gwnâi ei siâr o actio ar deledu ac ar lwyfan ac fe'i disgrifiwyd mewn un adolygiad fel *'a real live itinerant preacher'*. Byddai bob amser yn chwilio am y wythïen honno o Gymreictod a fyddai'n ei arwain yn ôl at ddiffiniad Edward y Cyntaf o glerwyr, sef *'wasters, bards, rhymers and other idlers and vagabonds who live on the gift called* cymorthfa'. Ymhyfrydu ei fod yn byw ar 'gymorthfa' wnâi Elfed!

Y clerwyr oedd yn cadw ysbryd y Cymry cyffredin yn fyw ar ddiwedd y drydedd ganrif ar ddeg ac roedd Elfed yn ddigon parod i uniaethu ei hun â nhw waeth beth oedd barn Brenin Lloegr, *'that no wasters and rhymers, minstrels or vagabonds be maintained in Wales to make* cymorthfa *or pillages on the common people, who by their divinations, lies and exhortations are partly cause of the insurrection and rebellion now in Wales'*. Anodd gosod label twt i ddisgrifio'r Parch. Elfed Lewys ond lle bynnag y byddai ddigwyddiad wedi'i drefnu i hybu unrhyw agwedd o ddiwylliant gwerin, boed yn ddawns, cân neu stori, gellid mentro y byddai nai yr Archdderwydd Elfed yno yn rhywle.

Roedd Elfed yn un o'r garfan a ofidiai fod yr Eisteddfod yn niweidio'r traddodiad canu gwerin. Credai fod trefnu cystadlaethau i ganfod pwy yw'r gorau am ganu cân werin yn gyfystyr â throsglwyddo planhigion iach o'u cynefin i dŷ gwydr. Bron bod yna deimlad fod yr Eisteddfod Genedlaethol yn dramgwydd i barhad canu gwerin am fod y dimensiwn cystadleuol yn ddieithr i'r traddodiad. Fe fu Dafydd Iwan yn seinio rhybudd mewn rhifyn o'r cylchgrawn *Lol* 'amharchus':

Mi all yr eisteddfod fod yn ddylanwad drwg. Cymerwch gystadleuaeth 'cân werin' os leiciwch chi. Yr arweinydd yn gofyn am ddistawrwydd ac am gau'r drysau; y cystadleuydd yn canu; cymeradwyaeth, a'r canwr yn mynd oddi ar y llwyfan i wneud lle i'r nesaf. Y cyfan mewn gwaed oer, a'r cwbwl i'w farcio allan o gant. Lleisiau da efallai, geirio cywir o bosib – OND NID DYMA'R FFORDD I GANU CANEUON GWERIN.

Mae canu gwerin yn rhywbeth sy'n codi yn naturiol o gymdeithas hwyliog iach. Mae anffurfioldeb yn rhan bwysig o awyrgylch canu gwerin – rhyw natur 'ffwrdd-â-hi' ac 'o'r frest' fel petai...[1]

Fe fanteisiodd Arfon Gwilym ar ei gyfle i daro'r post mewn cywair yr un mor daer wrth adolygu cyfrol o eiddo Roy Saer o'r Amgueddfa Werin, *Caneuon Llafar Gwlad*:

Wrth hysbysebu rhaglen deledu ddiweddar oedd yn trafod y gyfrol hon disgrifiwyd y peiriant recordio fel *'a most effective tool in the preservation of Welsh folk culture'*. Naw wfft i'r gair *preservation*! Nid piclo caneuon gwerin mewn jar er mwyn yr ychydig arbenigwyr mewn amgueddfa neu o fewn cloriau llyfr yw'r nod o gwbl, ond hyrwyddo a phoblogeiddio'r math hwn o ganu ar lwyfannau'r Gymru gyfoes.[2]

Ffurfiwyd nifer o glybiau gwerin yn y 70au ynghyd ag ambell ŵyl fel Gŵyl Werin Dolgellau yn rhannol oherwydd y pryder ynghylch ffurfioldeb clinigol y canu gwerin 'steddfodol, a'r ddisgyblaeth a fynnid ar draul cynnal yr ysbryd gwerinol. Yn ôl Dyfan Roberts, brawd hynaf Arfon Gwilym, 'creu awyrgylch sydd mewn ffordd yn gydnaws ag ysbryd a naws yr hen ganeuon gwerin' oedd y cymhelliad dros sefydlu Clwb Gwerin Bangor yn 1972 yng Ngwesty Gwynedd. Ar wahân i gynnal sesiynau o ganu caneuon gwerin ymhlith yr aelodau, byddai artistiaid gwadd, adnabyddus ac anadnabyddus, hefyd yn cael eu gwahodd i godi hwyl. Dyma bedwar amcan y Clwb Gwerin:

1. Gwahodd artistiaid gwerin Cymreig i berfformio ym Mangor. Nid artistiaid cydnabyddedig fyddai'r rhain efallai – nid yr 'enwau mawr' – ond pobl sy'n canu neu'n chwarae offeryn yn y dull traddodiadol yn eu hardaloedd eu hunain drwy Gymru. Rhaid oedd holi a chwilio am enwau a chyfeiriadau'r bobl hyn – ond mae'n syndod gymaint ohonynt y mae dyn yn dod ar eu traws. Mae gan

bron bob ardal rywun neu'i gilydd sydd wedi gwneud enw iddo'i hun fel canwr neu offerynnwr. Ac o wrando ar yr 'artistiaid' hyn ym Mangor fe fyddem yn clywed yr hen steil, y canu gwerin gwreiddiol fel mae'n bod ar hyn o bryd, a'i gofnodi cyn i'r peth farw o'r tir.

2. Ceisio atgyfodi rhai o'n caneuon gwerin nad ydynt yn cael eu canu nemor ddim. Cael gan yr aelodau i chwilio am yr hen ganeuon 'newydd' hyn, a'u canu (neu gael rhywun arall i'w canu) yn y clwb. Dod ag ambell un o'r pethau sydd yng nghist ein hetifeddiaeth gerddorol gyfoethog i olau dydd unwaith eto.

3. Ceisio annog y rhai sydd wedi arfer canu a chyfansoddi yn y dull pop Eingl-Americanaidd i droi fwy at donau a geiriau traddodiadol fel sylfaen i'w canu. Aildrefnu caneuon gwerin ar gyfer cynulleidfa boblogaidd – adeiladu ar ein gwreiddiau yn hytrach na benthyg o wledydd eraill.

4. Cadw cofnodion o'r cyfarfodydd ar dâp fel y gellid dysgu'r caneuon a'r tonau a berfformiwyd – ac efallai ddod â'r cwbl at ei gilydd yn record i'w gwerthu.[3]

Mae'n gwestiwn faint o'r 'cystadleuwyr cyson' yma fyddai'n canu caneuon gwerin mewn amgylchiadau anghystadleuol anffurfiol, boed mewn tafarn neu ar aelwyd pan fyddai cyfeillion yn dod at ei gilydd. Roedd Meredydd Evans o'r un farn. Doedd Merêd, cofier, erioed wedi 'cystadlu' ar ganu gwerin ac roedd yn gyfarwydd â thraddodiadau cerddorol amrywiol y tu hwnt i Gymru. Ar ei flwyddyn olaf ym Mhrifysgol Boston yn 1960 fe glywodd fyfyrwraig yn ei blwyddyn gyntaf o'r enw Joan Baez yn canu mewn clwb gwerin. Fe'i cyfareddwyd gan ddiwylliant Greenwich Village yn Efrog Newydd, a bu mewn clybiau yn Harlem yn gwrando ar bianyddion jazz fel Louis 'The Lion' Smith. Doedd cynnal y diwylliant hwnnw ddim yn ddibynnol ar gystadlaethau. Yn ôl Merêd:

Mae 'steddfota yn sicr wedi hybu canu gwerin, cerdd dant a thelyna ond yn y pen draw, gweithgarwch cymdeithasol nid cystadleuol yw canu gwerin, a dyna mae'n rhaid iddo fod os yw am barhau. Triniaeth grwpiau fel Mynediad am Ddim o ganeuon gwerin sy'n bywhau'r traddodiad, a phwy sydd i ddweud nad yw trefniant hyfryd Endaf Emlyn o 'Hiraeth' yn cyfoethogi'r traddodiad canu gwerin.

I mi mae pwyslais ar eiriau'n hanfodol wrth ganu cân werin. Dwi wedi clywed lleisiau trybeilig o angherddorol yn gwneud cyfiawnder â geiriau cân werin. Mae canu'n ddigyfeiliant fel yr arferid gwneud, yn galluogi lliwio a chyfoethogi ystyr heb orfod malio am ddilyn offeryn, er bod telyn weithiau'n atgyfnerthu cân fywiog.

Nid mater o greu synau neis na chadw at reolau yw canu gwerin ond dehongli. Mae yna un gân werin ar hyn o bryd sydd wedi mynd â'm bryd yn llwyr, sef 'Yr Wylan Gefnddu'. Byddaf wrth fy modd yn ceisio ei dehongli heb gyfeiliant.[4]

Fe fu Arfon Gwilym yn adleisio'r un gŵyn ynghylch yr awyrgylch artiffisial, a'r perygl fod y 'traddodiad' yn cael ei gynnal gan feirniaid dosbarth canol a deithiai o 'steddfod i 'steddfod mewn Volvos, heb erioed fynychu'r un sesiwn o ganu gwerin anffurfiol.

Mae yna'r fath beth â Chanu Gwerin Eisteddfodol i'w gael erbyn hyn – canu ffurfiol, cywir, gofalus. Dilynir y copi yn fanwl a chollir marciau os cenir nodyn gwahanol yma ac acw neu os cenir fersiwn wahanol o'r geiriau. Does dim amheuaeth ynglŷn â thlysni'r lleisiau, ac nid cyd-ddigwyddiad yn hyn o beth yw mai merched yw'r cystadleuwyr naw gwaith allan o ddeg. Y perygl mawr, wrth gwrs, yw fod gwir ysbryd y traddodiad gwerin yn cael ei golli a bod y perfformiadau yn mynd yn debycach i 'solo' glasurol nag i gân werin.

Heb os nac oni bai, awyrgylch anffurfiol yw cartref ysbrydol traddodiad gwerin unrhyw wlad, ac nid awyrgylch ffurfiol cystadleuaeth mewn eisteddfod dan lygad llym y beirniad. Ar wahân i'r cythraul canu a'r dal dig sy'n rhwym o ddigwydd ym myd cystadlu, mae yna rywbeth yn sylfaenol annheg mewn datgan ar goedd mai ail orau neu drydydd orau yw rhai cantorion ac nad oedd y gweddill yn ddigon da i ddod i'r llwyfan hyd yn oed! Chwaeth bersonol un dyn sy'n penderfynu pwy yw'r canwr gorau, ac mae gan feirniaid eraill a'r gynulleidfa berffaith hawl i anghytuno.[5]

Ar ryw olwg, roedd hyn yn ymgais i ddad-wneud un o'r drygau a ddeilliodd o'r Diwygiad Methodistaidd fel y'i croniclir gan Peter Kennedy:

The singing of popular songs was deemed to be an exercise in vulgarity, and the joys of singing, dancing and playing games no better. For generations the 'gwerin' was, for the most part, silent under a mantle of respectability and too reticent to express its feelings and experiences in its old songs.[6]

Byddai criwiau'r clybiau gwerin wrth eu bodd yn ceisio dyfalu sut le oedd yr hen Gymru cyn-Fethodistaidd ac yn rhyw ramantaidd-ddyheu am gyflwr annirwestol cyffelyb eto. Fe fu'r traddodiad a elwid yn 'ganu llofft stabal' yn gyfrwng i gadw'r cancuon yn fyw. Golygai hynny fod gweision ffermydd cyn y Rhyfel Byd Cyntaf yn ymgynnull yn eu hystafelloedd cysgu, uwchben y ceffylau, i ddifyrru'r amser trwy ganu. Nid anogid canu'r fath ganeuon yn gyhoeddus. Tystia Ifan Gruffydd iddo fod yn rhan o'r arfer yn ardal Llangristiolus ar Ynys Môn:

Gwelais Brown a Loffti droeon yn gorffwys eu pennau ar y rhesel ac yn cau eu llygaid i wrando ar Ned Cerrighafal yn canu 'Yr Eneth Gadd ei Gwrthod', 'Y Bachgen Main', 'Hogan Goch', 'Cob Malltraeth' a 'Cherddi Mathew Bach'. Yn wir, caech cystal noson lawen mewn llofft stabal y pryd hynny ag a gaech yn unman, pan oedd yr hen gerddi mor fyw ar galon y werin ac yn rhan annatod o'i bywyd.[7]

Bron trwy ddirgel ffyrdd a hap a damwain y cadwyd y traddodiad dawnsio yn fyw. Saesnes o'r enw Lois Blake, a ddaeth i fyw i Ddyffryn Clwyd, fu'n gyfrifol am chwilota llawer o'r hen ddawnsfeydd a cheisio rhoi bri o'r newydd iddyn nhw. Yn y de, mae dawnswyr yn dragwyddol ddiolchgar i Margretta Thomas o Nantgarw am drosglwyddo o'i chof yr hyn a gofiai am ddawnsfeydd ffeiriau yr ardal i'w merch, Dr Ceinwen Thomas. Cofiai Margretta am ei thad-cu yn ei chludo, heb yn wybod i'w rhieni, i weld y dawnsio ac iddo greu'r fath argraff arni nes iddi gofio llawer o'r patrymau. Cofiai weld yr arfer, yn y ffeiriau caws, o hances yn cael ei gosod ar lawr a'r galwr yn derbyn ceisiadau am ddawnsfeydd ac yn pennu'r pris. Byddai'n rhaid i'r sawl a ddymunai'r cais daflu'r pris i'r hances cyn y byddai'r dawnswyr yn bwrw iddi. Fe fyddai'r pwyslais wedyn ar greu patrymau ffigyrau yn hytrach na'r arfer Gwyddelig o greu patrymau troed.

Bu'r Urdd yn frwd iawn, trwy Gwennan Davies yn bennaf, yn hyrwyddo'r traddodiad dawnsio. Ar wahân i gynnal Gwyliau Dawnsio a chyrsiau hyfforddi, daeth Twmpathau Dawns yn ddigwyddiadau cymdeithasol poblogaidd yn y 50au a'r 60au. Ar y cychwyn benthycwyd dawnsfeydd Cymdeithas Ddawns Werin Lloegr ond yna defnyddiwyd dawnsfeydd Cymreig fel 'Rali'r Ddau Gardi' a 'Merched y Glannau'. Ar un adeg byddai Band y Gwerinwyr, o Lanon ger Aberaeron, wrthi'n cyfeilio gan ddefnyddio drymiau, acordion a gitarau mewn Twmpathau deirgwaith yr wythnos. Yn gwmni i Islwyn Williams, Idris a Glyn Evans a Brian Jones byddai'n rhaid cael 'Galwr'. Yn Sir Aberteifi a'r cyffiniau daeth Alun Morgan (Aberporth), Gareth Owen (Abercych), Henry Davies (Rhyd-y-pennau), a Mansel Jones (Rhydlewis) yn gyfarwydd fel 'galwyr' yn y Twmpathau. Pylodd eu poblogrwydd ar ddiwedd y 60au pan ddaeth y discotec i fri.

Fel cydnabyddiaeth o bwysigrwydd yr hyn a oedd wedi goroesi o'r traddodiad gwerin fe gyhoeddodd Cwmni Sain gyfresi 'Clwt y Ddawns' a 'Telyn Cymru'. Rhoddwyd sylw i'r traddodiad cerdd dant, sef yr arfer o ganu i gyfeiliant telyn a'r cyfeilydd yn cychwyn chwarae'r alaw cyn i'r datgeinydd gychwyn canu'r geiriau, ond y ddau'n gorffen ar y cyd. Cyhoeddwyd hefyd hen dapiau o Bob Tai'r Felin a John Thomas, cantorion y traddodiad 'Llofft Stabal' a record yn cyfleu blas o'r hen Noson Lawen gyda Charles Williams yn arwain. Hanai Charles o Bodffordd, ar Ynys Môn, a doedd neb tebyg iddo o'i genhedlaeth am ddweud stori'n gyhoeddus a thrin cynulleidfa Noson Lawen gyda llond pen o Gymraeg rhywiog. Fe gofiai am draddodiad y difyrrwch 'Llofft Stabal' a chyfnod pan nad oedd yna deledu na'r un teclyn technegol ar gael i gynnig adloniant. Charles oedd cyflwynydd y *Noson Lawen* ar y radio yn y 40au. Bu farw yn 1990 a bu Meredydd Evans yn talu teyrnged i'w ddawn dweud:

> Clywais nifer o'r straeon ddegau o weithiau ond ni fyddwn byth yn blino gwrando arno yn eu dweud. Y dweud hwnnw oedd y peth mawr, wrth gwrs, a byddwn yn blasu'r brawddegau cwta, bachog; yr oedi dramatig yma ac acw, a'r mynych 'ylwch', 'ia'n tad', 'tewch', elwch a phesychiad a goslef, a wasgerid tu hwnt ac yma fel cyrains mewn cacen. A byddwn yn glustiau i gyd, bid siŵr, pan ddygid

straeon am rai o gymeriadau Môn i'r bwrdd. Brenin annwyl, roedd y rheini'n gampweithiau, yn peri i ddyn chwerthin nes dwyn dagrau i'w lygaid a phigyn i'w ochr.[8]

Ceid 'arweinwyr' a 'deudwyr' cyffelyb ymhob ardal Gymraeg lle'r oedd traddodiad y Noson Lawen yn ffynnu ond Charles oedd eu 'tywysog'. Byddai ei ddywediadau'n cydio a'i 'Ia, deudwch chi rŵan' yn llawn naws cartrefol gwerinol. Yn yr un gwynt gwerthfawrogid dawn fawr Charles gan un o'i gyd-Fonwyson, Vaughan Hughes:

A dim ots pa mor dda mae rhywun yn dysgu Cymraeg, dim ots pa mor gydwybodol yr ymdrechion i gadw purdeb y Gymraeg mewn cymdeithas ddwyieithog, ail gwael ydi hynny i gyd i fyw a bod fel y gwnaeth Charles mewn cymdeithas uniaith Gymraeg.[9]

Gellid dweud yr un peth am ddoniolwch Ifas y Tryc ym mherson Stewart Jones. Roedd Stewart ynghyd â sgriptiwr ei fonologau, Wil Sam, yn gynnyrch cymdeithas Gymraeg ei hiaith yn Eifionnydd. Byddai'n aml yn chwarae ar yr anawsterau a wynebai wrth ddelio â'r Saesneg, rhywbeth roedd yn rhaid iddo ei wneud, wrth gwrs, fel 'dyn busnas, Ifas Cariwr o Drefain, hwnna ydi o'.

Arfon Gwilym

Elfed Lewys – baledwr o fri a
chawr ar goesau byr a oedd yn
byw ar 'gymorthfa'.

Y baledwyr Dr Meredydd Evans a'r Parchedig Elfed Lewys.

18 / Rocecer Rocracs

Pan waharddwyd criw o ddisgyblion Ysgol Gyfun Ystalyfera rhag canu cân yn cynnwys yr ymadrodd 'tethe bach hyfryd' ar un o raglenni gorsaf radio Sain Abertawe, yn ystod Hydref 1977, fe wnaed cymwynas â'r sîn bop Gymraeg. Dyna'r math o ddigwyddiad dadleuol oedd ei angen i ennyn sylw a diddordeb yn yr hyn a oedd yn cael ei ddisgrifio fel is-ddiwylliant. Dros nos fe droes band diniwed o bump o fechgyn yn fand o angenfilod pedoffiliaidd.

Ers ei sefydlu ddwy flynedd ynghynt bu Sain Abertawe yn gyfrwng i ledaenu'r sylw a roddid i grwpiau pop Cymraeg. Chwarae recordiau oedd hanfod y gwasanaeth a chyfran o'r rheiny'n recordiau Cymraeg. Sefydlwyd rhaglen *Mynd am Sbin* yn benodol ar gyfer yr ieuanc. Penderfynodd y cyflwynydd dyfeisgar, Aled Glynne, y byddai'n syniad da i wahodd grwpiau lleol i'r stiwdio i recordio caneuon ac yna eu chwarae ar ei raglen. Gwahoddwyd y Trwynau Coch i'r stiwdio ac fe recordiwyd sesiwn ond doedd Pennaeth Rhaglenni Cymraeg yr orsaf, Wyn Thomas, ddim yn hapus â'r hyn a recordiwyd:

Roedd iaith y caneuon yn hollol anweddus a di-chwaeth. Er enghraifft, roedd un gân yn sôn am agweddau rhywiol merched dan 15 oed. O safbwynt cerddorol roedd eu safon yn bur isel hefyd. Roedd yna beirianwyr profiadol yn bresennol yn y stiwdio, a gitarydd proffesiynol, ac roedd pawb yn cytuno nad oedd yna ddim pwrpas mynd ymlaen â'r rhaglen. Dyw'r stwff yma ddim yn werth ei alw'n 'sŵn newydd' o gwbl ac rwy'n gobeithio na fyddan nhw'n ymddangos yn unlle'n cynrychioli unrhyw fath o 'sŵn newydd' yng Nghwm Tawe. Dydyn ni ddim isio'u gweld nhw eto.[1]

Am fod yr hyn a elwid yn 'don newydd' neu'n 'ganu pync' yn datblygu yn y byd Saesneg mater cyfleus oedd defnyddio'r label hwnnw i ddisgrifio cyfeiriad cerddorol y Trwynau Coch. O ran gallu cerddorol, roedden nhw'n bur amrwd. Doedd hynny ddim yn rhwystro'u rheolwr, Eurof Williams, o'r Alltwen yng Nghwm Tawe, rhag canu eu clodydd. Yn wir, roedd y gŵr a oedd yn aelod o staff y BBC yn fwy na pharod i amddiffyn y Trwynau yn wyneb datganiad Wyn Thomas:

> Mae caneuon da a gonest ganddyn nhw fel 'Mynd i'r Capel mewn Levis' a 'Brains SA' ac mae pob poerad o'u geneuau yn boerad diffuant. Does dim dwywaith taw'r Trwynau yw grŵp y foment. Mae'r bois yn byw am heddiw ac yn ymatcb i ysgogiadau'r foment.[2]

Yn wahanol i'r grwpiau pync, doedd Huw Eirug, Alun a Rhys Harries, Rhodri Williams ac Aled Roberts ddim yn cribo'u gwalltiau fel gwrych draenog na chwaith yn gwisgo dillad rhacsiog wedi'u haddurno â *safety pins* a chadwynau. Arddel eu henwau bedydd a wnâi'r pump a gwisgo dillad hamdden digon cyffredin. Sid Vicious a Johnny Rotten oedd enwau dau o aelodau'r Sex Pistols a fu'n pedlera cymysgedd o anarchiaeth a nihiliaeth trwy ganeuon fel 'God Save the Queen' a 'Pretty Vacant'. Ond os oedd Bill Grundy wedi gwneud tro da â'r Sex Pistols trwy eu gwahardd rhag ymddangos ar orsaf deledu London Weekend am regi'n aflywodraethus, roedd Wyn Thomas wedi gwneud tro da â'r Trwynau Coch trwy eu gwahardd rhag perfformio ar raglenni Sain Abertawe am gyfeirio at ran benodol o'r anatomi benywaidd.

Doedd Eurof Williams ddim am ildio. Dychwelodd i'r talwrn nid yn gymaint i amddiffyn y Trwynau ond i nodi'u rhagoriaethau:

> Rwy'n gweld y Trwynau yn cynrychioli'r don newydd – hynny yw y symudiad o bobol ifanc sy'n ailystyried gwerthoedd, safbwyntiau a gonestrwydd – cerddorol a chymdeithasol. Mae'r miwsig yn dystiolaeth i hyn. Rwy'n ymfalchïo yn y ffaith fod gan Gwmtawe a Chymru grŵp cyfatebol i'r gorau ymysg ton newydd y byd. Mae'n beth mawr nad ydym flynyddoedd ar ôl y byd fel yw arfer Cymru![3]

Gwnaed yn fawr o'r cyhoeddusrwydd. Ni chafwyd ymddiheuriad gan y bechgyn. Yn wir, roedd disgyblion Chweched Dosbarth Ysgol Gyfun Ystalyfera yn eu cefnogi i'r carn. Doedden nhw ddim wedi dwyn gwarth ar yr ysgol yn eu golwg nhw. Hywel Pennar a Siân Eleri a fynegodd eu cefnogaeth ddiamod:

> Sain Abertawe – cyn eich bod yn beirniadu safon unrhyw un arall fe
> allwch feirniadu safon eich rhaglen *Mynd am Sbin* yn gyntaf. Os oes
> un rhaglen bop Gymraeg yn isel ei safon, dyma hi – mae rhan
> helaeth ohoni'n hysbysebion a *jingles* a siarad di-baid. Felly heriwn
> eich syniadau arwynebol. Nid yw'r grŵp, o safbwynt personoliaeth,
> geiriau a cherddoriaeth, yn ddi-chwaeth. Gofynnwn i chi ailystyried
> yr hyn a ddywedasoch am y 'don newydd'. Mae gan y grŵp
> gyfraniad i'w wneud yn natblygiad pop Cymru ac wrth eu
> condemnio fel grŵp yr ydych yn mygu datblygiad.[4]

Penderfynodd Wyn Thomas daro'n ôl. Holodd pam mai ond 200 oedd
yn y Top Rank yn Abertawe yn gwrando ar y Trwynau pan oedd 2,500
yno nos Wener bythefnos ynghynt yn gwrando ar Dr Feelgood ac
Alcatraz. 'Gall fod pawb call wedi aros gartref i wrando ar *Mynd am
Sbin*.' heriodd[5]

Doedd yna ddim yn ddifreintiedig ynghylch cefndir aelodau'r grŵp
o gymharu â chefndir y rhelyw o aelodau grwpiau pync neu 'don
newydd' Lloegr. Meibion aelwydydd cysurus dosbarth canol oedd y
bechgyn. Ystyrid tad un o'r bois, Dewi Eurig Davies, yn un o brif
ddiwinyddion enwad yr Annibynwyr a'i fam, Emily Davies, yn un o
hoelion wyth y theatr Gymraeg. Doedd nihiliaeth ddim yn rhan o'u
geirfa. Doedden nhw ddim yn honni bod bywyd yn ddiystyr nac yn
poeri ar bobol yn y strydoedd. Os oedd yna ambell boerad yn disgyn
ar y gynulleidfa mewn gig yna doedd hynny'n ddim mwy na chwarae
plant. Pa ddrwg wnâi ambell boerad yn gymysg â'r chwys a dasgai
oddi ar eu hwynebau beth bynnag? Doedd yn ddim mwy na ffordd o
selio cyfeillgarwch.

Nid grŵp pync oedd y Trwynau Coch, mewn gwirionedd, ond grŵp
rocecer. Egrwch, gonestrwydd glaslencyndod oedd yn atseinio o'u
gitarau a'u geneuau. Mynegi dicter a rhwystredigaeth tuag at ragrith
cenhedlaeth hŷn oedd byrdwn caneuon y Trwynau, yn ogystal â
dathlu'r agweddau hynny o fywyd a'u gogleisiai. Egrwch Cymreig oedd
yn eu nodweddu. Doedd 'Merched dan 15' yn ddim ond hwyl eironig
wedi'i anelu at eu cyfoedion ac nid at y genhedlaeth a fyddai'n clwydo'n

gynnar. Ond tynnai 'Mynd i'r Capel mewn Levis' sylw at arfer diaconiaid o wgu ar y sawl fyddai'n mynychu oedfa mewn jîns a siaced ddenim. Oedden, roedd y bois yn addoli. Fyddai'r un grŵp pync neu don newydd Saesneg yn ystyried llunio cân roc ar y fath destun. Dyna wnâi'r Trwynau Coch yn gwbl Gymreig. Llwyddodd addysg cyfrwng Cymraeg Ysgol Gyfun Ystalyfera i feithrin y bechgyn i feddwl fel Cymry wrth ddablach â chyfrwng yr ystyrid ei wreiddiau'n estron.

Esgorodd y ffenomen ar gyfres o ysgrifau roc Cymraeg. Arddelai Tudur Jones yr un agwedd sinigaidd ddi-hid â'r Trwynau ac roedd ganddo ddealltwriaeth o le canolog y diwylliant roc ym mywydau ieuenctid:

> Aeth mudiad *rock* yn ddim mwy na thegan i'w ddefnyddio i wneud arian cyflym ac er mwyn ymuno â'r gymdeithas brydferth aristocrataidd yn Llundain, Efrog Newydd, Los Angeles, Paris a dinasoedd ariannog eraill y byd. Sathrwyd ar freuddwydion yr ifanc a'u troi'n gyfrwng i brynu awyren neu balas i'r *superstars*. Roedd y llygru hwn yn ormod i'r ifanc ac yn ddi-os pwysigrwydd y *New Wave* yw ei fod wedi dod â'r cysyniad o freuddwyd ac amcan gwleidyddol/gymdeithasol yn ôl i *rock & roll*. Heb y freuddwyd hon nid oes unrhyw wahaniaeth rhwng *rock* a'r mathau eraill o adloniant. Adloniant yn unig fyddai; rhywbeth i ddiddanu wrth hamddena yn y gadair esmwyth, ac i unrhyw un sy'n poeni o gwbl am *rock* ac sy'n cofio am wreiddiau a datblygiad anrhydeddus y mudiad hwn, mae llithriad a dirywiad o'r math yma yn rhywbeth sydd i'w osgoi a'i ofni. Rhaid wrth y freuddwyd – hebddi nid oes dim.[6]

Dychwelodd at yr un thema mewn ysgrif arall:

> Hanfod roc yw ieuenctid, ac os mynnwch naïfrwydd ffôl y breuddwydiwr radical, a'r hyn sy'n fy nghalonogi am y don newydd yw eu bod wedi cicio doethineb a phwyll canol oed ymaith, a chanolbwyntio ar ieuenctid digyfaddawd.[7]

Ni fu 'Helynt Sain Abertawe' yn rhwystr i'r grŵp ymddangos ar raglen bop HTV, *Seren Wib*, na chwaith ar raglen gyfatebol BBC Cymru, *Twndish*. Yn wir, roedd cynhyrchydd *Twndish*, Pete Edwards, yn cymryd y Trwynau Coch yn gwbl o ddifrif:

Mae hwyl ac afiaith y grŵp yn agoriad llygad, ac i mi, nid yw'n ddim ond mynegiant gwahanol o ganu gwerin – y cyfrwng presennol ar gyfer cysylltu â ieuenctid y presennol. Clywais nifer yn awgrymu mai'r Trwyne yw'r grŵp cyntaf sydd wedi creu'r gwir deimlad o roc Cymraeg erioed, ac os yw hynny'n wir, mae eu bodolaeth yn fater o bwys ac yn gwbl gyffrous.[8]

Ymddangosodd y Trwynau ar y rhaglen ar y cyd â grwpiau 'ton newydd' Saesneg sef y Mirrors o Gasnewydd ac X-Ray Specs o Loegr.

Yn ystod haf 1978 fe fu'r Trwynau ar daith trwy Gymru. Ond chawson nhw ddim perfformio yn eu hen ysgol na chwaith yn ysgolion dwyieithog Glan Clwyd a Maes Garmon yn y gogledd-ddwyrain. Cafwyd ymateb gwresog yn Ysgol Gyfun Rhydfelen, Pontypridd, a'r un modd yn Neuadd Idris, Dolgellau, Clwb Tanybont, Caernarfon, a gwersyll Glan-llyn ger y Bala. Bu'n rhaid gosod rhwystrau wrth fynedfa'r gwersyll er mwyn cadw ieuenctid y dre dirion deg draw.

Ymserchodd Tudur Jones i'r fath raddau yn ei gyfoedion coleg (roedd pedwar o'r pum aelod yn fyfyrwyr yn Aberystwyth) nes iddo ymuno â thaith *Y Trwynau yn Rhedeg Dros Gymru* a chyhoeddi erthyglau dadansoddol yn nhraddodiad y newyddiadurwyr roc. Dyma enghraifft:

Yn nhraddodiad y nofel Gymraeg, roedd yn brynhawn heulog o haf, ac o'r herwydd herwgipiwyd fi gan aelodau aflan y *'well-known beat combo'* i dafarn gyfagos lle gorfodwyd fi i ddioddef poenau arteithiol peint o *draught* Bass. Beth fyddai Dan Lynn James yn ei ddweud? Yn wir roedd moesau'r bechgyn hyn wedi suddo mor isel nes y bu'n rhaid ymuno â hwynt am beint cyn diwedd y noson. Fodd bynnag, fe ddaeth 8 p.m. ac roedd yn bryd i bawb fyned parthed ag Ysgol Penweddig lle'r oedd digonedd o ferched del, siapus, hyfryd, nwyfus, rh.w..l yn aros am y bechgyn.

Dywedodd rhywun mai capel yr ysgol oedd y neuadd a ddarparwyd, ac yn wir byddai oedfa grefyddol yn addasach o lawer na synau trydanol y Trwynau Coch. Roedd y nenfwd mor uchel fel bod y sŵn yn chwyrlïo o gwmpas yn yr uchder am eiliadau, ac yna'n disgyn yn bendramwnwgl i'r llawr. I grŵp tyn, cerddorol fel y Trwynau Coch, trychineb oedd hyn ac o'r herwydd gwell yw peidio â sôn llawer am ochr gerddorol y noson. Heb amharchu na bychanu'r grŵp o gwbl, dwi'n amau'n fawr a oedd mwyafrif helaeth y gynulleidfa wedi clywed nodyn o waith y Trwynau cyn y noson hon.

Roedd yr ymateb i bob cân 'run fath – bloeddio a churo dwylo afieithus, ac felly anodd iawn dweud beth oedd gwir farn yr ifanc am y caneuon newydd er enghraifft. Fodd bynnag, fe fu'r noson yn llwyddiant digamsyniol ac os oedd y sain yn y Neuadd wedi siomi'r band, roeddent yn wên o glust i glust wrth iddynt lofnodi eu lluniau ar gyfer y cnawd deniadol o'u cwmpas. Mae'n deg dweud fod eu hieuenctid yn elfen bwysig ym mhoblogrwydd y Trwynau. Mae'r dorf yn teimlo y gallant siarad â'r band, gan felly ddemocrateiddio roc ymhellach. Merched ifanc dan bymtheg oedd y mwyafrif o'r gynulleidfa, ac er mai sail anwadal iawn ar gyfer dilyniant yw'r rhain, mae serch hynny yn bwysig fod yr oedran hyn yn cael cyfle i glywed roc Cymraeg fel elfen naturiol o'u bywydau cyn i'r rhagfarnau o israddoldeb ddechrau ffurfio. Y Trwynau yw'r cyntaf i wneud taith o'r math yma, ac fe ddylid eu canmol o'r herwydd.

Gan ddychwelyd i Benweddig, roedd y band yn awr yn gorfod clirio'u hoffer ar ôl noson galed o chwarae, ond roedd tri *roadie* yno i'w cynorthwyo – Russ (prif *roadie*!), Edwin a Meurig. Roedd Eurof, eu rheolwr tadol, wedi sicrhau hylifau cymwys ar gyfer diwallu syched 'Hufen Ystalyfera' a 'nôl â ni i fflat Huw i gael sgwrs a diod. Roedd egos yr hogiau wedi codi ar ôl sesiwn o lofnodi, ac roeddent oll mewn hwyliau da. Nid oes amheuaeth fod yr elfen hon o fywyd roc yn apelio'n fawr at y Trwynau ac mae hyn yn rhywbeth y dylid bod yn ofalus ohono. Dyma waddolion roc cyfalafol yn y don newydd. Lle Edward H Dafis a'r *boring old farts* eraill yw chwarae *superstars*, nid lle'r Trwynau. Anodd iawn serch hynny oedd cadw eu meddyliau oddi wrth yr holl lodesau heirdd y gellid cyfathrachu â hwy yn ystod y dyddiau nesaf. Cafwyd gweddi briodol ac aeth pawb i'w gwelyau.[9]

Yn ystod y daith i Gaernarfon ar gyfer y gig nesaf llwyddodd Tudur i gornelu aelod mwyaf dywedwst y grŵp a chyfansoddwr y caneuon, Rhodri neu 'Dods'. Erbyn cyrraedd tre'r Cofis ffurfiodd gasgliadau pellach ynghylch perthnasedd roc a rôl Cymraeg:

> Mae Dods ychydig yn wahanol i weddill y bois, fel y dengys paranoia a neurosis unigrwydd caneuon newydd megis 'Wastad ar y tu fas' a 'Pam mae pawb wastad yn pigo arna i?' ac eraill. Fel y gellid casglu oddi wrth yr arwahanrwydd ofnus yma, Elvis Costello yw ei hoff gerddor a'r prif ddylanwad arno. Yn fwy na neb arall mae'n ymwybodol iawn o'r hyn sydd yn mynd ymlaen ymysg y don newydd yn Lloegr ac America. Cyfeiriodd at Magazine, Buzzcocks,

Ian Dury, Wire a'r Talking Heads fel yr artistiaid mwyaf diddorol. A bands ydynt sy'n cynrychioli'r elfennau mwyaf arloesol a chreadigol ar hyn o bryd. Fodd bynnag, Elvis Costello yw'r *Fave Rave* yn ddiamheuaeth – artistiaid sensitif ill dau (corws o 'ha ha' oddi wrth weddill y band rŵan).

Er bod gweddill y bois hefyd yn 'newydd' yn eu hagweddau ar fywyd a chymdeithas a Chymru, ef unwaith eto yw'r enghraifft orau o Gymro ifanc y 70au. Yn Alltwen y mae Dods yn byw, ac felly yn naturiol mae ganddo beth diddordeb yng Ngwenallt. Mae'r ffaith mai Gwenallt yw'r bardd mwyaf modern a diwydiannol yn yr iaith Gymraeg yn un hynod arwyddocaol yma, oherwydd dywedodd Dods mai Gwenallt yw ei unig ddiddordeb llenyddol yn yr iaith Gymraeg. Yn amlwg, sialens yw hyn i henaint ac anachronistiaeth llenorion Cymraeg. Os na phlesiwch Dods a'r Trwynau Coch, ac, yn fwy fyth, hwyrach, y Llygod Ffyrnig, yna marw fyddwch.

Y ffaith drist amdani yw mai Elvis Costello, Buzzcocks, Sex Pistols ac, ar lefel fwy arwynebol, y Ramones a'r Boomtown Rats sydd yn cynrychioli dyheadau a theimladau Cymry ifanc ym 1978, a bod yr hyn a elwir gennym yn draddodiad llenyddol mawreddog yn gwbl amherthnasol yng ngolwg y bechgyn hyn. Teg yw dweud fod rhaid edrych yn ôl, ond os nad oes dyfodol i edrych ymlaen iddo yna beth yw'r pwrpas mewn gwirionedd? Dyma mi gredaf yw barn y Trwynau Coch ac yn yr agwedd hwn y mae eu harwyddocâd fel grŵp y don newydd yng Nghymru.[10]

O'u cymharu â'r Llygod Ffyrnig roedd y Trwynau Coch mor ddiniwed â phlant ysgol feithrin. Gari Melville oedd hyrwyddwr y Llygod. O ystyried cyn lleied o berfformiadau byw a wnaed gan y grŵp mae'n syndod iddyn nhw greu cymaint o argraff. Ond fe wnaed ymddangosiadau teledu, rhyddhawyd record ar label Recordiau Pwdwr a doedd Gari byth yn colli cyfle i ganu clodydd y Llygod. Ffrwydriad ffyrnig o sŵn, llond tram o ynni a haerllugrwydd hurt, digyfaddawd oedd hanfod y gân – os gellir ei galw yn gân – 'NCB'. Dafydd Rhys, mab y mans, oedd yn cyflwyno'r poerad o ddatganiad ar record. Os oedd roc yn ymwneud â chynnig sylwadau cymdeithasol yna fe ellid ysgrifennu'n helaeth am gynnyrch prin y Llygod Ffyrnig. Dyma ysbryd pync wedi ei briodi â rhwystredigaeth a chynddaredd disgynyddion cenedlaethau o deuluoedd a fu'n ddibynnol ar ennill crystyn trwy weithio yng nghrombil y ddaear. Dyma adwaith greddfol i holl hanes diwydiannol De Cymru mewn dwy funud o berorasiwn i gyfeiliant clindarddach rocracs gitarau. Gallai'r gwangalon yn hawdd ddioddef trawiad o wrando ar y cyflwyniad cignoeth o'r geiriau, 'Byw ar y dôl / rhyddid ffôl / a dim ond silicosis sydd ar ôl'.

Llygod achlysurol eraill oedd Gary Beard, Pete Williams, Julian Lewis, Wayne Gwilym a Hywel Peckham ond ni lwyddwyd erioed i drefnu taith. Yn ôl y sôn, cafodd y grŵp ei wahardd rhag perfformio yng Ngwesty'r Stradey yn Llanelli ac yn nhafarn yr Old Star yng Nghwmgors, a hynny am fod datgymalu dol yn rhan o'i berfformiad. Fe ganslwyd cyngerdd oedd wedi'i drefnu ar y cyd â'r Trwynau Coch yng Nghrymych ar Nos Galan. Honnai Gari Melville fod grwpiau Cymraeg yn amharod i rannu llwyfan gyda'r Llygod Ffyrnig. Mynnai mai chwarae plant oedd canu caneuon gyda theitlau fel 'Mynd i'r capel mewn Levis', a dywedodd fod y Llygod yn bwriadu cyfansoddi cân o'r enw 'Mynd i'r capel mewn lurex teits a phantis'. Taclo pob dim ar ei dalcen oedd bwriad y Llygod, fel y tystia Gari:

> Problem arall yn y cylch yw Saeson a dyna fyrdwn y gân 'Sais'. Smo sentiment y gân damed mwy personol nag yw agwedd Saeson Llundain sy'n gwrthwynebu'r Arabiaid sy'n prynu eu tai a strydoedd cyfan gan newid yr awyrgylch o fod yn Seisnig i fod yn Arabaidd. Ma' tipyn o linelle Saesneg yn y caneuon oherwydd mai dyna fel ma' pobol y Sosban yn siarad. Dyw hi'n ddim i glywed dau berson yn cynnal sgwrs, y naill yn parablu'n Gymraeg a'r llall yn Saesneg. Ma' cymaint yn deall a medru siarad Cymraeg ond yn gwrthod gwneud. Dyna fel o'n i tan ryw ddwy flynedd 'nôl nes i fi ddechre gwrando o ddifrif ar ganeuon Meic Stevens ym Mhrifysgol Hull.[11]

Doedd y rhain ddim yn debyg o gael chwarae ar lwyfan yr un ysgol uwchradd ddwyieithog heb sôn am wersyll Glan-llyn. Fyddai'r un arweinydd Aelwyd yn fodlon gadael eu haelodau'n agos at y Llygod. Doedd y rhain erioed wedi bod yn aelodau ffyddlon o'r Ysgol Sul. Dim ond un record a gyhoeddwyd ac mae eu mawredd gymaint â hynny'n fwy o'r herwydd, yn union fel y mae mawredd y bardd Waldo Williams wedi'i seilio ar gynnwys un gyfrol. Yn wir, cafodd y gân 'NCB' ei chynnwys yn ddiweddarach ar record amlgyfranog o'r enw *Business*

Unusual gan gwmni Llundeinig, Cherry Red Records. 'Cariad Bustop' oedd enw'r gân arall ar unig record Cwmni Pwdwr.

Gyda llaw, am fod Sôs Coch, grŵp o Gaernarfon a gynhwysai ddau o feibion ficerdai ymhlith y chwe aelod, wedi'i wahardd rhag perfformio yng Nghlwb Wellman's, Llangefni, oedd hynny'n ei wneud yn lladmerydd rocrafins?

Parhau'n eilunod i ferched dan bymtheg oed wnâi'r Trwynau Coch. Ar label Recordiau Sgwâr, o dan arweiniad Eurof Williams, y cyhoeddwyd y ddwy record gyntaf saith modfedd yn cynnwys pedair cân yr un. *Merched dan 15* oedd teitl y naill a *Wastad ar y tu fas* oedd teitl y llall. Recordiwyd y gyntaf yn Stiwdio Spaceward yng Nghaergrawnt gyda chymorth Gary Lucas a'r ail yn Stiwdio Stacey Road, Caerdydd, gyda chymorth Des Bennett. Erbyn haf 1979, fe ffurfiwyd label Recordiau Coch ac yn dilyn Eisteddfod Caernarfon fe drefnwyd taith *Trwynau'n Chwythu* gyda Disco Alun ap Brinli a'r grŵp Crach yn rhan o'r hwyl. Cafwyd cymorth Simon Tassano i gynhyrchu'r record ddeuddeg modfedd, *Un Sip Arall*, eto yn cynnwys pedair cân. Gwasgwyd nifer cyfyngedig o'r record ar feinyl coch. Roedd cyfraniad Simon yr un mor allweddol wrth baratoi'r record hir *Rhedeg Rhag y Torpidos* a gyhoeddwyd ar y cyd â Chwmni Sain. Recordiwyd y ddwy yn stiwdio Sain. Cyhoeddwyd record fer *Pan fo Cyrff yn Cwrdd*, yn cynnwys tair cân, gyda chydweithrediad Cwmni Sain hefyd.

Er bod Simon yn ddi-Gymraeg medrai ddeall naws a theithi meddwl caneuon y Trwynau. Medrai ddefnyddio'i wybodaeth helaeth o dechnegau recordio i greu'r awyrgylch priodol i'r caneuon. Y canlyniad oedd disodli'r egrwch cynnar gydag elfen o soffistigeidd-rwydd diniwed. Parheid i gloddio'r wythïen o faterion oedd o ddiddordeb i'r arddegau o ran cynnwys y caneuon. Barddoniaeth bop ar ei gorau oedd 'Angela', 'Un sip arall o Pepsi Cola', 'Lipstics a Britvics a Sane Silc Du', 'Motobeics o Japan' a 'Niggers Cymraeg'. Yn wir, rhoddodd yr aelod seneddol a'r beirniad llenyddol Dafydd Elis Thomas statws i gynnyrch y Trwynau drwy ddweud mai'r farddoniaeth Gymraeg fwyaf perthnasol yn gyfredol oedd eu caneuon hwy. Yng nghysegr sancteiddiolaf y beirdd, y Babell Lên, yn Eisteddfod Maldwyn

1981, datganodd Mr Thomas mai'r gerdd bwysicaf a gyfansoddwyd yn ystod y blynyddoedd blaenorol oedd 'Niggers Cymraeg'.

Os oedd y Trwynau wedi dofi roedden nhw hefyd wedi aeddfedu. Sipian eu Pepsi'n wylaidd a wnaent bellach a gwenu'n hawddgar fel bois bach da yn hytrach na drachtio'r Brains SA yn swnllyd a phecial yn fygythiol fel bois dansierus. O ran ysgafnder ffwrdd-â-hi eu caneuon, roedden nhw'n galw i gof berfformiadau'r Bara Menyn a'r Blew ar ddiwedd y 60au. Yn wir, roedd un o ganeuon y Bara Menyn, 'Mynd i'r Bala', wedi ei chynnwys ar ail record y Trwynau ac yn un o sesiynau Eisteddfod Caernarfon fe fanteision nhw ar y cyfle i gydganu'r gân gyda Meic Stevens. Arwydd pellach o'u gwrogaeth i wreiddiau'r canu roc Cymraeg oedd cynnwys 'Be sy'n dod rhyngom ni?' ar y record hir. Recordiwyd y cyfieithiad hwnnw o gân Otis Redding, 'What comes between us', ar unig record Y Blew. Tanlinellai hyn y modd y gwreiddiodd diwylliant roc Cymraeg o fewn cwta deng mlynedd a'r modd roedd yn sefyll ar ei draed ei hun ochr yn ochr â'r diwylliant roc Eingl-Americanaidd. Onid oedd y be-bop-a-lula yma i aros?

Yn union fel Crach, Tanc a Chyffro, a fu'n recordio ar label Recordiau Coch, roedd y Trwynau Coch yn grŵp 'ton newydd' Cymraeg yn yr ystyr nad oedd yn uniongyrchol gysylltiedig â 'brwydr yr iaith'. Doedd dim rhaid gwisgo bathodyn Cymdeithas yr Iaith na thyngu llw i gyflawni amcanion Adfer i fod yn ddilynwyr. Cynnyrch ardaloedd poblog diwydiannol lle'r oedd y Gymraeg ar drai oedd y Trwynau Coch a'u tebyg. Trwy dderbyn eu haddysg trwy gyfrwng y Gymraeg roedden nhw'n ddigon hyderus i weld y byd a'i bethau trwy sbectrwm Cymraeg, gan ddefnyddio cyfrwng a oedd yn ei hanfod yn Eingl-Americanaidd i wneud hynny. Doedden nhw ddim yn pystylad uwchben cyflwr y genedl fel y gwnâi'r rhelyw o feirdd traddodiadol nac yn propagandeiddio cenedlaetholdeb fel y gwnâi rhai artistiaid a fedrai strymio gitâr.

Dangosodd y Trwynau Coch eu bod am fod yng nghanol bwrlwm diwylliant Cymraeg ac nid ar yr ymylon. Dyna pam y bu'r aelodau'n protestio trwy chwarae ar faes Eisteddfod Genedlaethol Caernarfon yn ystod seremoni'r cadeirio. Dadl y bechgyn ecer oedd y dylai grwpiau roc gael perfformio yn y Pafiliwn oherwydd mai'r byd roc oedd yn ganolog i'r diwylliant Cymraeg o ran yr ieuenctid roedden nhw'n eu cynrychioli. Yn wir, am nad oedd yna deilyngdod yng nghystadleuaeth y Gadair byddai'n rheitiach peth eu gwahodd i'r llwyfan i gyfeilio i'r ddawns flodau a chyflwyno peth o'u barddoniaeth bop, gan gynnwys y siant watwarus 'Sain Abertawe' sydd i'w chlywed ar ddiwedd record gyntaf y grŵp, a chael y gynulleidfa i gyd-boeri'r geiriau.

Cymerodd y Trwynau Coch gyfrifoldeb am eu cynnyrch eu hunain o ran cyfansoddi, cynhyrchu a hyrwyddo. Doedden nhw ddim yn ddibynnol ar yr un cwmni recordio na threfnwr gigs. Nhw oedd y cwmni recordio a'r trefnwyr teithiau. Doedden nhw chwaith ddim yn ddibynnol ar gynhyrchwyr radio a theledu i hybu'u gyrfa. Aethpwyd ati i weithredu a chyflawni o'u pen a'u pastwn eu hunain. Crynhowyd cyfraniad y Trwynau Coch gan Denfer Morgan wrth iddo gyfeirio at rinweddau'r record hir:

Llwydda'r Trwyne ar eu record hir gyntaf *Rhedeg Rhag y Torpidos* i drawsblannu iddi sioncrwydd y gerddoriaeth gyffrous, ymosodol sy'n nodweddiadol o'u perfformiadau llwyfan ar blastig. Mae'r caneuon yn ddehongliadau difrifol o ystad y Cymro ifanc yn y 70au sydd ynghlwm wrth ddau ddiwylliant, ac mae'r gân 'Niggers Cymraeg' yn anthem rymus ac yn ddisgrifiad huawdl o ddryswch y Cymro ifanc yn ail hanner yr ugeinfed ganrif.[11]

Tarwyd tant cyffelyb gan Tudur Jones wrth dafoli camp y Trwynau:

Roedd dyfodiad Y Trwynau Coch – y grŵp *punk* cyntaf yn y Gymraeg yn ddigwyddiad pwysig hefyd, oherwydd dyma ganu Cymraeg am y tro cyntaf erioed ochr yn ochr â gweddill y byd yn hytrach na llusgo tu ôl megis ci blinedig fel y bu'r arfer tan yn ddiweddar. Hwyrach hyd yn oed y gellir hawlio caneuon megis 'Mynd i'r Capel mewn Levis' yn arwydd o ryw fath o don newydd Gymreig sydd yn derbyn traddodiad estron sydd hefyd yn cyfrannu ei elfennau gwrth-sefydliadol Cymreig ei hunan. Mae addasu cyfryngau estron i'r profiad a'r cyd-destun Cymraeg yn rhywbeth i'w groesawu yn sicr.[13]

Profodd y Trwynau Coch honiad Tudur Jones mai 'arwyddocâd roc a'r don newydd yn arbennig yw mai hwn yw'r unig gyfrwng diwylliannol sydd â'i holl fodolaeth yn dibynnu ar fytholwyrddni'r ifanc'.[14]

I bob pwrpas gellid ystyried Tudur Jones yn chweched aelod y Trwynau Coch cynnar. Tanlinellai'r bwlch a fodolai rhwng edmygwyr 'merched dan bymtheg oed' a'r 'hynafgwyr' a oedd yn ymwneud â'r byd pop Cymraeg:

> Mae agwedd dynion megis Wyn Thomas a'i gyd-geriatrics i'w ddisgwyl wrth gwrs, ac mae unrhyw berson sy'n ddigon twp i gymryd geiriau 'Merched dan 15' o ddifrif yn haeddu cael ei foddi yn y fan a'r lle! Mae Hywel Gwynfryn yntau wedi heneiddio tipyn yn ddiweddar, ac ers iddo ddechrau gweiddi 'Helô, Bobol' mae yntau a'i ddewis o gerddoriaeth wedi ei V. H. Ddifrifoli. Mae fy nghwyn i yn bennaf yn erbyn ein diddanwyr gwiw ar fore Sadwrn ar Radio Cymru – *Station of the Nation* ac yn y blaen. Mae *Sosban* a *Disco Dei* yn eu dulliau campus eu hunain yn llwyddo i fod mor drychinebus o wael fel y gwelwyd cynnydd mawr yn nifer yr hunanladdiadau ymysg ieuenctid ein Tywysogaeth yn ddiweddar.
>
> Yr arferiad ar fore Sadwrn am 9.00 a.m. yw deffro, ond mae Richard Rees yn llwyddo i ofyn cwestiynau mor affwysol o anniddorol ac amlwg i westeion yr un mor anniddorol fel y gorfodir fi, beth bynnag, i fynd yn ôl i gysgu. Mae Rees yn berfformiwr llyfn, ond er mwyn Duw buasai tipyn mwy o fywyd a dychymyg yn ychwanegiad anghymharol ar y diddanu. Mae *Disco Dei* sy'n dilyn am 10.50 yn rhaglen gwbl wahanol, ac mae bywyd yn elfen hollbwysig yma. Yn anffodus fodd bynnag, Dei Tomos yw'r ffurf ar fywyd a ddewiswyd gan y BBC i'n diddanu. Ceir llond Glan-llyn o hwyl clownaidd gan y gwron, ac ni chredaf imi glywed un dyn yn cael cymaint o lwyddiant ar wneud ffŵl ohono'i hun yn fy mywyd.
>
> Er ei holl ymgais i ddynwared ffwlbri hwyliog Radio 1 (Duw a'n helpo, mae un Tony Blackburn yn ddigon drwg, heb sôn am fersiwn cefn gwlad Cymru), mae Dei Tomos wedi llwyddo i anwybyddu'r un elfen a allai achub ei sioe, sef dychymyg. Mae mor geidwadol fel yr ymddengys Val Doonican fel arloeswr avant-garde wrth ei ochr. Criteria'r bonwr Tomos wrth gloriannu record yw tiwn neis, geiriau ystyrlon a deallus ac, wrth gwrs, y diffiniad swyddogol o chwaeth yw grŵp Urdd Gobaith Cymru, Hergest. Felly pan ddaw'r Trwynau Coch, Dr Hywel Ffiaidd, Llygod Ffyrnig ac eraill i wrthryfela yn erbyn safonau capelog, canol oed Dei Tomos a'i griw, mae'r dyn druan ar goll.
>
> Cerddoriaeth neis – muzak y gellir ei anwybyddu wrth sgwrsio gyda chyfeillion – yw delfryd cerddorol Dei Tomos, a phan fo ton

newydd o grwpiau yn ein gorfodi i wrando, mae Dei Tomos yn ymddangos mor hen-ffasiwn ac adweithiol fel ag i wneud Jimmy Young edrych fel *punk*. Rhinwedd fwyaf y Trwynau Coch, Dr Ffiaidd ac eraill yw eu bod yn dechrau gwneud i athrawon Ysgol Sul y BBC sylweddoli nad melodi neis a geiriau 'llenyddol' yw hanfod roc o gwbl, ond yn hytrach agwedd meddwl sydd yn galluogi'r ifanc i feddwl drostynt eu hunain, ac i feirniadu'n hallt a sylfaenol y gymdeithas ddrewllyd, ragrithiol hon yr ydym yn byw ynddi.[15]

Mynegi rhwystredigaeth a meddylfryd Cymry ieuanc a wnâi'r Trwynau Coch a'r Llygod Ffyrnig. Mater o hap oedd hi os oedden nhw'n cythruddo Cymry hŷn. Doedden nhw ddim, wedi'r cyfan, yn rhan o'r gynulleidfa darged. Doedd dim osgoi'r egrwch ym mynegiant y chweched aelod. Ond cythruddo oedd bwriad Dr Hywel Ffiaidd a dim arall a hynny trwy ffieidd-dra. Byddai'r Doctor ei hun, yr actor Dyfed Thomas, yn codi o arch wedi'i wisgo mewn amdo gwyn ac fel rhan o'r perfformiad byddai'n defnyddio bwch dol. I'r sawl a oedd yn gyfarwydd â pherfformiadau grwpiau fel y Tubes o Efrog Newydd roedd hi'n bosib stumogi'r ffieidd-dra os nad ei werthfawrogi. Ond os nad oeddech yn gyfarwydd â'r theatr roc yna gwell fyddai cadw draw o'r feddygfa. Yn wir, ym mis Chwefror 1978, oherwydd hynny fe benderfynodd y BBC ohirio dangos rhaglen yn y gyfres *Twndish* oedd wedi'i neilltuo i ddangos doniau'r grŵp. Barnwyd nad oedd pnawn Sul yn adeg addas i'w ddarlledu. Fe'i darlledwyd yn y pen draw yn hwyr ar nos Lun, Mai'r cyntaf.

Yr eironi oedd mai cyfarwyddwr sioe Dr Ffiaidd, sef Pete Edwards, oedd cynhyrchydd y gyfres *Twndish* hefyd. Roedd y sawl a fu ynglŷn â'r sioe o'r farn nad achosi anhwylder ond ei wella oedd pwrpas y perfformiad. Cynnig catharsis cenedlaethol a wnâi'r hen ddoctor. Yn ôl Pete Edwards:

> Mynega'r syrffed o orfod gwneud pob dim Cymraeg o safbwynt dyletswydd, a gorfod ystyried gwerth pob gweithred o'i eiddo yng nghyd-destun cyfrannu at achub yr iaith a'r diwylliant bondigrybwyll. Wrth gwrs, mae'n ymateb yn eithafol ond dyw hynny ond yn adlewyrchiad o faint ei rwystredigaeth. Mae geiriau 'Cân Hitler' yn enghraifft o hyn: 'Dwi ddim am arwain Cymdeithas

yr Iaith / A saethu Adfer a'u ghettoes Cymraeg / Dwi ddim isio
'ngwlad yn ddim ond bro / Drwy eu culni ynysig nhw...' Nid oes
raid iddynt fod yn atebol i ofynion cyflwr iaith ond yn hytrach i'w
moesoldeb personol fel unigolion.[16]

Yn sicr, roedd rhagoriaeth gerddorol ac elfennau theatraidd y sioe yn
fwy o ymosodiad ar y synhwyrau na chyfrwng o gyflwyno mwynhad.
Er yr elfennau parodïaidd a ffantasïol, anodd oedd cyfiawnhau
erchylltra'r iaith ar brydiau, yn enwedig pan geid sioe gyfan gyfoglyd
a godai arswyd. Y gân 'Dwi ddim isio' sy'n cyfleu natur 'Gweledigaeth
Geni a Bywyd Dr Hywel Ffiaidd a'i Gleifion' orau:

Dwi ddim isio bod yn brôc
Dwi ddim isio gwneud dim strôc,
Dwi ddim isio bod heb waith
Dwi ddim isio gweithio chwaith.

Dwi isio meddwi
Dwi isio fflemio
Dwi isio rhegi
Dwi isio hwrio.

Dwi ddim isio bod fy hun
Dwi ddim isio bod heb ferch
Jennie Eirian, ga i dy serch?

Dwi ddim isio Pobol y Cwm
Geriatrics ac actio llwm,
Dwi ddim isio dramâu boring Cymraeg
Gan ddarlithwyr ac amaturiaid.

Dwi ddim isio gweld y crach
Rhowch i'r ifanc awyr iach,
Dwi ddim isio gweld y Cwin
Dwi ddim isio llyfu tin.

Cyhoeddwyd dwy o ganeuon Dr Hywel Ffiaidd, 'Gwneud Dim' a
'Cân John Jenkins', ar label Recordiau Gwefr, sef cwmni Dafydd Pierce.
Fe ddaeth awr fawr y Dr Ffiaidd yn 1979 pan dderbyniodd
gomisiwn gan Gwmni Theatr Cymru i gyflwyno *Cofiant y Cymro Olaf*

ar daith. Y dramodydd Michael Povey oedd yn gyfrifol am y sgript a'r cyfarwyddwr teledu Alan Clayton oedd yn gyfrifol am y cyfarwyddo. Yr awdur fu'n gosod y cefndir:

> Bod yn gyfoes a pherthnasol yw'r bwriad fel oedd cyflwyniadau Twm o'r Nant yn eu cyfnod. Ma' na gytundeb gwleidyddol bras rhwng aelodau'r cast sydd yn ein galluogi i ddychanu mudiad fel Cymdeithas yr Iaith, er enghraifft. Ac onid yw'n rhyfeddol nad oes yr un cyflwyniad theatrig, nac ar deledu nac ar lwyfan, yn ystod dwy flynedd ar bymtheg ei bodolaeth wedi dychanu'r Gymdeithas o ddifrif.[17]

Ar wahân i Dyfed Thomas a Michael Povey, aelodau eraill o'r cast oedd Cefin Roberts, Susan Broderick a Sioned Mair ynghyd â'r grŵp Dybliw Ai yn cynnwys Dafydd Pierce, Edward Lloyd Jones, Phil Ryan a Paul Westwell. Ac mi oedden nhw'n dychanu pawb a phopeth o fewn y sefydliad Cymraeg yn ddidrugaredd. Nid y lleiaf o gampau'r cyflwyniad oedd gallu Dyfed Thomas i gamdreiglo i'r graddau nes bod cynulleidfaoedd yn cyfeirio at y sioe fel 'Coviant y Cymro Olaff'. Ond doedd ymateb pob cynulleidfa ac adolygydd ymhell o fod yn groesawus.

Roedd Dylan Iorwerth wedi ei blesio. 'Gwefreiddiol a beiddgar' oedd ei ddyfarniad:

> Mae'r dychan yn finiog ac yn aml yn ddiflewyn-ar-dafod – ffiaidd fyddai term y gwyliwr parchus, mae'n siŵr. Ond mae i'r cyfeiriadau hiwmor tywyll ac amheus eu pwrpas pendant a hyn yn gweddu i uniongyrchedd y dychan. Gwelir y sgript ar eu halltaf pan sonnir am y byd actio a'r byd darlledu ac mae islais o chwerwder iach yn aml.[18]

Plesiwyd Siôn Eirian gan 'gynhyrchiad llachar'. Fe'i gwelodd fel 'sioe yn cofnodi marwolaeth ffuglennol ein hiaith a'n cenedligrwydd'. Fe'i gogleisiwyd gan y camdreiglo meistrolgar:

> Roedd sgets yr *addict* (Povey a Dyfed Thomas) yn ddigri tu hwnt, a chafwyd malais hyfryd yn ogystal â digrifwch yn y pwt lle dangoswyd cyfweliad ar gyfer y Sianel Gymraeg. 'Dwi'n gweld nad ydach chi wedi meistroli'r gamdreiglad eto,' meddid wrth Hywel a oedd eisie cael darllen y newyddion ar y BBC. Ond wedi tipyn o

ymarfer medrodd Hywel feistroli 'Mae eira drwm yn luwchio yn
Fachynlett' – a rhoddwyd y swydd iddo.[19]

Fodd bynnag, doedd darlithydd drama Theatr Felinfach, ger
Aberaeron, Euros Lewis, ddim wedi ei blesio. Yn wir, fe gododd ar ei
draed ar derfyn y perfformiad er mwyn mynegi ei anniddigrwydd.
Credai fod y cyflwyniad yn llawn gwawd a'i fod yn bwrw sen ar yr
holl Gymry hynny sy'n brwydro i gynnal 'Y Pethe'. Mynnodd ei
ddatgysylltu ei hun, yn ogystal â Theatr Felinfach, oddi wrth y ddrama:

> Roedd y sioe yn llawn o feirniadu negyddol gyda phawb a phopeth
> yn cael eu dychanu'n ddiwahân. Beirniadwyd y Cymry am eu diffyg
> asgwrn cefn a dilornwyd mudiadau fel Cymdeithas yr Iaith ac
> Adfer. Faint o waith adeiladol, tybed, y mae'r beirniaid hyn yn ei
> wneud tros Gymru a'r Gymraeg yn eu hardaloedd eu hunain?
> Roedd cymaint o'r jôcs yn jôcs mewnol fel bod gofyn ichi naill ai
> fod wedi bod yn y coleg yng Nghaerdydd neu yn gweithio i'r BBC
> neu Gwmni Theatr Cymru i'w deall. Doedd rhai o'r enwau a
> ddychanwyd yn golygu dim i'r bobl leol... Roedd y cyfan yn
> ddinistriol. Mae pobl sy'n byw yn fy ardal i yn Nyffryn Aeron yn
> brwydro'n ddygn i glymu'r pethau gorau yn y gymdeithas wrth ei
> gilydd rhag y bygythiadau o'r tu allan. Doedden nhw ddim yn
> disgwyl i bobol o'r tu fewn i fynd ati i dorri'r clymau.[20]

Ond cafwyd y feirniadaeth fwyaf hallt gan un o ymgyrchwyr pennaf
Cymdeithas yr Iaith Gymraeg. Roedd Angharad Tomos wedi ei
siomi'n arw:

> Y gwirionedd a ddeuai i'r wyneb yn boenus o amlwg fel yr âi'r
> perfformiad yn ei flaen oedd fod y bobl hyn allan o gysylltiad yn
> llwyr â dull o fyw y Cymry Cymraeg. Sgets ydoedd yn adlewyrchu
> sut y mae *bourgeoisie* Caerdydd yn meddwl fod Cymry'n byw yn y
> Fro Gymraeg ei hun. Oherwydd roedd ambell un yn y gynulleidfa
> oedd â chryn feddwl o'r capel, ac o Gynan, mae'n siŵr gen i. Un neu
> ddau nad oedd yn cael yr un wefr â Michael Povey ei hun wrth ei
> wylio'n chwarae â choesau Susan Broderick... nad oedd yn deall yn
> hollol beth oedd perthnasedd y dawnsio awgrymog a'r iaith
> aflednais. 'Bobl bach, tydi'r werin Gymraeg yn gul ac yn ddall?'
> medd y cyw-newyddiadurwr sydd newydd adael y Brifysgol i gael
> swydd 'lawr yn y Ddinas'.
> 'Mae'r math yma o beth yn digwydd, mae'r hyn a bortreadir yn y
> sioe anhygoel hon yn un o broblemau mawr ein cenhedlaeth.' Ydyw,
> ac mae 'na sioeau a diwylliant ar gael i foddhau pobl â'r fath

chwantau. Apelio rydym ni ar i Hywel Ffiaidd ei gyfyngu ei hun i ddiddanu'r giwed droëdig honno yn lle ei arddangos ei hun yn gyhoeddus. Sioe Hywel Ffiaidd ydoedd a dim mwy, ni adawodd ei ddol rwber ar ôl hyd yn oed... 'Tydan ni'n rêl bois,' oedd agwedd y cast, 'yn jawlio pawb a phopeth, yn dweud geiriau budr ac yn ymddwyn yn ddi-chwaeth. Ew, tydan ni'n feiddgar.' Tra mewn gwirionedd câi un ei atgoffa o fechgyn seithmlwydd yn gwirioni gyda'u geirfa rywiol gyntaf...

Diau y gallai Geraint Jarman ddysgu un neu ddau o bethau iddynt am chwaeth. Yr un yw ei bregeth ef yn aml â *Chofiant y Cymro Olaf* – am anobaith y Gymru bresennol yn foesol ac yn wleidyddol, ond gymaint yn fwy effeithiol a thrawiadol yw neges Jarman o gael ei chyflwyno'n gynnil.[21]

Yn wyneb y beirniadu penderfynodd Dylan Iorwerth roi cynnig arall ar dafoli'r cyflwyniad. Mynnai mai ymosod ar rai o allanolion Cymreictod a wnâi'r sioe ac nid ar wreiddyn Cymreictod. Credai fod dychan yn fodd cymeradwy o drin clefyd:

Yr hyn ydw i'n ceisio'i ddweud ydi fod dychan yn medru bod yn fath ar gatharsis. Yr enghraifft fwya plaen o hyn, os nad y gorau, yw Lenny Bruce, y digrifwr-ddychanwr o Iddew Americanaidd. Ymosodai ef ar lygredd trwy gyfeirio ato a'i wneud yn chwerthinllyd; ar yr un pryd trwy ddychanu pethau nad oedd gystal (camp fwy anodd i'w chyflawni) – roedd mewn gwirionedd yn tynnu allan yr ochr orau bositif. Efallai mai dyna a all ddigwydd yn sgil taith y *Cofiant*. Yn sicr, wela i ddim ochr ddinistriol, ddifaol i'r hiwmor. A rhaid cofio mai prawf o'r darllenydd neu'r gwyliwr yw dychan yn aml.[22]

Yr hyn y dylid ei bwysleisio, p'un ai o blaid neu yn erbyn *Cofiant y Cymro Olaf*, oedd ei fod wedi'i gyflwyno trwy gyfrwng y Gymraeg ac nid trwy gyfrwng y Saesneg. Yn hynny o beth roedd yn gorfodi'r Cymry Cymraeg i wynebu eu niwrosis. Ac roedd yr holl beth wedi deillio o'r diwylliant roc Cymraeg a oedd ar ei brifiant. Yr un modd, roedd tueddiadau cerddorol y byd Eingl-Americanaidd wedi'u cyflwyno trwy gyfrwng y Gymraeg a'u Cymreigio i bwrpas Cymraeg. Doedd cerddoriaeth rocecer na rocracs ddim yn bod yn Lloegr nac America.

Y Trwynau Coch – Alun Harries, Huw Eirug, Rhys Harries,
Aled Roberts, a Rhodri Williams. Codwyd sawl gwrychyn
gan eu cân 'Merched dan Bymtheg'.

19 / Yn Erbyn y Ffactore

Pistyllai'r glaw yn ddidrugaredd ar nos Sadwrn, Medi 11, 1976, yng Nghorwen. Wrth flasu'r awyrgylch yng Ngwesty Owain Glyndŵr yn gynnar yn y nos gellid tyngu bod yr arwr ei hun ar fin dychwelyd. Disgynnodd dwy fil o ieuenctid ar y dref er mwyn ffarwelio ag Edward H Dafis mewn steil. Doedd dim tocynnau gan o leiaf bum cant o'r rocwyr ac roedd rhai wedi cyrraedd ben bore yn y gobaith o gael gafael ar docynnau strae. Ni ellid beio'r sawl a darai heibio ar hap am gredu fod yna fuddugoliaeth ar y cae rygbi rhyngwladol yn cael ei dathlu. Gwahoddwyd criw dethol i swpera yng nghwmni'r aelodau mewn goruwch-ystafell tra bod y cefnogwyr pybyr yn y bariau, yn eu macynon gwddf coch, yn rhannu atgofion am ddyddiau da'r tair blynedd o ddilyn Edward H. Yn Neuadd Corwen yn ystod Eisteddfod Dyffryn Clwyd, 1973, y clywyd seiniau 'Cân y Stiwdants' am y tro cyntaf. Cynulleidfa gymysg oedd yn noson 'Tafodau Tân' a drefnwyd gan Gymdeithas yr Iaith Gymraeg, ond yn y cynhebrwng a drefnwyd gan gyfeillion Edward H Dafis, doedd yna'r un oedolyn ymhlith y cannoedd dwl bared.

Diffoddodd y trydan deirgwaith yn nannedd y storm ond doedd hynny'n mennu dim ar y galarwyr. Dair blynedd ynghynt, dim ond Robat Gruffudd a dynes benfelen welwyd yn dawnsio yn yr un neuadd. Yng ngŵydd camerâu HTV roedd pawb yn dawnsio a hynny hyd yn oed ar ysgwyddau ei gilydd wrth gydganu'r ffefrynnau. Bu'n rhaid agor y drysau cyn y diwedd i adael i'r degau di-docyn gwlyb sopen rannu'r awyrgylch. Doedd dim tebyg wedi digwydd yn Gymraeg o'r blaen. Llwyddodd Edward H i greu canu roc a rôl an-Americanaidd a chreu heidiau o ddilynwyr selog a oedd yn barod i'w dilyn i'r bedd. Sefydlodd y macyn coch ei hun yn gymaint o fathodyn Cymreictod ag oedd tafod Cymdeithas yr Iaith a thriban Plaid Cymru. Ni lwyddodd y glaw di-baid i wanhau ysbryd yr un o'r cefnogwyr. Doedd yna neb yno i feirniadu perfformiad y grŵp. Eu hamcan oedd dathlu tair blynedd o hwyl gan dderbyn fod pob dim ar ben.

Yn unol â'i arfer, roedd Hefin Elis yn oeraidd ddadansoddol wrth edrych yn ôl ar yrfa Edward H. Cofier ei fod yn hawlio'r anrhydedd o fod wedi chwarae gyda'r Blew pan oedden nhw'n galw eu hunain yn Pedeir Keinc yn ystod Eisteddfod Genedlaethol Aberafan, 1968. Bu drymiwr y Blew yn aelod o'r grŵp Datguddiad a ffurfiwyd ganddo yn Aberystwyth. Cyfansoddodd ganeuon agored wleidyddol ar gyfer Dafydd Iwan a'r grŵp Y Chwyldro y bu'n gyfrifol am ei ffurfio er mwyn hybu ymgyrchoedd Cymdeithas yr Iaith. Roedd yna bwrpas i bob dim a wnâi yn y byd cerddorol. Mynnai mai rhannol oedd llwyddiant Edward H Dafis:

> Byddwn yn bersonol wedi hoffi cyflawni dau beth arall. Yn gyntaf, wedi dod yn fwy o enw drwy Gymru a hynny ymhlith Cymry ifanc o'r ddwy iaith. Ni chredaf y dylai hyn fod yn uchelgais i Edward H yn unig, ond yn rhywbeth cyffredin i bob grŵp – neu unigolyn – sy'n canu yn Gymraeg. Da o beth fyddai gweld artist Cymraeg yn ennill ei blwyf ymhlith ieuenctid Cymru'n gyffredinol, fel y medrent ymfalchïo, ymhyfrydu a gwirioni drosto.
> Yn ail, hoffwn petai Edward H wedi gallu mynd â'r neges fod canu poblogaidd Cymraeg yn ffynnu, i wledydd eraill – ond daw hynny i ran grwpiau eraill. Fel y mae, credaf i Edward H brofi fod y Gymraeg yn addas i roc, profodd y gall Cymru greu ei harwyr ei hun, a hynny yn wyneb y diwylliant unffurf a gynigir beunydd ar y cyfryngau; profodd hefyd y gall roc Cymraeg fod yn fasnachol lwyddiannus a bod yna elw mewn cynnal dawnsfeydd, a phrofodd hefyd, wel, yn anad dim hwyrach, profodd na all Dewi Pws chwarae'r gitâr![1]

Beth bynnag a ddywedai am Dewi Pws, doedd neb wedi gwneud mwy nag ef i greu hwyl o fewn y grŵp ac i gynnal perthynas gyda'r holl ddilynwyr a fyddai'n heidio i'r dawnsfeydd. Diddanu oedd ei nod uwchlaw pob dim. Eilbeth iddo oedd safonau cerddorol o gymharu â chyfathrebu â chynulleidfaoedd. Doedd joio ddim yn rhywbeth i'w ddadansoddi ond yn rhywbeth i'w fyw. Hwn fyddai'n gwneud yn siŵr fod pob penwythnos 'ar yr hewl gyda Edward H' yn ychwanegu at y chwedloniaeth a amgylchynai'r grŵp. Beth arall oedd i'w ddisgwyl pan fyddai'n holi rhywun ar ben Mynydd Caerffili am ddeg o'r gloch y bore a oedd e'n anelu i'r cyfeiriad cywir er mwyn cyrraedd Llanwddyn neu Lanbed? Nodweddiadol optimistaidd oedd ei ymateb i chwalu Edward H:

> Nid cwpla mae Edward H, byt, ond newydd ddechre. Oni fuase'n syniad da i werthu rhai o'r caneuon i Ringo Starr nawr neu Neil Young, a hwythau'n eu cyflwyno ar lwyfan fel *'this song was translated from the Welsh and was on an album by Edward H Davies on the Sain label, Llandwrog – "In the Heartland" or as in the original tongue* "Yn y Fro". Meddyliwch am John Denver a'i gerddorfa yn canu 'Rosi' neu 'Ti' neu Nazareth yn whare 'Mynydd Gelliwastad'.[2]

Doedd yna ddim sentimentaleiddiwch yn perthyn i ganeuon Edward H. Doedd yna ddim gwaseidd-dra chwaith. Roedden nhw'n ei dweud hi fel yr oedd hi ac roedd hynny'n taro tant. Cân gyfarwydd yn y dawnsfeydd, ond na chafodd ei chynnwys ar record, oedd 'Cadw dy hun yn Gymro'. Medrai'r torfeydd ar nos Sadyrnau uniaethu â'r geiriau:

> Mae'n ddigon anodd cadw dy hun yn Gymro,
> A cheisio cadw dy hunan i dy hun.
> Mae'r lle 'ma'n dechre llenwi gyda Saeson
> Ac mae'r holl sefyllfa'n dechre mynd lan fy nhin.

> Fe es i Sir Gaerfyrddin i bysgota,
> Wedi dal rhyw ddeg o frithyll mwyn;
> Yn sydyn daeth y Sais 'ma lan i gwyno –
> Fe drois yn ôl a sticio'i drwydded lan 'i drwyn.

Rhoddwyd mwy o sylw i ymadawiad Edward H na phetai un o hoelion wyth y sefydliad Cymraeg wedi marw. Darlledodd y BBC raglen deledu ddogfennol ar y nos Wener; ac ar y nos Lun, neilltuodd HTV raglen gyfan yn y gyfres materion cyfoes, *Yr Wythnos*, i ddangos ffilm o'r cyngerdd ffarwél. Ar y nos Fawrth, darlledwyd *Ymbarél dros*

Edward H ar y radio yn cynnwys cyfweliadau a thalpiau o'r cyngerdd. Yn ddiweddarach, fe ddangoswyd y ffilm fel rhan o raglen Sinema Deithiol a fu'n ymweld ag ysgolion uwchradd.

Doedd neb yn becso dam. Be-bop-a-lula'r delyn aur. Profwyd nad oedd raid i ieuenctid Cymraeg droi at yr artistiaid Eingl-Americanaidd i fwynhau cyffro a gwefr. Rhoddwyd cyfle i ieuenctid fynegi'u haerllugrwydd cynhenid gwrth-sefydliadol trwy gyfrwng y gitâr Cymraeg. Yn fuan ar ôl cyhoeddi dyddiad ymadawiad y grŵp roedd Robin Ddu o Eithinog, Bangor, wedi cyhoeddi ei farn yntau ynghylch cyflawniad y grŵp: 'Mae arloesi Edward H wedi agor y drysau i fwy o grwpiau eraill i'w dilyn (Chwys, Josgin). Mae hyn wedi gwneud mwy dros barhad yr iaith nag unrhyw fudiad arall yng Nghymru heddiw'. [3]

Cyn diwedd y flwyddyn honno, cyhoeddodd Hefin Elis nad oedd ei bererindod gerddorol ar ben. Roedd ef, ynghyd â saith o gerddorion eraill, yn ymarfer ar gyfer lansio grŵp newydd sbon. Aelodau eraill Injaroc oedd Caryl Parry Jones a Sioned Mair, cyn-aelodau Sidan; Endaf Emlyn, yn mentro fel perfformiwr llwyfan am y tro cyntaf; Geraint Griffiths, cyfaill bore oes i Hefin a fu'n byw yn Llundain ers tro; Cleif Harpwood, John Griffiths a Charlie Britten. Neilltuwyd rhaglen gyntaf ail gyfres o *Twndish* yn gyfan gwbl i amlygu doniau'r siwpyrgrŵp ym mis Ionawr 1977. Yn Aberystwyth ym mis Mawrth, yn yr Eisteddfod Ryng-golegol, y perfformiwyd yn gyhoeddus am y tro cyntaf. Mawr oedd y disgwyliadau.

Cafwyd sioe lachar a thoreth o ganeuon caboledig gyda cherddoriaeth ffwnc yn cael lle blaenllaw. Syfrdanwyd y gynulleidfa o fyfyrwyr ond doedd dim sicrwydd eto fod Injaroc yn mynd i ennill ei blwyf. A fyddai'r llyfnder cywrain yn cydio? A fyddai gan Injaroc ddilynwyr? A fyddai'n gosod y sîn roc Gymraeg ar dân? Ai dyma'r grŵp a fyddai'n gorfodi'r di-Gymraeg i roi heibio'u rhagfarnau, unwaith ac am byth, ynghylch ansawdd y canu roc Cymraeg? Dyna oedd yn gogordroi ym meddyliau'r wyth aelod a fuddsoddodd amser ac arian helaeth i ffurfio'r grŵp. Yn raddol dros y pum mis nesaf fe gafwyd atebion pendant.

Yn Llangadog rhoddwyd ymateb gwresog i Injaroc pan ganwyd un o ganeuon Edward H, 'Ar y ffordd'. Doedd dim llawer o fyfyrwyr ymhlith y gynulleidfa yno. Yn wir, mewn gigs dilynol dechreuwyd yr arfer o weiddi 'Edward H, Edward H' pan oedd Injaroc yn perfformio. Llugoer fu'r ymateb yn *Twrw Tanllyd* Pontrhydfendigaid ym mis Mehefin. Cynyddu wnâi cri'r lleiafrif nes i'r embaras yn ystod *Cyffro Cyn Clwydo* ar nos Fawrth Eisteddfod Genedlaethol Wrecsam orfodi'r grŵp i gyhoeddi ei fod yn rhoi'r gorau iddi. Pan gododd Hefin Elis ddau fys ar y lleiafrif croch daeth yn amlwg fod y grŵp, er ei ragoriaeth gerddorol, wedi colli'r dydd. Oherwydd glaw ni chafodd y grŵp gyfle ar y Cae Ras ar y nos Iau i wneud un ymdrech olaf i sicrhau cefnogaeth trwch yr ieuenctid. Gadawodd y llwyfan yng nghanol surni ond gan adael un record hir, *Halen y Ddaear* (Sain C594), o'i ôl. Doedd dim amau rhagoriaeth wreichionog y record.

Wedi'r chwalu daeth y rhincian dannedd. Beiai aelodau'r grŵp rai o aelodau'r wasg am roi gormod o sylw i'r ymateb negyddol fu yn ystod y perfformiadau. Ni chafwyd chwarae teg, meddid. Ond fe anghofiwyd bod angen hygrededd y tu ôl i gân dda. Cân bois motobeics oedd 'Halen y Ddaear', prif gân y record, ond heb y ddelwedd o saim, lledr a mwg. Ni ellid dychmygu aelodau Injaroc yn carlamu ar gefn Kawasakis. Doedd bois motobeics ddim yn talu morgeisiau. Er cywirdeb y chwarae roedd anonestrwydd y naws yn cario'r dydd. Ni fu'r 'cefnogwyr' yn hwyrfrydig i fynegi eu barn yn y wasg. Fe fu Dafydd Saer yn gwrando ar Injaroc ym Merthyr Tudful:

> Yr un peth gwan ynglŷn ag Injaroc yw nad oes arweinydd gan y grŵp ar lwyfan. Cysylltir Cleif ag Edward H, Maddy Prior â Steeleye Span, ac yn y blaen, ond roedd Hefin, Endaf a Geraint yn chwarae gitâr blaen bob yn ail, a Chleif, Caryl a Geraint ac Endaf yn rhannu'r canu, felly doedd neb yn ymddangos i arwain y grŵp. Ond ta waeth am hynny, roedd y chwarae i gyd o safon ganmoladwy, llawer yn well nag Edward H, a hyd yn oed Brân. O gysidro mai dyma oedd eu hwythfed sioe, mae gobaith mawr iawn i Injaroc.[4]

Llythyrai Deiniol Jones ar ran holl 'ffric owts' Bangor:

Rhaid i mi frysio i ddweud fy mod i wedi mwynhau Injaroc yn arw
yn yr Eisteddfod, roedd eu perfformiad hollol broffesiynol a
graenus yn glod i ganu pop Cymraeg. Ond rhywsut, roedd rhyw
dristwch yn yr holl beth, byw yng nghysgod y grŵp mwyaf a fu yn
Gymraeg erioed – peth amhosibl i'w wneud.

Roedd yr ifanc iawn yn y cynulleidfaoedd yn y 'Steddfod yn ysu
am gael clywed caneuon fel 'Yn y Fro' a 'Pishyn' ac ati ac am y
rheswm yma yn unig methodd Injaroc o'r cychwyn cyntaf a chael
gafael yn nychymyg yr ifanc ac i hybu dilyniant, ac i gymryd lle
Edward H. Roedd caneuon Injaroc yn aml yn rhy flaengar a 'ffwnci'
i ddal sylw holl gwmpawd y gynulleidfa.[5]

Yn ôl Tudur Jones gweithred sinigaidd oedd ffurfio Injaroc yn y lle
cyntaf. Ni chredai y dylid seilio datblygiad canu roc Cymraeg ar sail
fformiwla a oedd yn efelychu tueddiadau Eingl-Americanaidd:

Enghraifft berffaith o'r fformiwla-eiddio hwn ar ei waethaf trist
oedd ein 'supergroup' Injaroc. Roedd popeth am y grŵp yn
estron, ac roedd y resêt gerddorol ar ein cyfer, Gymry ffodus, yn
cynnwys llond llwy fwrdd o *funk* (yn ffres o jyngls Affrica), dwy
ferch mor boeth â churry Madras a phinsiad o roc a rôl er mwyn
bodloni'r plebs cefn gwlad! Resêt perffaith meddech, ond nid
teisen yw cerddoriaeth roc a methiant trychinebus fu Injaroc.
Fformiwla ddideimlad, ddi-argyhoeddiad ydoedd, ac fel y
dangosodd Tecs, Geraint Jarman, Meic Stevens a'r Trwynau
Coch, teimlad, argyhoeddiad a chred angerddol yn eu cyfrwng
yw hanfodion llwyddiant ac athrylith. Roedd yr elfennau hyn oll
yn affwysol o ddiffygiol yn Injaroc, ac yn syml dyma pam y
methodd. Yng nghanol berw cymdeithasol y don newydd,
anghenfil amherthnasol ydoedd, a chyfiawn ydyw fod gweithred
sinigaidd Injaroc o'u hyrddio'u hunain i'r olygfa gan ddisgwyl
cydnabyddiaeth fonllefus wedi cael ei gwrthod mor bendant gan
ieuenctid Cymru.[6]

Fe fu Meinir Jones o Langwm yn pwyso a mesur cyfraniad Injaroc yn
ofalus cyn rhoi pìn ar bapur:

Ni chafodd yr un grŵp newydd yng Nghymru gymaint o sylw ag
Injaroc – cael y lle blaenaf mewn cyngherddau, gwneud record hir
ymron yn syth ar ôl dechrau perfformio ac yn y blaen, ac yn dilyn
hynny ni chafodd yr un grŵp newydd, i mi wybod, dderbyniad a
bywyd fel y cafodd Injaroc.
Credaf fod gan bob un o aelodau'r grŵp ei gyfraniad arbennig ei
hun i'r byd pop Cymraeg, felly, plis – gawn ni fwy o recordiau fel

Sneb yn Becso Dam, Teulu Yncl Sam a *Syrffio (Mewn Cariad)* ac nid
'Sneb yn Becso Dam fod Teulu Yncl Sam yn Syrffio Mewn Cariad'.[7]

Yn wir, dyna ddigwyddodd. Fe ffurfiodd Geraint Griffiths grŵp
o'r enw Eliffant gyda chyn-aelodau Chwys ac Euros Lewis o Theatr
Felinfach. Fe ffurfiodd Endaf Emlyn grŵp o'r enw Jîp gyda John Gwyn
a Myfyr Isaac. Fe ffurfiodd Caryl Parry Jones grŵp o'r enw Bando
gyda nifer o gerddorion Caerdydd. A Hefin, Cleif, John a Charlie?
Wel, fe ddaeth Dewi Pws yn ôl o'i wyliau yn Sbaen, a do, fe ailffurfiwyd
Edward H. Doedd Hefin Elis ddim yn hollol siŵr pam y gwnaed hyn
ond roedd y pump yn sicr yn plygu i'r galw ymhlith ieuenctid. Ac
roedd gan Hefin ddigon o bethau chwyrn a phigog i'w dweud am y
sîn bop Gymraeg:

Peth trist ydi mynd yn hen. Beth sy'n peri i bump o fechgyn dros y
top, gyda morgais a swydd sefydlog, i fynd o gwmpas y wlad ar
benwythnosau i brancio ar lwyfan? Dyletswydd? Na! Cariad at y
gwaith? Na! Gwthio ffiniau adloniant ysgafn Cymraeg ymlaen? Na!
Pam na all aelodau Edward H roi'r gorau iddi, eistedd yn eu
cadeiriau esmwyth o flaen y tân i wylio *Twndish* ar y bocs, a gadael
llonydd i'r busnes 'pop' 'ma? *Wn i ddim yr ateb.*
  Fel y gellid disgwyl mae'r beirniaid wrthi'n hogi'r llafnau. Mae
'na afiechyd newydd ymhlith Cymry twymgalon: yr afiechyd ydi
cyplysu llwyddiant menter Gymraeg â brad neu annidwylledd, e.e.
mae Cwmni Sain yn llwyddiannus, ond dydi'r cigfrain ddim yn
fodlon – monopoli, cyfalafwyr, wedi cefnu ar y delfrydau
gwreiddiol, yw'r crawcian a glywir (nid yn agored wrth gwrs, ond
mewn tywyll-fannau'r clybiau yng Nghaerdydd ac yng nghaerau'r
elusen honno ym Mangor a Llandaf).
  A'r Edward H yna! 'Rhy hen', 'Codi gormod o bres', 'Dim neges',
'Caneuon sâl', 'Methu chwarae gitâr', 'Methu canu mewn tiwn'.
Mae'n demtasiwn gref ateb pob un o'r cyhuddiadau gwir yna, ond
ymatal piau hi. Fel y dywedodd un o gyn-olygyddion wythnosolyn
Cymraeg, 'mae anwybyddu'n brifo mwy'.
  Yr hyn a anghofir gan lawer beirniad yw nad ydy hi'n bechod
mwynhau ar nos Sadwrn. Y beirniaid yma sy'n rhan o'r mudiad
punk (y mudiad sy'n siarad ar ran y bobol ifanc di-waith, di-addysg,
difreintiedig) sy'n dweud wrth y bobl ifanc di-bopeth yma eu bod ar
gyfeiliorn yn mynd i Neuadd y Pentre ar nos Sadwrn ar ôl cael llond
bol o êl a symud i ganeuon undonog Edward H: 'Mae isho i chi wrando
ar arwyddocâd y geiriau'. 'Ydi'r gân yma'n dweud rhywbeth am

broblem gymdeithasegol, neu adfyd y dyn du neu ffasgiaeth Chile?'
Bois bach, pwy ydi'r *élitists* rŵan? Chwi a'ch bath sy'n gwarafun i
drwch y boblogaeth Gymraeg wrando ar Hogia'r Wyddfa; chwi a'ch
bath oedd yn gweld Tony ac Aloma'n fygythiad i ddatblygiad canu
ysgafn; chwi a'ch bath fyddai'n rhwystro pobl rhag gwrando ar 5ed
symffoni Beethoven, 'Messiah' Handel, 'Lullaby' Brahms ac
'argymell' i'r gwrandäwr fwynhau'r symffoni gyntaf gan Beethoven,
'Israel in Egypt' Handel, ac ail symffoni Brahms yn D (Op 72). Yr
hen glwy eto – llwyddiant/poblogrwydd – diwerth.
Fe fyddai'r agwedd yma'n ddigon annerbyniol mewn unrhyw
wlad arall. Ond yng Nghymru, lle mae llwyddiannau Cymraeg i'w
cyfrif ar fysedd un llaw, mae'n agwedd gwbl anfaddeuol. Allwn ni
ddim fforddio dilorni unrhyw lwyddiant torfol Cymraeg ei iaith.
Nid yw hyn yn golygu gofyn am *immunity* rhag beirniadaeth, ond
yn hytrach gofyn am ychydig o synnwyr cyffredin.
Sut all ailffurfio Edward H fod yn 'gam yn ôl'? Ble mae'r holl
grwpiau blaengar eu cerddoriaeth sy'n atynfa yng Nghymru? Ble
mae'r LPs Cymraeg yma sy'n gwneud i *Sneb yn Becso Dam* swnio fel
George Formby? Ble mae'r cyfansoddwyr disglair yma sy'n gwneud
i Morris/Harpwood ymdebygu i Sankey a Moody?
Beth am y dyfodol? I'r rhai sydd â diddordeb ganddynt, mae'r grŵp
yn bwriadu perfformio tuag unwaith neu ddwywaith y mis,
recordio LP ym mis Medi ac ymatal rhag ymddangos ar y teledu.
Mae'r ysbryd a'r awen o fewn y grŵp mor heini ag erioed er i
'flynyddoedd crablyd canol oed' ein hymlid.
Pam ailffurfio? Rhywbeth i'w wneud ar nos Sadwrn? Ie! Cael
hwyl yng nghwmni'r bois? Ie! Mwynhau awyrgylch y dawnsfeydd?
Ie, ac 'am fod ynof fis Gorffennaf ffôl yn ciprys gydag Ebrill na
ddaw yn ôl'. Ie![8]

Neuadd Tal-y-bont ger Aberystwyth, Nos Sadwrn, Mawrth 11,
1978, oedd y man ymgynnull ar gyfer yr atgyfodiad. Roedd tafarndai'r
pentre a'r Neuadd dan eu sang. Rhoddwyd croeso i'r hen stejers ac i'r
caneuon cyfarwydd. Doedd dim prinder hwyl ac asbri yn warged i
ddoethineb y penderfyniad i ailffurfio. Ond doedd yna ddim croeso
unfrydol i'r penderfyniad. Pan glywid y sibrydion ynghylch yr ailffurfio
fe broffwydodd Alun Lenny mai cam gwag fyddai hynny. Roedd e'n
codi llawes Injaroc:

Trasiedi fyddai ailffurfio'r grŵp. Byddai'n gam mawr yn ôl.
Byddai'n gyfaddefiad fod canu pop Cymraeg wedi cyrraedd pwynt
ac yna wedi gwrthod datblygu'n bellach... Pawb na roddodd gyfle i

Injaroc ciliwch mewn cywilydd i'ch cwrw. Mae'n amlwg fod mwy o angen hwnnw arnoch na cherddoriaeth dda. Ciliwch at eich cwrw a'ch caneuon 12 bar. Ond peidiwch ag achwyn pan fyddwch wedi syrffedu ar y ddau. Oherwydd syrffedu a wnewch.[9]

Fodd bynnag, chwifiodd cannoedd eu macynon coch. Llenwid neuaddau boed y mynychwyr yn feddw ai peidio. Mewn cyngerdd yn Llanelwedd ar drothwy Eisteddfod Genedlaethol yr Urdd, 1978, doedd fawr o angen perswadio'r ffyddloniaid i gydganu 'Mistar Duw' yn ddigyfeiliant pan ddiffoddodd y cyflenwad trydan. Ni ellid gwadu bellach fod anian Edward H Dafis yn gwbl Gymreig. Yn ei awydd i fwynhau ac i wneud y gorau o bob sefyllfa perthynai'n agos i draddodiad y Noson Lawen. Doedd yna'r un grŵp roc Cymreiciach. Rhoddai bwys ar ddifyrru yn hytrach nag ar gerddoriaeth pan oedd ar lwyfan. Yn hynny o beth tarai dant cyfarwydd yng nghalonnau Cymry'r broydd Cymraeg.

Serch hynny, roedd y beirniaid yn dal yno. Ar drothwy Eisteddfod Genedlaethol Caerdydd mynnai rhai nad oedd Edward H bellach yn berthnasol i'r byd roc Cymraeg. Cyn-edmygydd oedd Dani Tomos, Llangeitho:

> Rwy'n drist oherwydd mai Edward H oedd fy hoff grŵp am bum mlynedd, ac nid fi yw'r unig un sy'n siomedig. Merched bach sydd am weld eu heilunod yw'r mwyafrif o'r dilynwyr sydd ar ôl. Mae'r rhai sydd o ddifrif am gerddoriaeth yn troi at y Trwynau Coch a Jarman. Felly Edward H – byddai'n well i chi gael gwared o'ch delwedd tinibopaidd a thynnu'r hen ddenims mas o'r bin. Mae eich potensial yn fwy na'r un grŵp yng Nghymru ond ofnaf fod llwyddiant yn brysur yn eich llygru.[10]

Cafwyd y feirniadaeth fileiniaf gan Tudur Jones. Mynnai fod y grŵp wedi'i or-ddyrchafu a bod ei ddilynwyr yn amddifad o chwaeth gerddorol. Roedd yntau ymhlith y cannoedd yn Neuadd Tal-y-bont ym mis Mawrth:

> I'r 800 o bobl ifanc feddw, gwallgof oedd yn bresennol hon oedd y noson fwyaf ers iddynt gael cyfathrach rywiol am y tro cyntaf, ac yn ôl y symud orgasmig a welais i ychydig yn well na hynny i rai ohonynt. Hyderaf fod y sylwadau uchod, er eu bod braidd yn ormodol hwyrach wedi llwyddo i roi argraff o'r math o awyrgylch a

oedd yn Nhal-y-bont y noson honno. Noson i wallgofi'n ddi-reolaeth ydoedd. Roedd cwrw Banks a Welsh Brewers wedi bod yn iro gyddfau'r ifanc yn fwy effeithiol na Castrol GTX, ac, a bod yn onest, nid wyf yn siŵr iawn a oedd nifer o'r gynulleidfa yn gwybod erbyn y diwedd pwy uffar oedd ar y llwyfan. Roedd cymaint o ddisgwyl wedi bod am Edward H ac roedd chwarae eu recordiau o flaen llaw wedi creu awyrgylch perffaith i'r grŵp. Yn syml iawn, prin y gallai unrhyw grŵp fethu o dan y fath amgylchiadau. Byddai Peters & Lee wedi bod yr un mor gyffrous i'r bobl ifanc a oedd yn benderfynol o fwynhau i'r eithaf gyfle prin i ddianc o bawennau Beiblaidd eu rhieni...

Ni fu unrhyw ymdrech i gynnig fersiynau newydd o hen ganeuon megis 'Pishyn' a 'Cadw Draw', ac mae gorfod gwrando ar ymgais Hefin Elis i chwarae'r gitâr blaen yn debygol o brofi'n ormod imi ryw ddiwrnod. Mae ei chwarae yn gwbl ddiddychymyg gan ddibynnu ar yr un hen *riffs* undonog, marwaidd ag sydd ar y recordiau. A bod yn onest, mae ei chwarae yn ddifrifol o wael ac mae ei ddiogi cerddorol yn warthus...

Ar eu gorau mae Edward H yn grŵp dawns Nos Sadwrn yn rhoi cyfle i bobl ifanc eu mwynhau eu hunain a chael gwared â'u rhwystredigaethau. Mae yna gannoedd o Edward H Dafis' yn Lloegr ac yn ddiau maent yn ateb galw pendant. Fodd bynnag nid ydynt yn ddim mwy nac yn ddim llai na rhyw Status Quo eilradd. Mae Status Quo yn iawn, meddech, ac yn sicr ychydig flynyddoedd yn ôl roedd Status Quo yn cynrychioli roc trwm ar ei fwyaf digyfaddawd. Ysywaeth yn 1978 hen, hen bobl yw Status Quo yn dal i lynu at yr un hen fformiwla – sylwer ar yr enw!

Mae'r don newydd wedi mynegi'n hollol echblyg eu bod am newid cyflwr canu cyfoes o fod yn gyfrwng musgrell, gwywedig i fod yn rhywbeth byw, cynhyrfus. Mae'r athroniaeth hon wedi sgubo'r byd cerddorol oddi ar ei draed, ac ni ddaeth unrhyw ymateb o du'r sefydliad i'r her radical, gyffrous hon. Mae Status Quo yn hollol amherthnasol ac mewn termau cerddorol felly Edward H hefyd. Yr hyn sydd ei angen (a'r hyn a gawn gan y don newydd yng Nghymru a Lloegr) yw pobl ifanc yn mynegi eu teimladau ifanc yn eu ffordd ifanc eu hunain. Credaf fod yr elfen hon o ieuenctid yn hollbwysig yn natblygiad roc; heb yr ansawdd bytholwyrdd ni all roc fyth gyfrannu'n gadarnhaol at ddiwylliant yr ifanc.

Mae Edward H Dafis wedi darganfod rhigol lwyddiannus ar gyfer rhoi mwynhad i bobl ifanc, a heb unrhyw amheuaeth ni fyddai canu cyfoes Cymraeg wedi mynd hanner mor bell ag y mae heb gyfraniad y grŵp hwn. Serch hynny, y perygl yn awr (ac mae'r perygl hwn yn ei amlygu'i hun yn barod) yw ein bod yn ystyried Edward H a'u math o gerddoriaeth fel llinyn mesur pob datblygiad cerddorol arall yn yr iaith Gymraeg. Hynny yw, i nifer fawr o ieuenctid Cymru Edward H Dafis yw'r datblygiad cerddorol terfynol, ac nid ydynt eisiau gwybod am unrhyw beth arall. Sonnir am 'Pishyn', 'Ar y Ffordd', 'Tŷ Haf' ac eraill fel clasuron, a chyfeirir atynt fel y safon y dylai grwpiau eraill ymgyrraedd ati.

A bod yn onest, nonsens llwyr yw hyn. *Rip-offs* pur yw'r caneuon hyn oll ynghyd â'r mwyafrif helaeth o ddeunydd Edward H wedi eu seilio ar fformiwlâu saff-ond-hen grwpiau Saesneg megis Status Quo, Rolling Stones a'r Beatles – y *boring old farts* bondigrybwyll! Mae perygl mawr i rych llwyddiant Edward H ddatblygu'n bydew angheuol canu cyfoes Cymraeg, gyda phopeth ond Edward H Dafis a'u disgyblion trist megis Crysbas, Jeroboam, Tocyn Chwech, Seindorf ac ati yn cael ei wrthod oherwydd ei fod yn wahanol. Nid yw bod yn wahanol wedi bod yn syniad gorboblogaidd erioed yng Nghymru, ac mae'r cydymffurfiad gorfodol yma yn dechrau treiddio i fyd canu cyfoes Cymraeg rŵan.

Nid oes gennyf ddim yn erbyn Edward H Dafis cyn belled â bod pawb yn sylweddoli mai cyfrwng hwyl caib ar nos Sadwrn ydynt a dim arall. Nid grŵp i'w cymryd yn ddifrifol mohonynt, a gorau po gyntaf y mae pawb yn derbyn hynny, er mwyn galluogi gwir gerddorion canu cyfoes Cymraeg megis Geraint Jarman, Endaf Emlyn, John Gwyn, Heather Jones ac eraill i greu gwir safon i'n canu heb lyffethair ceidwadol eilun-addolwyr Edward H Dafis.[11]

Er gwaethaf y dadansoddi a'r beirniadu penderfynodd aelodau'r grŵp beidio ag ymateb. Tra bod ymateb fel eiddo'r dorf yn y Top Rank yn Eisteddfod Genedlaethol Caerdydd a'r *Twrw Tanllyd* yn Eisteddfod Genedlaethol Caernarfon yn parhau doedd dim rheswm dros roi'r gorau i'r joio. Cafwyd nos Sadwrn nodweddiadol yng nghwmni Edward H(wyliog) Dafis ym Mhontyberem ym mis Mai 1979 – cynulleidfa'n ysu am glywed y ffefrynnau a 'Mynydd Gelliwastad' yn troi'n 'Mynydd Crwbin'; pawb yn joio a phawb yn chwys drabwd erbyn taro'r nodyn olaf. Erbyn Steddfod y Cofis cyhoeddwyd record hir, *Yn Erbyn y Ffactore* (Sain C744), ac fe roddwyd croeso gwresog iddi. Treuliodd Hefin Elis bum mis yn ei chynhyrchu. Roedd Emyr Huws Jones wedi ei blesio'n fawr:

Dengys y record nad Status Quo yw'r unig ddylanwad ar y grŵp. Yn wir, gallai rhywun dreulio oriau'n ceisio darganfod y dylanwadau ar y record – ond i beth? Yr hyn a wna Edward H Dafis, yn glyfar iawn, yw benthyg ychydig, hwnt ac yma, a defnyddio hynny i'w bwrpas ei hun. Nid dwyn ond dynwared. Mae darnau o alawon ac arddull rhai o'r caneuon yn atgoffa rhywun o bethau eraill o hyd ond mae'n anodd taro bys yn bendant ar beth yw. Eto, nid yw hynny'n gwneud dim gwahaniaeth nac yn tynnu dim oddi wrth y record – dim ond yn corddi dyn sydd yn meddu ar gof gwael!

Ni ellir gwell canmoliaeth na dweud fod wyth allan o ddeg cân yn rhai gwerth eu clywed drosodd a thro. Anaml y byddaf yn teimlo fel rhoi record Gymraeg ar y peiriant ar ôl noson o gwrw (y mae eithriadau fel Dafydd Iwan wrth gwrs) ond yn sicr bydd *Yn Erbyn y Ffactore* yn ffrind da i'r fflagon am amser maith.[12]

Ond dal i edliw i'r grŵp ei benderfyniad i ailgydio ynddi a wnâi rhai unigolion. Fyddai dim ond angladd arall yn eu plesio a hynny gorau po gyntaf. Beti Huws oedd un o'r rhai na welai berthnasedd Edward H bellach:

Gwir dweud fod Edward H yn dal yn boblogaidd – ond a ydych wedi sylwi pwy yw mwyafrif eu dilynwyr? Plant bach y 3edd a'r 4edd flwyddyn – y rhai hynny sydd wedi clywed cymaint am Edward H yn y gorffennol ac yn eu naïfrwydd a'u hanwybodaeth yn credu mai hwy sy'n dal i deyrnasu. A beth yn y byd a ddigwyddodd i'r hen ffyddloniaid sydd wedi troi eu cefnau ac yn dilyn yr 'anhygoel Adar Tydfor'?

Mae gan y byd pop Cymraeg ddyled enfawr i Edward H gan mai hwy oedd y sylfeini, ond mae'n creu anniddigrwydd ynof i fod pobl mor gyfyng eu meddyliau â chredu mai Edward H yw y grŵp, fel yn yr hen ddyddiau. E.e. yn Dicsiland, y Rhyl, yn ddiweddar cafwyd rheng o fownsars hollol ddianghenraid o flaen y llwyfan.

Bu farw Edward H yn 1976 – yr hen Edward H hudolus – felly dylid symud o fyd y meirw a rhoi lle haeddiannol i grwpiau eraill sydd yn amlwg yn cael eu cysgodi gan atgof. Mae'n amlwg hefyd fod rhai adolygwyr yn rhagfarnllyd o blaid Edward H oherwydd arwyddocâd rhai caneuon sy'n cydsynio â pholisi mudiad arbennig – mi fuasai'n syniad i'r rhai hynny ddilyn barn bendant R Williams Parry ynglŷn â phropaganda – yn arbennig, wrth eu bod yn ei astudio ar gyfer Lefel A.[13]

Er bod Geraint Lövgreen wedyn yn canu clodydd *Yn Erbyn y Ffactore* roedd yn llym ei feirniadaeth o berfformiadau'r grŵp yn Eisteddfod Caernarfon:

Dywedodd fy hen *sparring partner* Alun Lenny rai blynyddoedd yn
ôl (pan oedd ychydig yn fwy golygus nag mae o rŵan) mai grŵp
pobol feddw oedd Edward H; o'n i ddim yn cytuno ar y pryd, ond
wir, yn y Majestic yn G'narfon yr unig bobl oedd yn ddigon meddw i
fwynhau sioe y grŵp oedd Br Morris a Harpwood. Roedd pawb
arall un ai'n cysgu neu yn syllu'n drist – y freuddwyd roc a rôl wedi'i
chwalu'n dipie mân o flaen ein llygaid.
    Diawl, ma hi'n hen bryd i Edward H Dafis roi'r gorau iddi'n
gyfan gwbl. Ma'r hen Edward H – y band roc a rôl cyffrous – wedi
marw ers talwm. Yr unig beth sydd ar ôl ydi'r olygfa bathetig o griw
o hen ddynion yn mynd trwy'r mosiwns – a does â 'nelo fo affliw o
ddim byd efo roc a rôl.[14]

Ond roedd yna ddilynwyr selog yn barod i amddiffyn y grŵp, megis
un ar ddeg o aelodau Chweched Isaf Ysgol Dyffryn Ogwen, Bethesda.
Fe'u cynddeiriogwyd gan sylwadau Geraint Lövgreen:

Dywedodd fod perfformiad EHD yn y Majestic yn ystod yr
Eisteddfod yn dila – y mae'n edrych yn debyg ei fod wedi ei annog i
ysgrifennu hyn dim ond ar ôl bod yn y Majestic. Dylai fod wedi eu
gweld yn *Twrw Tanllyd* nos Wener – yr oedd ysbryd yr hen EHD yn
amlwg. Noson dda iawn...
    Y mae'n iawn barnu grŵp hyd at ryw bwynt, ond teimlwn fod
iselhau grŵp i'r fath raddau yn gor-wneud pethau, gan ei fod yn
magu drwgdeimlad yn erbyn y grŵp dim ond oherwydd barn criw
bychan. Yr oedd yn angenrheidiol i EHD gadw at yr hen fformiwla
Status Quoaidd er mwyn ceisio denu eu hen gynulleidfa yn ôl yn
ogystal â rhai newydd. Efallai ei fod yn wir nad EHD yw'r PRIF
grŵp Cymraeg – ond UN o'r prif grwpiau yn sicr – ar y funud, ond
mae ganddynt berffaith hawl i ddal ati a cheisio newid o'r hen
arddull, efallai fel hefi metal – neu rywbeth tebyg – a cherddoriaeth
mwy uchelgeisiol nag o'r blaen. Amser a ddengys...
    Does dim rheswm o gwbl i Edward H orffen jyst oherwydd
Lyfgrin a mân feirniaid eraill. Mae arnynt ddyletswydd i gario
ymlaen a diddanu Cymry ifanc y dyfodol.[15]

Yr un mor barod i achub cam eu harwyr roedd Siôn Rhys, David
Evans a Deinsi Môr:

Mae Beti'n dweud ei bod hi'n drist iawn pan orffennodd Edward
H yn 1976 – fel ni a llu o bobl eraill. Ond mae hi wedi troi ei
chefn ar yr hen Mr Dafis am fod Geraint Jarman a Shwn wedi
dod i'r amlwg. Rydym ni hefyd yn hoff iawn o'r grwpiau yma, ac
eraill, ond nid ydym ni wedi troi ein cefnau ar Edward H – nid

oes rheswm digonol dros wneud...
Mae'r hen Edward H wedi dod â'r elfen o hwyl Gymreigaidd yn
ôl i'r byd roc Cymraeg ers ei atgyfodiad. Byddai'r byd pop Cymraeg
yn llawer tlotach heb gyfraniad Edward H a'u caneuon roc pur,
dawnsiadwy a'u caneuon swynol araf ('Mr Duw', 'Ysbryd y Nos').
Felly ar ôl yr araith yna dyma ein neges a llawer o Sgrechwyr eraill
trwy Gymru: DYLAI EDWARD H DDAL ATI AC WRTH HYNNY
DDAL I AEDDFEDU'N GERDDOROL A JOIO!'[16]

Doedd Edward H Dafis ddim gwahanol i'r un sefydliad; roedd
ganddo'i gefnogwyr pybyr a'i feirniaid llym. Yn Noson Wobrwyo
flynyddol y cylchgrawn *Sgrech* yn 1980 fe gyflwynwyd gwobr i'r grŵp
yn gydnabyddiaeth am ei gyfraniad i adloniant Cymraeg. Cyhoeddwyd
pumed record hir *Plant y Fflam* (Sain C796) yn record gysyniad yn
ymwneud â diniweidrwydd plant. Diflannodd o dan yr amdo ar
Orffennaf 10, 1981 ar ôl perfformio yn Llanbadarn Roc.

Yn y cyfrif olaf, y gân sy'n crisialu agwedd Edward H Dafis yw
'Breuddwyd Roc a Rôl'. Yn union fel 'Trefor Henry Gwyn Harries', y
gân roedd ieuenctid yn rhannu'r freuddwyd yng nghanol hwyl peil o
beints ar nosweithiau Sadwrn. Pan âi eu rhieni i'r dafarn i fwynhau
canu emynau, roedd yr ieuenctid yn mwynhau cydganu 'Yn y Fro' a
'Mynydd Gelliwastad' a'r ffefrynnau. 'Joiwch bois, a peidiwch â becso
mo'r dam, w, mae'n hwyl i fod yn Gymry Cymraeg,' oedd byrdwn yr
anogaeth. 'Dwi isio bod mewn band roc a rôl / a chael y dorf i 'ngalw
i'n ôl' – dyna oedd y ddihangfa.

Doedd neb yn dilyn Edward H er mwyn mwynhau cerddoriaeth
flaengar ysgytwol. Yr hwyl oedd yn eu denu, ac onid felly y dylai fod
ar nos Sadwrn? Roedd y cyfuniad o elfennau roc a rôl, a geiriau syml
caneuon oedd yn cyffwrdd â phrofiadau'r ieuenctid, yn creu ysbryd o
joio mas draw. Doedd dim rhaid ymuno mewn protest, arwyddo'r un
ddeiseb na phregethu'r un efengyl ond roedd y profiad yn gyfystyr â
throchi eich hun mewn cawod o Gymreictod.

Tra bod canu pop yn America ar y cyfan yn gysylltiedig â'r ddinas
a'r awyrgylch drefol roedd canu pop Cymraeg, fel y'i cynrychiolid
gan Edward H Dafis, yn gysylltiedig â'r wlad a'r awyrgylch o dyndra
ieithyddol. Ac os oes unrhyw un yn amau perthnasedd Edward H,

yna, fe dalai iddo fe/hi wylio'r telediad o gyngerdd awyr agored a drefnwyd yn y Faenol, ger Bangor, gan Bryn Terfel yn ystod haf 2001. Ie, aduniad yr hen stejars gyda'r cannoedd gwlyb sopen yn cydganu'r hen ffefrynnau – 'Mistar Duw', 'Pishyn', 'Tŷ Haf' – fel tase'r hen gonos erioed wedi tewi. A doedd y sbarc hwnnw a wnâi pob perfformiad Edward H yn wahanol ac yn ddigwyddiad ddim wedi diflannu. Roedd Dewi Pws yn gwisgo sgert ar batrwm y Ddraig Goch a'r macyn coch bondigrybwyll wedi'i glymu am ei gorun i gwato'r moelni.

Edward H yn canu yn Saesneg? Scersli bilîf. Llwyddodd Edward H yn erbyn y ffactore.

Geraint Griffiths – ar ôl
i Injaroc chwalu, fe
ffurfiodd Eliffant.

Y sipyrgrŵp Injaroc:
Charlei Britton, Hefin
Elis, Endaf Emlyn, Sioned
Mair, Geraint Griffiths,
John Griffiths, Cleif
Harpwood a Caryl Parry
Jones.

Roc ar y Waun, Gwauncaegurwen

20 / Tacsi i'r Tywyllwch

Nodwedd o'r bwrlwm roc yn ail hanner y 70au oedd cyfraniad y di-Gymraeg i'r sîn Gymraeg yn hytrach na chyfraniad y Cymry Cymraeg i'r sîn Saesneg. Doedd neb o'r di-Gymraeg yn fwy ei ddylanwad na Simon Tassano, cynhyrchydd recordiau'r Trwynau Coch a Geraint Jarman a'r Cynganeddwyr. Sais rhonc o gyffiniau Llundain oedd Simon ac roedd yn ddewin o beiriannydd stiwdio. Cyfarfu â Geraint pan oedd yn cymysgu'r sain i grŵp jazz blaengar o'r enw Red Brass yr oedd Heather Jones yn aelod ohono. O eiliad y cyfarfyddiad fe brofodd y ddau yn eneidiau cytûn yn rhannu diddordeb mewn rhythmau o bob math.

Yn wir, doedd yr un o gerddorion Geraint Jarman yn medru'r Gymraeg chwaith. Brodor o Benygraig yn y Rhondda oedd Tich Gwilym ac roedd yn nodweddiadol o'i genhedlaeth yn y Cymoedd o ran y ffaith na chafodd y Gymraeg ei throsglwyddo iddo ar yr aelwyd. Yr un oedd profiad Cat Croxford, y drymiwr o Ferndale. Cerddorion proffesiynol oedd y Cynganeddwyr ac o bryd i'w gilydd fe fydden nhw'n chwarae gyda grwpiau Saesneg. Dilyn y dorth drwy chwarae cerddoriaeth oedd hanfod eu bywydau. Fe fu Tich yn aelod o grŵp lled-chwedlonol yn ardal Caerdydd o'r enw Kimla Taz. Bu'r grŵp yn perfformio ar yr un llwyfannau â Fleetwood Mac a Led Zeppelin. Er iddo chwalu yn 1976 aeth chwarter canrif heibio cyn cyhoeddi peth o'i ddeunydd ar label o Siapan yn 2001.

Yn dilyn yr ymateb ffafriol i'r record gyntaf, *Gobaith Mawr y Ganrif*, mentrodd Geraint Rhys Maldwyn Jarman gyhoeddi record ddinesig arall, *Tacsi i'r Tywyllwch* (Sain C596) yn ystod haf 1977. Amlygai caneuon y record gysylltiad ag awen y beirdd bît yn fwy nag awen beirdd y cwysi âr. O wrando ar 'Ambiwlans' a 'Dyddiau Caethiwed' clywid mwy o ddylanwad Patti Smith a beirdd stryd Efrog Newydd na dylanwad Alan Llwyd a beirdd colofnau *Barddas*. Doedd dylanwad rastaffariaeth Jamaica ddim wedi cydio yn y beirdd Cymraeg traddodiadol ond dyna oedd yn cyniwair ym mynwes Geraint Jarman. Amlygai rhai o ganeuon y record y trawsacennu rhythm a churiad pendant y gitâr bas a oedd yn nodweddiadol o'r canu *reggae*.

Hanfod rastaffariaeth oedd addysgu brodorion Jamaica mai caethweision o'r Affrig oedd eu teidiau a'u hannog i ddychwelyd i'r cyfandir hwnnw yn yr ysbryd. Roedd curiad cyson y bît *reggae* mor gyson â churiad y galon a nodweddai gerddoriaeth ethnig Affrica. Wrth gymhwyso hynny at brofiad Cymru gwelai Geraint gyfatebiaeth yn arfer y brudwyr o geisio dihuno ysbryd Owain Glyndŵr. Ni ddisgwylid i Owain ddychwelyd yn llythrennol ond ceisid annog y Cymry i fabwysiadu'r un agwedd meddwl ag a feddai Owain Glyndŵr. Doedd Geraint ddim yn cywilyddio ynghylch ei ddiddordeb yn yr hyn a ddigwyddai ymhlith tlodion Jamaica yn ardal ddifreintiedig Trenchtown yn y brifddinas, Kingston:

Fel y Cymry, maent hefyd yn hoff o ddyfynnu adnodau o'r Beibl, yn arbennig o'r Hen Destament, i brofi eu cred. Ond mae eu dehongliad a'u defnydd ohono yn wahanol i eiddo'r Cymry. Ystyriant eu hunain yn Israeliaid du ar wasgar ym Mabilon ond yn ceisio dychwelyd i Ethiopia. Ystyriant yr Ymerawdwr Haile Selassie o Ethiopia fel eu harweinydd – er iddo farw – gan mai ef yn eu tyb hwy yw'r Crist ail ymgnawdoledig. Oherwydd ei fod yn llinach ddi-dor brenhinoedd Ethiopia ers dyddiau Brenhines Sheba, ac yn ddisgynnydd uniongyrchol y Brenin Dafydd, ef yw Jah, eu duw. Ei enw bedydd oedd Liz Ras Tafari Makonen.

Mae'r Rastaffariaid yn dilyn rheolau glendid Llyfr Lefiticus lle ceir dadl dros lysieuaeth, ac i gyfiawnhau ysmygu pwys o ganja'r wythnos, dyfynna Bob Marley, eu prif ladmerydd, adnod o Salm 18: 'Dyrchafodd mwg o'i ffroenau a thân a ysodd o'i enau'. Gwrthwynebant y ffydd Gristnogol fel y mae yn Jamaica heddiw oherwydd credant mai arf y dyn gwyn yn erbyn y dyn du yw. Fe'i cysylltant â chaethwasiaeth a'r modd y difodwyd trigolion gwreiddiol yr ynys, yr Indiaid Arawac, gan heintiau'r dyn gwyn.[1]

Roedd canu *reggae* Bob Marley yn dipyn gwahanol i 'Island in the Sun' Harry Belafonte a 'My Boy Lollipop' Minnie Small. Rhywbeth i blesio'r ymwelwyr gwyn a'r trigolion hŷn oedd y calypso. Yr un modd roedd cyffyrddiadau *reggae* Geraint Jarman yn dipyn gwahanol i 'Dri Mochyn Bach' Tony ac Aloma a 'Dwed wrth Mam' Jac a Wil. Mabwysiadu'r rhythm *reggae* a wnâi Geraint yn hytrach na mabwysiadu ffordd y Rastaffariaid o fyw. Er iddo dreulio cyfnod yn Jamaica roedd ei draed yn dal yn solet ar goncrid dinesig Caerdydd. Prawf o'i ddiléit yn hynodrwydd y bywyd Cymraeg oedd y gân 'Y Dyn Oedd yn Hoffi Pornograffi', yn seiliedig ar ei brofiad o'r rhagrith Cymreig.

Strôc o athrylith oedd yr enw a ddewiswyd i'r band. 'Kunganeddwyr' oedd yr enw gwreiddiol oherwydd diddordeb rhai o'r aelodau yn y gelfyddyd o hunanamddiffyn. Ond o ddewis 'Cynganeddwyr', trowyd yr holl syniad o ddiwylliant Cymraeg wyneb i waered. Gorfodai'r enw i lawer ailystyried ceidwadaeth y traddodiad Cymraeg. Clywid cyfatebiaeth gytseiniol o'r newydd. Ym mis Tachwedd 1977, mentrodd Geraint berfformio ar lwyfan y Top Rank, Abertawe, yng nghysgod Heather Jones. Ond mewn dawns ryng-golegol yn Aberystwyth perfformiodd ar ei ben ei hun gyda'r Cynganeddwyr. Defnyddiodd sbectol dywyll fel masg i'w alluogi i ddod dros yr ansicrwydd a deimlai wrth gyflwyno'i bersona dinesig.

Apeliai am ei fod yn wahanol ac am ei fod yn cyflwyno rhai o gorneli tywyll dinas yr oedd mwy a mwy o ieuenctid Cymraeg yn heidio iddi i fyw. Cyflwynai Geraint rai o gorneli tywyll ei feddwl ei hun hefyd ac roedd gonestrwydd didwyll y dinesydd yn cael ei werthfawrogi. Ni cheisiodd wadu'i gefndir. Fe'i cyflwynodd yng nghyddestun ei adnabyddiaeth ef o Gymru. Am ei fod yn meddu ar anian bardd roedd yna 'neges' neu 'ddarlun' ymhob cân. Profodd Geraint Jarman a'r Cynganeddwyr fod y gitâr dinesig yn gymaint o fynegiant o Gymreigrwydd ag englyn neu emyn.

Unwaith y dechreuodd berfformio'n fyw doedd dim pall ar y gwahoddiadau am yn agos i bum mlynedd. Defnyddiai gnewyllyn o gerddorion y medrai ddibynnu arnynt i greu'r sŵn a'r sylwedd a ddymunai i gyfleu ei baranoia a'i brofiad o Gymru trwy ddrych rastaffariaeth. Datblygodd Tich Gwilym yn ffefryn ac yn ffigwr allweddol gyda'i doriadau ar y gitâr blaen. Pwy na ffolodd ar ei fersiwn o'r anthem genedlaethol ar derfyn pob gig? Aeddfedodd y canu roc. Doedd dim rhaid, bellach, i artistiaid na'u cefnogwyr ymlynu wrth Gymdeithas yr Iaith Gymraeg, Urdd Gobaith Cymru neu Adfer er mwyn arddel Cymreictod, er mai'r mudiadau yma, yn amlach na pheidio, fyddai'n trefnu'r dawnsfeydd.

I ble, felly, roedd y tacsi'n teithio a phwy oedd y teithwyr? Sbardunai'r tacsi ar drywydd yr Ethiopia Newydd gan alw heibio i gypyrddau euogrwydd, Casablanca'r dociau, Crymych y Fro Gymraeg a tharo cis ar Amsterdam, Patagonia ac Aberhenfelen yn ogystal â Chlwb Tito's yn y brifddinas a Chae'r Saeson yng Nghaernarfon. A'r teithwyr oedd rocers gwalltiau cyrliog Gwalia fach yn creu delweddau a mytholeg o'r newydd yng nghwmni Cat Croxford, Richard Dunn, Neil White, Pino Palladino, John Morgan, Tich Gwilym, Simon Tassano a'r dyn ei hun, Geraint Rhys Maldwyn Jarman, yn cynganeddu'u ffordd trwy'r tywyllwch i Gymru Newydd yn llifeirio o laeth a mêl. Rhai o anthemau'r daith oedd 'Bourgeois Roc', 'Rhywbeth Bach', 'Diwrnod i'r Brenin', 'Methu Dal y Pwysau' a'r arwyddgân 'Ethiopia Newydd yn dyfod cyn hir...' Oedd, roedd ymuno yn y siwrne, ar ddiwedd y 70au, yn gymaint o ddatganiad o Gymreictod ag oedd gwisgo bathodyn yr Urdd i genhedlaeth rhieni'r teithwyr.

Synhwyrodd Vaughan Hughes fod amlygrwydd Geraint Jarman fel artist roc yn ddigwyddiad o bwys – yr un Vaughan Hughes fu'n dishmoli ymdrechion cynnar Geraint Jarman fel bardd Cymraeg. Bu'n crisialu ei feddyliau diweddaraf mewn darlith a draddododd gerbron deallusion llenyddol yng Nghanolfan Gregynog ger Llanidloes:

> Nid oedd Geraint Jarman yn boblogaidd o gwbl fel bardd. Ond unwaith y dechreuodd ddehongli ei Gymru a'i deimladau ar gân, fe ddaeth yn arwr dros nos. Y prif reswm am hynny, wrth gwrs, yw fod

mwy o Gymry'n mwynhau *rock'n roll* nag sy'n mwynhau barddoniaeth. Ond, serch hynny, yr un Geraint sy'n canu caneuon roc â'r Geraint synhwyrus, sensitif, a oedd yn ysgrifennu barddoniaeth erstalwm. Y mae caneuon fel 'Instant Pundits' ac 'Ethiopia Newydd' yn mynd i'r afael o ddifrif â'r profiad o fod yn Gymro yn chwarter olaf yr ugeinfed ganrif. Ac y mae brogarwch Geraint mewn caneuon fel 'Lawr yn y Ddinas' a 'Steddfod yn y Ddinas' yn rhywbeth y gall pobl ei ddeall a'i werthfawrogi.

Maentumia Alun Llywelyn-Williams na bu ganddo ef fro erioed, ond Caerdydd *ydyw* bro Geraint, ac y mae cyn falched ohoni ag yr oedd Syr Thomas o Eryri. Fe dyfais i i fyny yn credu mai dim ond yn Lerpwl y Beatles, Massachusets y Bee Gees, Tulsa Gene Pitney a San Francisco Eric Burdon a Scott Mackenzie yr oedd bywyd a sbonc a chyffro i'w cael. Dangosodd Geraint fod y pethau hyn yng Nghaerdydd hefyd, a bod modd eu mwynhau drwy gyfrwng y Gymraeg.[2]

Erbyn rhyddhau *Diwrnod i'r Brenin* (Sain C823) yn 1981 roedd Geraint Jarman, y rociwr *reggae* o'r ddinas, wedi creu corff o recordiau yr un mor arwyddocaol ag oedd casgliad o nofelau Kate Roberts, yr awdures biwis o Rosgadfan, yn eu cyfnod. Profodd prentisiaeth Jarman mewn clybiau fel y New Moon yr un mor berthnasol ag adnabyddiaeth Roberts o dyddynnod megis Gors Bach. O'r diwedd cafwyd mynegiant artistig Cymraeg i'r profiad dinesig a hynny yng nghyd-destun gwaeau cyfoes. Wrth aeddfedu fel perfformiwr gwyddai Geraint yn union beth oedd grym a phŵer y cyfrwng roc a *reggae*:

> Mae ganddon ni safbwynt gwleidyddol felly gallwn ni ei fynegi trwy ddewis y cyfrwng iawn. Dwi ddim yn meddwl mai'r cyfrwng ydy chwarae ar y delyn a gwneud y peth Celtaidd o gwbl. Rwy'n meddwl bod hwnna wedi cael ei brofi sawl tro. Mae'r diwylliant yna ganddon ni, y diwylliant canu penillion a chwarae'r delyn, ac mae 'na le iddo fe. Ond efo canu roc mae'n rhaid i ni ddarganfod arddull sydd yn rhan o arddull roc ond ei ddatblygu i'n siwtio ni ein hunain.[3]

Profodd recordiau Geraint Jarman bod y cyfrwng roc yn gymaint o ymestyniad o ffiniau llenyddiaeth ag oedd o gerddoriaeth. Llwyddodd i gydio mewn rhyw smaldod neu'i gilydd a'i ogleisiai ynghylch y diwylliant Cymraeg a'i gyflwyno fel drych i'r genedl. Yn dilyn *Tacsi i'r Tywyllwch*, cyhoeddodd Jarman a'r Cynganeddwyr albwm fesul blwyddyn – *Hen Wlad Fy Nhadau* (Sain C728), *Gwesty Cymru* (Sain C758), *Fflamau'r Ddraig* (Sain C782) – yn adlewyrchu arddull na ellid ei chamgymryd am arddull neb arall. Roedd y caneuon yr un mor wleidyddol â chaneuon Dafydd Iwan ond eu bod yn defnyddio cyfeiriadaeth Rastaffariaeth *reggae*, yn hytrach na thywysogion yr Oesoedd Canol, i dynnu sylw at orffennol coll ac i geisio creu dyfodol llewyrchus. Nid be-bop-a-lula'r Amerig oedd y dylanwad nawr ond *'no woman, no cry'* curiad cyson y galon o Jamaica. I lawer o'i genhedlaeth mae clywed nodau agoriadol caneuon Geraint Jarman yn cael yr union un effaith ag y mae clywed nodau agoriadol 'Llef' neu 'Aberystwyth' yn ei gael ar genedlaethau cynt. Mae'r naill a'r llall yn rhan o seici eu Cymreictod. Dyw Cymreictod fyth yn sefydlog. Emynau eu heneidiau yw'r *reggae* hypnotig a'r sol-ffa lleddf.

Edrychai Geraint o gwmpas ei draed yn y ddinas yn hytrach nag i gyfeiriad y Gorllewin. Eto, ar hyd arfordir y gorllewin y byddai'n diddanu cynulleidfaoedd gan amlaf a tebyg mai ei goncwest fwyaf oedd ar Gae'r Saeson yn nosweithiau *Twrw Tanllyd* Cymdeithas yr Iaith Gymraeg yn Eisteddfod Genedlaethol Caernarfon, 1979. Ar y nos Fawrth gwelwyd Geraint a'r Cynganeddwyr, Meic Stevens a'r Trwynau Coch yn rhannu llwyfan ac yn canu 'Mynd i'r Bala mewn Cwch Banana' – eiliadau o athrylith ac emosiwn pur o ystyried fod y gân yn cwmpasu gyrfaoedd yr artistiaid ac yn brawf o wreiddiau canu roc Cymraeg.

Ar ôl i Geraint Jarman drefnu'r tacsi, pwy arall oedd yn rhannu'r bererindod i'r tywyllwch? Er gwaethaf chwalu Injaroc ac ymddeoliad Edward H doedd y sîn ddim yn hesb. Roedd yna gynulleidfa i'w diwallu a doedd dim pall ar yr awydd i gyfrannu yn Gymraeg. Roedd sŵn trwm Eliffant a'i gasgliad o ganeuon am y gofod yn cydio. Yn ôl Geraint Griffiths, wrth iddo gynnal *post mortem*, rhan o'r bererindod oedd chwalfa Injaroc:

> Yn anffodus, gyda grŵp mor fawr, ni chawsom y cyfle i gyfarfod yn ddigon cyson i ymarfer nac i ymlacio ymhlith ein gilydd. Doedd dim cyfle i drafod a chwympo mas yn onest yn dilyn perfformiadau diflas. Erbyn y diwedd roeddem yn chwarae gêm â'n gilydd a dim ond creu drwgdeimlad wnâi hynny o barhau. Hefyd roedd cymaint o dalent yn y grŵp fel ei bod yn anodd iawn asio ar adegau. Roedd

Endaf Emlyn yn gyfansoddwr toreithiog o safon uchel a minnau
hefyd yn cael cyfansoddi'n lled rwydd. Tueddai'r ddau ohonom
dynnu i gyfeiriadau cerddorol gwahanol ond pe byddem yn byw yn
nes at ein gilydd efallai y medrem asio'n well fel cyfansoddwyr.[4]

Ar ôl siom ffantasi'r siwpyrgrŵp fe gafodd llais pwerus a stans
heriol yr arwr roc a rôl gyfle i ddiddanu eto. Roedd John Davies a
gweddill cyn-aelodau Chwys bellach wedi canfod cyfeiriad cerddorol
ar ôl danto'n llwyr gyda chyfyngiadau anturiaethau llwyfan 'Y Gŵr
Bonheddig Hael'. Cafwyd bwndel o ganeuon grymus a fyddai'n dal
sylw cynulleidfa. Byddai nodau agoriadol 'W Capten', "Nôl ar y Stryd'
a 'Lisa Lân' yn cynhyrfu'r adrenalin. Cyhoeddwyd dwy record hir ar
label Sain; y naill, *M.O.M.* (Sain C730) yn 1979, a'r llall, *Gwin y Gwan*
(Sain C784) yn 1980. Medrai'r nyrs o Gaerfyrddin gydio mewn cân a'i
hysgwyd gerfydd ei gwar fel cena yng ngweflau ei fam a hynny waeth
pa mor llipa fyddai'r geiriau.

Ysgwyd cynulleidfaoedd dawnsfeydd oedd byrdwn perfformiadau
Shwn. Phil 'Bach' Edwards, aelod o Ac Eraill gynt, oedd y drymiwr,
ac wedi dysgu Cymraeg neu wrthi'n dysgu'r iaith oedd hanes nifer o'r
aelodau fu'n mynd a dod: Paul Frowen, Gregg Lynn, Steve Williams,
John Miels. Yr eithriadau oedd Niel Owen o Dregaron, Gwynne
Williams o Gorwen a Huw Owen o Gaerdydd yn ogystal â'r rheolwr
lliwgar, Mici Plwm o Lan Ffestiniog. Gregg oedd y lleisydd cras a'r
presenoldeb llwyfan ffrwydrol. Hanai o Went ac arferai ganu'r *blues*
gyda grwpiau Saesneg ond yn ei waith bob dydd byddai'n gwisgo
siwt bîn-streip fel cyw-fargyfreithiwr. Gollyngdod iddo oedd bod 'ar
yr hewl' yng nghwmni Shwn ar benwythnosau.

Cyhoeddodd Shwn ddwy record hir, *Ar Garlam* (Sain C701) yn
1977 a *Wodw* (Sain C739) yn 1978. Daeth caneuon fel 'Wodw',
'Bachgen' a 'Majic' yn ffefrynnau cyn i'r grŵp chwythu plwc a chwalu
ar ôl tair blynedd gan berfformio am y tro olaf yn Eisteddfod Dyffryn
Lliw, 1980. Nodweddid eu perfformiadau byw gan ganeuon 'clatsho-
arni-ceibo-dychryn-daear-clindarddach-sgrechen-perchyll-dan-iet-
peil-o-beints'. Mewn geiriau eraill, roedd Shwn wastad ar garlam. Mae
i Shwn ei le yn oriel yr anfarwolion er gwaethaf caneuon yn dioddef

o fai rhy debyg. Yn ôl Tudur Jones, roedd y grŵp wedi dewis fformiwla benodol ac wedi cadw at drywydd a oedd yn gyfuniad o sŵn cyfarwydd Deep Purple, Black Sabbath a Thin Lizzy. Rhybuddiodd ynghylch peryglon methu â thorri'n rhydd o hualau fformiwla:

> Credaf fod y busnes yma o fformiwleiddio yn hynod beryglus a niweidiol, oherwydd mae'r tueddiad hwn i seilio datblygiad canu cyfoes Cymraeg ar fformiwla lwyddiannus y gorffennol Eingl-Americanaidd yn rhwym o olygu mai eilradd ac eildwym fydd ansawdd ein canu...[5]

Hawdd fyddai tynnu cymhariaeth rhwng Rhiannon Tomos ag ambell artist benywaidd o'r byd Eingl-Americanaidd; Janis Joplin fyddai'r un amlwg. Ond ni fyddai'n deg i ddweud bod y Gymraes yn efelychiad gwan o'r Americanes. Eto roedd yna'r un ymdeimlad o berygl i'w deimlo ym mherfformiadau'r hogan benddu â'r Americanes a droes yn ysglyfaeth i gyffuriau. Fe drodd Rhiannon y ddelwedd o'r Gymraes swynol ar ei phen. Ni ellid dychmygu hon ar lwyfan eisteddfod yn plygu glin i'r un beirniad yn baldorddi am grefft a dawn. Dyna pam roedd ei pherfformiadau ymosodol a heriol yn chwa o awyr iach. Ac roedd ei thestunau'n awgrymu'r ochr dywyll i brofiadau bywyd. Doedd yr ymdeimlad o ryw llamsachus ddim ymhell pan fyddai hon yn ymgordeddu ar lwyfan. Roedd mwy o'r Isodora Duncan yn perthyn iddi nag o'r Fyfanwy Gymreig. Nid oen llywaeth o berfformwraig mohoni ond bwci-bo benywaidd a fyddai'n gyffyrddus yng nghysgodion tacsi'r tywyllwch. Llwyddodd Rhiannon a'r Band lle methodd Heather Jones a'r Band. Clywid tinc y falen yn llais y ferch o gyffiniau Bangor. Gwrandawer ar y record hir *Dwed y Gwir* (Sain C832) a chaneuon fel 'Rosaline', 'Sdim digon i'w gael' a 'Gwerthu f'enaid i roc a rôl' neu'r record sengl (Sain 78) a gynhyrchwyd gan Simon Tassano yn cynnwys 'Gormod i'w golli' a 'Cwm Hiraeth' (cân Heather Jones). Daeth y fyfyrwraig brifysgol i oed yn gerddorol ar bnawn Sadwrn Eisteddfod Genedlaethol Caernarfon, 1979, pan gydganodd 'Gwely Gwag' gyda Meic Stevens. Profodd hynny fod ganddi dras a llinach o fewn y byd roc Cymraeg.

Cloffi hedfan fu Brân eto yn dilyn ymadawiad Dafydd Pierce a

Paul Westwell. Erbyn diwedd 1977 roedd John Gwyn wedi trefnu aelodaeth o'r newydd eto. Ymunodd Brian Griffiths ar y drymiau, Len Jones ar y gitâr blaen a Louis Thomas ar y gitâr bas a llais. Hanai Louis o ardal Twthill o Gaernarfon ac yn ei amser fe fu'n byw mewn pabell ym Menllech ac yn Llundain a Manceinion lle daeth o dan ddylanwad Guru Mahariji. O ran ei olwg, hawdd credu ei fod wedi patrymu ei hun ar y lladmerydd heddwch. Y tu ôl i'r sbectols crwn a'r gwallt hir roedd yna lais cras. O'i glywed yn bwrw iddi gyda 'Skync Roc' a 'Colli ar fy Hun' hawdd credu fod ei ben mewn bwced. Cyhoeddwyd record hir *Gwrach y Nos* (Sain C720) oedd wedi ei recordio yn Llundain. Roc trwm oedd yr arlwy bellach ond ni lwyddodd y fersiwn yma o Brân i goncro Cymru chwaith.

Ceisiodd Dafydd Pierce a Paul Westwell ffurfio grŵp jazz-ffync o naw o aelodau. Perfformiodd Yahŵ ar y cei yng Nghaernarfon ac yng Ngwauncaegurwen yng Nghwm Tawe. Hen rocer o'r enw Eirwyn Pierce oedd y lleisydd. Roedd e eisoes wedi naddu gyrfa iddo'i hun o gwmpas clybiau Gogledd Lloegr fel lleisydd y grŵp Dino and The Wildfires. Ni lwyddodd Yahŵ i roi Cymru ar dân. Derbyniodd John Gwyn gynnig na fedrai ei wrthod. Bwriad Myfyr Isaac ac Endaf Emlyn oedd ffurfio grŵp a chan eu bod ill tri yn sefydlog yng Nghaerdydd a gweddill aelodau Brân yng nghyffiniau Bangor doedd y penderfyniad i chwalu Brân ddim yn anodd. Mentrodd Brian, Len a Louis arni am dipyn o dan yr enw Maggs. Ffurfiwyd Jîp.

Hen gapel y Bedyddwyr o'r enw Bethel wedi ei droi'n glwb nos o'r enw Casablanca oedd cynefin Jîp. Gwyddai mynychwyr ffyddlon y clwb beth oedd beth ym myd y gitâr. Buan yr enynnwyd edmygwyr o blith y selogion croenddu. Doedd hogiau'r dociau ddim yn cymeradwyo oni bai bod yna reswm da dros wneud. Roedd un o'u plith, Arrun Ahmun, yn taro'r drymiau'n ddeheuig gan sicrhau chwistrelliad o babwyr i injan Jîp. Roedd Richard Dunn yn aelod hefyd. Cyhoeddwyd record hir *Genod Oer* (SYWM 220) yn 1980 ar label Gwerin, cwmni a sefydlwyd gan Dyfrig Thomas, perchennog siop lyfrau Cymraeg o'r un enw yn Llanelli. Cyrhaeddodd canu roc Cymraeg uchelfannau o'r newydd o ganlyniad i dyndra'r chwarae a chynildeb y geiriau. Dyma record ddinesig gyda'r brif gân, 'Genod Oer', yn cyfeirio at ferched y nos, 'Halfway' yn anthem i hoff dafarn y Cymry Cymraeg yn y ddinas a chaneuon eraill megis 'Doctor' a "Nôl i Neigwl' yn peri atal pob sgwrs o'u clywed yn fyw. Dangosodd Endaf Emlyn unwaith ac am byth sut y mae lleisio roc Cymraeg heb golli'r hyder na'r naws sy'n perthyn i'r gelfyddyd Americanaidd. Be-bop-a-lula'r delyn aur ar garlam.

Fe gofnododd Dylan Iorwerth ei ymateb yntau i glywed yr hogiau yn eu cynefin yn y Casablanca:

> Pan welais i nhw roedd pob nodyn wedi'i amseru'n berffaith, y newid curiad ac ansawdd sŵn yn bendant a sicr. Mae llais Endaf Emlyn yn aml fel offeryn ychwanegol heb golli ar y geiriau, John Gwyn yn aml yn trin y bâs fel petai'n gitâr blaen a Myfyr Isaac yn aml yn dyffeio pwt o sgwennwr fel fi i ffeindio ansoddair digon eithafol.
>
> Ond deuai'r clod ucha oddi wrth y gynulleidfa. Yng Nghaerdydd mae'n amhosib gwneud yn well na chael pobol i beidio chwarae'r gêm 'Spês Infedyrs' er mwyn gwrando ac roedd hyd yn oed y cyfeillion beirniadol o'r Caribî yn symud i'r sŵn ac yn joio, *man*.[6]

Doedd yr ymateb yn y neuaddau gwledig ddim mor dwymgalon. Doedd pawb ddim yn gwybod sut i ymateb i sŵn nad oedd yn roc a rôl pur. Doedd pawb ddim yn gwirioni ynghylch rhagoriaeth cerddorol Jîp. Yn sicr, doedd cynnyrch y grŵp ddim yn cydsynio â syniadaeth Tudur Jones ynghylch diben y cyfrwng roc:

> Nid wyf yn hoffi Jîp oherwydd eu diffyg ymrwymiad gwleidyddol a'u tueddiadau adolygiadol, *bourgeois* i ystyried roc fel cyfrwng diddanwch pur yn hytrach nag yn fodd i rybuddio'r ifanc rhag crafangau cyfalafiaeth a welir ar eu mwyaf ffiaidd yn y diwydiant roc. Yn syml, dyma'r perfformiad mwyaf chwaethus a safonol a welyd yn yr iaith Gymraeg erioed... yn wir, yn y slicrwydd hunanfodlon, y llyfnder saff a sicr yma y gwelir prif wendid a thranc anochel yr aruwch-gambo hwn.
>
> Er eu holl allu, safon a dychymyg rhan, yw Jîp o'r dirywiad a oedd, cyn dyfodiad y don newydd, yn prysur ladd roc fel unrhyw fath o gyfrwng mynegiant. Hwyrach yr ymddengys hwn yn beth od i'w ddweud, ond chwaeth, chwarae caboledig, perfformio proffesiynol ac ansoddeiriau cyffelyb a ystyrir fel arfer yn rhinweddau yw'r nodweddion sydd yn fy marn i yn golygu

marwolaeth *rock and roll*. Grwpiau megis y Trwynau Coch a'r Llygod Ffyrnig ac yn Saesneg Buzzcocks, Clash, Penetration, Patti Smith, Bruce Springsteen, The Fall ac eraill yw dyfodol roc. Bands anghyboledig sy'n brin yn y galluoedd cerddorol traddodiadol, ac nad oes ganddynt y syniad lleiaf am chwaeth neu gyflwyniad artistig. Yn hytrach, mae'r grwpiau yma yn berwi gyda bara beunyddiol *rock and roll* sef ymdeimlad byw o fudreddi a chyffro bywyd yr ugeinfed ganrif gyda'r mynegiant mwyaf uniongyrchol o'r cymhlethdodau aneglur sy'n ein mygu.

Os am ganfod naws yr ugeinfed ganrif yn gywir, yna nid huodledd soffistigedig grwpiau megis Jîp a'u cymrodyr Saesneg fel ELO a Boston yw'r cyfrwng gorau i wneud hynny. Mynegiant gonest o fywyd yr ifanc yw pwrpas roc, nid perfformiadau taclus, antiseptig wedi eu diffrwytho o'r holl egni ac ymroddiad sy'n angenrheidiol ar gyfer *rock and roll* llwyddiannus. Fel sawl datblygiad arall ym myd canu cyfoes Cymraeg yn ddiweddar, amherthnasol yw Jîp, ond a bod yn deg hwyrach eu bod yn amherthnasoldeb sy'n trio'n galetach na'r rhelyw.[7]

Teithio mewn tacsi o'i eiddo ei hun a wnâi Hergest a daeth ei siwrnai i ben gyda chyngerdd ffarwél yn Nhal-y-bont ger Aberystwyth yn 1978. Cyhoeddwyd pedwaredd record hir, *Amser Cau* (Sain C727) a thebyg mai perfformiad ar y Cae Ras yn ystod Eisteddfod Wrecsam yr un flwyddyn oedd awr fawr y grŵp. Erbyn hynny roedd Rhys Ifans a Gareth Thomas wedi ymuno ar y gitâr bas a'r drymiau. O edrych yn ôl, roedd yr hunan-dyb adolesent yn llesteirio datblygiad y grŵp i'w lawn botensial. Arddelwyd y polisi hurt o ganiatáu i bob aelod gyfrannu caneuon yn hytrach na bwrw ati i greu cyffro ymhlith ieuenctid trwy amlygu doniau Delwyn Siôn. 'Dinas Dinlle' oedd yn creu cynnwrf – 'dim ysgol, dim llyfrau wrth orwedd ar y traeth / O mae'n braf cael gorwedd, gorwedd lawr ar hyd y traeth'.

Dyrnaid o ganeuon o'r un anian a roes i'r grŵp ei ddelwedd o leisiau llyfn llawn cynhesrwydd yn cyniwair darluniau o haul ar ewyn tonnau yn gymysg â tharth a thesni ar fryniau a chaeau cynhaeaf. Onid grŵp yr haf oedd Hergest ar ei orau? Cymwys oedd teitl y drydedd record hir, *Hirddydd Haf* (Sain C702). Ond eto roedd yna ffin denau rhwng y llyfndra a phrinder dychymyg. 'Llwyr guddio undonedd cyfeiliant gitâr y grŵp ei hun,' oedd pwrpas yr offerynnau ychwanegol ar y record *Amser Cau* yn ôl Bethan Miles.[8] Beth bynnag, roedd Delwyn eisoes wedi cyhoeddi record hir o'i gyfansoddiadau dwys ac aeth ati i ffurfio Omega ar y cyd â Len Jones, Graham Land, Bev Jones a Gorwel Owen. Erbyn Nadolig 1980 roedd 'Nansi' a 'Heno yn Hollywood' yn dechrau cydio.

Yn dilyn llwybr y prif dacsi roedd wmbreth o fân grwpiau yn codi fel madarch yn y colegau, yr ysgolion dwyieithog a'r broydd Cymraeg. Doedden nhw i gyd ddim yn debyg o wneud eu marc ond o leiaf roedd yna hinsawdd wedi'i chreu i'w gwneud yn gam naturiol bellach i ffurfio grwpiau a fyddai'n canu yn Gymraeg yn hytrach nag yn Saesneg. Penderfynodd cwmni Sain lansio cyfres o senglau gyda'r grwpiau eu hunain yn cymryd cyfrifoldeb am gyfran o'r gwerthiant. Ymhlith y mwyaf gafaelgar oedd Crysbas o ardal Llanrwst ac Ail-Symudiad o Aberteifi. Rhai o'r lleill oedd Clustiau Cŵn o Ysgol Gyfun Rhydfelen, Jaffync o Gaernarfon, Trydan o Ddyffryn Nantlle ac Angylion Stanli o Fangor. Hefyd dylid cofio fod grŵp roc trwm o Resolfen ger Castell-nedd o'r enw Crys wedi rhyddhau record sengl ar label Clic.

Pwy bynnag sy am chwarae'r gêm o gofio enwau grwpiau'r cyfnod – pa mor fyrhoedlog bynnag fu gyrfaoedd rhai ohonynt – tybed a all ychwanegu at y rhestr yma: Astronôt, Baraciwda, Bismyth, Bo Tei, Bwyell, Crator, Cyffro, Chwarter i Un, Doctor, Enwogion Colledig, Hebog, Henri, Hydref, Jeroboam, Josgin, Macswel, Madog, Marchog, Mwg, Odyn Galch, Rocyn, Seindorf, Sgryff, Syr Goronwy, Tanc, Tocyn Chwech, Trydan, Weiren Bigog... ?

Teithio yn ei dacsi ei hun, a hwnnw yn un go fregus, fu Meic Stevens ers tro. Bu'n alltud yn Llydaw am gyfnod ond ar ôl bwlch o dros bedair blynedd cyhoeddodd ei record hir gyntaf ers *Gwymon*. Roedd clawr *Gôg* (Sain C565) yn codi arswyd gyda'i ddelweddau o bwerau'r fall yn awgrymu meddwl tryblith. Er bod 'Rue St. Michel' a 'Douarnenez' o gyfnod Llydaw yn cynnig ysgafnder, roedd y mwyafrif o'r cyfansoddiadau eraill megis 'Y Crwydryn a Mi', 'Dim ond Cysgodion' a 'Menyw yn y Ffenestr' yn awgrymu cysylltiadau sinistr a difäol. Ai gweld ei hun fel aderyn dieithr oedd Meic? Oedd e'n teimlo fel cwcw nad oedd yn perthyn ymhlith lliaws côr y wig? Oedd e wedi dychwelyd i nyth nad oedd e'n sicr o'i groeso ynddi? Roedd gwrando ar *Gôg* yn cyniwair darlun anghynnes o fadfall yn gorwedd yn yr haul yn paratoi i gyflawni melltith. Ond eto roedd yna ambell awgrym y gellid trawsnewid yr ymlusgiad yn wrthrych mwy cydnaws â dyheadau'r rhelyw o wrandawyr. Roedd hi'n braf ei gael e'n ôl. Achubiaeth y record oedd 'Cwm y Pren Helyg' gyda'r geiriau 'fel rhed dŵr pob afon i wreiddie'r Gorllewin rwy'n llifo'n ôl' yn profi nad oedd wedi colli angor ei gynefin yn Solfach. 'Mae'r Nos wedi dod i Ben' oedd y gân olaf ar y record, ond y cwestiwn i'w ofyn wrth ddisgwyl am offrwm nesaf y cerddor oedd pa fath o wawr oedd yn ei ddisgwyl?

Cafwyd cip ar ei athrylith wrth wrando ar ei gyfansoddiadau ar gyfer yr opera roc *Dic Penderyn* a lwyfannwyd gan Theatr yr Ymylon yn ystod Eisteddfod Genedlaethol Caerdydd yn 1978. Cyhoeddwyd rhai o'r caneuon ar ddwy record fer. Mae 'Cân Nana', 'Bach, Bach', 'Pe Medrwn' a 'Llygad am Lygad' ymhlith y caneuon tlysaf a gyfansoddwyd ganddo erioed. Cafodd gymorth y prifardd Rhydwen Williams i baratoi'r sioe.

Un grŵp a wnâi gryn argraff fel aelod o'r prif dacsi oedd Bando. Hwn oedd y cyfrwng diweddaraf i alluogi Caryl Parry Jones i amlygu ei doniau yn dilyn chwalu Injaroc. Fe'i cynorthwywyd gan Rhys Ifans, Gareth Thomas, Huw Owen, Steve Sardar a Martin Sage. Simon Tassano a Myfyr Isaac oedd yn gyfrifol am gynhyrchu'r record hir *Yr Hwyl ar y Mastiau* (Sain C798) yn 1980. Eisoes roedd dwy gân a ryddhawyd yng nghyfres Senglau Sain (Sain 74), 'Space Invaders' a 'Wstibe' wedi ennill eu plwyf. Clywid sŵn ffwnc a *reggae* ac addewid o bethau gwell i ddod. Ond yn gymysg â 'Bwgi' a 'De, Chwith (Yn y gwlith)', 'Dau Lyfr' ac 'O Dan y Dŵr' roedd yna un gân a fyddai yn garreg filltir ynddi ei hun yn hanes be-bop-a-lula'r delyn aur. 'Ie, Ie, Dros Gymru' oedd y gân honno. Yn adladd yr ymateb i fethiant refferendwm datganoli 1979 fe fyddai'r gân maes o law yn cynrychioli'r chwithdod a amharodd ar ymchwydd y be-bop-a-lula. Aed i dir corsiog. Golygai hynny fod y tacsi wedi ffwndro. Fe'i gorfodwyd i ddiffygio ac igam-ogamu.

Arrun Ahmun – un o hogiau dociau
Caerdydd a drymiwr Jîp

Louis Thomas, cofi dre. Ar ôl
i Brân chwalu fe ffurfiodd
Maggs.

Fersiwn arall o Brân – John Gwyn, Louis Thomas, Len Jones a Brian Griffiths

Geraint Jarman a'r Cynganeddwyr – Tich Gwilym, Geraint, Cat Croxford a Neil White.

Uchod: Bando.

Jîp: John Gwyn, Endaf
Emlyn a Myfyr Isaac.

324

21 / Goleuni yn yr Hwyr

O s taw'r Parchedig Elfed Lewys oedd gweinidog anghonfensiynol enwad yr Annibynwyr, yna'r Parchedig Tecwyn Ifan oedd ei gymar ymhlith y Bedyddwyr. Dilynai'r ddau alwedigaethau eu tadau. Ond nid mater o 'tebyg i ddyn fydd ei lwdwn' oedd hi yn hanes y naill na'r llall. Mynnai'r ddau dorri eu cwysi eu hunain ond cwysi oeddynt a ddeilliai o adnabyddiaeth drylwyr o deithi Cymreictod. Ymhyfrydai Elfed yn ystod ei gyfnod ym mwynder Maldwyn yn ei adnabyddiaeth o'r delynores, Nansi Richards. Treuliodd y ddau oriau meithion yng nghwmni'i gilydd yn chwedleua a seiadu. Yr un modd, roedd Tecwyn yn nyddiau plentyndod yn Nyffryn Taf yn ymhyfrydu yn ei adnabyddiaeth o gymdoges hynod a adwaenid wrth yr enw 'Jamsen'. Meddai Miss Penelope James hefyd ar dafod ffraeth a chof o aur.

Yn achos y naill na'r llall doedd dim angen tynnu cymhariaeth gyda'r un difyrrwr na chanwr yn yr iaith fain. Doedd y naill na'r llall yn efelychu neb am eu bod yn dalpau o Gymreictod cynhenid. Roedd uchelfannau Nosweithiau Llawen yr un mor gyfarwydd iddynt ac, o bosib, yn brofiad mwy cartrefol nag esgyn i bulpudau Cyrddau Mawr. Byddech yn fwy tebygol o'u gweld mewn jîns a siwmper nag mewn siwtiau llwyd. Roedd gan yr Annibynnwr flewiach bwch gafr ar ei gern a'r Bedyddiwr drawswch trwchus. Pastwn ac osgo'r baledwr tanllyd yn mynnu tynnu sylw fyddai gan y naill, a gitâr ac osgo'r bardd broffwyd yn cyflwyno negeseuon didwyll gan y llall.

Gwyntyllu syniadaeth ynghylch cynnal ac adfer Cymreictod âi â bryd Tecwyn yn hytrach nag efelychu ffasiynau cerddorol. Tebyg ei fod yn cymryd mwy o sylw o ysgrifau'r athronydd J R Jones ac areithiau'r gweithredwr Emyr Llewelyn nag o brotestio Bob Dylan neu hunandosturi Leonard Cohen neu ymsonau Neil Young.

Cyfansoddwyd nifer o'i ganeuon ar gyfer Ac Eraill o ganlyniad i'w brofiad yng ngharchar Caerdydd yn enw Cymdeithas yr Iaith ond ers gadael y grŵp treuliai ei amser, rhwng ei astudiaethau diwinyddol, yng ngwersylloedd gwaith Mudiad Adfer. Ffurfiwyd busnes adnewyddu tai er mwyn eu gosod ar rent isel i Gymry ieuanc fel dull ymarferol o geisio diogelu'r Fro Gymraeg. Gwirfoddolwyr o blith aelodau'r mudiad fyddai'n cyflawni llawer o'r gwaith caib a rhaw ar benwythnosau. Yn sgil dylanwad sylfaenydd pennaf y mudiad, Emyr Llewelyn, fe fu Tecwyn yn cydweithio ag ef ar sioeau *Heledd* a berfformiwyd yn Felinfach yn 1975, ac yna *Yr Anwariaid* flwyddyn yn ddiweddarach yn ystod Eisteddfod Genedlaethol Aberteifi. Caneuon o'i eiddo o'r ddwy sioe oedd cynnwys ei record hir gyntaf *Y Dref Wen* (Sain C571) yn 1977.

Hanfod *Heledd* oedd tynnu sylw at arwriaeth Cynddylan, Tywysog Powys yn ceisio goresgyn mewnlifiad o Saeson ar hyd y Gororau. Heledd oedd chwaer y tywysog a'r olaf o'r llinach yn galaru ar ôl colli'i theulu a'u teyrnas tua'r 9fed-10fed ganrif. Roedd yna gyfatebiaethau cyfoes amlwg. Daeth 'Y Dref Wen' yn anthem Mudiad Adfer ac yn alwad amlwg ar ieuenctid i dyrru i'r gad i achub y Fro Gymraeg:

> *Ond awn i ailadfer bro*
> *Awn i ailgodi'r to,*
> *Ailoleuwn y tŷ –*
> *Pwy a saif gyda ni?*

Ceir yr un gwahoddiad yn y gân 'Bro Fy Mebyd' ar yr ail record hir, *Dof yn Ôl* (Sain C719) a gyhoeddwyd yn 1978, wrth ddarlunio llanc yn byw yn alltud yng 'nghaethiwed' awyrgylch tref:

> *Felly cwyd yn awr, awn tuag adref,*
> *Tyrd i gynnal fflam y ffydd,*
> *Tyrd yn ôl i'r bywyd syml,*
> *Tyrd yn ôl i'r bywyd rhydd.*

Troes Tecwyn y dylanwadau Celtaidd gorchfygol cynnar o gyfnod Ac
Eraill yn weledigaeth ysblennydd o wawr newydd yn torri ond i bawb
grynhoi ym mroydd Cymraeg y Gorllewin. Llwyddodd i grisialu
teimladau carfan o ieuenctid y cyfnod a chyn gliried oedd y
weledigaeth ymhlith rhai doedd fiw i neb ei beirniadu. Tarwyd tinc
anffodus mewn adolygiad dienw o *Dof yn Ôl* yn y rhifyn cyntaf o'r
cylchgrawn pop *Sgrech*:

> Y gân olaf un ydyw 'Bro fy Mebyd', cân na hoffwn fod yn gwrando
> arni yn un o ardaloedd swbwrbaidd ein gwlad; dychmygwch am
> wrando ar Tecs yn moli gwerth brogarwch ar draul y bywyd
> dinesig. Mae hon eto yn alaw sydd yn dod i'r cof dro ar ôl tro, ac y
> mae'n gân y gellid yn hawdd ei chanu'n gynulleidfaol mewn
> cyngherddau yn union fel 'Y Dref Wen'. Trwy wrando ar y gân hon
> fe'm argyhoeddir i o werth brogarwch ac y mae'n gân a fyddai'n
> codi cywilydd arnaf pe bawn yn un o'r bobl hynny sydd wedi symud
> o'r FRO GYMRAEG i lawr i Gaerdydd i weithio i lywodraeth Lloegr
> trwy gyfrwng y BBC.[1]

O dipyn i beth byddai cysylltiad clòs y cylchgrawn, o dan
olygyddiaeth Glyn Tomos, â syniadaeth Adfer yn gwneud ang-
hymwynas â nifer o agweddau o'r diwylliant ieuenctid Cymraeg a
oedd ar ei brifiant. Doedd ryfedd i Tecwyn gael ei ddyfarnu'n Ganwr
y Flwyddyn ar fwy nag un achlysur gan y cylchgrawn.

Doedd cyflwyno hynt llwyth y Navaho, o blith Brodorion Cyntaf
cyfandir Gogledd America, ddim heb ei gyfatebiaethau Cymreig
chwaith. Onid oedd y Cymry hefyd yn genedl heb wladwriaeth yn
wynebu difodiant o dan bawen cenedl arall? O leiaf, dyna fel yr oedd
rhai yn ei gweld hi. Rhoddid sylw helaeth i'r llwythau ar y pryd ac
roedd y llyfr *Bury My Heart at Wounded Knee* gan Dee Brown, yn
olrhain hanes erledigaeth yr 'Indiaid Cochion' o'u cynefinoedd, wedi
creu cryn argraff. Difodwyd cenhedloedd nomadig y gwastadeddau o
fewn cwta chwarter canrif ond roedd cenedl y Cymry'n dal i oroesi.
Rhyfeddwyd at ganeuon megis 'Y Navaho', 'Gwaed ar yr Eira Gwyn'
(yn cyfeirio at y gyflafan yn Wounded Knee) ac 'Mae'r Freuddwyd yn
Fyw'. Cyfosodwyd cyflafan a thristwch gyda gobaith a pharhad a'u

tymheru â thinc diffuantrwydd yn y llais. 'Yr Anwariaid', wrth gwrs, oedd y goresgynwyr gwyn.

Os oedd Geraint Jarman yn tynnu maeth o strydoedd tlawd Trenchtown roedd Tecwyn Ifan yn tynnu maeth o wersyll Bosque Redondo a thref wen hanes yn Whittington er mwyn rhoi cyfeiriad i'r dasg a wynebai eu cenhedlaeth o saernïo parhad Cymru Gymraeg. Gellir cyfeirio at gylch o ganeuon yn seiliedig ar y proffwyd Amos ar y record hir *Dof yn Ôl* oedd yn cyflawni'r un diben. Doedd hi ddim yn annisgwyl fod pregethwr yn defnyddio'r Hen Destament fel ffynhonnell i oleuo'i bobl. Bugail bro oedd Amos yn gweld trallod bywyd dinas ac yn annog ei bobl i ddychwelyd i burdeb y wlad.

Er ei fod yn ofalus i beidio â chyflwyno'i hun fel lladmerydd swyddogol Mudiad Adfer, doedd dim gwadu nad oedd Tecwyn Ifan yn cael ei weld fel propagandydd y syniad o ddyrchafu'r Fro Gymraeg. Yn sicr dwysbigo oedd bwriad y gweinidog wrth gyfansoddi, nid difyrru. Gofynnodd disgyblion Ysgol Uwchradd Aberteifi iddo a oedd e'n gweld ei ganeuon fel 'math o "genhadaeth"':

> Ydw. Rwy'n cofio cael sgwrs am hyn gydag Eurof Williams; cred ef mai prif swyddogaeth canu yw creu adloniant, ac roedd yn synnu fy mod i'n edrych ar fy nghaneuon nid fel mater o adloniant, ond fel cyfrwng i drosglwyddo neges. Eilbeth yw'r adloniant. Wrth hyn nid wyf yn golygu mai felly y dylai pawb ystyried eu caneuon, ond mai dyna y byddaf fi'n ei wneud.
>
> Mae'r gân yn gyfrwng hwylus iawn i'w defnyddio i genhadu, ac yr wyf wedi manteisio ar yr hwylustod hwnnw i gyfeiriad gwleidyddol neu genedlaethol yn ogystal â chrefyddol. Fel mae pethau heddiw, mae cynulleidfa dyn gymaint ehangach wrth ganu nag wrth bregethu. Er hynny, dydw i ddim yn credu y bydd i'r gân byth ddisodli 'ffolineb pregethu' fel y cyfrwng pennaf i drosglwyddo'r Efengyl.[2]

At hynny, mynnai nad oedd raid i'r un gwrandäwr dderbyn neges ei ganeuon ar yr un gwastad llythrennol beunydd. Bu'n sôn am y cymhellion y tu ôl i gyfansoddi'r caneuon am Amos:

> Nid ceisio cyfleu hanes ei fywyd yn llythrennol oedd y bwriad, ond dangos sut roedd ef, fel bugail a dyn Duw, yn ymateb i ddrygioni ei oes. Cael ei siomi ym mywyd dinasoedd a wnaeth. Roedd gweld

tyrfa'n plygu o flaen Baal yn ei wneud yn sâl. Rhybuddiodd hwy am weledigaeth y llinyn plwm – byddai Duw yn defnyddio'r llinell a ddefnyddir gan faswniaid i fesur cywirdeb waliau i fesur cywirdeb ei bobol.

Alltudion o'u cynefin oedd llawer o bobl y dref ac awgrym Amos oedd y dylai'r alltud ddychwelyd tua thre. Hiraethu am fryniau a llethrau'r defaid a wnâi Amos. Wrth gwrs, mae'r sefyllfa'n oesol, ac i'r sawl sydd am ddarllen cyflwr Cymru heddiw i mewn i'r geiriau, mae croeso iddynt wneud.

Caneuon yn nodi rhagoriaeth a pheryglon byw yn y Fro Gymraeg yw fy nghaneuon ar y cyfan, mae'n siŵr. Ma' gen i un gân yn sôn am heneiddio. Ma' dau fachan yn cyfarfod ac yn hel atgofion am ddyddiau ymgyrchoedd Cymdeithas yr Iaith ac Adfer, ac yn sylweddoli mai hongian yn y garej mae'r dillad a wisgent yn y cyfnod hwnnw. Ma'r arfau yn segur.

Ma' 'na gyfnodau o ymchwydd yn hanes yr ysbryd cenedlaethol. Ar hyn o bryd tipyn o dân shafins yw hi ond cred y ddau y daw'r fflamau'n ôl, ac maent yn pendroni beth fydd eu cyfraniad hwy y tro nesaf...[3]

Anodd oedd penderfynu ai byrdwn y caneuon oedd rhybuddio rhag dilyn yr un dynged â Heledd a'r Navaho neu baratoi ar gyfer y diwedd anorfod gyda'r un urddas ag a nodweddai teulu'r tywysog a chenedl y Brodorion. 'A minnau, Manwelito / Gwelais ddiwedd bro,' meddai geiriau'r gân 'Y Navaho'. Oedd yna Gymry, felly, yn ysu am wisgo'r un fantell â'r gŵr a welodd y diwedd? Oedd yna ymryson i gael bod yn Fanwelito Cymreig yn tystio i ddiwedd bro Gymraeg? Neu oedd yna gred anorchfygol y byddai'r Fro Gymraeg yn parhau ond i bawb grynhoi ar ei thir? Oedd yna gred y gellid dysgu o wersi'r gorffennol ac osgoi tranc?

Rwy'n credu yn y Fro Gymraeg fel dyfodol ein cenedl ond rhan yn unig ohono i fel person yw hynny. Rhan o'm cred i yw e, ac mae'n amlycach ynof i fel person a'm ffordd o fyw nac yn yr hyn rwy'n ei ddweud. Yn sicr, dwi ddim wedi sôn am Fudiad Adfer mewn pregeth erioed. Wrth gwrs, yn ei ffordd o fyw y gwelir Cristion, fel aelod o Adfer, ond ei bod hi'n dipyn anos byw yn ôl y safonau Cristnogol. Do'n i ddim wedi meddwl am y cymysgwch ym meddyliau pobl fel'na, ond fe ddaw'n gliriach yn y pen draw, mae'n siŵr. Mae yna berygl cymysgu yn y dehongliad, ond dwi am bwysleisio mai neges grefyddol o anghyfiawnder cymdeithasol oedd bwriad caneuon Amos nid alegori o unrhyw fath. Mae pobl sy'n gwrando arna i'n pregethu yn gwybod hyn i gyd – pobl eraill sy'n debyg o gredu mai "nôl i'r Fro' yw hi bob dydd i'm haelodau.[4]

Yn 1979, yn dilyn methiant y refferendwm datganoli, addas oedd teitl ei drydedd record hir *Goleuni yn yr Hwyr* (Sain C756). Ar ôl cydnabod nad oedd yna ddatblygiad cerddorol ers y recordiau cynt mynna Denfer Morgan bod y caneuon yn werthfawr fel dadansoddiad gonest a threiddgar o feddylfryd y Cymro ieuanc ar drothwy'r 80au a Chyfrifiad 1981:

> Disgrifiad sydd yma o genedlaetholwr sydd bellach wedi gadael ei arddegau ac sydd yn gorfod ailddiffinio ei rôl yn y gymdeithas mewn modd na fydd yn bradychu ei hun (ei egwyddorion cynnar), na'i genedl. Nid record yn adlewyrchu'r arddegau mo hon felly – caiff y mwyaf delfrydol ohonom ein siomi gan bwyslais y record ar wynebu realiti ein cyfraniad i barhad y genedl – pa faint bynnag fo'r boen...
>
> Mewn blwyddyn o anobaith mae'r record hon yn ddatganiad cadarnhaol, yn dangos ffydd, gobaith a chariad, ac sydd yn orfoleddus o blaid bywyd a pharhad – y natur ddynol a'n cenedl – dim ond inni adnabod a defnyddio y gwerthoedd gorau sy'n perthyn iddi. Mae'r record yn frith o alegorïau Beiblaidd, yn wir rwy'n siŵr mai carol i blant (yn sôn am enedigaeth yr Iesu) yw'r ail gân ar yr ail ochr, a chredaf mai testun y bumed gân ar yr ochr gyntaf yw Moses yn arwain yr Ecsodus o'r Aifft.
>
> Er syndod i neb efallai, mae dylanwad y bardd Waldo i'w weld ar y caneuon. Yn wir, seilir y rhan helaeth o'r caneuon ar farddoniaeth a gweledigaeth Waldo. Ond nid oes dim byd 'tywyll' am y record yma. Datgenir y neges mewn modd syml a melodaidd. Eto, mae'n rhaid eich rhybuddio nad record i'w chwarae yn y cefndir mo hon. I'w gwerthfawrogi'n iawn, rhaid gwrando'n astud ar y geiriau, a gallaf ddweud, heb flewyn ar fy nhafod, y byddwch yn amddifadu'ch hunain o brofiad gwerthfawr a dymunol os na thrafferthwch i wneud hynny.[5]

Fel y gwnaed eisoes â pheth o gynnyrch Dafydd Iwan, fe fabwysiadwyd nifer o ganeuon Tecwyn Ifan hefyd gan gorau meibion a chorau cymysg. Roedd yr alawon yn cydio. Trueni na ddaeth ar draws eglwys lle ceid llond sêt fawr o ddiaconiaid a oeddent hefyd yn gerddorion glew i gyfeilio iddo.

Hwyrach mai Aled Job sy'n crynhoi camp Tecwyn Ifan orau wrth fwrw llinyn mesur dros ei bumed record, *Herio'r Oriau Du* (Sain C872) yn dilyn *Edrych i'r Gorwel* (Sain C821) a gafodd dderbyniad llugoer:

Mewn cyfnod pan fo'n canu pop ar ei brifiant ac yn dechrau bwrw gwreiddiau ymhlith plant a phobol ifanc ein gwlad mae'n holl bwysig yn fy marn i i ddatblygu'n fwyfwy y traddodiad gwleidyddol radicalaidd o fewn y cyfrwng er mwyn hybu cenedlaetholdeb rhydd ansefydliadol. Yn sicr ddigon, mae Tecs yn un o gynheiliaid amlyca'r math yma o ganu; megis yr hen feirdd Cymreig arferai gynnal y fflam gwladgarol yng nghylch y Tywysogion mae'r gweinidog o Bontrhydfendigaid yn ein hannog ninnau i gadw'r ysbryd yn fyw ac i herio'r oriau du.[6]

Yn ôl ei edmygwyr selocaf, ei rôl oedd cadw'r llygedyn yna o oleuni i dywynnu yng nghanol fagddu brogarwch. Doedd preswylydd y mans ddim am dderbyn dylanwad y be-bop-a-lula. O ran hynny, doedd preswylydd arall y mans a chyw o'r un brid, Elfed Lewys, ddim am wneud hynny chwaith.

Tecwyn Ifan – lladmerydd rhinweddau'r Fro Gymraeg.

22 / Twnshit a Tomato Jiws

Nid yr un oedd y meddylfryd y tu ôl i lunio'r gyfres deledu *Twndish* â'r hyn oedd gan feirniad radio a theledu *Y Cymro*, Ned Thomas, mewn golwg wrth dafoli bwrlwm y canu poblogaidd Cymraeg:

> ...does yna ddim purdeb mewn ffurfiau cerddorol na llenyddol, a'r cwestiwn pwysig i ofyn yw nid 'O ble daeth y ffurf?' ond 'Beth wnawn ni â hi?' (h.y. creadigaeth America yw roc, canu gwerin Burl Ives cyn Dafydd Iwan). Meddyliwch am yr opera roc, *Nia Ben Aur*, a *Melltith ar y Nyth* yn tynnu ar y Mabinogion, record *Gorffennwyd!* yn ailadrodd stori'r Pasg gyda chaneuon Jiwdas a Mair Magdalen yn weddol adnabyddus erbyn hyn... Dyma gysylltu'r gwrandäwr â nifer o elfennau yn y traddodiad Cymraeg mewn ffordd fyw a bywiog. Yn fwy na hynny efallai mai'r canu pop yn unig sydd yn cysylltu nifer o bobl ifanc Cymru gyda'r traddodiadau a'r celfyddydau Cymraeg.[1]

Twndish oedd etifedd *Disc a Dawn* a ddaeth i ben yn 1973. Pete Edwards oedd y ddawn greadigol wrth y llyw. Unwaith y cafodd ei draed dano fe benderfynodd y dylid gwahodd grwpiau ac artistiaid Saesneg i gymryd rhan:

> Rhaglen roc ydi hon i fod a 'ngwaith i ydi sicrhau'r safon gorau posib. Mae pobol yn licio amrywiaeth mewn rhaglen. Y gwir ydi nad oes 'na ddim digon o grwpiau Cymraeg o safon i lenwi'r holl raglenni. Mae'n rhaid i ni gofio hefyd fod 'na lot o Gymry Cymraeg yn troi yn erbyn rhaglenni Cymraeg. Trwy iwsio Saesneg dwi'n gobeithio denu'r rheiny yn ôl a chreu rhaglen ddifyr, yn llawn digwyddiadau. Dwi'n teimlo fod ganddon ni gyfrifoldeb i'r Cymry di-Gymraeg i fagu diddordeb ynddyn nhw mewn pethau Cymraeg.[2]

Fe fu'r gŵr o Gilcain yn fawr ei ddylanwad y tu ôl i bersona'r Dr Hywel Ffiaidd. Yn wir, bu'n rhaid iddo ohirio dangos rhaglen yn ymdrin ag 'anhwylderau'r' meddyg un pnawn Sul ym mis Chwefror 1978 oherwydd y 'ffieidd-dra'. Herio a dryllio delwau confensiynol oedd byrdwn grŵp y Dr Ffiaidd. Roedd Dyfed Thomas yn rhith Hywel Ffiaidd am ddinistrio hualau traddodiad ar amrant. Ymddengys bod Pete yr un mor awyddus i ddefnyddio'r cyfrwng teledu i ddinistrio hualau traddodiad. O ganlyniad i'w ymdrechion, buan y bedyddiwyd enw'r gyfres yn 'Twnshit' gan golofnydd radio a theledu *Y Faner*, Charles Huws:

> Nid oes angen, ac ni allwn fforddio, troi'r unig raglen ganu pop wythnosol a gawn ar deledu yn arddangosfa o Saeson er mwyn canfod ein safon. Yr ydym wedi clywed y Sex Pistols a'r Trwynau Coch eisoes a does dim rhaid i raglen Gymraeg wneud ffafr â ni drwy eu gosod o fewn trwch 'safety-pin' i'w gilydd inni allu eu cymharu. Cyfystyr yw â Sain, pe caent, yn mynnu gosod traciau o'r Rolling Stones drwy 'Sneb yn Becso Dam' i weld faint o'r gloch oedd hi ar Edward H Dafis.
>
> Pe bai gennym hanner dwsin o raglenni canu ysgafn i chwarae â hwy efallai y byddai lle i'r moethusrwydd (?) dadansoddiadol hwn, ond yr angen ar hyn o bryd yw dangos y grwpiau Cymraeg wrthi, yn byw ac yn creu rhagor yn edrych yn baranoia-aidd dros 'sgwyddau'u gitarau ar athrylithoedd Seisnig...[3]

Pwysleisiodd yr un pwynt flwyddyn yn ddiweddarach gyda phinsiad o'i goegni cyfarwydd:

> Ystyriwch y ddeuoliaeth ryfedd sydd yn 'Twnshit' bob wythnos: mae'r hyn a fynegir yn sylwebaeth ac yng ngeiriau'r caneuon Cymraeg yn gwbl groes i naws y rhaglen yn gyffredinol. 'Dyma ni bellach hefo degau o grwpiau Cymraeg,' ebe Iestyn Garlick ddydd Sul, 'a'r safon yn codi bob dydd.' Digonedd o grwpiau ond nid digon i gynnal cymaint ag un rhifyn o'n hunig raglen bop Gymraeg? Prin yr oedd geiriau Iestyn wedi tramwyo heibio'i drawswch du nad oedd merch o'r enw Shirley Rodent ar y sgrîn yn canu'n Saesneg, yn union fel y bydd Jimmy Saville yn cyflwyno Edward H ar *Top of the Pops*. Mae'n bosib mai un o jôcs y cynhyrchydd oedd cynnwys Shirley Rodent ar yr un sioe â'r Llygod Ffyrnig. Mae ganddo jôcs digon rhyfedd. Canodd Geraint Jarman am 'ein Ethiopia Newydd' ni yng Nghymru. Beth yw cyfraniad rhyw 'hybrid' fel 'Twnshit' at ddelfrydau uchel ieuenctid Cymraeg?[4]

Galwodd golygydd *Sgrech*, Glyn Tomos, yn ddiflewyn-ar-dafod, yn ei bedwerydd rhifyn yn gynnar yn 1978, am ymddiswyddiad Pete Edwards ac ar berfformwyr Cymraeg i wrthod cymryd rhan yn y rhaglen nes y ceid gwared ar y perfformwyr Saesneg. Aeth y cylchgrawn ati'n gyson i fflangellu'r rhaglen yn y rhifynnau dilynol. Ond roedd colofnydd pop rheolaidd *Y Faner*, Ian Williams, yn canmol *Twndish*, a'r ddwy raglen ar hugain a ddangoswyd yn y gyfres gyntaf yn arbennig oherwydd eu hamrywiaeth ac am gymryd 'yr olygfa Gymraeg o ddifrif'. Er hynny, roedd yntau'n amheus o'r arferiad o gynnwys cymaint o grwpiau Saesneg – pump mewn un rhaglen. 'Pan fo cyfres ddwyieithog fel *Jam* ar HTV ni welaf reswm dros gynnwys grwpiau Saesneg ar *Twndish*.[5] Ond wrth dafoli rhaglenni cynnar yr ail gyfres roedd yn barod i amddiffyn y cynhyrchydd yn wyneb yr hyn a ystyriai'n 'or-ymateb' y beirniaid. Yr un pryd, cydnabu fod y polisi o recordio cynifer o artistiaid Saesneg yn troedio llwybr peryglus ac na fyddai'n cymryd llawer iddo yntau i droi'r tu min:

> Dywed fy nghyfrifydd mai cyfanswm canran y Saesneg ar y 13 rhaglen gyntaf oedd 58 munud mewn 390 munud sef 14.9 y cant. Ac eithrio un rhaglen, defnyddiwyd grwpiau ac artistiaid Saesneg yn unig er mwyn cyfoethogi'r golwg ar wahanol agweddau o'r olygfa Gymraeg. Tebyg mai'r arfer annerbyniol o gynnwys Saesneg mewn cynifer o raglenni Cymraeg a'r sibrydion fod cynllun tymor hir *Twndish* yn un o raglen hollol ddwyieithog, a enynnodd tuchan Côr Unedig y Colofnwyr ceintachlyd... Rhaid imi gytuno, fodd bynnag, gyda'r beirniaid a dynnodd sylw at y diffyg parch a roddir i'r artistiaid Cymraeg o'u cymharu â'r rhai Saesneg. Onid rhaglen i'r byd pop Cymraeg ydyw? Distrywio'r pwrpas a wna *Twndish* ddwyieithog. Rhaid wrth o leiaf un rhaglen yn rhoi sylw i'r olygfa Gymraeg. Gobeithio wnaiff y cynhyrchwyr gadw at grwpiau Lloegr lle bo angen yn unig neu mi fydd un aelod arall o'r côr ceintachlyd.[6]

Ar ôl darlledu rhaglen olaf y drydedd gyfres ar Ddydd Gŵyl Dewi 1979 fe roes Caryl Parry Jones hithau'r farwol i 'Twndish':

> Gresyn garw na threuliodd Mr Edwards fwy o amser yn canolbwyntio ar y grwpiau Cymraeg yn hytrach na mwydro'i ben gyda'r *sketches* sâl ac amherthnasol a gawsant fwy na'u haeddiant o amser ar bob rhaglen. Pam na ellid bod wedi gwneud rhyw fath o raglen ddogfen ar rai o'n grwpiau a'n cantorion pop, cael ffilmiau

ohonynt yn hamddena gyda thâp ohonynt yn canu yn y cefndir, eu dangos yn eu gwaith bob dydd, hyd yn oed eu cael i ddehongli rhai caneuon ar ffilm, fel yn wir y gwnaethpwyd yn y gyfres gynt gyda Geraint Jarman ('Y Dyn Oedd yn Hoffi Pornograffi' – cofio?) a Heather Jones a hynny'n llwyddiannus dros ben?

Rhaglen i'r Cymry Cymraeg yw *Twndish* a hoff grwpiau'r Cymry Cymraeg sy'n gwylio rhaglen fel hon yw nid Showaddywaddy, fel yr honnodd Pete Edwards, ond Edward H, Y Trwynau Coch, Eliffant, Jîp, Hergest (pwy?), Geraint Jarman, Dafydd Iwan, Tecwyn Ifan – oes rhaid mynd yn bellach? A chan fy mod wedi crybwyll Hergest, gallai rhywun gredu'n hawdd fod diwedd gyrfa grŵp Cymraeg seithmlwydd oed yn rhywbeth tra chyffredin yng Nghymru yn ôl y sylw a roddwyd i'r digwyddiad ar *Twndish* , sef yw hynny DIM!

I feddwl bod cyfres gyfan wedi mynd heibio heb gyfraniad gan Dafydd Iwan. Do, fe wrthododd, doedd dim disgwyl iddo beidio, ond y mae posibiliadau rhaglen ar Ddafydd yn ddiddiwedd. Ond fe ŵyr pawb, petai'n ymddangos ar *Twndish* mai dim ond rhyw ddwy gân ar y mwyaf y câi eu canu a hynny ynghanol môr o bync swnllyd, gwael. Dyna ddigwyddodd i Tecwyn Ifan. Aeth i'r stiwdio a recordiodd dair cân; roedd y gyntaf a'r ail yn dilyn ei gilydd fel cyfres ac yr oedd y drydedd yn gân ar wahân. Un gân a ddangoswyd a does dim rhaid gofyn pa un, nag oes? Ie, yr ail! Cân mewn gwagle nad oedd yn gwneud synnwyr ar ei phen ei hun beth bynnag, a honno ynghanol rhaglen o sgrechfeydd a sŵn. Cymru oedd yn ymddangos yn estron y Sul hwnnw.

Mae pob dadl dros gael *Twndish* dwyieithog yn methu. Petai'r BBC a HTV yn gwneud rhaglen ddwyieithog o bob rhaglen Gymraeg am fod gan y di-Gymraeg ddiddordeb yn yr hyn sy'n digwydd yn y Gymru Gymraeg, yna ni fyddai yna un rhaglen uniaith Gymraeg ar ôl. Sarhad oedd y gyfres ddiwethaf o *Twndish*. 'Rydyn ni'n mynd i gael mwy o'r di-Gymraeg i wylio' meddai Pete Edwards, ond diffodd y set a wnâi'r Cymry Cymraeg.[7]

Ni fu cyfres arall o *Twndish*. Fe ddaeth *Cwlwm* yn ei lle.

Y consenswus piniwn ymhlith cefnogwyr y canu roc Cymraeg oedd bod *Twndish* yn dioddef o'r bai 'gormod o' Saesneg. Ceid yr argraff mai rhywun neu rywrai hoff o ddefnyddio termau fel 'cyfoesedd rhyngwladol' ac 'osgoi plwyfoldeb', a chyfryw ymadroddion siwdaidd, oedd yn gyfrifol am lunio'r rhaglen. Mae pobol o'r fath byth a beunydd yn camgymryd gwreiddiau a mynegiant diwylliant cynhenid lleiafrifol am gulni a cheidwadaeth sy'n eu dal yn ôl, oherwydd eu bod nhw eu hunain, trwy fod ar ei gyrion, wedi eu hamddifadu o'r profiad o fod yn rhan annatod ohono.

Yn wir roedd canllawiau cynhyrchu *Twndish* yn gwbl groes i holl *raison d'etre* y canu pop yng Ngwalia Wen. Doedd Cymdeithas yr Iaith na'r Urdd nac Adfer yn trefnu dawnsfeydd a chyngherddau dwyieithog. Doedd yna ddim traddodiad o gymysgu'r ddwy iaith ym mhatrwm adloniadol yr ardaloedd Cymraeg. Cryfder y traddodiad oedd ei fod yn Gymraeg ac mai dymuniad y lliaws oedd y byddai'n parhau felly. Ceisio troi'r drol oedd canlyniad polisi dwyieithrwydd *Twndish* ac atal y llif.

Roedd rhaglen gyffelyb HTV, *Jam,* yn gosod y pendil yn y cyfeiriad arall gan wahodd grwpiau Cymraeg i rannu stiwdio gyda grwpiau Saesneg cydnabyddedig. Ym marn Ian Williams, fe fu'r ddwy gyfres yn 'llwyddiant ysgubol' yn yr ystyr genhadol o sicrhau cynulleidfa ehangach i artistiaid Cymraeg. Yn ystod yr un cyfnod roedd rhaglen blant, *Sêr* ar HTV, yn rhoi sylw helaeth i grwpiau Cymraeg. Endaf Emlyn a John Gwyn oedd wrth y llyw gyda chymorth Myfyr Isaac.

O ran yr arlwy radio fe enillodd y canu cyfoes ei blwy ar foreau Sadwrn. Ar wahân i ddwy gyfres o *Ymbarél* yn cael ei gyflwyno gan Wynford Elis Owen fe ddaeth Dei Tomos (*Disgo Dei*) a Richard Rees (*Sosban*) yn lleisiau cyfarwydd ar foreau Sadwrn. Gwelai Charles Huws rinweddau a photensial y rhaglen Sadyrnol fel adlewyrchiad o ddiwylliant ieuenctid:

> Rhagoriaeth Dei Thomas ar *Disgo Dei* bob bore Sadwrn yw fod ei fys ar byls bywyd adloniadol ieuenctid y Gymru Gymraeg. Mae mewn cyswllt parhaol â'r grwpiau a'r unigolion yn y byd pop ac â'r cliciau colegol/trefol/Urddol. Ceir ar y rhaglen gyfathrebu amlwg. Enfyn ieuenctid eu ceisiadau, defnyddiant y rhaglen i'w pwrpasau caru/anfon negeseuon/llongyfarchiadau/hysbýs ac ati. (Y mae gwir angen y rhaglen ar gyfer y pwrpas olaf petai ond i hysbysu pobl am gyngerdd/dawns sy'n sicr o gael ei gohirio yn rhywle yn ystod yr wythnos chwit-chwat Gymraeg. Dim 'Trwynau Coch' ym Mhier Aberystwyth oedd trychineb yr wythnos hon.) Ond o ran safon y cyflwyniad, a oes yma ddigon o baratoi? A oes digon o gynhyrchu? Sioe ffwrdd-â-hi ydyw yn briodol iawn ond dylai'r rhagymadrodd o leiaf, ynghyd â chrynodeb o'r wythnos chwaraeon ac ati, fod yn

llawn ffraethineb. Sgript wedi ei chreu ar ei gyfer os nad yw Dei'n alluog i anelu'n uwch na'r un ystrydebau difywyd am 'Wrecsam reit dda'r hen hogia!' bob wythnos fel ei gilydd.[8]

Yn nwylo Eurof Williams, fel cynhyrchydd, fe ddatblygodd *Sosban* yn ddwyawr o adloniant pur, llawn amrywiaeth, nad oedd wiw i'r dilynwr pop Cymraeg pybyr ei cholli. Yn sicr, roedd ffrwyth llafur y cyfuniad o'r cynhyrchydd brwdfrydig o Gwm Tawe a'r cyflwynydd slic o Lanelli yn plesio Caryl Parry Jones. Wrth 'sgrifennu yn *Y Faner* fe fanteisiodd ar y cyfle i roi bonclust a swadan i *Twndish* a *Sgrech*:

> Y mae'r swydd yn gweddu i'r dim i Eurof; mae ei ddiddordeb yn y Byd Pop Cymraeg wedi bod, ac yn parhau i fod, yn ysol ac y mae'n ddigon *ifanc* i ddeall yn union beth y mae ei wrandawyr eisiau ei glywed. Cymaint yw ei ddiddordeb yn y maes y mae'n gorfod gweithio ynddo, a chymaint yw ei frwdfrydedd dros ddatblygiadau'r byd pop yng Nghymru fel ei fod yn gweithio'n ddiwyd ar ei syniadau, ac y mae digon o'r rheini ganddo, i sicrhau rhaglen lwyddiannus bob bore Sadwrn. Wrth reswm, mae rhai o'i syniadau yn well nag eraill, ond anaml iawn y ceir eitem wironeddol wan.
>
> Y mae'r sesiwn wythnosol gan wahanol artistiaid yn syniad gwreiddiol a llwyddiannus ac y mae'n gwrthbrofi'n llwyr ddadleuon Pete Edwards, pan luniodd yntau'r gyfres ddiweddaraf o *Twndish* (dim artistiaid Cymraeg ar gael etc.). Nid yn unig y mae Eurof Williams wedi trafferthu chwilio am artistiaid ond y mae hefyd wedi rhoi cyfle i'r rhan fwyaf ohonynt gymryd rhan ar y rhaglen, dyna Nerys Avery, Islwyn Evans, Nerys Ann Jones a Rhydian Gwyn, Tanc, i enwi dim ond ychydig sydd wedi cael y cyfle hwn i recordio'u caneuon ac i ddod i sylw'r cyhoedd am y tro cyntaf, rai ohonynt. Mae hefyd yn rhoi digon o gyfle i ohebwyr newydd yn ogystal â chantorion: mae cyfraniadau Niclas Parry, Derec Brown, Tudur Morgan a Catrin Parry, er enghraifft, bob amser yn raenus, yn eglur ac yn *ysgafn*.
>
> Ond prif gyflwynydd y rhaglen, wrth gwrs, yw Richard Rees. Oes, mae ganddo ei feiau, mae'r cylchgrawn *Sgrech* yn ei atgoffa ohonynt yn y ffordd fwyaf amlwg a di-dact bob mis; ydi, mae ei Gymraeg ar brydiau'n wallus; nac ydi, dydi ei gyfweliadau ddim bob amser yn llwyddiannus ysgubol, ond yn Gymraeg, does 'na ddim Dî Jê gwell na fo. Esgusoder yr ansoddair ond y *mae'n* slic ac y mae ei lais yn ddelfrydol ar gyfer y meicroffon. Petai rhywun arall yn gwneud y gwaith holi a Richard yn canolbwyntio ar y cyflwyno yn unig, efallai y byddai ei feirniaid yn dechrau gadael llonydd iddo. Mae'n

rhyfedd bod pobl yn dal i'w hambygio fo, dylasent fod wedi blino arno erbyn hyn. Ond dyna fo, 'Cymru Fach i Mi...'
Ond nodwedd iachaf a mwyaf arbennig *Sosban* yw ei bod yn rhaglen drwyadl Gymraeg a Chymreig. Does dim dylanwadau Seisnig arni, ar wahân i ambell adolygiad o'r *NME* neu *Sounds* a Chymraeg yw iaith yr adolygiadau hynny beth bynnag. Mae'n rhaglen sy'n dyrchafu'r byd pop Cymraeg, yn ei wneud yn rhywbeth byw a chyffrous ac yn rhywbeth sy'n mynd i barhau ac yn mynd i wella yn y dyfodol agos. Mae'r synthesis rhwng effeithiolrwydd y cynhyrchydd a llyfnder y cyflwynydd yn diogelu dwy awr o fwyniant hapus ac ysgafn bob Sadwrn a hynny i gyd trwy gyfrwng y Gymraeg.[9]

Roedd John Peel yn chwarae recordiau Cymraeg yn gyson ar ei raglen yntau ar Radio 1, a doedd hynny ddim yn peri anhawster iddo. Ei arfer fyddai cyhoeddi na fedrai ddweud llawer am yr artist na'r gân am fod y wybodaeth ar glawr y record yn uniaith Gymraeg a phwysleisio mai felly y dylai fod ac yna annog y gwrandawyr i fwynhau'r gerddoriaeth.

Wrth i'r 70au ddirwyn i ben gofid pennaf y genhedlaeth hŷn wrth fwrw golwg ar fwrlwm yr ieuanc oedd y diota rhemp a ddigwyddai pryd bynnag y bydden nhw'n ymgynnull, a hynny'n arbennig yn ystod wythnos yr Eisteddfod. Doedd hi ddim yn gyfrinach ers tro byd y byddai tafarndai mangre'r ŵyl yn hel ffortiwn ar draul ieuenctid y meysydd pebyll. A doedd dim dwywaith bod yna orchest o yfed fel petai yna ddim yfory yn digwydd. Fyddai'n ddim i glywed malu awyr am oriau drannoeth am y nifer o ddiodydd a draflyncwyd y noson cynt fel petai yna wrhydri syfrdanol wedi'i gyflawni. Doedd 'steddfota ddim yn 'steddfota os nad oeddech ar y gorau wedi troedio'n sigledig i'r babell ym mherfeddion nos, neu ar y gwaethaf wedi syrthio'n glep i ffos i gael eich dihuno gan y gwlith.

Wrth i fwy a mwy o ddarpariaeth ymylol gael ei pharatoi ar gyfer yr ieuenctid, cynyddai'r pwysau am far ar eu cyfer. Pan drefnwyd *Twrw Tanllyd* yn Eisteddfod Caernarfon, 1979, y bwriad oedd sicrhau bar ar Gae'r Saeson er mwyn hwylustod i'r ieuanc ond ni chydsyniodd yr ynadon lleol. Gorseddai delwedd y traddodiad piwritanaidd glandeg wrth ystyried diota yng nghyd-destun yr Eisteddfod Genedlaethol.

Byddai paratoi'r hyn a ystyrid i bob pwrpas yn gafnau yfed yn benodol ar gyfer ieuenctid yn hoelen farwol yn arch syberdod 'y pethe'. Beth bynnag oedd cymhelliad yr ynadon dros wrthod bar yfed i'r ieuenctid, roedden nhw'n sicr wedi diogelu elw sylweddol i dafarndai tre'r Cofis a hynny ar draul ieuenctid yr Eisteddfod. Doedden nhw ddim yn sylweddoli fod yr ieuenctid eisoes wedi ymwrthod â'r ddelwedd dreuliedig o'r 'pethe' gan gofleidio roc a *reggae* yn ei lle. Ni chafwyd lwc yn Eisteddfod Dyffryn Lliw y flwyddyn ddilynol, chwaith, ond doedd hynny ddim yn atal llymeitian ar raddfa anferthol.

Prif ladmerydd safbwynt 'y canol oed claear' oedd y Parch. T J Davies, Ysgrifennydd Cyffredinol y Cyngor ar Alcohol a Chyffuriau Eraill. Gwyddai'r dirwestwr pybyr union beryglon gor-yfed ac fe dynnai sylw at hynny yn gyson eofn ar y cyfryngau. 'Prif ddiddordeb ieuenctid yw diod, rhyw a chyffuriau,' meddai'n ddiflewyn-ar-dafod. Beirniadwyd yr ieuanc am nad oedd eu cymhellion dros fynychu'r Eisteddfod yr hyn ddylai fod yn nhyb y canol oed. Doedden nhw ddim yn cefnogi'r gwir ddiwylliant os oedden nhw'n difoli ar yr hen Siôn Heidden. Cafodd safbwynt y gŵr a lysenwyd yn 'Tomato Jiws' Davies gefnogaeth gan olygyddion *Barn*, misolyn selogion y sefydliad, wrth iddynt ddilorni'r diwylliant poblogaidd:

> Yn Eisteddfod Caernarfon eleni, fe gododd criw o bobol ieuanc gythrwfl enbyd am nad oedd cyfleusterau ar eu cyfer hwy yn yr Eisteddfod. Fe gynhwysid yng ngweithgareddau'r pafiliwn, meddid, bob agwedd ar ddiwylliant Cymru ond canu pop. Am nad oedd canu pop yn y pafiliwn, fe drefnodd y bobl ieuainc hyn gyfres o gyngherddau iddynt eu hunain mewn maes pebyll gryn bellter i ffwrdd. Yn *Y Cymro* yr wythnos wedyn, fe soniodd un colofnydd am symud mlaen i Eisteddfodau Dyffryn Lliw a Machynlleth – 'ymlaen,' meddai, 'i'r Ethiopia newydd!'
>
> Yn awr y cwestiwn i ieuenctid gwrthryfelgar yr Eisteddfod, a chofier yn y cyswllt hwn nad hynafgwyr briglwydion mohonom ninnau, olygyddion *Barn*, yw hyn: ai'r diwylliant ysgafn, poblogaidd, Anglo-Americanaidd yw'r peth sydd yn mynd i fod yn arhosol yng Nghymru? Ai barddoniaeth Geraint Jarman ai barddoniaeth Gerallt Lloyd Owen sy'n mynd i fyw yn y pen draw? Ai *Dim Ond Heddiw* neu *Buchedd Garmon* sy'n mynd i fod yn bwysig ymhen can mlynedd? Beth sy'n mynegi gwir awen ac ysbryd

y Cymry, ai Jîp ai, dyweder, Barti'r Ffin? Onid rhywbeth dros amser yn unig yw canu pop yn ei hanfod, tra bod y pethau difrifol, y pethau mawr, yn aros yn ddigyfnewid, fwy neu lai, o oes i oes? Os derbynnir y ddadl hon, fe welir hefyd nad ar lwyfan Eisteddfod Genedlaethol Cymru y mae'r lle i arddangos dynwarediadau Cymraeg o ganeuon poblogaidd dros dro Lloegr ac America.

Pob clod i chwi, hogia, am roi gwedd Gymreig ar ddiwylliant ansylweddol y trais a'r sŵn. Ond nac anghofiwch byth mae is-ddiwylliant ydyw a bod i Brifwyl eich cenedl bethau llawer amgenach i ymboeni ynglŷn â hwy na'r 'Ethiopia Newydd'. Un peth yw creu is-ddiwylliant modern Cymraeg, y mae dygn angen am hynny. Ond peth arall hollol yw mynd ati i geisio glastwreiddio traddodiad eisteddfodol'.[10]

Er nad oedd Gwynn ap Gwilym, Alan Llwyd a Robert Rhys, o ran oed, beth bynnag, wedi cefnu ar gyfnod asbri ieuenctid, doedden nhw ddim wedi trafferthu dirnad na deall y gafael roedd rhai o'r hoelion wyth gitaryddol eisoes yn ei gael ar eu cyd-ieuenctid. Tebyg nad oedden nhw erioed wedi gwisgo pâr o jîns. Cafwyd esboniad eglur o antur is-ddiwylliant yr ieuanc gan Dafydd Saer, disgybl chweched dosbarth o Ysgol Gyfun Rhydfelen, Pontypridd:

Beth yw diwylliant yr ymylon? I mi, dawnsfeydd, rifiw, pantomeim, Theatr Bara Caws, nosweithiau gwerin, ambell gyngerdd, ac yfed. Ond mae gen i gefndir dinesig, a rhywfaint o ymwybyddiaeth o'r 'pethe Cymreig'. Fe gydies i yn y gitâr o achos Dafydd Iwan, Huw Jones, Edward a Meic Stevens – nid y Shadows neu'r Beatles. A cherddorion Cymreig yw fy eilunod i o hyd, nid Jimmy Page neu Johnny Rotten.

A phobl eraill? Yn sgil adroddiadau papurau newydd, a thudalennau adloniant *Y Cymro*, a'r *Faner*, a *Sgrech*, ymddengys fod meddwi, hwrio, 'joio' a dawnsfeydd, yn ymgorfforiad teg o ddiffiniad y rhelyw o 'ddiwylliant yr ymylon'. Llawlyfr y diwylliant hwn fyddai *Dyddiadur Dyn Dŵad*, Goronwy Jones, siŵr o fod – hanes Cymro Cymraeg sydd prin yn cyffwrdd â'r diwylliant Cymreig. Beth am sylwi ar y pleser a roddodd Eisteddfod Genedlaethol Aberteifi iddo:

'Brecwast am naw a cinio amsar stop tap pnawn… maes campio mor uffernol o bell o'r dre. Bob nos oeddan ni'n pasio dwsina o hogia a fodins oedd wedi methu neud hi'n d'ôl ac wedi syrthio fatha sacha i gysgu yn y cloddia.'

Ac ymysg hynny, un pnawn bach ar y maes. Canmolwyd y llyfr yma am ei onestrwydd wrth ddangos gwir agwedd llawer o bobol ifanc tuag at Gymreictod a'r 'pethe'. Ymateb pobl hŷn oedd sioc fod y fath lyfr yn cael ei ganiatáu, a'r un oedd eu hymateb i ymddangosiad y cymeriad sgitsoffrenig, Dr Hywel Ffiaidd. Ond pam mai 'diwylliant yr ymylon' sy'n diddori'r ifanc, yn hytrach na 'phethe'r sefydliad'? Anodd ateb hyn heb ymwybyddiaeth drwyadl o gymdeithaseg. Mi fentrwn i ddweud fod degawd rhyddfrydol y 60au yn rhannol gyfrifol, a bod y to ifanc wedi cael magwraeth wahanol i'r fagwraeth a gafodd eu rhieni. Cynigiodd Dulais Rhys reswm yn *Y Faner* adeg Steddfod Caernarfon:

'Mae cerddoriaeth bop yn hynod o bwysig i ddiwylliant yr ifanc dros y byd i gyd; pa syndod felly nad yw cystadlaethau a seremonïau y pafiliwn yn apelio at y bobl hyn?'

Yn wir, rhydd gweithgareddau'r pafiliwn argraff o farweidd-dra, sychder, a rhyw letchwithdod ffurfiol iawn i bobl ifanc. Yr unig ddigwyddiad a'm denodd i erioed oedd y gystadleuaeth gân bop, ond bellach collais ddiddordeb ynddi. Mae'r prisiau sy'n gysylltiedig â'r 'Steddfod yn ddigon i droi dyn i ffwrdd hefyd. Mae mynediad maes, mynediad pafiliwn, parcio, bwyd ar y maes, maes pebyll, oll yn afresymol o ddrud, heb sôn am y gost o drafaelio i'r ŵyl.

Ni thebygaf fod yna ddyfodol i'r Steddfod dan ei threfn bresennol, oherwydd nid yw 'diwyllianwyr yr ymylon' yn debygol o ymddiddori mwy mewn 50 mlynedd yn nigwyddiadau'r pafiliwn nag a wnânt nawr. Efallai y byddai pwyllgor yn cynnwys cynrychiolwyr o'r to ifanc yn syniad da, fel bod yna awgrymiadau yn dod oddi wrth y naill garfan a'r llall o fynychwyr y Steddfod, ac efallai y buasai ymwneud swyddogol â'r ochr adloniant i bobl ifanc yn gam i'r cyfeiriad iawn.

Ond beth ddaw o'r athrylith a amlygir yn yr Eisteddfod, yn wyneb agweddau'r to ifanc? A fydd yna ddigon o gystadleuaeth i'w chael? Fel un sydd ar derfyn pedair blynedd ar ddeg mewn ysgolion dwyieithog, ni fedraf ond sylwi mai dirywio y mae safon yr iaith, er gwaetha'r brwdfrydedd cynyddol. Yn wyneb hynny, mae'n amheus gennyf a fydd yna borthiant sylweddol i ochr lenyddol yr Eisteddfod mewn cenhedlaeth neu ddwy.[11]

Gellid tybio y byddai'r fath lythyr wedi rhoi pen ar y mwdwl ond na, roedd Elin ap Hywel, enillydd y Fedal Ryddiaith yn Steddfod yr Urdd, Bae Colwyn, am ei chnegwerth hithau hefyd, ar ôl profi yn 'Steddfodau Caernarfon a Dyffryn Lliw ei bod hi, yng ngeiriau'r Trwynau Coch, 'yn nabod boi sy'n rhoi cwrw ar ei gornfflecs':

Craidd y Steddfod i'r ifanc yw'r dafarn, a'i llais yw sgrech y gitâr drydan. Mae pwysigrwydd y cwrw a'r canu roc yn amrywio o un i'r llall yn ôl chwaeth personol, ond yn y 'Steddfod maen nhw'n hollbresennol i'r ieuenctid. Bron na ellir dweud eu bod yn orfodol. Eleni, am y tro cyntaf, mi roedd hi'n bosibl treulio wythnos lawn yn y Steddfod heb weld y maes o gwbl. Yn wir, gyda'r sesiynau roc a gwerin a drefnwyd gan *Sgrech*, MACYM a'r *Faner Goch* mewn clybiau lleol bob prynhawn, a dewis helaeth – rhy helaeth – o weithgareddau gyda'r nos, yr unig ffordd i brofi ychydig o 'ddiwylliant' hen-ffasiwn oedd herio'r llesgedd a ddaethai'n sgil llusgo'r corff i fyny mynydd o fwd du at y babell am ryw ddau y bore, gosod y larwm am naw, a chychwyn yn benderfynol tua'r maes, cur pen neu beidio...

Ond i bobl yr ymylon, nad ydynt yn malio rhyw lawer y naill ffordd neu'r llall, roedd y syniad o gael sesh dda a chyfle i wrando ar grwpiau newydd fel Crys a Doctor yng Nghlwb Rygbi Casllwchwr gyda'r prynhawn, a hynny am bunt, yn fwy atyniadol o lawer na thalu dros deirpunt i wrando ar lond pafiliwn yn mwmial canu 'Hen Wlad Fy Nhadau' fel pe bai arnynt gywilydd i fod yn Gymry, adeg y Coroni...

Pan fo grwpiau fel y Trwynau Coch yn dangos digon o ddiddordeb i geisio ehangu hwyl y Steddfod gyda menter fel y Cwch Banana, a mudiadau fel Cymdeithas yr Iaith a'r cylchgrawn *Sgrech* yn barod i fentro'n ariannol er mwyn sicrhau adloniant safonol gan artistiaid fel Geraint Jarman a'r Cynganeddwyr a Meic Stevens, yna mae'r Steddfod ei hun yn dangos diffyg gweledigaeth enbyd wrth ymddwyn fel rhyw estrys hanner-pan ac esgus nad oes gan yr ieuainc anghenion arbennig.[12]

Yng ngolwg y canol oed parchus, roedd sylwadau merch y mans o Wrecsam yn herfeiddiol. Cyhoeddwyd erthygl dudalen flaen yn *Y Cymro* yn sôn am ieuenctid yn gwario £100 ar ddiota yn ystod Eisteddfod Dyffryn Lliw. Cyhoeddodd yr wythnosolyn lythyr gan 'Nid Hynafgwr Barfog':

Gwelais un olygfa yn yr Eisteddfod eleni nad â byth yn angof gennyf, sef rhyw hanner cant neu ragor o ieuenctid ein cenedl yn gorwedd yn eu diod ar lawnt tafarn. Roedd hon yn olygfa na welais mo'i thebyg yn ystod y blynyddoedd a dreuliais yn y lluoedd arfog yn ystod yr ail ryfel byd, a hynny ymhlith pobl, lawer ohonynt, a oedd yn cael eu hystyried a'u galw'n 'wehilion cymdeithas'. Os oes yna un peth y mae arnom fwy o'i angen heddiw na sianel Gymraeg, adfywio'r mudiad dirwest ar raddfa genedlaethol yw hwnnw.[13]

Ond erbyn cynnal Eisteddfod Maldwyn roedd yna bwyllgor wedi
ei sefydlu'n benodol i drefnu gweithgareddau ar gyfer yr ieuanc ac
oedd, roedd yna far wedi'i ganiatáu ar eu cyfer. Diflannodd dirwest
o'r tir. Ceisiodd Robin Gwyn gyfleu naws yr hyn a oedd ar fin digwydd:

> Cynhelir dawns bop gyda phrif-grwpiau Cymru bob nos, dan nawdd
> Cymdeithas Adloniant Cymru (CAC). Ffurfiwyd CAC gan aelodau o
> Gymdeithas yr Iaith Gymraeg yn arbennig ar gyfer trefnu'r
> 'Eisteddfod Arall' i bobl rhwng pymtheg a 25 oed (oherwydd diffyg
> darpariaeth honedig gan yr Eisteddfod ar gyfer yr oedran yma).
> Wrth gwrs, nid yw'r *Twrw Tanllyd* yn syniad newydd, ond mae yna
> un newid chwyldroadol o'r patrwm a sefydlwyd yn Eisteddfod
> Caernarfon ym 1979: y tro hwn mi fydd bar trwyddedig yn rhan
> annatod o wledd yr ifanc.
> Tybia rhai mai annoeth ac anghyfrifol oedd penderfyniad Ynadon
> Machynlleth i ganiatáu bar, a hyd yn oed caniatáu cynnal y *Twrw* o
> gwbl. Dylai ein pobl ifanc ymddiddori yn niwylliant ffurfiol yr
> Eisteddfod, yw dadl rhai, yn lle gwironi ar ganu Eingl-Americanaidd
> ail-law. Dadl digon rhesymegol yw hon ac anodd i'w gwrthwynebu ar
> adeg yn ein hanes pan fo dylanwad yr is-ddiwylliant materol wedi profi
> yn gymaint o elyn i'r iaith Gymraeg...
> Wrth gwrs, nid yw'r ddadl o blaid cael bar yn y *Twrw* hanner mor
> ddilys â'r ddadl dros gael darpariaeth i'r ifanc. Nid oes dadl foesol –
> dim ond un neu ddau bwynt ymarferol. I ddechrau nid yw diod
> gadarn yn newydd i'r Eisteddfod. Mae pobl yn mynd i yfed, doed a
> ddêl, os dymunant wneud hynny. Ni fydd gwrthod bar yn y *Twrw* yn
> mynd i wneud llawer o wahaniaeth. Nid rhwng y capel a'r dafarn y
> mae pobl yn dewis mewn gwirionedd ond rhwng dwy dafarn.
> Addysgu pobl yw'r unig ffordd i atal gor-yfed, nid ei gwneud hi'n
> anoddach i gael gafael ar ddiod.[14]

Ond doedd y Parch T J Davies ddim yn ei gweld hi felly er bod Robin
Gwyn yn 'sgrifennu fel llwyrymwrthodwr. Roedd am dynnu blewyn
o'i drwyn:

> Gadewch i ni agor y drws led y pen ac arsyllu ar gynnwys is-
> ddiwylliant Robin Gwyn. Fel y cyfeddyf ef, daeth y *cwrw i'r Twrw*,
> dyna un o'r elfennau. Nid na fu cwrw yn rhan o'r diwylliant
> Cymraeg, ni ellir gwadu hynny, ond bellach cwrw o fewn
> 'digwyddiad' cyffrous lle mae casgliad sylweddol o rai ifainc, llawer
> o dan oed, ac ychydig ddiod yn ddigon i'w meddwi. Yn y cyfryw
> awyrgylch, gan amlaf (ac y mae hyn yn ffaith), mae clatsio, iaith
> gwrs, aflednais iawn, a *rhyw* yn rhwydd iawn. Na thwyller neb, y

mae rhai yn mynychu'r digwyddiadau yna (pe bai angen, medrwn enwi) a'u hunig ddiddordeb yw rhoi diod i ferched er mwyn cael yr hyn a fynnant hwy. Dyna'u diwylliant! Gwn am rai sy'n mynd i'r Steddfod ac i'r Twrw yn benodol am ei fod yn faes hela hawdd iddynt...

Daliaf i gredu fod yna 'weddill' sy'n ymhyfrydu yn niwylliant traddodiadol ein cenedl, ac i mi, mae'r Eisteddfod Genedlaethol yn cyflawni hunanladdiad wrth hybu a noddi yr is-ddiwylliant y cyfeirir ato gan Robin Gwyn. Bid siŵr, y mae angen darpariaeth i'r ieuenctid, ac y mae darpariaeth ar lefel diwylliant yn bosibl. Y mae'r is-ddiwylliant yn mynd â ni yn ôl i'r fforest, i'r cyntefig gwyllt, a gwnaeth yr Eisteddfod ei rhan mewn dod â ni oddi yno.

A chaniatáu'r pwynt a wna Robin Gwyn – 'addysgu pobl yw'r unig ffordd i atal gor-yfed, nid ei gwneud hi'n anoddach i gael gafael ar ddiod'. Odi'r *Twrw Tanllyd* y math o le i addysgu rhai? Go brin. Eu haddysgu i yfed, ie, a gor-yfed.[15]

Doedd yr ieuanc ddim am ildio. Fe ddaeth pedwar o fyfyrwyr Coleg y Brifysgol, Aberystwyth, i'r adwy ac yn eu plith roedd darpar lenorion arobryn yr Eisteddfod. Dyma oedd gan Iwan Llwyd Williams, William Owen Roberts, Emyr Lewis a Tim Webb i'w ddweud ar y mater:

Fel rhai a gafodd brofiad o'r 'gwyliau pop' hyn yn y gorffennol, fe'n hysgogwyd i gywiro rhai cam-argraffiadau a ymddangosodd yn llythyr y Parch T J Davies. Ceir lleiafrif ym mhob cenhedlaeth sy'n 'clatsio', 'defnyddio iaith gwrs, aflednais iawn', ac yn meddwi merched er mwyn cael '*rhyw* yn rhwydd iawn'. Ond ai teg rhoi pawb yn y categori hwn a'u collfarnu o'r herwydd? Ymylol ac eithriadol *iawn* yw ymddygiad o'r fath. Awgrym T J Davies yw mai hyn yw'r *norm.* Heriwn ei ensyniadau! Mae'r mwyafrif llethol o'n cyfoedion yn ymroi i weithgarwch creadigol, *positif,* a ystyrir gennym ni yn ddiwylliant. Pwy all honni na eill yr 'is-ddiwylliant' hwn esgor ar 'ddiwylliant'? (Gan ddefnyddio'r termau yn ôl yr hyn a olyga Mr Davies wrthynt.)

I'n tyb ni mae geiriau llawer iawn o ganeuon Geraint Jarman yn fwy perthnasol i'n cenhedlaeth, yn chwarter olaf yr ugeinfed ganrif, na'r cruglwyth a wobrwyir yn enw 'barddoniaeth' yn yr Eisteddfod Genedlaethol heddiw. Yn y ganrif ddiwethaf, er enghraifft, prin y gwnaeth yr Eisteddfod Genedlaethol *bourgoise* ddim i gynhyrchu barddoniaeth o bwys, ac edrychir arni heddiw fel canrif lom dros ben. A ellir galw gwaith Eben Fardd neu Watcyn Wyn, sef cynnyrch 'diwylliant swyddogol' y ganrif ddiwethaf, yn farddoniaeth ar gyfer heddiw? Onid o'r anhrefn 'is-ddiwylliannol', 'pan yfai'r beirdd fel

pysg' y tyfodd yr hyn a gydnabyddir heddiw fel prif gyfryngwr
'diwylliant' y dosbarth canol Cymraeg?

Onid yw'n bryd anghofio'r myth philistaidd y mae Eisteddfod
Genedlaethol Cymru a'i dilynwyr wedi ei greu ynghylch 'diwylliant'?
Deled y dydd y tewir ei lladmeryddion. Rhaid chwalu'r rhagfarnau
a'r diffiniadau hawdd. Oni wneir hyn, bydd perygl i'r Eisteddfod
hithau 'wagio' fel y capeli, gan na fydd ei 'diwylliant', efallai, yn
berthnasol mewn epoc hanesyddol arall'.[16]

Doedd dim argoel y byddai yna gyfannu rhwng y cenedlaethau.
Roedd y naill a'r llall mor benstiff orfoleddus ynghylch mynegiant eu
Cymreictod boed yn mwydo'r cyfarwydd neu'n maldodi'r mentrus. A
doedd dim pall ar yr yfed. Rheitiach i rai fyddai dal twndish uwchben
eu cyrn gyddfau gymaint y traflyncent. Os oedd yna groesbeillio neu
efelychu cerddorol o ran y gitâr ymddengys fod yna o leiaf un maes
lle roedd y Cymry'n rhagori ar eu cymdogion ieuanc. Prin bod y ddiod
gadarn yn chwarae rhan mor allweddol mewn gwyliau pop a gigs yr
ochr draw i Glawdd Offa. Buasech yn fwy tebygol o glywed gwynt
melys cyffuriau yn yr awyr yn hytrach na phecial cras y llymeitiwr
pymtheg peint yn nhwrwfeydd tanllyd y Saeson. Yn hynny o beth
roedd y Cymry ar ei hôl hi, er, gormodiaith fyddai dweud nad oedd y
ganja melys yn bresennol yn y twrwfeydd Cymreig, boed ar Gae'r
Saeson neu yn y Casablanca. Pan aeth T J Davies â chriw teledu ar
drywydd cyffuriau i ganol rhialtwch yr ieuanc ar eu maes pebyll, ni
ddaeth ar draws unrhyw dystiolaeth fod yr un cyffur anghyfreithlon
ar gael yno. Ei ymateb i hynny oedd bod y cyffuriau yno ond bod y
defnyddwyr a'r pedlerwyr yn ddigon cyfrwys i'w cuddio.

Rhiannon Tomos a'r Band: ei pherfformiadau yn awgrymu rhyw llamsachus.

23/ Blas y Pridd

Yn bersonol credaf nad oes dyfodol i ganu Eingl-Americanaidd yng Nghymru. Credaf ei fod bellach yn chwythu ei blwc a bod ieuenctid Cymru yn troi at eu gwreiddiau ac yn ailddarganfod y cyfoeth sydd i'w gael yn nhraddodiadau cerddorol eu gwlad. Mae eisiau dianc oddi wrth y dylanwadau gwag Eingl-Americanaidd, a chredaf mai'r ffordd naturiol i ni fel Cymry wneud hyn yw trwy ein traddodiadau cynhenid Celtaidd.[1]

Ynganwyd y geiriau yma ar drothwy Gŵyl Werin Geltaidd Dolgellau ym mis Gorffennaf 1979 a hynny gan drefnydd yr ŵyl, Ywain Myfyr. Roedd yna awydd i brofi nad oedd raid i bob dylanwad adloniadol ddod o'r tu fas i Gymru ac y gellid ailgydio yn yr hyn a oedd yn gynhenid. Sefydlwyd Cymdeithas Werin Bro Idris ddwy flynedd ynghynt. Byddai'r aelodau'n cyfarfod yn rheolaidd yng Ngwesty Dolserau gyda'r bwriad o godi'r hen draddodiadau ar eu traed. Ond er dweud hyn, roedd 'noson roc' yn rhan o drefniant Gŵyl Dolgellau ac yn allweddol o ran sicrhau llwyddiant ariannol – roedd Edward H yn tynnu torf y flwyddyn gyntaf honno.

Fodd bynnag, doedd unrhyw dyndra a fodolai rhwng y byd roc a'r byd gwerin yn ddim o'i gymharu â'r tyndra rhwng pleidwyr yr adfywiad a'r sawl a ystyrid yn 'hen gonos' y byd gwerin. Creu amgylchiadau cymdeithasol lle cenid y caneuon yn naturiol yn ôl yr anian oedd nod pleidwyr 'y newydd' tra oedden nhw'n ystyried 'yr hen gonos' yn gofnodwyr a chasglwyr yn bennaf. A doedd yr Eisteddfod eto fyth ddim yn cael ei gweld fel cyfeilles i'r canu gwerin. Merch 23 oed oedd Siwsann George ar y pryd. Hanai o Gwm Rhondda ac roedd wedi dysgu'r Gymraeg. Canu deunydd o Flaenau Bro Morgannwg wnâi'r grŵp Mabsant yr oedd hi'n aelod ohono:

Nid rhywbeth 'steddfodol yw canu gwerin. Ma' rhaid i bawb ddehongli yn ei ddull ei hun. Ma' llawer o'r hen gantorion yn newid cywair o bennill i bennill. Dwi wedi gweld beirniad 'steddfodau yn gofyn am gopi o'r gân werin gan gystadleuydd ac yna yn ei ddamnio am beidio canu yn y cyweirnod a nodir ar y copi. I mi mae hynny'n hurt ac yn groes i draddodiad canu gwerin.[2]

Sgotyn o'r enw Stuart Brown oedd un o aelodau eraill Mabsant ac roedd y trydydd, Pete Meazey, yn ei uniaethu ei hun â Chaerdydd. 'Awn i ailadfer Sblot' fyddai'r slogan ar ei grys-T. Fe fydden nhw'n 'ymarfer' mewn nosweithiau anffurfiol yn nhafarnau'r brifddinas yng nghwmni cerddorion o gyffelyb anian. Y mwyaf diflewyn-ar-dafod wrth bastynu'r 'Steddfod a'r casglwyr oedd Arfon Gwilym, gohebydd ar staff *Y Cymro* ar y pryd. Mynnai mai adloniant y tyrfaoedd ac nid celfyddyd y puryddion oedd canu gwerin:

> Byddai llawer yn dadlau mai'r eisteddfodau a fu'n bennaf cyfrifol ar hyd y blynyddoedd am boblogeiddio'n caneuon gwerin, drwy ddod â nhw i sylw cynulleidfa eang flwyddyn ar ôl blwyddyn. Hwyrach wir. Ond mae yna nifer o bethau ynglŷn ag eisteddfodau sydd, yn fy marn i, wedi gwneud mwy o ddrwg nag o les.
>
> Mae'r fath beth â Chanu Gwerin Eisteddfodol i'w gael erbyn hyn – canu ffurfiol, cywir, gofalus. Dilynir y copi yn fanwl a chollir marciau os cenir nodau gwahanol yma ac acw neu os cenir fersiwn wahanol i'r geiriau... Y perygl mawr wrth gwrs yw fod gwir ysbryd y traddodiad gwerin yn cael ei golli a bod y perfformiadau yn mynd yn debycach i 'solo' glasurol nag i gân werin. Mae'r un peth yn union wedi digwydd ym myd cerdd dant. Does ond angen gwrando ar bobl fel Telynores Eryri, Eddie Roberts, Llanerfyl, neu Einion Edwards, Llanuwchllyn, i sylweddoli fod eu math nhw o ganu penillion wedi mynd allan o ffasiwn yn llwyr erbyn hyn.
>
> Bellach dim ond y canu penillion eisteddfodol a glywir – ar wahân i ychydig o eithriadau fel a enwyd uchod – ac mae hynny'n bechod. Os gall Dafydd Iwan ganu am Fari Fawr Trelech ac am y Dyn Pwysig i gyfeiliant gitâr, pam na ellir gwneud rhywbeth tebyg i gyfeiliant y delyn?
>
> Mae un peth yn sicr, os ydym am symud i'r cyfeiriad hwnnw gallwn anghofio am ein heisteddfodau. A dyna pam fod llwyddiant Gŵyl Werin Dolgellau, a'r gobaith sicr y bydd yn tyfu o nerth i nerth yn ystod y blynyddoedd nesaf, yn beth mor galonogol. Heb os nac oni bai, awyrgylch anffurfiol yw cartref ysbrydol traddodiad gwerin unrhyw wlad, ac nid awyrgylch ffurfiol cystadleuaeth mewn

eisteddfod, dan lygad llym y beirniad.

Gogoniant gŵyl anghystadleuol yw nad oes raid i neb gyhoeddi'n swyddogol o'r llwyfan 'Mae'r grŵp yma yn well na'r grŵp acw' neu 'Hwn yw'r canwr gorau'. Does neb yn cael cam gan y beirniaid. Does dim tyndra dan yr wyneb. Cydganu, cyd-ddawnsio a chyd-fwynhau yw nod y perfformwyr ac nid ceisio cael y llaw uchaf ar ei gilydd... mae cystadlu wedi tyfu'n rhan rhy bwysig o lawer iawn o'n diwylliant gwerin. Am hynny dylem i gyd groesawu â breichiau agored unrhyw ymgais i dorri'r monopoli eisteddfodol ac i greu cyfryngau gwahanol sy'n fwy cydnaws â'n gwir draddodiad ac sy'n debycach o lawer yn y pen draw o roi bywyd newydd yn y traddodiad hwnnw fel y gellir ei drosglwyddo i'r cenedlaethau a ddaw.[3]

Dyma gri o'r galon oedd yn crisialu safbwynt nifer cynyddol o ieuenctid gwladgarol. Cafodd Arfon Gwilym gefnogaeth barod gan Arfon Wyn a Huw Roberts:

Roedd yn hen bryd i rywun grisialu'r ofnau ynglŷn â dyfodol canu gwerin Cymru! Bu'n or-barchus ers blynyddoedd yn yr ystyr ffurfiol a sidêt a bu'r wefr o ganu gwerin ar yr aelwyd (fel a geir yn Llydaw ac Iwerddon) ar goll. Ble aeth hwyl a sbort gwerinol rhai fel Parti Tai'r Felin a.y.b. yn y nosweithiau llawen go iawn gynt?

Wrth ganu 'Migldi Magldi' a 'Robin yn Swil' yn yr un dull ag y cenir y Meseia neu fel canu opera glasurol mae perygl mawr i'r eisteddfodau ladd y gwir ganu gwerin anffurfiol sy'n grefftus ac eto'n llawn asbri a gwefr newydd-deb. Wrth or-gysoni'r alawon fe gollir yr amrywiaeth a gyfyd o ardal i ardal. Ac er fod rhoi'r alawon ar bapur, megis, yn help i'w cadw, traddodiad llafar yw'r traddodiad gwerin yn y bôn a pheidiwn ag anghofio hynny!

Bu ysbryd cystadleuol ymgecrus yr eisteddfodau yn fwrn yng Nghymru ymhob maes ac yn fwy o rwystr i wir ganu gwerin nag o help.[4]

Y prawf pennaf o ymryddhau'r canu gwerin o'r rhigol steddfodol oedd brawd a chwaer a chyfaill, Roy a Linda Griffiths a John Gittins o ardal Meifod yn Sir Drefaldwyn. Yr hyn a oedd yn rhyfeddol am y fro ger y ffin â Lloegr, lle roedd y mwyafrif o'r trigolion yn fwy tebygol o fasnachu a chymdeithasu yn y trefi Seisnig, oedd bod yna ruddin cryf o Gymreictod wedi goroesi. Gwelid hynny yn y Canu Plygain blynyddol adeg y Nadolig. Doedd cystadlu a beirniadu ddim yn rhan o'r traddodiad wrth i Bartïon Perthyfelin, Gad a Bronheulog ei morio hi wrth gyflwyno'r hen garolau yn ddigyfeiliant yn y capeli a'r eglwysi. Doedd 'canwrs' y plygain ddim yn gantorion yn yr ystyr eu bod yn aelodau o gorau meibion neu'n unawdwyr mewn cyngherddau. Yn wir, tu hwnt i'r ddefod flynyddol, prin y clywid rhai ohonynt yn canu'r un nodyn trwy'r flwyddyn. Parhau traddodiad teuluol oedden nhw a hwnnw'n draddodiad unigryw. Roedd y traddodiad hwn yn rhan o gefndir y triawd a doedd hi ddim yn gyd-ddigwyddiad fod a wnelo Elfed Lewys â ffurfio'r grŵp Plethyn.

Sylwodd Elfed ar lais arbennig Linda pan oedd yn ei harddegau cynnar wrth iddo'i hudo i gymryd rhan yng ngweithgareddau Aelwyd Penllys. Fe'i trwythodd ym meddylfryd y traddodiad gwerin gan ei gwarchod rhag meithrin yr ystumiau 'steddfodol hynny sydd wedi sarnu anian cymaint o unigolion. Bron ei bod yn fater o drefn naturiol, megis nos yn dilyn dydd, i ffurfio grŵp maes o law. Llwyddai asio lleisiol y tri – yn enwedig llais dwfn Jac Gittins, y cymydog prin ei Gymraeg – i swyno cynulleidfaoedd fel nad oedd prin angen yr un offeryn yn gyfeiliant. Tra oedd yn y brifysgol yn Aberystwyth, daeth Linda ar draws cyfansoddwyr a beirdd megis Myrddin ap Dafydd a welai'r potensial i greu caneuon gwerin cyfoes. Beth petai Linda heb fynd i Aberystwyth? A fyddai'r llais wedi distewi a'r ddawn wedi ei chadw dan lestr? Hwyrach na fyddai Plethyn wedi torri record hyd yn oed.

Roedd cyhoeddi record gyntaf Plethyn, *Blas y Pridd* (Sain C745) yn ystod haf 1979 yn ddigwyddiad o bwys. Yn sicr, roedd yn gwbl rydd o 'ddylanwadau gwag Eingl-Americanaidd'. Ceisiodd Dulais Rhys ddadansoddi apêl Plethyn fel lladmeryddion gwir ganu gwerin:

Erbyn heddiw, go brin y gellid dweud fod yna'r un llongwr yn canu wrth godi angor, neu fod gan was ffarm yr amser i ganu wrth yrru ei wartheg. Ond beth ddaeth i ddisodli'r traddodiad hwn? Os yw'r llongwr neu'r gwas yn teimlo awydd i ganu wrth lafurio, yna prin y bydd yn canu cân werin o'i galon, fel yr arferid erstalwm. Na... yr arfer yn awr, ysywaeth, yw atgynhyrchu'n lleisiol y deunydd diweddaraf sy'n cael ei wthio ar y clustiau ddydd a nos gan yr holl sianelau radio a theledu, ynghyd wrth gwrs, â'r ddisg blastig! Gyda'r holl ffynonellau hyn o gerddoriaeth parod ond lled bys i ffwrdd, yna pa reidrwydd sydd ar i'r llongwr neu'r gwas greu ei gerddoriaeth werin ei hun wrth lafurio?

Yn wyneb y fath sefyllfa, mae'n wyrthiol fod ein traddodiad gwerin wedi goroesi o gwbl. Eto, fel y dywedwyd yn barod, sefyllfa artiffisial yw hi, gyda llai o bobl yn arfer y grefft yn y modd naturiol-draddodiadol, a mwy a mwy o arbenigwyr ar y maes yn dod i'r amlwg e.e. Dr Meredydd Evans a'i wraig Phyllis Kinney. Eto, er gwaethaf hyn, mae diddordeb pobl mewn *clywed* canu gwerin wedi cynyddu'n aruthrol; ac yn ardal Llanfyllin, gellid clywed o hyd un o'r hen draddodiadau – canu'r plygain – yn cael ei arfer yn y modd gwerinaidd. Yno o leiaf, canu cynhenid a geir ac nid canu er mwyn plesio cynulleidfa.

O'r un ardal y daw'r grŵp Plethyn, grŵp gwerin y flwyddyn ym marn nifer fawr o ddilynwyr canu gwerin. Ond beth sy'n ei wneud yn grŵp *mor* boblogaidd? Credaf y gorwedd yr ateb yn y gair *symlrwydd*.[5]

Syniodd Angharad Tomos hithau bod yna rywbeth arbennig gan Plethyn i'w gynnig ar ôl gwrando ar y record, *Blas y Pridd*. Wrth dafoli rhinweddau'r grŵp manteisiodd ar y cyfle i golbio'r Eisteddfod a Geraint Jarman:

> Pryd glywsom ni ganu tebyg i hwn yn y byd adloniant Cymraeg ddwytha? Mae o'n gynhyrfus newydd tra eto'n oesol hen-ffasiwn. Gellid ei gymharu â sŵn Ac Eraill (mae'r gân gyntaf yn debyg i 'Catraeth' a 'Beca') neu ganu gwerin Mynediad am Ddim. Er yr adfywiad diweddar mewn canu gwerin ni allwn lai na theimlo pan glywn ef mai rhyw ddynwarediad ydoedd o rywbeth a gollasom fel cenedl, ac mai rhyw rygnu 'mlaen yr oeddem i gadw traddodiad. Ond wedi gwrando ar record gyntaf Plethyn rhaid imi dynnu 'ngeiriau 'nôl. Dyma ganu gwerin mewn gwirionedd...
>
> Pam atal eich hun rhag ymuno yn y gytgan a chanu'i hochor hi? Achos rhyw naws fel'na sydd i'r record. Awyrgylch sgubor, brethyn, cawl a chwrw; lodesi lês a bechgyn mewn byclau yn dawnsio ar Galan Mai. Rhyfedd meddwl y gellir crynhoi talp o'r gorffennol mor fyw ar ddarn o feinyl du gyda chymorth *hi-fi*!
>
> Gwn yn awr beth a olygir gan y cwmnïau masnach mawr pan ddywedant *you can fake the real thing*. Roedd o'n brofiad diflas iawn unwaith cael fy nghyfareddu mewn Gŵyl Geltaidd gan ŵr ifanc yn canu yn y Gernyweg, ac yna canfod mai myfyriwr o Brifysgol Lerpwl ydoedd yn gwneud ymchwil i ieithoedd lleiafrifol, ac mai wedi dysgu Cernyweg fel hobi yr oedd. Profiad yr un mor ddiflas yw gwrando ar gystadleuaeth canu gwerin mewn Steddfod ac un

ymgeisydd ar ôl y llall yn canu mor berffaith ac undonog â chanwr opera. Ond gyda Plethyn cawn flasu'r *real thing*.

Dysgodd y rhain y gyfrinach o wneud i broffesiynoldeb ymddangos fel petaent newydd ymuno â'i gilydd i roi pwt o gân ar fyr rybudd – a hynny er mwyn difyrru. Mae eu hanffurfioldeb yn c'nesu'r galon ac ambell chwerthiniad slei yn cryfhau'r agosatrwydd. Ni all un lai na theimlo eu bod wrth eu bodd yn canu, ac rydym ninnau o'r herwydd wrth ein bodd yn gwrando. Yr un ddawn o drosglwyddo hapusrwydd sy'n denu cynulleidfaoedd Dafydd Iwan a Mynediad am Ddim...

Braf yw clywed Cymraeg rhywiog ac acen Maldwyn. Mae naturioldeb y cantorion gwlad hyn fel chwa o awel iach o'i gymharu â slicrwydd soffistigedig ffefrynnau'r BBC. Mi fydda i'n amau'n gryf gyda chanu fel sydd ar *Hen Wlad Fy Nhadau* (y record nid yr anthem!) beth fydd pen draw nihiliaeth abswrd. Roeddwn i felly yn falch, o glywed record Plethyn, fod rhywbeth mor draddodiadol yn gallu bod mor ddifyr. Ac nid gwrando er mwyn cadw'r traddodiad fydd pobl, ond gwrando er mwyn pleser. Dyna sy'n profi eu llwyddiant.[6]

Penderfynodd Bethan Miles hithau bod *Blas y Pridd* yn record i'w chymryd o ddifrif. 'Mae'n hen bryd,' meddai, 'i gael record o ganu gwerin Cymraeg a hwnnw'n ffres a diymhongar ac yn wir ddeillio o bridd Cymraeg yn hytrach nag o bridd Llydewig neu Wyddelig.'[7] Mewn adolygiad hynod dechnegol yn tynnu sylw at fân feiau'r cynhyrchiad fe bwysleisiodd y rhinweddau amlycaf a berthynai i Plethyn:

Cryfder Plethyn yw eu lleisiau – yn enwedig llais Linda sydd â naws arbennig iddo ac, mewn gwirionedd, yn cynnal y lleill. Mae'r tri llais yn cydweddu a'r geirio yn groyw. Yn bersonol buaswn yn hoffi pe baent wedi cynnwys mwy o ganeuon digyfeiliant...'[8]

Yn 1980, denodd ail record y grŵp, *Golau Tan Gwmwl* (Sain C788), ganmoliaeth un o ymddiddorwyr penna'r byd canu gwerin, Shân Emlyn. Gosododd ei bys ar fawredd y triawd:

Wyddoch chi, mae 'na leisiau da ond prinnach na hynny ydy'r lleisiau da sydd â'r rhywbeth annelwig hwnnw na all neb ddweud beth yw, sy'n gwneud llais da yn arbennig a rhyw swyn anesboniadwy yn perthyn iddo. I'r categori hwn y perthyn lleisiau Plethyn – tri llais da, ond cyfuniad o'r tri yn creu y rhywbeth hwnnw y gellwch ei adnabod wrth wrando arno ond na ellwch roi'ch bys a nodi pam y mae mor heintus o swynol...

Rhagoriaeth record ddiweddara Plethyn yw'r cyfuniad godidog
sydd arni o'r hen a'r newydd. Ceir yma alawon traddodiadol, baledi
a phum cân newydd. Yr hyn sy'n cysoni'r hen a'r newydd yw bod yr
alawon newydd â chymaint o dinc Cymraeg iddynt. Mae'r pum cân
newydd yn ymdrin â'r hyn sy'n blino llawer ohonom yng Nghymru
heddiw. Ymdrinnir â'r pethau sylfaenol fel serch yn ogystal â'r
ymgyrch yn erbyn rhyfel, llygru ac ynni niwclear a sêl dros yr iaith.
Mae'r record hon yn llwyddo'n ardderchog i roi inni ddarlun o
Gymru ddoe a heddiw. Calondid mawr i mi ydy bod yr hyn a fu yn
cael ei ddiogelu. Iachach hyd yn oed na hynny ydy'r ffaith bod
gennym bobol ifanc sy'n cynnal y traddodiad trwy ofalu bod Cymru
ddoe ar gof a chadw, ac yn cofnodi Cymru heddiw i Gymru yfory.[9]

Yr un oedd cenhadaeth Cilmeri o ymestyn y traddodiad a thorri'n
rhydd o'r hualau eisteddfodol; canu'r hen geinciau er difyrrwch a hwyl
ac nid er mwyn gwobr a chlod. Yr aelodau cynnar oedd Huw Roberts,
Ywain Myfyr, Dilwyn Griffiths, Elwyn Rowlands, Tudur Huws Jones
a Robin Llwyd Owain. Heuwyd yr egin pan oedd Tudur, Huw ac Ywain
yn fyfyrwyr yng Ngholeg y Drindod, Caerfyrddin. Gadawodd Robin a
Dilwyn a daeth Gwenan Griffiths yn aelod. Cyhoeddwyd record *Cilmeri*
(Sain C768) yng ngwanwyn 1980. Cafwyd clamp o adolygiad gan Arfon
Gwilym. Roedd datgeinydd 'Marged Fwyn Ferch Ifan' yn dal ar gefn
ei geffyl o ran seinio clodydd yr adfywiad gwerin. Doedd y ffaith fod
aelodau Ar Log wedi gwadu bod yna'r ffasiwn beth ag adfywiad yn
mennu dim arno. Yn wir, os rhywbeth, rhoes swadan i'r grŵp
proffesiynol wrth ganmol artistri ac ymrwymiad Cilmeri:

Grŵp offerynnol yw Cilmeri yn bennaf – ac felly y dylai barhau yn
fy marn i, nid yn unig am mai yn y darnau offerynnol y mae'r grŵp
ar ei orau ond oherwydd ei fod yn newid mor dderbyniol o'r canu y
bu Cymru mor gyforiog ohono cyhyd. Nid lladd ar gantorion yw
dweud hynny, dim ond nodi'r diffyg cydbwysedd llethol, o blaid
canu ac yn erbyn offerynnau, sydd wedi datblygu yng Nghymru ym
maes alawon gwerin, yn enwedig o gymharu â gwledydd Celtaidd
fel Iwerddon a'r Alban, dyweder.
   Nid felly y bu erioed wrth gwrs – ni fyddai raid ichi fynd yn ôl
ymhellach na hanner can mlynedd i ddarganfod ffidlwr gwerin, er
enghraifft, ym mhob pentref...[10]

Ar ôl nodi bod dwy record *Clwt y Ddawns*, a gyhoeddwyd ddwy flynedd
ynghynt, 'yn farwaidd a sidêt', aeth rhagddo i ganmol y record hon.

Ond ni allai ymatal rhag beirniadu'r datgeinydd:

> Mae'r sŵn a gynhyrchir ganddynt yn llawnach na'r un grŵp gwerin
> Cymraeg arall – mae hynny i'w ddisgwyl wrth gwrs gyda chwech
> offerynnwr – ac yn nes at ddisgleirdeb rhai o'r grwpiau Gwyddelig/
> Albanaidd na dim a glywyd yng Nghymru hyd yn hyn. Braf yw
> gweld atgyfodi rhai o hen ganeuon cewri megis Bob Roberts a John
> Thomas yn ogystal â chantorion llai adnabyddus fel Ben Phillips.
> Dyma'r ffordd i'w cadw yn fyw.
>   Mae gan Robin daran o lais; hawdd yw ei ddychmygu yn ei elfen
> yn canu baledi ar gornel stryd mewn rhyw ffair neu'i gilydd. Ond a
> gaf i awgrymu'n garedig wrth Robin y gallai wella'i berfformiad
> gryn dipyn drwy ffrwyno ychydig a pheidio canu mor ymosodol?[11]

Ond doedd y cynulleidfaoedd ddim bob amser yn ymddwyn yn deilwng nac yn werthfawrogol. Yn ôl Howard Huws, doedd y gynulleidfa yng Ngwesty'r Fictoria, Llanberis, ychydig cyn y Nadolig y flwyddyn honno, damed gwell na chriw o fwncïod:

> ...teimlais i'r byw dros grŵp oedd 'di strachu ac ymarfer er mwyn
> cyflwyno perfformiad graenus, ac yna'n gorfod canu o flaen
> etifeddion y traddodiadau – 70 o gyn-denantiaid sw Caer. Dim
> rhyfedd fod Cilmeri wedi cael llond bol o'r diawlad erbyn diwedd y
> rhan gynta; roedd angan gras sant i 'matal rhag estyn lempan i'r
> agosa at y meicroffon. Arwydd o anaeddfedrwydd y Cymry parthed
> eu canu gwerin adfywiedig yw hyn, cynulleidfa anwybodus o bobol
> sy'n methu dal eu diod.
>   Ar adegau fel hyn, a ydi'n werth i grwpiau gyboli o gwbl?
> Bydda'n haws cael gwrandawiad y tu allan i Gymru, ac anghofio 'Y
> Deryn Pur', 'Yr Hogan Goch' a chynulleidfa sy'n llithro ar eu boliau
> lysh i'r gornel dywyll agosa.[12]

A doedd cri'r 'adfywiad gwerin' ddim yn taro tant gan bawb. Cyndyn oedd yr unig grŵp gwerin Cymraeg proffesiynol i dderbyn cenadwri Arfon Gwilym. Ar derfyn y degawd roedd Ar Log yn hysbysebu am ddau aelod newydd i ymuno â nhw ar eu teithiau dramor ond siomedig oedd yr ymateb. O ganlyniad, doedd Gwyndaf Roberts ddim yn medru rhoi coel i'r honiad o 'fywyd newydd' yn sgubo trwy'r wlad:

> Mae hyn yn gwneud i mi feddwl mai rhyw adfywiad gwan hanner
> nerth yw'r dadeni 'honedig' yn ein canu gwerin wedi'r cwbl. Rhyw

adfywiad 'nos Wener a nos Sadwrn' ydyw. O ddydd Llun hyd ddydd Gwener rhaid yw sicrhau'r cyflog rheolaidd saff. Yna troi'n grŵp poblogaidd dros y Sul fel rhyw Sinderela.

Does dim rheswm yn y byd pam na allai Plethyn fynd yn llawn amser; gwn o brofiad am eu poblogrwydd yn Llydaw ac yng nghlybiau gwerin Lloegr. Gallant sefyll ochr yn ochr ag unrhyw grŵp harmoni proffesiynol y tu allan i Gymru. Gellir dweud yr un peth am ddyfodol y grŵp Cilmeri... Yn sicr, roedd Gŵyl Werin Dolgellau yn gychwyn perffaith i'r adfywiad *a all ddigwydd* – petai pawb yn peidio â byw o dan fwced, hynny yw.[13]

Ond nid pawb a gytunai y dylai'r grwpiau fentro yn llawn amser. Wrth ysgrifennu yng nghylchgrawn mudiad Adfer doedd 'Wil' ddim yn gwerthfawrogi ymdrechion y grŵp Ar Log:

Yr afiechyd pennaf sy'n poeni ein cantorion pop a'n cantorion ffug-werinol fel Ar Log yw'r syniad cyfeiliornus fod rhaid troi'n broffesiynol yn 'llawn amser'. Aeth Ar Log mor broffesiynol nes prisio eu hunain allan o gyrraedd ein neuaddau pentref. Pam raid i'r canwr gwerin fod yn wahanol i'r bardd neu'r adroddwr digri neu'r actorion iach sydd gyda ni yng Nghymru?

Onid er mwyn pleser o ganu o flaen eu pobol eu hunain, er mwyn rhoi yn ôl rywbeth i'r gymdeithas a'u maethodd y dylai nod ein cantorion fod? Nid canu er mwyn arian yn Llydaw a Lloegr ac Iwerddon a'r Alban. Taer obeithiaf na fydd i Plethyn droi'n broffesiynol – y dydd y gwnânt hynny byddant wedi peidio â bod yn gantorion gwerin, ac wedi ymuno â'r giwed afiach o ddiddanwyr proffesiynol yng Nghymru nad ydynt yn codi bys bach i gynnal y bywyd gwerin a'u creodd.[14]

Doedd Dafydd Roberts ddim yn mynd i golli'r cyfle i daro'n ôl, gan gyfeirio at yr un bwced ag oedd gan ei frawd, Gwyndaf, mewn golwg ynghynt:

Mae'n rhaid gen i fod y boi yn byw â'i ben dan fwced. Os ydi o'n barod i dalu fy morgais ac yn barod i dalu am fy mwydo a'm dilladu mi fuaswn i'n barod i berfformio yng Nghymru bob nos o'r flwyddyn er ei fwyn. Ac mae'n siŵr nad yw wedi clywed am y telynor Blondel a arferai, fel nifer o delynorion Cymru, groesi'r moroedd i ddifyrru.

Blondel oedd y gŵr adeg Rhyfeloedd y Crwsâd a ddaeth o hyd i'r Brenin Richard yr Ail, a garcharwyd gan Duc Leopold, drwy chwarae'r alaw Gymreig 'Pêr Alaw'. 'Sweet Richard' yw ei henw

Saesneg erbyn hyn ond alaw Gymreig Blondel yw hi. Mae 'na
draddodiad hir o deithio i ddifyrru. Does dim yn newydd yn yr hyn
mae Ar Log yn ei wneud.[15]

Yn wir, doedd Arfon Gwilym ddim yn cyfeiliorni yn yr ystyr ei fod
yn canmol i'r cymylau pob dim oedd ag arlliw o'r gwerin yn perthyn
iddo. Roedd traed y gŵr o Ryd-y-main yn solet ar y ddaear a pharod
oedd i estyn gair o rybudd pan nad oedd ambell elfen yn gydnaws â'r
traddodiad gwerin. Cyhoeddodd Pererin, grŵp yr oedd Arfon Wyn yn
aelod ohono, record ar label Gwerin gan ddefnyddio amrywiaeth o
offerynnau trydanol. Yn ôl Arfon Gwilym, roedd 'Pererin yn dipyn o
bopeth – ambell waith yn draddodiadol o ran cynnwys ac arddull ond
yn gwbl anhraddodiadol (os oes y fath air) ac anwerinol dro arall'. Ac
eto wrth sôn am berygl gordrefnu a gor-addurno, credai y gallai
'cymhlethdod y cyfeiliant weithiau dynnu gormod o sylw oddi wrth y
gân sydd yn ei hanfod yn syml. Bryd hynny aiff y cyfeiliant yn nod
ynddo'i hun yn hytrach nag yn gefndir'.[16]

Doedd record arall a gyhoeddwyd ar label Gwerin ddwy flynedd
ynghynt ddim wedi ei blesio chwaith. Er bod aelodau'r grŵp Carraig
Aonair yn hanu o ardal Llanelli, dim ond dwy o'r tair alaw ar ddeg a
recordiwyd oedd yn alawon Cymreig. Roedd nifer o'r aelodau wedi
astudio canu gwerin o safbwynt academaidd yn hytrach na'u bod yn
deillio o ganol y traddodiad. Diau bod hynny yn ogystal â'r enw
Gwyddelig, er yr amrywiaeth ystod, yn taro'n chwithig. Er iddo ganmol
eu triniaethau a'u galluoedd offerynnol roedd Arfon yn amau eu
hymrwymiad sylfaenol:

At gynulleidfa Geltaidd y maent yn anelu yn hytrach nag un
Gymreig fel y cyfryw, ond rwy'n siŵr y byddai'n haws i ni glosio
atynt petaent yn creu delwedd fwy Cymreig. Wedi'r cwbl mae yna
fwlch aruthrol yn y maes yma yng Nghymru, bwlch sydd wedi ei
lenwi'n bur helaeth eisoes yn y gwledydd Celtaidd eraill.[17]

Er bod record grŵp o'r enw Cromlech yn yr un cywair a'r aelodau
yn hanu o'r un ardal, roedd cyfanwaith y record yn fwy at ei ddant.
Nodwedd arbennig y record oedd meistrolaeth Tommy Jenkins o'r
crymgorn, sef fersiwn gwahanol o'r pibgorn yn creu sŵn nad oedd

cweit mor gras â'r bombard Llydewig:

> Dywedir mai bwriad y grŵp yw cynhyrchu swn nodweddiadol
> Gymreig, yn hytrach na cheisio efelychu offerynnau a grwpiau
> Gwyddelig a Llydewig. Rhaid canmol y grŵp am anelu at hynny yn
> y lle cyntaf a'u canmol ymhellach am *gyflawni* hynny, yn fy marn i,
> yn dra llwyddiannus.[18]

Ond wrth i'r canu gwerin fagu cwils ar ddechrau'r 80au roedd
Arfon Gwilym yn feirniadol o arddull yr Hwntws. Roedd y lleisio'n
rhy gras a chaled wrth ei fodd ac yn 'ymylu ar fod yn grawcian ar
brydiau'. Gregg Lynn, prif leisydd y grŵp roc Shwn, oedd prif leisydd
Yr Hwntws. Canolbwyntiai'r criw o'r de-ddwyrain ar draddodiad
gwerin eu hardaloedd gan atgyfodi nifer o hen alawon a chaneuon.
Ond credai Arfon Gwilym fod ansawdd lleisiau Gregg a'i gyd-leisydd
Jethro Newton yn rhy Wyddelig ac felly'n estron i'r traddodiad
Cymraeg. Ond wrth adolygu record hir y grŵp ar label Loco yn *Sgrech*
roedd Steve Eaves am achub cam y gwŷr o Went:

> I'm tyb i mae lleisiau Gregg Lynn a Jethro Newton yn asio'n dda
> efo'i gilydd, ac yn cyfleu naws briddlyd werinol y caneuon. Dyna a
> glywir ar 'Triban Serch', 'Cân yr Ysbrydion', 'Bachgen Bach o
> Dincer', 'Y Ddiod' a 'Cas Bethau'. Hoffaf hefyd lais unawdol Gregg
> Lynn ar 'Ffarwél i Langyfelach Lon', cân sy'n cyfleu oferedd ac
> angerdd rhyfel; a cheir cytgord effeithiol iawn gan ei lais o a'r ffidil
> ar bennill cyntaf 'Cwd Cardotyn'.

At hynny heriodd safbwynt Arfon bod modd deddfu beth sy'n
'dderbyniol' ac yn 'annerbyniol', yn 'Gymreig' ac yn 'anghymreig' o
ran canu gwerin:

> ...rhyw feddwl ydw i nad peth estron o gwbl mo'r dull hwn o leisio
> i'r ardaloedd a esgorodd ar y caneuon hyn. Dylid cofio bod y
> mwyafrif o ganeuon Yr Hwntws yn perthyn i flynyddoedd cynnar y
> ganrif ddiwethaf, cyfnod o newidiadau cymdeithasol enbyd yn Ne
> Cymru, pan oedd y werin yn prysur droi'n broletariat. Ar un adeg,
> wrth i remp y Chwyldro Diwydiannol gyrraedd ei anterth, roedd
> gan Ferthyr Tudful fwy o boblogaeth na Llundain hyd yn oed, a'r
> rheiny'n fewnfudwyr yn bennaf, yn Wyddelod, yn Saeson, yn
> Albanwyr, ac yn Gymry o bob cwr. O wrando ar y record hon, cawn
> ambell i gipolwg ar wead lliwgar a chymysg y gymdeithas
> Ddeheuol, ei chrwydriaid a'i thinceriaid, ei thafarnau garw a'i

chrefftwyr gwerinol, dawnsiau ei gwreng a'i bonedd, a'i chymeriadau hynod hi.

Mae'n ddigon amlwg, felly, fod canu gwerin y rhan hon o Gymru yn wahanol ar sawl ystyr i draddodiad yr ardaloedd mwy Cymraeg a gwledig i'r Gogledd, lle arhosai'r boblogaeth yn fwy sefydlog. Credaf fod Yr Hwntws wedi llwyddo i gyfleu'r 'ar-wahanrwydd' hwn trwy gynnig trefniannau go gymysg eu dylanwadau cerddorol, a thrwy gadw rhyw naws amrwd yn eu dull o leisio.[19]

Parhau i dreulio'r rhan helaethaf o'u hamser yn perfformio y tu hwnt i Gymru a wnâi Ar Log ond yn 1982, cryfhawyd y cwlwm Cymreig wrth i'r grŵp gychwyn partneriaeth o berfformio gyda Dafydd Iwan. Trefnwyd taith ar y cyd o dan y teitl *Taith 700* ac yna *Taith Macsen* y flwyddyn ddilynol. Bu'r ddwy yn llwyddiannau ysgubol wrth i Dafydd ddefnyddio themâu hanesyddol penodol i ddwysbigo cynulleidfaoedd, ac wrth i gerddorion Ar Log gyfoethogi a gosod sglein ar ei gyflwyniadau. Erbyn hyn, roedd Iolo Jones a Dave Burns wedi gadael a Graham Pritchard a Geraint Glynne wedi ymuno yn eu lle. Yn wir, erbyn recordio *Rhwng Hwyl a Thaith* (Sain C852) gyda Dafydd ym mis Ebrill 1982, roedd Graham wedi gadael a Stephen Rees wedi ymuno yn ei le.

Doedd gan Graham na Stephen feistri ffidil Cymreig i'w hefelychu. Derbyn hyfforddiant clasurol fu hanes y ddau a cheisio addasu hynny ar gyfer gofynion chwarae jigs a rils. Roedd Stephen yn gerddor amryddawn a'r un mor fedrus wrth chwarae'r acordion, yr allweddellau a'r pibau. Er iddo gyfeilio ar yr acordion ar gyfer grwpiau dawns yn ardal Rhydaman, cyfaddefa mai oddi allan i Gymru y derbyniodd ei hyfforddiant pennaf o ran canu gwerin a chwarae'r ffidil. Bu'n dilyn cwrs canu ffidil yn yr Alban:

> Yng Nghymru ti'n cael pobl sy wedi cael eu dylanwadu gan ffidlwyr o Iwerddon. Ond y traddodiad Albanaidd, sy'n wahanol, sy wedi dylanwadu fwya arna i. Rwy'n hoffi'r traddodiad Albanaidd yn fawr iawn. Nid ei fod e'n well na'r traddodiad Gwyddelig, ond mae e'n wahanol. Mae 'na nifer o bethau amdano fe – delweddau, ac agweddau tuag at y chware sydd eto'n wahanol i Iwerddon. Mae e'n rhoi rhyw amrywiaeth i ti. Wedi'r cyfan dyw popeth ddim yn gorfod swnio fel y traddodiad Gwyddelig.[20]

Mewn gwirionedd, roedd y cysylltiad gyda Dafydd Iwan wedi rhoi bywyd newydd i yrfaoedd Ar Log a Dafydd. Doedd yna ddim seddi gwag yn yr un o'r cyngherddau a daeth 'Cerddwn Ymlaen' ac 'Yma o Hyd' yn anthemau newydd i ddathlu Cymreictod. Dechreuodd trefnwyr cyngherddau ofyn am eu presenoldeb ar y cyd yn hytrach nag ar wahân, cymaint oedd yr argraff a grëwyd. Fe fu'r cydweithio yn drobwynt mewn gyrfa a oedd yn dechrau simsanu os nad yn suro o ran Dafydd:

> Yn sicr, fe wnaeth caneuon fel 'Yma o Hyd' a 'Cerddwn Ymlaen' droi at gyfeiriadau mwy positif yn hytrach na hiraethu am yr hyn a fu a phrotestio dros yr hyn allai fod. Daeth nodyn mwy hyderus i 'nghanu i – 'Dan ni wedi'i gwneud hi, dan ni wedi goroesi, dan ni yma o hyd, dan ni'n mynd i gerdded ymlaen'. Hynny yw, roedd y themâu gorfoleddus, hyderus yma, yn rhan o'r ddwy daith ac yn rhan o'r gerddoriaeth. Dwi'n meddwl iddo fod yn gyfnod cyffrous ac allweddol yn natblygiad canu gwerin. Fe wnaeth e olygu cyfuniad o ganeuon traddodiadol a rhai newydd, offerynnau traddodiadol a rhai modern yn ogystal ag offer sain a goleuo da, cynhyrchu sylfaenol a chyhoeddusrwydd effeithiol. Ar ben hynny, petaen ni wedi dechrau'n gynharach rwy'n teimlo y basen ni wedi medru gwneud mwy yn rhyngwladol hefyd. [21]

Ond doedd y berthynas ddim i'w ieuo'n barhaol. Ar ôl wyth mlynedd o deithio roedd Dafydd a Gwyndaf Roberts yn awyddus i fwynhau ychydig o fywyd teuluol sefydlog. Y brodyr oedd asgwrn cefn y grŵp ac wedi cynnal safon o broffesiynoldeb a threfn dros y blynyddoedd. Hwyrach bod yna elfen o ddiflastod hefyd o deithio i'r un mangreoedd dro ar ôl tro a theimlad ar adegau mai jobyn o waith oedd y perfformio wedi'r cwbl. Ond roedd llawer wedi'i gyflawni. Ymwelwyd â Chanada ac America a hynny nid i berfformio gerbron cynulleidfaoedd o Gymry alltud ond gerbron cynulleidfaoedd a oedd yn ymddiddori mewn canu gwerin. Cyhoeddwyd tair record hir yn brawf fod yna'r fath beth â cherddoriaeth a chanu gwerin Cymreig a oedd yn dal i ddatblygu er gwaethaf cyfnod hir o fod dan warchae.

Cilmeri, o ardal Dolgellau – Gwenan Griffiths, Huw Roberts,
Robin Llwyd ab Owain, Elwyn Rowlands, Ywain Myfyr, a Tudur
Huws Jones.

Plethyn – John Gittins, Linda a Roy Griffiths.

24 / 'Ie, Ie, Dros Gymru'

Cynrychiolai naws ddi-hid y gân 'Ie, Ie, Dros Gymru' ymateb carfan o ieuenctid tuag at ganlyniad refferendwm datganoli Dydd Gŵyl Dewi 1979. Rhoddwyd y cyfle i boblogaeth Cymru bleidleisio dros neu yn erbyn mesur o ymreolaeth i'r genedl. Bu i'r mwyafrif llethol o ieuenctid oedd yn ymwneud â'r sîn adloniant Cymraeg bleidleisio 'Ie'. Gwrthod y cynnig a wnaed yn y blwch pleidleisio o fwyafrif sylweddol. Yn ôl llawer o'r rhai fu'n ymgyrchu'n frwd o blaid, gan gredu mai dyma fyddai gwaredigaeth y genedl, roedd y gwrthodiad yn gyfystyr â hoelen olaf yn arch Cymreictod. Ond doedd dim chwerwder, dicter na surni i'w deimlo yng ngeiriau cân Iwan Edgar; yn hytrach teimlir dihidrwydd sydd y tu hwnt i siom gyda'r awgrym mai putain yw'r hen genedl nad yw'n werth y drafferth o'i chystwyo na'i dwrdio. Rhagoriaeth cyflwyniad jycôs Bando oedd ansawdd y gerddoriaeth.

Un arall o'r grwpiau a gododd o ffenics Injaroc oedd Bando. Caryl Parry Jones oedd wrth y llyw fel y prif leisydd. Nid y lleiaf o'r dylanwadau ar gyfeiriad cerddorol y grŵp oedd Myfyr Isaac gyda'i brofiad, ei ddisgyblaeth a'i awydd i wthio'r ffiniau i'r eithaf. Roedd Simon Tassano yn gyrru'r drol pan oedd y grŵp yn treulio'r nosau ar eu hyd yn recordio yn stiwdio Sain. Grŵp Caerdydd oedd Bando. Wrthi'n ceisio meistroli'r Gymraeg oedd Martin Sage a Steve Sardar ond roedd llond pen o'r iaith gan Rhys Ifans, Gareth Tomos a Huw Owen. Gellid disgrifio'r tri fel 'ffoaduriaid' a fu'n aelodau o grwpiau megis Josgin, Hergest a Shwn. Roedd gan y ddau arall brofiad helaeth o chwarae gyda grwpiau di-Gymraeg. Roedd Richard Dunn hefyd yn cynorthwyo.

Ar gerddoriaeth y rhoddwyd y pwyslais. Dangoswyd awydd i gefnu ar yr hen rigolau a daeth ffwnc a bwgi i'r amlwg. Doedd Bando ddim yn cynnig ymateb gwleidyddol agored i ddigwyddiadau'r cyfnod – posibiliadau cerddoriaeth oedd yn eu cynnal. Er hynny, doedd y grŵp ddim yn anwybyddu digwyddiadau'r dydd. Cyfeirio at yr ymgyrch llosgi tai haf wnâi'r gân 'Dau Lyfr'. Llosgwyd y 'tŷ haf' cyntaf ym mis Rhagfyr 1979 ac fe losgwyd 30 arall cyn diwedd y gaeaf. Yn ôl rhai, roedd yr ymgyrch yn arwydd o rwystredigaeth yn dilyn methiant yr ymgyrch datganoli. Roedd y gân a roes deitl i'r record *Yr Hwyl ar y Mastiau* (Sain C798) yn cyfeirio at yr ymgyrch i sefydlu sianel deledu Gymraeg. William Whitelaw, Gweinidog y Swyddfa Gartref yn Llundain ar y pryd, oedd 'Wili'r Gyfraithwen' yn y gân. Bu'n rhaid i lywodraeth Dorïaidd Margaret Thatcher ildio ar fater y Bedwaredd Sianel a chyflawni tro pedol o ganlyniad i fygythiad Gwynfor Evans, tad Rhys, un o aelodau'r grŵp, a fu am gyfnod byr yn ŵr i'r prif leisydd, i ymprydio i farwolaeth oni chaniateid sianel i Gymru. Roedd arweinydd Plaid Cymru'n mynnu'r consesiwn er mwyn profi bod gan Gymru o hyd ryw gymaint o hunaniaeth er ei chyplysu â Lloegr o ran ei gweinyddiaeth er 1536.

Hwyrach mai soffistigedig a chyfrwysgall yw'r dull gorau o ddisgrifio ymateb Bando i'r hyn a ystyrid gan rai yn gyflafan. Roedd y grŵp yn ennyn parch a chefnogwyr ar sail eu cerddoriaeth hefyd. Roedd yna ffresni i'w deimlo. Datblygiad digamsyniol i'r cyfeiriad hwnnw oedd y record *Shampŵ* (Sain C825). Cyn pen dim ar ôl ei chyhoeddi barnwyd bod y gân 'Chwarae'n Troi'n Chwerw' yn glasur. Fu'r corau ddim yn hir cyn sylweddoli ei photensial fel rhan o'u *repertoire*. Erbyn hyn, roedd priodas Caryl a Rhys wedi chwalu a'i pherthynas hi â Myfyr wedi ei selio. Fe fu Caryl a Rhys yn gweithio i'r rhaglen deledu i blant yn eu harddegau, *Bilidowcar*, a baratowyd gan y BBC a bu Caryl yn cyflwyno rhaglen roc HTV, *Sêr 2*, eto wedi ei hanelu at gynulleidfa debyg. Yn Noson Wobrwyo flynyddol *Sgrech*, 1980, Caryl oedd enillydd Tlws Cantores Unigol. Cerddor proffesiynol oedd Myfyr, yn cynnig ei ddoniau i'r byd teledu fel trefnydd cerddorol a cherddor sesiwn yn ôl y galw. I gyd-fynd â chyhoeddi'r record fe gynhyrchwyd rhaglen deledu *Shampŵ* yn arddangos doniau'r grŵp yn ogystal â doniau cyfarwyddwyr teledu yn nyddiau cynnar S4C. Ond roedd yna genfigen ac eiddigedd.

Mewn cyfnod pan oedd Cwmni Sain yn barnu bod realiti economaidd yn eu gorfodi i gyfyngu ar amser stiwdio i'r grwpiau roc, roedd rhai o'r farn bod Bando wedi derbyn triniaeth ffafriol, trwy fwynhau penrhyddid o ran oriau stiwdio. At hynny, roedd proffil uchel rhai o'r aelodau o fewn y cyfryngau'n creu cenfigen. Bu'r anniddigrwydd yn stiwio ers tro a hynny'n bennaf yng ngholofn 'Wil a Fi' ar dudalennau *Sgrech*. Doedd y colofnydd cudd ddim yn colli'r un cyfle i lambastio'r 'cyfryngis pop' a phawb a oedd yn byw y tu fas i'r Fro Gymraeg. Daeth y niwrosis i benllanw yn rhifyn Hydref 1981 pan ymosodwyd yn hallt ar Caryl am iddi fod yn ffilmio yn Llundain yn hytrach na pherfformio yn Sarn Mellteyrn fel rhan o'i dyletswyddau cyfryngol. Cythruddwyd Elin ap Hywel i'r fath raddau nes iddi anfon llythyr i'r rhifyn dilynol:

> Pwy ddiawl sy'n sgwennu colofn 'Wil a Fi' yn y cylchgrawn bob mis? Mae agwedd yr awdur ta pwy yw e yn fy ngwylltio i'n gandryll – dwi 'rioed wedi darllen y fath enllib diddychymyg yn fy myw. Nid 'controfersi' yw'r defnydd, ond cenfigen pur yn ôl a wela i... Mae peth o gynnwys colofn mis Hydref yn hollol hiliol, ac yn dangos bychander meddwl pwy bynnag a'i cynhyrchodd. Does dim gwreiddioldeb, dyfeisgarwch na hiwmor yn perthyn i'r peth o gwbl – dim ond niwrosys rhyw gymeriad y creda i sydd ag uchelgais rwystredig ganddo i lenwi sgidie rhai o bobl y cyfryngau a'r wasg mae e'n eu pardduo mor gyntefig.[1]

Erbyn i'r llythyr ymddangos roedd Bando eisoes wedi cyhoeddi na fyddai'n perfformio fyth eto mewn nosweithiau a drefnid gan MACYM (Mudiad Adloniant Cymraeg Ynys Môn) ym Mhlas Coch, Llanedwen, a hynny'n dilyn digwyddiad anffodus yno ar y nos Wener olaf ym mis Hydref. Cofnodwyd yr helynt ar dudalen flaen *Y Cymro*:

> Yn ystod y perfformiad ymosodwyd ar y grŵp yn eiriol gan nifer o aelodau Adfer ac ar ôl y perfformiad taflwyd cwrw ar ben Caryl Evans (Parry Jones gynt) gan un ohonynt gan achosi iddi faglu a chleisio'i choesau. 'Rydw i wedi hen ddiflasu ar gael ein trin fel

hyn,' meddai Caryl. 'Does gen i byth eisiau perfformio yn y gogledd eto.'[2]

Bu'r anniddigrwydd yn mudlosgi ers tro ymhlith cenedlaetholwyr adain dde nad oedden nhw'n hidio am werthfawrogi cerddoriaeth nac ymdrechion i wthio ffiniau peuoedd y Gymraeg. Yn yr un cyfnod, fe ofynnodd grŵp y pendolcwyr, Crys, o Resolfen am sicrwydd gan MACYM y byddai gwarchodwyr yn cael eu cyflogi wrth ymyl y llwyfan cyn y bydden nhw'n cytuno i berfformio eto ym Mhlas Coch. Fe fu'n rhaid i'r efeilliaid Scott a Liam Ford, ac Alun Morgan a Nicky Samuel, ddioddef pedwar o hogiau yn poeri i'w cyfeiriad gydol eu perfformiad yno ddechrau mis Tachwedd yn cyfeiliorni.

Rhaid nodi bod yna wrthdaro chwyrn hefyd rhwng golygydd *Sgrech*, Glyn Tomos, a chynhyrchydd *Sêr 2*, Endaf Emlyn, y naill yn flin am na roddid sylw i'w gylchgrawn ar y rhaglen a'r llall o'r farn nad dyletswydd y rhaglen oedd rhoi sylw i bob rhifyn ohono. Gwyntyllwyd yr helynt ar dudalennau adloniant *Y Cymro* gan ddyfynnu safbwynt Endaf Emlyn yn helaeth. Doedd gan y rociwr fawr o barch tuag at gadeirydd Mudiad Adfer:

> ...[mae wedi ei] ethol ei hun fel rhyw fath o Ayatollah y byd pop Cymraeg. Mae *Sgrech* yn ddirmygus o bopeth – mae o wedi creu drwgdeimlad aruthrol drwy'i erthyglau mewn man lle nad oedd gynt ond cyd-dynnu a harmoni. Ac mae hyn yn drist iawn. Mae *Sgrech* yn gweld fod ganddynt grwsâd i hollti'r gynulleidfa – troi cynulleidfa yn erbyn grwpiau, cerddor yn erbyn cerddor, y de yn erbyn y gogledd.
>
> Edrychai pobl ar rai o'r sylwadau fel tipyn o jôc ar y dechrau ond pan gewch chi artistiaid sy'n ofn mentro wynebu cynulleidfa dydio ddim yn jôc ac rydw i'n gresynu at hynny.
>
> Dydio ddim yn waith i *Sêr* i adolygu *Sgrech* yn rheolaidd. Dydyn ni ddim yn fodlon defnyddio'r rhaglen fel llwyfan i ateb cyhuddiadau di-sail sy'n cael eu cyhoeddi yn *Sgrech* dro ar ôl tro – camddefnyddio'r rhaglen fyddai hynny.[3]

Ymateb Glyn Tomos, yn yr un erthygl, oedd cyfaddef bod 'Colofn Wil a Fi' yn 'creu ychydig o anniddigrwydd' ond ei bod ar y llaw arall yn 'ddiniwed' ac yn 'taro yn erbyn y bobol dosbarth canol gan fwyaf'.

Roedd Dylan Iorwerth wedi synhwyro bod yna anniddigrwydd ym mrig y morwydd ers tro a bod 'Carfan Plas Coch' yn cyfeiliorni drwy gredu mai crynhoi yn y Fro Gymraeg a chanolbwyntio ar gerddoriaeth draddodiadol oedd dyletswydd pawb yn wyneb methiant y refferendwm datganoli:

Pen draw'r peth ydi mai dim ond canu gwerin fyddai gennon ni ar ôl. Canu gwerin ac un neu ddwy o ganeuon gwreiddiol y Pelydrau. Fyddai Dafydd Iwan druan ddim yn cael canu popeth ac mi fyddai'n rhaid i Jarman ganu'n ddigyfeiliant. Pob parch iddo fo, ond dwi ddim yn meddwl y byddai hyd yn oed y Cymry Cymraeg yn dawnsio wedyn.

Y peth sy'n gwneud yr iaith Gymraeg yn anhygoel ydi ei bod hi'n medru addasu i'r datblygiadau diweddara a dal i gadw'i blas ei hun arnyn nhw. Os grŵp Seisnig ydi Bando, yn Saesneg y bydden nhw'n canu. Fel arall, toes 'na ddim sens mewn canu i gynulleidfaoedd bychain Cymraeg pan mae 'na filiynau o Saeson yn aros yn geg agored.

Mae o'n goblyn o fater cymhleth a tydw i ddim am smalio fod gen i ateb. Yr unig beth yr ydw i'n ei wybod ydi mai'r peth pwysig, jyst am yr eiliad yma yn ein hanes ni, ydi fy mod i'n medru sgwennu'r geiriau yma ac fod 'na rywun yn fanna i'w darllen nhw.[4]

Y gwir amdani oedd bod golygydd *Sgrech* yn ystyried dyrchafu'r 'Fro Gymraeg' yn amgenach amcan na gwthio ffiniau cerddorol Cymraeg. Collwyd cyfle i ddyrchafu'r ffaith fod yna ambell Sais a Chymry di-Gymraeg di-ri yn cynorthwyo i hyrwyddo adloniant roc Cymraeg. Collwyd cyfle i gydnabod eu bod yn cynnig dimensiwn ac arbenigedd a oedd o fantais i'r canu roc Cymraeg. Eu cymeradwyo a'u canmol oedd ei angen ac nid eu cystwyo a'u pastynu. Y gwendid penna oedd yr anallu i sylweddoli bod yna gyfle i hyrwyddo'r canu roc Cymraeg fel abwyd i ddenu'r di-Gymraeg at Gymreictod. Roedd lle i amau bod 'Wil a Fi' yn byw o dan yr un bwced â'r un y bu Dafydd a Gwyndaf Roberts yn cyfeirio ato.

Yr eironi oedd bod Crys, y grŵp roc trwm o Gwm Nedd, wastad yn perfformio y tu hwnt i'w gynefin. Onid Crys oedd gobaith mawr y ganrif o ran torri trwodd i blith trwch y boblogaeth, yn arbennig gan eu bod yn chwarae'r gerddoriaeth ysgwyd-dandryff-o'r-mwng a oedd wedi ei hen wreiddio yn y Cymoedd? Onid dyna un uchelgais na lwyddodd Edward H Dafis ei wireddu, yn ôl Hefin Elis? Ni sylweddolwyd mai mawredd Meic Stevens fel artist roc oedd y ffaith nad oedd erioed wedi caniatáu i'w gerddoriaeth gael ei lyffetheirio gan ddogma gwleidyddol.

Hwyrach fod y dallineb yma yn rhan o'r nerfusrwydd a'r anallu i ddelio â chanlyniad y refferendwm datganoli. Roedd pawb yn ymateb yn wahanol. Yn Eisteddfod Genedlaethol Maldwyn, 1981, cafwyd pryddest roc yn cipio'r goron i Siôn Aled. Gwrthrych ei gerdd ar y testun 'Wynebau' oedd perfformiwr roc Twrw Tanllyd. Fel datganolwr brwd ac ymgyrchydd gweithredol Cymdeithas yr Iaith fe ddadrithiwyd y bardd. Gwelai ddisgleirdeb y sîn Gymraeg yn pylu; delfrydiaeth a gobaith yn diflannu:

> Hyd yn oed allan yn yfed neu'n dawnsio, yr iaith oedd testun pob sgwrs. Yna daeth dadrithiad mawr y Refferendwm, ac wedi hynny euthum yn gwbl anobeithiol ynglŷn â phopeth gan suddo i nihiliaeth bur. Roeddwn yn dal yn aelod o'r Gymdeithas, ond yn gwneud fawr ddim... Gynt roedd y meddwi a'r hwyl a'r joio yn rhan o hyder. Ond bellach roedd yn hyder ffals. Doedd POB dim ddim yn iawn. Y tu allan i'r ddawns roedd tywyllwch. [5]

Dyma ddetholiad o'i bryddest:

> *Y genhedlaeth hon,*
> *pan ddaw'r nos i ben,*
> *a phan ddaw'r dydd*
> *i'n deffro neu'n diddymu,*
> *sut etyb dithau gyhuddiadau'r wawr?*
> *Ai yn dy ddideimladrwydd*
> *y sleifia'r goleuni arnat?*
> *Condemniaist dy gyndeidiau*
> *enciliodd i'w Seiat*
> *i foesymgrymu i Dduw o Sais,*
> *gan ddyrchafu taeogrwydd*
> *yn erthygl ffydd.*
> *Sipiasant hwythau bomgranadau'r Tir,*
> *fel traflynci dithau*
> *nodau dy* reggae *nwydus.*

Ai gwisgo wnaethost
Bwyll dy gyndeidiau
yn nenims Jarman,
a ffeirio'r offeiriad llwydwedd
am wên y discoteciwr
yn ledio'i emynau seliwloid
o'i bulpud plastig?[6]

Erbyn hynny, roedd Siôn Aled wedi darganfod Cristnogaeth.

Dros hanner can mlynedd ynghynt yn sgubor Fferm Cefngwyddgrug, Aberhosan, yn ystod Eisteddfod Genedlaethol Machynlleth, 1937, y perswadiwyd Bob Roberts, Tai'r Felin, codwr canu yn ei gapel, i ailgydio yn y canu gwerin ar ôl cyfnod o fudandod tra oedd yn galaru am ei gymar. Roedd yn 67 oed ar y pryd ac ni thawodd tan ei farw yn 1951 yn 81 oed. Yn Eisteddfod Genedlaethol Bangor, 1931, fe oedd yn fuddugol yng nghystadleuaeth y Gân Werin. Ar ddechrau'r 80au hefyd roedd ysbryd 'Tai'r Felin' yn fyw. Poblogeiddiwyd ei ganeuon i'r fath raddau nes y byddai'n anghyffredin i griw o Gymry Cymraeg, boed yn fyfyrwyr neu'n griw cefn gwlad, beidio â chanu o leiaf un o'r caneuon roedd e'n hoff o'u morio ar noson o firi llawen. Roedd y llinyn yma'n parhau fel pe na bai yna'r un refferendwm yn cynnig mesur o ryddid gwleidyddol erioed wedi ei wrthod. Hwn oedd gwaddol y Cymreictod naturiol a oroesodd ymhlith y cymunedau hynny lle roedd defnyddio'r Gymraeg yn fwy na hobi oriau hamdden. Am fod yna bobol yn byw eu bywydau bob dydd drwy ei chyfrwng roedden nhw'n naturiol yn ei ddefnyddio fel cyfrwng eu hadloniant hefyd.

Yn wir, doedd dim yn newydd mewn ysbryd roc a rôl Cymreig. Meddai Bob Tai'r Felin ddogn go lew ohono. Roedd yn ymddwyn fel ebol blwydd wrth ffarwelio â Ferndale un bore Sadwrn ar ôl cyngerdd, gyda'r bwriad o gyrraedd Bangor erbyn pedwar o'r gloch ar gyfer recordiad:

Cychwyn am chwech, ynteu, a chyn pen milltir roedd Bob Roberts yn telori fel ceiliog bronfraith. Yr oedd canu yn rhan o'i fyw. Wrth deithio yn y car, pan welai weithwyr yn mynd i ffatri, neu lowyr wrth y pwll, neu lond sgwâr o farchnad – 'Dowch, canwch rŵan, dowch! 'Yr â-syn a fu fâ-rw ...

Y bore cynnar hwnnw, roedd canu mawr yn yr Humber, canu wrth fynd trwy Aberdâr, trwy Ystradgynlais, a thrwy Landeilo. Yna tawodd 'Tai'r Felin'. Ddylai hynny ddim bod yn syndod, roedd o wedi bod wrthi am gryn ddwyawr yn barod. Ond rywle gerllaw Pumsaint, ar ôl gadael Crug-y-bar, dyma Bob â bloedd – anarferol braidd, iddo fo; 'Stopiwch! Stopiwch y car 'ma. Brysiwch!'

Plannodd Wil ddeudroed i glyts a brêc, allan â Bob heb air o esboniad, ar draws y ffordd â fo, a churo ar ddrws tŷ gyferbyn – a'i agor. Yn y lobi, daeth gwraig i gwrdd â'r dieithryn byrbwyll a boreol hwn. Ni bu na 'maddeuwch i mi' na 'bore da' na dim o'r fath. Yr hyn a glywodd y wraig yn ei thŷ, fel ninnau o'r car ydoedd; 'Glasiad o ddŵr, 'ngeneth i. Rydw i wedi llyncu tsiou o faco!'[7]

Yng ngeiriau Robin Williams, 'gŵr oedd Bob Roberts a liwiai gân fel y teimlai ef ei hunan, gan estyn nodyn yma, a chlipio nodyn draw; llamu drwy'r llinell hon, ac arafu ar y llinell acw'.[8]

Yr un anian roc a rôl ag eiddo 'Tai'r Felin' oedd yn meddiannu Dewi Pws dros chwarter canrif yn ddiweddarach pan fyddai twymyn 'Edward H ar yr hewl' yn ei daro. Ar ei ffordd o Gaerdydd i gigio yn Llanbed oedd Dewi ym mis Gorffennaf 1976:

Cefnu ar Ferthyr a'r cymoedd diwydiannol cul, a chyrchu am y Bannau a pherfeddion gwlad, gyda chap glas 'Wil Tomos' yn gadarn am wallt brithlwyd Dewi, macyn coch sipsïaidd am ei wddf, crys melyn gyda'r geiriau 'Status Quo' a throwsus glas glân. Y cap, a wisgai er parch at un o gymeriadau'r diweddar Islwyn Williams o Gwmtawe, yw'r agosa a ddaeth i ennill cap cenedlaethol.

Datgysylltwyd y gwregys diogelwch ers tro gan ei fod yn ei gaethiwo rhag gorweddian a chysgu ci bwtsiwr un funud, siantio 'Charlie Britten' y funud nesaf a bloeddio wrth y sawl a ddymunai glywed 'Ma' Edward H ar yr hewl'. Yn dilyn ceid rhibidirês o ffraethinebion Gwyddelig yn gymysg â byrfyfyrion disymwyth... Methai Dewi benderfynu a oedd yn sâl neu beidio ond penderfynodd mai doeth, er lleddfu ei gyflwr, fyddai hongian ei draed mas drwy'r ffenestr ar yr heol i Lanymyddfri.[9]

O'i glywed yn canu fersiwn y falen o 'Dau Gi Bach', 'O Arglwydd, mae'n uffern yn y pwll glo' neu 'Mynydd Gelliwastad' ni ellid dweud fod Dewi Morris, chwaith, wedi'i gaethiwo gan unrhyw arddull eisteddfodol.

Roedd Hogia Llandegai wedi ailgydio er 1978 ar ôl pum mlynedd o seibiant. Ym mis Hydref y flwyddyn honno fe lansiwyd llyfr o ganeuon Dyffryn Ogwen a oedd yn cynnwys tair o ganeuon yr Hogia. Fe'u perswadiwyd i'w canu yn y lansiad ar lwyfan Neuadd Ysgol Dyffryn Ogwen, Bethesda. O ganlyniad dechreuodd y ceisiadau gyrraedd ac fe gytunwyd i berfformio'n achlysurol, heb godi ffi, os oedd y noson wedi'i threfnu i godi arian. Un o'r nosweithiau hynny oedd cyngerdd yng Nghlwb Tanybont, Caernarfon, yng nghwmni Traed Wadin, ym mis Tachwedd, i godi arian at Eisteddfod Genedlaethol Caernarfon y flwyddyn ddilynol. Cafwyd ymateb cwbl syfrdanol i'w perfformiad. Do, fe agorwyd y llifddorau ac roedd Hogia Llandegai wedi trydydd-ddechrau.

Roedd Now yn llawn castiau yn fwy nag erioed, ac yn amlwg wedi cael trydydd-wynt o rywle. Mewn Noson Lawen yn y Majestic, Caernarfon, yn ystod yr Eisteddfod Genedlaethol, heb yn wybod i'r ddau arall, fe ymddangosodd Now o gefn y neuadd gydag oen llywaeth yn ei ddilyn ar gyfer perfformio'r ffefryn 'Defaid William Morgan'. Doedd hi ddim yn anarferol i'w weld yn tywys ci i'r llwyfan – ond oen swci? Wel, fuodd yna 'rioed y fath rycsiwns a halibalŵ, yn enwedig wrth iddo osod pot piso yn ymyl yr oen ar y llwyfan. Aeth cryn amser heibio cyn cael pob dim i drefn. Ond doedd dim dwywaith mai dyna a apeliai at y cynulleidfaoedd – yr hen Hogia direidus, cyfarwydd, Cymreig.

Fe fu sefydlu S4C ym mis Tachwedd 1982 ac ymddangos ar raglenni fel *Taro Tant* a *Noson Lawen* yn fodd o gynyddu'r galwadau. Hwyrach na fu'r teithio mor fynych â chynt ond roedd yna benwythnosau eto'n cael eu treulio yn y De a chyfeillgarwch yn cael ei selio o'r newydd. Ystyrid yr Hogia'n sefydliad yn y cefn gwlad Gymraeg ddigyfnewid ei chwaeth adloniannol. Roedd yr agosatrwydd a'r parodrwydd i ymwneud â phobol yn cyfrif llawer am eu poblogrwydd. Byddai cynulleidfaoedd yn gwybod beth i'w ddisgwyl o weld enw Hogia Llandegai ar boster ac roedd hynny'n rhan o'r apêl – y sicrwydd o ddwy awr o foddhad. Mae Neville, yn *Hogia Llandegai:*

Y Llyfr, yn awyddus i gofnodi cyfraniad cymwynaswyr ac i gydnabod pob gweithred o groeso:

> Yn wir, mae'n amhosib peidio enwi pobl fel Peter Harries a'r teulu o Salem, Llandeilo, Ryan a Dilwen o Rosebush, Maenclochog, George a Connie o Hendy-gwyn ar Dâf (gynt), Wyn a Dan Thomas, Tŷ Mawr, Pen-y-banc (gynt), Margaret Llwyn Bwch, Llansadwrn, Gloria a Gwynfor (Vernon a Gwynfor), Felindre, Jean Davies o Gaerfyrddin, a theulu Elgan a Mary, Tremafon, Pumpsaint... Yn y cyfnod diweddaraf hwn mae'n rhaid canmol a diolch am y croeso twymgalon a gawsom dro ar ôl tro gan Len a'r criw yn y Rock and Fountain, Cynwil Elfed. A beth am John a'r cyfeillion da yn y Prince, Porth-y-rhyd? Croeso *tywysogaidd* yn y Prince bob amser – beth arall?
>
> Gallwn fynd ymlaen i restru'n ddiddiwedd, ond rhag ofn i'r cyfan fynd i edrych yn debycach i'r llyfr ffôn, fe derfynaf drwy ddyfynnu'r cytgan a ganwyd gennym lawer gwaith ar lwyfannau Dyfed:
>
> *Dewch gyda ni'n ôl i Ddyfed,*
> *Dewch gyda ni'n ôl i'r De,*
> *Dewch gyda ni'n ôl i flasu drachefn*
> *Y croeso sy'n llenwi'r lle.*[10]

Wrth i'r 80au fynd yn eu blaen fe ddaeth yn amlwg i'r triawd na ellid dibynnu'n llwyr ar yr 'hen ganeuon' byth a beunydd. 'Dewch gyda ni'n ôl i'r De' oedd un o'r caneuon newydd a gyfansoddwyd gan Neville. Does dim dwywaith mai artistiaid a fedrai ddifyrru cynulleidfa oedd Hogia Llandegai. Eilbeth oedd cyhoeddi record. Nid yn y stiwdio recordio oedden nhw ar eu gorau. Does dim tebyg i gynulleidfa sydd yn amlwg yng nghledr llaw artist ac yn cydganu a chyd-fwynhau. Oedd yna artistiaid tebyg i'r Hogia'n perfformio yn neuaddau cefn gwlad Lloegr? Dyw hi ddim o bwys os oedd yna. Afraid cymharu Hogia Llandegai â The Wurzels. Afraid gosod label cyfleus arnynt. Roedden nhw'n apelio at aelodau'r teulu cyfan er efallai fod y genhedlaeth hŷn ac iau yn ymserchu ynddynt yn fwy na'r genhedlaeth ganol oed iau. Prin bod yr hinsawdd wleidyddol yng Nghymru wedi effeithio ar eu caneuon. Doedden nhw ddim yn debyg o bechu neb trwy lynu wrth ganeuon serch diniwed, caneuon cyfeillgarwch a chaneuon direidi. Doedden nhw ddim yn debyg o newid safbwynt neb tuag at yr un pwnc llosg. Digon yw dweud eu bod yn Gymreig eu hanian a'u hadloniant. Medrai Neville gadarnhau hynny:

Roedden ni wastad yn cael boddhad mawr o weld teuluoedd cyfan yn bresennol yn rhai o'n nosweithiau. Mae 'na amryw wedi gofyn i ni 'Beth ydach chi'n feddwl ydi'ch apêl chi?' Ond 'does gen i ddim ateb boddhaol i'r cwestiwn. Gwelais lawer disgrifiad o Hogia Llandegai ar glawr gan bobl yn ceisio gosod label bach taclus arnom, fel grŵp pop, grŵp gwerin, grŵp gwerin/canu gwlad, grŵp canu ysgafn, 'folk trio', 'humorous folk group', ond rhywsut neu'i gilydd doedd yr un label yn gorwedd yn esmwyth iawn ar ein sgwyddau. Wedi i ddyddiau'r sgiffl ddod i ben, ddaru ni erioed eistedd i lawr i benderfynu 'Reit, rydan ni am fod yn grŵp pop, neu werin, neu yn grŵp canu gwlad.

Y cwbl ddigwyddodd oedd inni ganu'r math o ganeuon yr oedden ni'n mwynhau eu canu, a gwneud yr hyn oedd yn apelio atom ni, ac fe ddatblygodd pethau yn naturiol oddi mewn i derfynau'r doniau oedd yn perthyn i ni fel unigolion. Yn ffodus iawn i ni, fe ddatblygodd yn adloniant oedd yn digwydd apelio at y teulu cyfan. Beth, felly, ddylai'r label cywir fod tybed? Wel... os nad oeddem ni'n grŵp gwerin, roeddem ni'n grŵp gwerinol! Nid canu gwlad yn hollol, ond eto'n wledig. Na chanu 'pop' bellach, dim ond canu 'pop'-logaidd! Grŵp hen-ffasiwn medd rhai! Efallai y gallai rhywun awgrymu label fel hyn a bod yn weddol agos ati mae'n siŵr – 'Grŵp adloniant ysgafn gwerinol, gwledig, poblogaidd, hen-ffasiwn, ar gyfer y teulu i gyd'! Dipyn o lond ceg![11]

Os oedd yna unrhyw newid wedi digwydd rhwng eu hail a'u trydydd cyfnod, ar wahân i doreth o ganeuon newydd, tebyg mai hwnnw oedd tuedd i berfformio'n amlach mewn gwestai a thafarndai. Ond adlewyrchu newid cymdeithasegol oedd hynny wrth i far ddatblygu'n fwy o anghenraid yn ystod digwyddiad cymdeithasol yn y Gymru wledig. At hynny, cafwyd ambell wahoddiad i ardaloedd megis Ystradgynlais a Chroesoswallt a Chaerdydd nad oedden nhw'n rhan o gylchdaith cynheiliaid yr adloniant Cymraeg canol-y-ffordd.

O edrych yn ôl, ychydig a feddyliai Ron Williams, neu hogyn 'Jac Parc Moch', pan oedd yn mynychu'r Gymdeithas Ddiwylliadol o dan arweiniad y Parch. Ieuan S Jones yng Nghapel Mawr, Bethesda, y byddai ei lais i'w glywed rhyw ddydd yn bloeddio o ambell i jiwc bocs yn nhafarndai'r wlad.

Yn y diwylliant yfed newydd hwn, yr hyn oedd yn poeni'r artistiaid gwerin oedd y sŵn. Doedd dim posib cael gwrandawiad yn y cyngherddau hynny lle roedd bar yfed yn chwarae rhan ganolog. Yng nghlybiau gwerin Lloegr roedd y mynychwyr yno i wrando, ond nid felly o reidrwydd yng Nghymru; y 'sesh' fyddai'n cael yr afael flaenaf. Penderfynodd golygydd adloniant *Y Cymro* neilltuo tudalen i wyntyllu'r mater a holi barn yr artistiaid. Nododd Dafydd Iwan na fyddai'n cael trafferth mewn gwledydd eraill, hyd yn oed os oedd bar ar gael, ac nad oedd yn cael trafferth mewn Nosweithiau Llawen na chyngherddau am fod arweinydd swyddogol yn cadw trefn ar bethau. Ond doedd hi ddim yn hindda arno pan fyddai'n perfformio yng Nghlwb y Bont, Caernarfon neu Riwgoch, Trawsfynydd, wrth ddygymod â chriw afreolus a swnllyd:

> Ond mae'n sialens hefyd, ac fel arfer rwy'n llwyddo yn y diwedd, trwy ddyfalbarhad a thipyn o berswâd, trwy weiddi a thipyn o seicoleg, trwy amrywio'r caneuon a'r cyflwyniadau a thipyn o frolio, i gael clust y rhan fwyaf o'r dorf.[12]

Cyfeiriodd Arfon Wyn at yr hyn a ystyriai'n wendid cenedlaethol:

> Credaf yn gryf nad ydym fel Cymry wedi gallu dygymod o gwbwl â'r alcohol yn gyffredinol, a dyma'n problem mewn gwirionedd. Goradwaith i'r cyfnod gor-ddirwestol a fu yn arwain at ieuenctid yn trin cwrw fel plant bach newydd ddarganfod bocs *matches* a sut i'w goleuo. Ie, pobl ifanc yn methu trin rhyddid. Hynny yw, agwedd anaeddfed iawn heb sôn am anwaraidd o'u cymharu â gwledydd eraill Ewrop sydd wedi hen ddygymod â ffrwyth y grawnwin neu'r hops, heb fynd yn wirion bost a gwallgof.[13]

Ychwanegodd mai'r noson orau gafodd Pererin oedd pan fu'r grŵp yn perfformio mewn bar coffi yn Aberystwyth. Caniatawyd i bawb fynd at y bar yn ystod toriad hanner amser. Cynulleidfa afreolus yn fwy chwannog o heidio at y bar nag at y llwyfan oedd yn poeni John Williams yntau, trefnydd Padarn Roc, un o uchelwyliau'r haf yn Llanberis ar ddiwedd mis Gorffennaf ar drothwy'r Eisteddfod Genedlaethol. Roedd hi'n anodd cael stiwardiaid i gadw trefn:

> Nid wyf yn gofyn i'r holl ddiota ddod i ben ond yn hytrach yn gofyn ar i bawb sylweddoli mai yr adloniant ddylai fod yn brif atyniad y

diwrnod... Prin gant o bobl oedd yn dyst i'r holl adloniant yn ystod
y dydd a bu'n rhaid disgwyl i'r tafarndai gau am 10.30 hyd nes
gwelwyd tyrfa fawr ar y cae... Mae'n rhaid wrth y parch dyledus i'r
adloniant, neu ni welaf lawer o bwrpas mewn cynnal gweithgaredd
o'r fath. Yn sicr nid ein dymuniad yw cynnal gŵyl ddiota... Brysiaf i
ddweud nad yw hyn yn gyfyngedig i Padarn Roc yn unig.[14]

Ar ôl dwy flynedd, fe droes Padarn Roc yn Llanbadarn Roc yn 1981
i'w chynnal o dan do ar gampws y Brifysgol yn Aberystwyth. Yno y
ffarweliodd Edward H Dafis am yr eildro yn gymharol ddisylw. Ni
chynhaliwyd Llanbadarn Roc yr haf dilynol.

Er cystal llwyddiant *Twrw Tanllyd* Eisteddfod Caernarfon, fe fu'n
rhaid i drefnwyr *Twrw* Eisteddfod Dyffryn Lliw y flwyddyn ganlynol,
Tegid Dafis a Dyfrig Berry, lansio apêl i godi tua £6,000. Roedden
nhw eisoes wedi gwario tua £3,000 o'u pocedi'u hunain i dalu canran
o'r dyledion i'r ugain o grwpiau a logwyd dros yr wyth noson. Doedd
trwydded yfed ddim yn rhan o'r arlwy yn Nhre-gŵyr. Cywirwyd y cam
hwnnw erbyn ymweld â 'Steddfod Maldwyn y flwyddyn ddilynol.
Roedd tudalennau'r cylchgrawn *Sgrech* yn cael eu neilltuo o bryd i'w
gilydd i sôn am gwynion trefnwyr ynghylch prisiau grwpiau ac i
gwynion grwpiau ynghylch cyndynrwydd trefnwyr i dalu'n
anrhydeddus o ystyried yr holl gostau teithio, llety, cynnal a chadw
offer, ac yn arbennig os oedd y cerddorion yn broffesiynol ac yn
aelodau o Undeb y Cerddorion. Tebyg bod y tyndra'n cael ei greu gan
y traddodiad o drefnu noson er mwyn codi arian at fudiad neu elusen
yn hytrach na chynnal noson er ei mwyn ei hun neu er mwyn i'r
artistiaid ennill bywoliaeth. Roedd hynny'n gysyniad anodd i'w
dderbyn i'r cerddorion proffesiynol fyddai'n teithio o Gaerdydd i'r
gogledd i berfformio.

Fe fyddai yna drefnwyr a fynnai fargeinio hyd at y funud olaf. Er
i'r grŵp Chwys ddenu cannoedd i Neuadd Llangadog er mwyn cynnal
dawns i godi arian i'r sioe amaethyddol leol, fe fynnai'r trefnydd o
ffermwr ei fod yn siomedig gyda maint y dorf, a hynny er bod y rheol
dân wedi ei hen dorri o ran y nifer oedd yn y neuadd! Mynnai ei fod
wedi disgwyl gwell tyrnowt pan setlwyd ar y pris gwreiddiol. Doedd e

ddim yn fodlon nes bod y grŵp yn cytuno i hepgor pum punt o'r pris a gytunwyd, o ran 'lwc i'r sioe'.

Os oedd ambell grŵp yn feirniadol o gyndynrwydd ambell drefnydd i gynnig yr hyn fydden nhw'n ei ystyried yn dâl teilwng ar ôl teithio o bell, cyflogi peiriannydd a hewliwr, a thalu costau llety, roedd ambell drefnydd yn feirniadol o agwedd rhai o'r grwpiau. Roedd gan Dafydd Wyn Jones o Borthmadog brofiad o ddelio â grwpiau'r iaith fain hefyd:

> Mae'n bosib cael gwasanaeth grŵp Saesneg o safon da am ryw £50 ond mae rhai grwpiau newydd dibrofiad Cymraeg yn codi ymhell dros ddwbl hynny gan roi'r esgus o hyd fod offer yn costio'n ddrud – yr un offer ag a ddefnyddir gan y grwpiau Saesneg, gyda llaw. Clywir sôn yn aml am berfformwyr yn yr iaith Saesneg o Lannau Merswy a phellach yn trafaelio cannoedd o filltiroedd i ymddangos mewn clybiau trwy Ogledd Cymru am gyn lleied â £25 ond eto mae'n amhosibl sicrhau gwasanaeth rhai Cymraeg am lai na dwbl y pris. Yn ogystal nid ydynt yn brofiadol mewn difyrru cynulleidfa.[15]

Pwy bynnag oedd yn farus, a phwy bynnag oedd yn gybyddlyd eu hagwedd, roedd yna nifer cynyddol o grwpiau yn awyddus i wneud eu marc ar droad y degawd ac yn eu ffyrdd gwahanol yn ceisio dweud 'Ie, ie, dros Gymru'. Tebyg bod Crysbas ymhlith y blaenaf o'r rhai a elwid yn grwpiau bro. Enwau eraill fyddai i'w gweld yn rheolaidd ar bosteri fyddai Rocyn, Chwarter i Un, Ail-Symudiad, Doctor, Angylion Stanli, y Ficer, Enwogion Colledig, Eryr Wen, Omega, y Newyddion, Maffia Mr Huws, Bwchadanas, Malcolm Neon a Geraint Lövgreen. Cyfrannai Clochan a Penderyn at y traddodiad gwerin. Byddai galw am wasanaeth y discotecwyr – Disgo Alun ap Brinli, Disgo'r Llais (Arwel Jones), a Disgo'r Ddraig (Dafydd Gwyndaf) ymhlith y prysuraf.

Doedd gan Sain chwaith ddim monopoli yn y maes cynhyrchu recordiau. Ar wahân i Gwerin yn Llanelli fe sefydlodd Dafydd Pierce Gwmni 1, 2, 3 yng Nghaerdydd ac fe gyhoeddwyd rhai recordiau ar labeli Legless o'r Drenewydd a Clic o dan adain Geraint Williams yng Nghwm Tawe. Ond doedd ganddyn nhw mo'r trefniant dosbarthu oedd wedi'i hen sefydlu gan Sain, a buan y bydden nhw'n sylweddoli nad oedd ffortiwn i'w gwneud o gynhyrchu recordiau roc Cymraeg. Er y bwrlwm a'r sylw a roddid i'r sîn roc Cymraeg ar y cyfryngau doedd gwerthiant recordiau'r cyfrwng ddim byd tebyg i werthiant recordiau'r artistiaid 'canol y ffordd' traddodiadol oedd wedi'u gwreiddio yn y cymunedau Cymraeg ac felly, doedd rhagoriaeth gerddorol ddim yn galluogi artistiaid roc i wneud bywoliaeth. Onid oedd yna ddadl deg i neilltuo nawdd i artistiaid a chwmnïau recordiau yn union fel y gwnaed yng nghyd-destun llenorion a gweisg? Fe fu Bethan Miles yn dadlau hynny ers tro:

> Gan bod llawer mwy o gynulleidfa i ganu pop Cymraeg nag y sydd i nofelau T Wilson Evans a Charadog Prichard, neu i farddoniaeth Rhydwen Williams, y mae'n sefyll i reswm ac, yn wir, yn gyson â thraddodiad democrataidd radical, sosialaidd, rhyddfrydol, cenedlaethol Cymru y dylid rhoi arian i gerddorion pop i ysgrifennu caneuon am chwe mis neu flwyddyn yn hytrach na chanolbwyntio'n llwyr ar noddi llenyddiaeth draddodiadol ddi-gynulleidfa... Wnaiff unrhyw beth ddim o'r tro i'r cyhoedd Cymreig. Rhaid anelu at safonau llawer uwch. Yn gyffredinol, os gosodir safonau yn rhy isel, fe gymer amser hir iawn i'w codi gan nad yw'r cyhoedd yn disgwyl gwell; ond pe gosodid y safonau yn uchel, gan barchu'r gynulleidfa, fe fyddai'n rhaid cadw'r safonau yn uchel.[16]

Er bod Dafydd Iwan o'r farn y gwnaed mwy i hyrwyddo'r Gymraeg gan grwpiau roc na holl ymdrechion Cyngor y Celfyddydau a'r Cyngor Llyfrau gyda'i gilydd, doedd e ddim o'r farn y dylid taflu arian cyhoeddus tuag at grwpiau a chwmnïau recordiau:

> ... efallai mai'r ffaith fwyaf nodedig ynglŷn â recordiau Cymraeg yw na thelir un geiniog goch y delyn o gymhorthdal tuag at eu cyhoeddi. Yn wahanol i lyfrau Cymraeg rhaid *gwerthu* recordiau os ydych am dalu'ch ffordd yn y byd. Mewn geiriau eraill, rhaid cael pobl i brynu recordiau, a golyga hynny gyhoeddi recordiau sy'n apelio at bobl. A golyga hefyd fod cwmni fel Sain – yn wahanol i'r Gweisg Cymraeg – yn gorfod cadw gwerthwyr 'ar y ffordd' o un pen blwyddyn i'r llall.
>
> Felly er teimlo'n genfigennus weithiau tuag at y cyhoeddwyr llyfrau, mae'n debyg mai bendith dan gochl yw'r diffyg grantiau i recordiau. Oherwydd onid oes peryg i gyhoeddwyr llyfrau – a'r awduron hwythau – i golli golwg ar chwaeth y darllenwyr? Yn yr un modd, yn wir, ag y gall y BBC a HTV golli golwg ar eu gwylwyr a'u gwrandawyr hwythau?[17]

Roedd y cwmnïau recordio'n gorfod mentro, felly, gan ddibynnu'n llwyr ar werthiant i gael dau pen llinyn ynghyd. Y gwir plaen amdani oedd nad oedd gwerthiant recordiau roc ddim yn cyfiawnhau'r buddsoddiad angenrheidiol i'w paratoi. Ond doedd hynny ddim yn rheswm dros beidio â'u cynhyrchu, yn ôl Dafydd Iwan eto:

> Mae record gan Trebor Edwards yn gwerthu cymaint ddengwaith â goreuon y recordiau roc Cymraeg. Mae Côr Meibion da neu record o oreuon Cerdd Dant Cymru yn gwerthu cymaint deirgwaith â'r grwpiau roc mwyaf poblogaidd. I raddau helaeth iawn, Trebor Edwards a Chorau Meibion sy'n cynnal recordiau roc Cymraeg.
>
> Felly beth yw'r ateb? Rhoi'r ffidil yn y to a dau fys i recordiau roc? Mor bell ag y mae Sain yn y cwestiwn, nage'n sicr. Sefydlwyd Sain yn niwedd y 60au yn bennaf i adlewyrchu canu cyfoes Cymraeg ar ei orau, ac nid yw'n fwriad gennym anghofio hynny. Mae Stiwdio Sain yn ernes o hyn; does dim angen 24 trac i recordio côr meibion, ond ar gyfer grŵp roc mae'n hanfodol bellach.
>
> Os yw'r Gymraeg am ddal ei thir yn wyneb llanw Seisnig-Americanaidd, rhaid iddi gael ei chlywed – yn fyw, ar record, ar y radio ac ar y teledu – ym myd cynganeddwyr Gerallt Lloyd Owen a byd Cynganeddwyr Jarman, ym myd Cerdd Dant a byd y pendolcwyr fel ei gilydd.[18]

Ar wahân i sybsideiddio'r recordiau roc roedd Trebor Edwards yn un o'r eiconau hynny a fodlonai pob Cymro a fwynheai'r pripsyn lleiaf o sentiment. Gwerthodd ei drydedd record *Un Dydd ar y Tro* (Sain C793) 15,000 o gopïau mewn tri mis yn gynnar yn 1981. Roedd ei recordiau cynt wedi gwerthu tua 9,000 yr un. Ffermwr o Fetws Gwerful Goch ger Corwen oedd Trebor. Doedd e ddim yn canu'n broffesiynol. Personoliaeth hawddgar a llais swynol yn canu am destunau cyfarwydd ac ambell emyn oedd y rysáit lwyddiannus. Perthynai i'r traddodiad amatur a doedd dim pall ar y gymeradwyaeth a dderbyniai. Cyffyrddai â chalonnau'r torfeydd yn hytrach na'u meddyliau.

Ar ryw olwg, cymysgedd rhyfedd o'r be-bop-a-lula a'r delyn aur oedd cynnwys recordiau cynnar Trebor Edwards. 'Sothach sentimental' oedd dyfarniad Llion Griffiths am yr arlwy o 'Dychwel Fy Anwylyd', 'Capel yn y Wlad', 'Croesffordd y Llan' a 'Pererin Wyf' ar y record gyntaf yn 1973, ond, ar yr un pryd, cyfaddefai fod 'y llais tenoraidd swynol yn gafael'.[19] Tebyg oedd yr arlwy flwyddyn yn ddiweddarach, eto ar label Tŷ ar y Graig; emyn Ieuan Gwyllt 'Mi Glywaf Dyner Lais', emyn David Charles 'O, Iesu Mawr' (nid ar y dôn 'Llef' ond ar yr alaw 'On the banks of the Ohio'), cyfieithiad cyd-olygydd *Y Faner*, Mathonwy Hughes, o gân a gysylltid â Marie Osmond, 'Ffug Rosynnau', a chyfieithiad arall 'Yn D'ymyl Cerddaf'.

Gwerthodd record gyntaf Hogia'r Wyddfa, *Teifi* (Sain C508) 12,000 o gopïau dros bedair blynedd. Roedden nhw hefyd yn dal i berfformio fel petai yna'r un refferendwm datganoli wedi'i chynnal. Rhai o'r artistiaid eraill o gyffelyb anian oedd Ruth Barker, Vernon a Gwynfor, Meibion Menlli, Rosalind a Myrddin, Tri o Fôn, Janet Rees, Emyr ac Elwyn, Beca, Treflyn, Eleri Llwyd, Dafydd Edwards, Ifor Lloyd ac Adar Tydfor.

Daeth yn ffasiynol i ddefnyddio'r label 'bro' i farchnata cynnyrch. Rhoddodd Mudiad Adfer gynnig ar gyhoeddi Casetiau Bro – ymhlith yr artistiaid roedd Beti Jones, y gantores werin a Tom Lewis, yr adroddwr digri – a byddai pob bro 'Steddfodol yn cyhoeddi record ddwbl. Cafodd Arfon Gwilym ei blesio gan gynnyrch *Doniau Dyffryn Teifi* (Sain C789) ar drothwy cynnal Eisteddfod yr Urdd yn yr ardal yn 1982. Ymhlith yr artistiaid roedd pianydd a fu'n astudio yng Ngholeg Yehudi Menuhin, a ffermwr a feddai'r ddawn i ddynwared gwŷr amlwg y dydd:

> Beth bynnag a ddywedir am ddirywiad cefn gwlad, tranc yr iaith ac ati, rhyw deimlad o falchder gefais i wrth wrando ar y record hon – balchder fod dim ond un ardal fel hon yn llwyddo i gynnal diwylliant mor gyfoethog. A chael cysur hefyd o wybod mai dim ond un ardal o blith llawer yw hon.[20]

Lladmeryddion pennaf y diwylliant bro oedd Côr Godre'r Aran o Lanuwchllyn, y côr y dywedodd Dafydd Iwan amdano yn ei ddyddiadur yn 1963 bod angen mwy na phleidleisiau yn y blwch etholiadol i gadw'r fath gyfoeth diwylliant yn fyw. Fe darodd Alwena Roberts ar union hanfod y côr wrth adolygu record o'i eiddo, *Côr Godre'r Aran* (Sain C783):

Mae cyfoeth ac asiad y lleisiau fel pe'n costrelu canrifoedd o ddiwylliant gwledig, uniaith Gymraeg, y methodd gwasgfeydd yr ugeinfed ganrif, hyd yn hyn, â'i ddinistrio.[21]

Mor wahanol oedd cynnwys record y grŵp Jîp, *Genod Oer* (Gwerin SYWM 220) a *Dawnsionara* (Sain C806), record unigol Endaf Emlyn. Clywid mwy o ddylanwad Steely Dan a Lee Ritenour ar y rhain nag o geincwyr traddodiad di-dor. Ond eto doedden nhw damed llai Cymreig. Ffrwyno traddodiad estron, a oedd yn dal yn ei gewynnau o gymharu â'r traddodiad oesol, a wnaeth Myfyr Isaac, John Gwyn ac Endaf Emlyn, a chreu be-bop-a-lula Cymraeg gyda chymorth cerddorion Caerdydd. Dyma ddwy record yn yr un cywair. Ar drothwy lansio S4C fe fu'r cerddorion yn perfformio yn Sweden o dan yr enw Endaf Emlyn a'r Myfyrwyr – myfyriwr aeddfed, ac yntau'n 37 oed. Fe fu'r triawd am gyfnod yn hurio offer sain yn enw Saffari er mwyn ceisio gwella ansawdd sŵn grwpiau pan fydden nhw'n chwarae'n fyw.

Fe fu Geraint Jarman a'r Cynganeddwyr yn Norwy. Roedd yna fwy o bres i'w wneud yn ddi-hasl o deithio dramor yn enw rhaglenni teledu nag o deithio i berfformio yng Ngwynedd. Datblygodd rhaglenni'r byd teledu ers dyddiau *Hob y Deri Dando* ac roedd gan y cerddorion yma reolaeth helaeth dros y cyfrwng. Onid oedd canu roc a *reggae* Cymraeg yng ngwledydd Llychlyn yn ehangu ffiniau? Roedd perfformio dramor yn rhan o'r prifiant a'r aeddfedu. Rhoddwyd pwyslais ar y chwarae ac ar dechneg ffilm deledu yn hytrach nag ar y dadansoddi fel y gwnaed yn ôl yng nghyfnod *Twndish*. Rhaid oedd paratoi ar gyfer anghenion sianel deledu newydd a rhaid oedd bod yn fentrus.

Tanlinellu gogoniant bywyd dinas yng Nghaerdydd a wnâi caneuon fel 'Halfway' oddi ar y record *Genod Oer*, ac roedd 'Nôl i'r Fro' a 'Saff yn Y Fro' oddi ar y record *Dawnsionara* yn gwneud hwyl am ben rhamant y syniad o gefnu ar Gaerdydd i ymsefydlu yn y Fro Gymraeg, ac yn tynnu cymhariaeth rhwng y syniad o Fro Gymraeg a gwarchodfeydd yr Indiaid Cochion. Er yn cydnabod rhagoriaeth cerddorol y recordiau roedd adolygwyr yn nerfus rhag tynnu sylw at y 'gwahaniaethau ideolegol'. Yn ôl y disgwyl fe gafodd yr agwedd yna ei chystwyo mewn adolygiad gan Emyr Llywelyn Gruffudd ar dudalennau *Sgrech*:

Yna yn y gân 'Nôl i'r Fro' daw syniadaeth Mudiad Adfer, a'r syniad o frogarwch, dan lach y canwr. Ymddengys fod yna bellach fwy o le i awyrgylch estron dociau Caerdydd yng nghalon Endaf nag sydd i gymdeithasau gwledig Pen Llŷn a Sir Feirionnydd. Mae yna feirniadaeth ar y gor-ramantu a all ddigwydd wrth sôn am fro mebyd, ond eir ymhellach na hynny hyd yn oed;

> *Yn y Fro*
> *Dim ond breuddwyd ffôl,*
> *Yn y Fro*
> *Does neb yn mynd yn ôl.'*

Tybed ydi Endaf wedi anghofio lle y bu Jîp yn chwarae amlaf, a lle y tybiwn i y gwerthwyd y mwyafrif o'i recordiau? Heblaw am ieuenctid yr ardaloedd Cymraeg ni fyddai Jîp wedi mynd fawr pellach na chwarae o flaen cynulleidfa groenddu yn y Casablanca, ond wedyn efallai mai dyna a oedd arnynt ei eisiau.

> *Teithio'n ôl o Gorwen...*
> *Doedd hi fawr o sioe i fynd mor bell*
> *Ond dyna fel mae'r gêm (R'ola).*[22]

Fodd bynnag, cafodd Siân Wheway ei phlesio heb boeni am unrhyw dramgwyddo syniadol:

Wrth ystyried datblygiad y byd canu pop yng Nghymru dros y deng mlynedd diwethaf, credaf ei bod hi'n deg dweud bod cerddoriaeth Endaf Emlyn, o'i gymharu â'i gyfoeswyr cerddorol, wastad wedi rhagori ychydig, o ran safon a ffresni sain gwahanol a newydd. A dyma ryddhau *Dawnsionara*. Heb os nac oni bai, hon yw'r record fwyaf soffistigedig gan y cyfansoddwr, a mentraf ddweud bod y record hon gyda'r mwyaf safonol i ymddangos yn y Gymraeg.[23]

Gweld y ddadl syniadol o fewn y canu roc fel arwydd o gryfder y diwylliant Cymraeg a wnâi Dafydd Iwan:

I ddechrau, mae'n dipyn o wyrth o edrych ar Ewrob heddiw, bod yr hanner miliwn bondigrybwyll ohonom ni, Gymry Cymraeg, yn cynnal unrhyw fath o ddiwylliant pop Cymraeg ac annibynnol. Mae nifer o wledydd Ewrob sy'n anwybyddu eu hiaith frodorol bron yn llwyr yn y maes hwn, am eu bod yn credu mai Saesneg yw iaith naturiol y byd hwnnw. Ond, ar yr un pryd, dylanwadau Eingl-Americanaidd sy'n bygwth troi'r byd roc Cymraeg yn estron mewn popeth ond iaith.
Dyna'r perygl mwya, ond mae rhai o'r bobl y cyfeiriais atyn nhw eisoes yn llwyddo i osgoi'r bygythiad i raddau, greda i. Pam? Am

fod eu dawn greadigol wedi llwyddo i droi dylanwadau estron yn rhywbeth Cymreig. Mae Geraint Jarman yn enghraifft deg. Er iddo sugno'i faeth a drachtio'n helaeth o'r holl ffynhonnau pop, ac yn arbennig y *reggae* a'r rastaffariaid, mae wedi llwyddo i roi marc ei athrylith arbennig ei hun ar ei ganu – sy'n hollol Gymreig. Mae llawer wedi synnu fy mod i'n gwrthod canu yn Saesneg, ond mae'n fwy o syndod fyth fod Geraint Jarman yn gwrthod canu yn Saesneg! Fe allai ef fynd fel tân-gwyllt dros y byd.[24]

Un a berfformiodd yn y Saesneg oedd Max Boyce, er i'r gŵr o Lyn-nedd ganu yn Gymraeg a rhyddhau record Gymraeg ar label Cambrian ar ddechrau ei yrfa. Fyddai'n ddim iddo werthu 300,000 o gopïau fesul record a llenwi neuaddau lle bynnag y perfformiai, boed yng Nghymru neu ymhlith Cymry alltud a chefnogwyr rygbi y tu hwnt i Glawdd Offa. Gwythïen Gymreig o hiwmor glywid ar *Live at Treorchy* (EMI OU2033), *The Incredible Plan* (EMI MB102) a *We All Had Doctor's Papers* (EMI MB101) ac roedd llwyddiant y tîm rygbi cenedlaethol yn cynnal ei yrfa. Daeth ei 'and we were singing hymns and arias, Land of my Fathers, Ar Hyd y Nos' yn un o ganeuon y dorf mewn gêmau rygbi rhyngwladol. Beth petai wedi cyfansoddi 'mi o'n i'n canu, emyne a thone, Hen Wlad fy Nhadau, Ar Hyd y Nos' ac wedi mynnu perfformio mwy yn Gymraeg yng nghlybiau'r de? Afraid dyfalu beth fyddai wedi digwydd petai wedi efelychu'i gefnder, Delwyn Siôn, o Gwm Cynon, a thynghedu i ganu yn Gymraeg yn unig. Ai rhygnu arni fyddai ei yrfa, neu a fyddai, trwy ei hiwmor heintus yn codi o'r ffas, wedi troi'r miloedd Cymry â'u Cymraeg 'carreg galch' a frithai'r Cymoedd, nôl at y Gymraeg?

Daeth canu gwlad i'r hen Gymru Fach. Merch o'r wlad o Ddyffryn Aeron oedd Doreen Lewis. Cyhoeddodd ei record gyntaf, *Doreen*, ar label Cambrian yn 1967 ac wrth i'w gyrfa ddechrau cydio mewn Nosweithiau Llawen a thafarndai cyhoeddodd Cwmni Sain *Galw Mae 'Nghalon* (Sain C848) ar ddechrau'r 80au. Apeliai'r sentiment mewn caneuon wedi'u llunio ar sail digwyddiadau personol cyffredin a fyddai'r un pryd yn gyfarwydd i drwch y gwrandawyr.

Daeth caneuon fel 'Fory Heb ei Gyffwrdd' a 'Potel Fach o Win' â phoblogrwydd i Traed Wadin, sef Dylan Parry a Neville Jones; yr un

Neville Jones a wirionodd ar Hogia Bryngwran ddau ddegawd ynghynt. Byddai Traed Wadin yn cyhoeddi ei drydedd record yn 1982 ac yn anelu am werthiant pellach o dros 2,000 o recordiau. Roedd canu gwlad Cymraeg yn sector twf wrth i'r artistiaid ganu am brofiadau cyfarwydd yn ymwneud â chyflyrau'r natur ddynol, gan amlaf, yn arbennig colli a chanfod serch. Arlwy'r artistiaid oedd cerddoriaeth ymlacio ar gyfer cyrff blinedig ar derfyn diwrnod caled o waith corfforol.

Yn y pegwn arall fe ffrwydrodd gŵr ieuanc o Lanfaircaereinion ar yr olygfa. Fe lwyddodd Rhys Mwyn i greu cryn sylw iddo'i hun ar sail datganiadau hanner-pan a chasetiau tanddaearol gyda theitlau megis 'Pryfaid Marw' yn honni cyflwyno sgyrsiau amrwd gydag aelodau o grwpiau adnabyddus. Am gyfnod bu'n cynnal deialog ag ef ei hun ar dudalennau'r *Cymro* gan gyfeirio at gyfeillion anarchaidd megis Robin Rybish, Harri Fi Di ac Anghyffelyb Adam. Llwyddodd i ddyrchafu sloganeiddio yn gelfyddyd.

Dal i geisio canfod ei rôl fel mudiad ieuenctid wnâi Urdd Gobaith Cymru. Ni lwyddodd i gynhyrchu cylchgrawn a fedrai ddal dychymyg ieuenctid. Roedd yr ieuenctid ar fin sefydlu eu ffansîns eu hunain. Ar wahân i'r gwersylloedd ar gyfer plant iau a dysgwyr, a'r eisteddfod flynyddol ar gyfer athrawon a hyfforddwyr llefaru a chanu, doedd y mudiad yn gwneud fawr o argraff ar yr ieuenctid eu hunain. Gwelwyd eiliad ddiffiniol mewn noson ar drothwy cynnal eisteddfod y mudiad yn Llanelwedd yn 1978; doedd mynychwyr ddim yn cael cludo fflagons i mewn i'r neuadd. Doedd bod yn ffyddlon i roc ddim yn rhan o arwyddair y mudiad. Gonc a ioios oedd delwedd gyhoeddus Urdd Gobaith Cymru ar y pryd.

Codi arswyd ar y mudiad a wnaeth Siôn Eirian, prif lenor Eisteddfod Genedlaethol Abertawe, 1971. Roedd y llanc o'r Wyddgrug hefyd wedi cystadlu ar gyfansoddi cân bop a chael ei ddyfarnu'n ail gyda'r sylwadau canlynol o eiddo'r beirniad, Aneurin Jenkins Jones: 'Roedd ynddi ddelweddau am gyffuriau, sôn am "laswellt" a phrofiadau arswydus, y profiadau y cenir amdanynt yn y canu pop Saesneg'.[25]

Eithriad gloyw oedd yr operâu gwerin/roc blynyddol a lwyfannwyd bob gwanwyn, am gyfnod, o dan arweiniad Emyr Edwards. Tynnwyd y goreuon o blith perfformwyr ieuanc at ei gilydd ac yn eu tro fe welwyd Stifyn Parry, Geraint Cynan a Siân James yn chwarae a chanu prif rannau. Doedd y cynyrchiadau hynny ddim yn osgoi cyfeirio at buteindai, anlladrwydd a thrythyllwch. Mentrodd Marc Phillips, un o swyddogion y mudiad yn y de-ddwyrain, drefnu gigs mewn ymdrech i weld y roc Cymraeg yn torri trwodd i blith y di-Gymraeg, ond prin fu'r llwyddiant.

Ar y cyfan roedd y Trwynau Coch yn cynnig mwy o ffocws i ieuenctid ar eu prifiant na'r Urdd. Y nhw, yr ifanc, oedd berchen y Trwynau Coch. Nid oedolion oedd wedi eu trefnu ar eu cyfer. Roedd y Trwynau yn trefnu pob dim eu hunain yn rhydd o ddylanwad unrhyw sefydliad ac roedd carfan o ieuenctid yn uniaethu eu hunain â'r mentrusrwydd hynny. Teimlent fod ganddyn nhw'r gallu i newid y byd. Trwy hyrwyddo'r Trwynau roedden nhw hefyd yn ystyried eu hunain yn ddraenen yn ystlys y sefydliad. Un o ladmeryddion penna'r Trwynau yn eu dyddiau cynnar oedd yr ysgrifwr roc, Tudur Jones:

Hanfod roc yw ieuenctid ac, os mynnwch, naïfrwydd ffôl y breuddwydiwr radical, a'r hyn sy'n fy nghalonogi am y don newydd yw eu bod wedi cicio doethineb a phwyll canol-oed ymaith, a chanolbwyntio ar ieuenctid digyfaddawd... roc yw'r cyfrwng mwyaf deinamig a pherthnasol ar gyfer mynegi radicaliaeth yr ifanc, ac mae cyfryngau megis nofelau, barddoniaeth a dramâu yn amherthnasol mwyach. Mae gan roc y gallu i siarad â phobol ifanc yn eu hiaith eu hunain, a hynny ar raddfa anferthol drwy gyfrwng recordiau a chyngherddau. Beth yw pwrpas barddoniaeth os mai ychydig filoedd o wybodusion difywyd sydd am ei darllen? Os na all cyfrwng gyfathrebu, yna yn fy marn i mae'n ddiwerth ...

Credaf ei fod yn amlwg mai gan yr ifanc y daw'r syniadau radical, newydd ymhob oes, a bod y canol-oed yn rhy fydol-ddoeth a llipa i gyfrannu unrhyw beth newydd o wir werth. Mae staen hyll bywyd wedi ei chwydu dros fytholwyrddni bore oes. Arwyddocâd roc a'r don newydd yn arbennig yw mai hwn yw'r unig gyfrwng diwylliannol sydd â'i holl fodolaeth yn dibynnu ar fytholwyrddni'r ifanc. Os yw roc am fyw fel cyfrwng mynegiant o bwys ac fel yr unig haen o ddiwylliant sy'n dweud unrhyw beth dylanwadol ar raddfa eang, rhaid iddi gymryd sylw o her y don newydd.

Fe welir yn yr her hon y ddwy brif elfen sydd yn angenrheidiol ar gyfer celfyddyd berthnasol, bwysig. Yn syml iawn, radicaliaeth ac ymrwymiad cymdeithasol. Os ychwanegwn at y rhain yr elfen ifanc a geir gan y don newydd, yna fe welwn unwaith eto fudiad a all yn bendant arwain y ffordd at wneud celfyddyd unwaith eto yn gyfrwng perthnasol, cymdeithasol.[26]

Pan ddaeth y Trwynau i ben fe gafwyd marwnad gan neb llai na Dafydd Elis Thomas AS. Roedd e'n dilyn yr un trywydd â Tudur Jones:

Lle llwyddodd y Trwynau Coch i ddod ag elfennau amharchus ac actio y don newydd a pync i roc Cymraeg, fe roeson nhw ystyr newydd i'r llythrennau T C (yn lle Thomas Charles) ac ystyr mwy difyr i'r ferf 'pyncio'. Roedden nhw'n grŵp cyfoes tref a diwydiant, byth yn canu am fynd 'nôl i gefn gwlad nad ydi hi'n bod ond yn llenyddiaeth hysbysebu Bwrdd Datblygu Cymru Wledig a rhai o ddatganiadau Adfer. Ond bydd eu hodlau, yn enwedig y rhai'n diweddu mewn ics, yn destun ymchwil i ysgolheigion Cymraeg y dyfodol, yn enwedig yng Ngholeg Aberystwyth.

Roedden nhw'n canu, wrth gwrs, am rwystredigaethau personol pobol ifanc (a chanol oed hefyd o ran hynny) ond yn arbennig fe gollir eu beirniadaeth gymdeithasol ddeifiol ar, ymhlith pethau eraill, safonau newyddion Radio Cymru, cyfalafiaeth Siapaneaidd a'r genhadaeth dramor (yn yr un gân) a diffyg cyfraniad rhieni at y grant myfyrwyr ac ar stereoteipiau ac arwyr dwl (er enghraifft James Bond) y diwylliant ffilm a chynhyrchu.

Yn eu cân 'Niggers Cymraeg' dywedwyd mwy am 'gyflwr y genedl' nag a ddywedwyd erioed yng ngholofn olygyddol Y Faner. Fe waharddwyd eu gwaith ar y cyfryngau ond fe arweiniodd eu perfformiad answyddogol ar Faes Caernarfon at newid yr Eisteddfod swyddogol a chydnabod ym Miri Maldwyn mai mewn rhythmau roc ac nid mewn cynghanedd gyflawn y mae Cymru gyfoes yn meddwl.[27]

Ond wrth edrych 'nôl ar y 70au a chloriannu'r byd roc Cymraeg doedd Angharad Tomos ddim yn rhannu'r un brwdfrydedd ag Aelod Seneddol Plaid Cymru ynghylch arwyddocâd y Trwynau Coch:

Datblygiad gwaethaf y 70au oedd gweld cerddoriaeth boblogaidd Gymraeg yn datblygu i fod yn ddim gwahanol i gerddoriaeth Seisnig neu Americanaidd. Hen ddadl wirion oedd cwyno bod Edward H yn ddylanwad estron. Dydi cerddoriaeth Eingl-Americanaidd ddim yn sôn am bethau fel 'Tai Haf' ac 'Yn y Fro'. Y diflastod a'r syrffed mewn cymdeithas sy'n denu bryd Jarman mor aml. Diolch bod profiadau'r Trwynau a'r Cynganeddwyr hyd yma fodd bynnag yn amherthnasol i'm rhan i o Gymru. Diolch bod yna

Gymru sy'n mwynhau canu am bethau amgenach na
rhwystredigaeth a phornograffi. [28]

Doedd dim modd esgymuno dylanwad yr Eingl-Americanidd yn
llwyr. Fe gydiai agweddau ohono'n holbidág. Pan fu farw Elvis Presley
ar 16 Awst 1977, roedd y Cymreiciaf o Gymry o dan deimlad, a hyd yn
oed Lyn Ebenezer o Bontrhydfendigaid:

> Ef yn anad neb a gynrychiolai i mi a'm cenhedlaeth y fabolaeth
> fythol a gychwynnodd yn 1956, ac a barodd am dros ugain
> mlynedd. Ysgydwodd ei farwolaeth fi yn sydyn o hualau ieuenctid
> gan fy ngadael yn swrth a diymadferth ar draethau canol oed.
> Roedd ei farwolaeth yn sioc nid am fod personoliaeth a thalent fawr
> wedi peidio â bod mor sydyn ond am fod yr hyn a gynrychiolai'n
> elfen ohonof ers dros ugain mlynedd, rhywbeth y cyd-dyfais gydag
> ef drwy'm llencyndod, wedi darfod dros nos.[29]

Tebyg oedd ymateb Vaughan Hughes eto o Lannerch-y-medd:

> Roedd ei farw fo yn fwy na marwolaeth hen ganwr roc a rôl, yn fwy
> na marwolaeth unigolyn. Roedd ei farw yn symbol ingol, dirdynnol
> o ddiwedd cyfnod.[30]

Troi at y Gymraeg ar ôl iddo gael ei hudo gan Elvis Presley wnaeth
Ffred Ffransis, un o ymgyrchwyr mwyaf ymroddgar Cymdeithas yr
Iaith Gymraeg. Bu'n ysgrifennydd Clwb Cefnogwyr Elvis yn ystod
dyddiau llencyndod yn y Rhyl:

> Rwy'n eitha siŵr y bydd haneswyr y dyfodol yn gweld Elvis Presley
> fel un o ffigyrau mwyaf dylanwadol yr 20fed ganrif. Mae haneswyr
> diweddar yn dod i weld fod cerddoriaeth a diwylliant yn elfennau yr
> un mor bwysig â'r economi a gwleidyddiaeth wrth olrhain hanes
> cymdeithasol. Mae'n siŵr ei fod wedi cael o leiaf yr un gymaint o
> ddylanwad â dyweder Jean Paul Sartre, Martin Luther King neu
> George Bernard Shaw. Hyd yma, bu cerddoriaeth boblogaidd yn
> rhyw fath o Sinderella nad yw wedi cael astudiaeth ddifrifol.[31]

Ar yr un gwynt roedd yn barod i gydnabod mai cyfalafiaeth oedd
wedi hyrwyddo dylanwad Elvis Presley, a bod y diwydiant a oedd
ynghlwm wrtho yn ffurf ar imperialaeth ddiwylliannol, ac yn gyfrwng
effeithiol i ledaenu'r Saesneg i bedwar ban byd. Doedd y byd cyfalafol
hwnnw ddim yn barod i wyro oddi wrth y defnydd o'r iaith Saesneg

er mwyn hyrwyddo'i gynnyrch. Ni welai'r cwmnïau mawrion yn dda i feithrin talentau brodorol yn eu hieithoedd brodorol mewn gwledydd lle nad oedd y Saesneg yn brif iaith. Gorfodi artistiaid yr iaith fwyafrifol ar y diwylliannau llai oedd y polisi a gwahodd artistiaid yr ieithoedd lleiafrifol i ymuno â nhw ar eu telerau nhw. Doedd hi ddim yn bolisi corfforaethol i hyrwyddo roc yn yr ieithoedd llai. Tasg defnyddwyr yr ieithoedd llai oedd trefnu hynny eu hunain, ac mewn cyfrol sy'n ceisio olrhain ffyniant a pharhad adloniant ysgafn Cymraeg yng nghysgod yr adloniant torfol Eingl-Americanaidd, priodol yw dyfynnu'n helaeth o 'Rhowch i Mi Ganu Cymraeg' sy'n crisialu agwedd Hogia Llandegai tuag at unrhyw wrthdaro posib a allai fodoli rhwng y ddau ddiwylliant. Mae'r geiriau a'r alaw yn eiddo i Neville Hughes.

> *Dilynais y* Country and Western
> *Pan oeddwn i gynt yn llanc,*
> *A Tennessee Ernie yn arwr –*
> *Dim ond ail i'r anfarwol Hank.*
> *Bûm gymaint o ffan i Slim Whitman*
> *Nes syrthiais am ei Rose Marie;*
> *Bu* Gypsy Woman *Don Williams*
> *Hithau hefyd yn gariad i mi.*
>
> *Ond rhowch i mi ganu Cymraeg,*
> *Rhowch i mi ganu Cymraeg,*
> *Diolch am ganu bob math o ganu,*
> *Ond rhowch i mi ganu Cymraeg.*
> *Fe'm ganed cyn cyfnod y sgiffl,*
> *Fe'm magwyd i ar ganu roc,*
> *Bûm hefo Bill Haley a'r Comets*
> *Pan rociodd rownd y cloc.*
> *Fe wylais 'run dagrau ag Elvis*
> *Pan oedd yn ei* Heartbreak Hotel,
> *Ond cododd y Beatles fy nghalon*
> *Â seiniau swynol* Michelle.
>
> *Ond rhowch i mi ganu Cymraeg,*
> *Rhowch i mi ganu Cymraeg,*
> *Diolch am ganu bob math o ganu,*
> *Ond rhowch i mi ganu Cymraeg.*

Rwy'n cofio Al Jolson a'i Fammy
A chrwnio Sinatra a Bing;
Mi gollais fy mhen dros Glenn Miller
Pan oedd bandiau â thipyn o swing.
A beth am gerddoriaeth y Negro,
Y Jazz *a'r* Rhythm and Blues
A phwy all anghofio'r hen Satchmo
A'i bw-bwdi-bw-bwdi-bwwwws?

Ond rhowch i mi ganu Cymraeg,
Rhowch i mi ganu Cymraeg,
Diolch am ganu bob math o ganu,
Ond rhowch i mi ganu Cymraeg.

Ar yr un pryd mae yna le i fenthyca ac i rannu o fewn y bydoedd roc ac i wneud hynny ddwyffordd. Onid gweld potensial wnaeth y Cymro hwnnw o dwrist pan glywodd y tywysydd yng nghanol Efrog Newydd yn dweud '*This is Ellis Island*'? Mae posibiliadau'r gynghanedd yn ddi-ben-draw. Yn wir, os yw'r Cymreiciaf o'n beirdd, y prifardd Eirwyn George, yn medru cyfansoddi haikus Cymraeg heb erioed ddarllen yr un llyfr Siapaneaidd a chipio gwobr yn yr Eisteddfod Genedlaethol am wneud hynny, yna does dim amau ei bod yn bosib ystyried y cyfrwng roc, er gwaethaf ei wreiddiau Americanaidd, yn gyfrwng Cymraeg a Chymreig.

Ar un adeg mae'n bosib y byddai'r un Cymro hwnnw o ymwelydd, wrth grwydro ar hyd clybiau jazz Efrog Newydd, wedi dod ar draws gŵr a fagwyd yn Nghastellnewydd Emlyn. Pan fyddai Dill Jones yn taro nodau'r piano roedd y sŵn a glywid yn iaith ynddi ei hun. Setlodd yn ninas yr afal yn 1961:

Fel y dywedodd Duke Ellington 'miwsig yw fy meistres', jazz yw fy mywyd innau. I mi dyma'r cyfrwng sy'n cyfleu hanfod ysbryd yr ugeinfed ganrif. Mae holl anian ieuenctid a dynoliaeth ynghlwm yn ei fynegiant.[32]

Petai'n ffodus, efallai y byddai'r ymwelydd wedi dod ar draws Dill yng nghwmni ei gyfaill, Wyn Lodwick, y trwmpedwr jazz o Lanelli, a wnâi bererindod blynyddol ar draws yr Iwerydd er mwyn cael y pleser o gyd-chwarae.

Fyddai hi ddim yn amhosib, petai'r un ymwelydd o Gymro yn galw heibio i rai o stiwdios recordio'r ddinas, y deuai ar draws John Cale, naill ai'n recordio'i ddeunydd ei hun neu'n cynhyrchu record gan artist arall. Ar ddechrau'r 80au y cyhoeddodd cyn-gyd-chwaraewr ffidil Endaf Emlyn yng Ngherddorfa Genedlaethol Ieuenctid Cymru albwm dan y teitl *Music for a New Society* (A & M). Dedfryd un adolygydd amdani yn y *Melody Maker* oedd '*such loneliness has rarely been captured on record with ear-boggling authenticity*'. '*Unnerving and distressing, this is tortured and agonised music, which never seeks to comfort the listener,*' oedd barn sylwedydd arall, David Castle.[33]

Ymddengys fod cyfeiriad cerddorol y gŵr o'r Garnant yn dipyn gwahanol i eiddo ei gyd-Gymry. Nid yn unig y crwydrodd ymhell o'i wreiddiau, yr oedd John Cale hefyd wedi treiddio i eithafion diffyg ystyr. O gymharu â hyn, roedd Dafydd Iwan, y crwt a fagwyd ym Mrynaman gerllaw, yn dal i weld ystyr ymhob dim ac yn holi 'Pam fod eira yn wyn?', yn an-ramadegol neu beidio, i'r rhai hynny oedd yn amau ystyr. Ar un achlysur llefarodd Dafydd eiriau'r gân o'r doc mewn Brawdlys yn Abertawe. Roedd Endaf Emlyn yntau yn edrych ar Gymru mewn cyd-berthynas â'r byd.

Roedd pawb yn parhau i ganu 'Ie, Ie Dros Gymru' yn eu ffyrdd gwahanol a neb yn fwy huawdl na Dafydd Iwan. Yn 1980 gwaharddwyd ei gân ddychan i'r 'ddynes ddur', sef 'Magi Thatcher', y prif weinidog ar y pryd, oddi ar donfeddi'r BBC. Bu hynny'n hwb aruthrol i werthiant y record. Amhosib gor-bwysleisio cyfraniad Dafydd Iwan i'r byd adloniant eang fel perfformiwr, trefnydd ac ysgogwr dros gyfnod o ugain mlynedd. Ceisiodd Tudur Jones grisialu ei fawredd:

> Dyma'r dyn sy'n rhoi terfyn ar garnifal gormodedd ac yn cymylu gorfoledd a hapusrwydd hy ein meddwdod parhaus. Craith hyll argyhoeddiad yw Dafydd Iwan ar gorff brown, torheuledig, hunanfodlon gweddill y byd canu cyfoes Cymraeg... Yn syml iawn, daw Dafydd â phersbectif a phwrpas newydd (neu adnewyddedig!) i ganu Cymraeg, ac mae gwrando ar ddwyster ei lefain ysbrydol mewn caneuon megis 'Santiago' a 'Y Wên na Phyla Amser' yn gwneud inni sylweddoli hurtni ac amherthnasolrwydd ein hesthetigrwydd. Beth mewn gwirionedd yw gwerth gitarydd da

ochr yn ochr â dyn da? Mae'r ddau ar lefelau gwahanol, a gallu Dafydd Iwan i oresgyn hualau y criterion cerddorol sydd yn rhoi iddo ei fawredd. Y gwahaniaeth rhyngddo ef a phawb arall (ac eithrio Tecs ar brydiau) yw ein bod, yn hytrach nag edmygu ei ddawn o'r tu allan, yn teimlo a chyd-fyw ei neges a'i emosiwn oddi mewn. Dyma gydymdeimlo yng ngwir ystyr y gair, â'r elfen honno sydd wedi sicrhau i Dafydd Iwan barch digymar yn y byd canu cyfoes yng Nghymru.[34]

O fwrw golwg 'nôl, eironig yw sylw'r beirniad teledu Meic ar gorn rhaglen deledu gyntaf Dafydd yn 1966, *Dyma Dafydd* ar Deledu Cymru. Roedd y beirniad yn amau a oedd gan Dafydd yr adnoddau i gario rhaglen gyfan ar ei ysgwyddau heb westeion ac roedd hefyd o'r farn bod un cyfrannwr ar y rhaglen gyntaf honno wedi dioddef cam. 'Gwnaed anghyfiawnder â'r gitarydd medrus a gedwid o'r golwg i atgyfnerthu strymiau Dafydd Iwan, trwy fethu â chynnwys ei enw yn y rhestr ar ddiwedd y rhaglen,' meddai.[35]

Ar ôl chwarter canrif o strymian doedd rhai pethau ddim yn newid. Ond teg nodi fod Dylan Iorweth wedi mopio'i ben ar ôl bod yn y Top Rank yng Nghaerdydd yn ystod Eisteddfod 1979 a chlywed D I arall, Dafydd Iwan, yn perfformio yn y ddinas:

> Ond yn fuan roedd y dyrfa gyfan yng nghledr ei law o. Roedd y miloedd o gowbois meddw'r 'steddfod mor ddistaw efo edmygedd â chowbois go iawn y Gorllewin Gwyllt ar ôl gweld eu cowgyrl gynta ers misoedd. Wrth i Dafydd ganu, bron nad oeddach chi'n clywed y dyrfa'n llyncu'i phoer. Bron nad oedd pobol yn dawnsio i 'Carlo'. Mae'n anodd meddwl y gallai unrhyw ganwr arall yn y byd bron ddistewi cynulleidfa feddw, hapus â chaneuon dwys digyfeiliant. Rhyfadd fel mae didwylledd a neges go iawn gystal bob tamed â gwerth cannoedd o bunnoedd o amps. Dyna'r peth nad oes isio'i golli. A dim ond ni'n hunain all roi'r ysbryd yna yn ein canu.[36]

Roedd Angharad Tomos yn dilyn yr un trywydd ar ôl gwrando ar y record *Bod Yn Rhydd* (Sain 1150M):

> Bron nad yw Dafydd Iwan yn unigryw bellach fel un sy'n canu i ddyfodol gwell a'i ffydd yn dal yn gadarn yng Nghymru Rydd. Dyma paham y mae'n rhaid wrth ei ganeuon. Mae cenedlaetholdeb iach wedi dirywio neu wedi ei ddyfrhau erbyn hyn i fod y nesaf peth i ddim. Adlewyrchir hyn ymhlith yr ifanc lle bo poblogrwydd cân

megis 'Tua'r Gorllewin' Ac Eraill wedi dirywio i 'Dwi byth mynd i golli be dwi byth mynd i gael' y Trwynau Coch. Mae i ganu Dafydd Iwan swyddogaeth wleidyddol sydd yr un mor bwysig â'r un adloniadol. Ac yn y dyddiau sydd ohoni, yr unig beth ar ôl i ddweud yw 'Diolch Dafydd – am ddal i ganu'.[37]

A beth oedd gan Dafydd Iwan ei hun i'w ddweud yn yr 80au cynnar wrth i Gymru ddadebru ar ôl methiant Refferendwm Datganoli 1979? Dyma'i neges yn blwmp ac yn blaen:

Fy ngobaith pennaf yw y bydd yr ochr greadigol, hwyliog yn cael y blaen ar y gècraeth ragfarnllyd a gafodd ormod o sylw yn ddiweddar. Rwy'n dal i gredu fod cadw'r canu cyfoes yn rhydd o fwrn cystadlu cyntaf, ail a thrydydd yn bwysig iawn. A Duw a'n gwaredo rhag i'r busnes Gog a Hwntw a chenfigen gwlad a thref yma fynd yn rhemp.[38]

Roedd y byd roc Cymraeg fel hedyn yn blaguro. Ni cheid cytundeb pa fath o achles y dylid ei gynnig iddo. Roedd rhai am ei gadw rhag gwenau'r haul mewn sgubor dywyll yn llawn ystlumod tra bod eraill am ei osod yn wyneb haul crasboeth ar drugaredd gwiberod.

O leiaf roedd yr hyn a oedd wedi digwydd yn enw canu roc Cymraeg mor belled wedi galluogi rhai cyplau i fabwysiadu'r Gymraeg fel iaith eu cyfathrebu. Y duedd oedd i Gymry Cymraeg gyfarch ei gilydd yn Saesneg mewn dawnsfeydd Saesneg gan ei selio fel iaith eu haelwydydd weddill eu hoes.

Ar ben hyn hefyd roedd yna Gymry Cymraeg pybyr erbyn hyn yn dechrau dygymod â'r ffaith ei bod yn bosib cael cyfeiliant ar wahân i biano ac organ ar gyfer canu cynulleidfaol wrth i'r deffroad gwerin gydio.

Yn arwyddoacol, er pryddest arobryn brudd Siôn Aled yn Eisteddfod Genedlaethol Maldwyn, 1981, fe gafwyd drama gerdd, *Y Mab Darogan*, gan Penri Roberts a Derek Williams yr un wythnos honno'n tanio gobeithion. Dros y canrifoedd, ysbryd Owain Glyndŵr oedd y cyfannwr pennaf ym mha agwedd bynnag o'r winllan y byddai'r Cymry'n llafurio.

Cyn diwedd 1983 roedd Cymdeithas yr Iaith Gymraeg wedi gwahardd Geraint Jarman a'r Cynganeddwyr rhag perfformio yn eu dawnsfeydd am ei fod wedi cymryd rhan mewn perfformiad yn ymwneud â'r Mabinogi, yng nghestyll Caerdydd a Chaernarfon, fel rhan o ddathliad Gŵyl y Cestyll a drefnwyd gan y Bwrdd Croeso i gofio goresgyniad Iorwerth y Cyntaf saith can mlynedd ynghynt. Gwelai'r Gymdeithas y cestyll Normanaidd fel symbolau o orthrwm y Cymry a phwy bynnag fyddai'n ymwneud ag unrhyw weithgaredd a'u dyrchafai yn fradwyr. Ym mlynyddoedd anterth y gigiau a'r Twrwfeydd Tanllyd rhwng 1978 a 1981 roedd y Gymdeithas wedi talu £78,000 i grwpiau roc Cymraeg.

Dechreuodd Simon Tassano weithio gyda'r gitarydd a'r canwr gwerin Richard Thompson gan sefydlu partneriaeth a fyddai'n para'n hir ac roedd ar fin bwrw'i wreiddiau yn San Francisco. Cafodd Pino Palladino ei hudo i gyfeilio i'r goreuon ar draws y byd. Ar Fferm Tyddyn 'Ronnen, Llanuwchllyn, recordiwyd y *Noson Lawen* gyntaf erioed ar gyfer ei darlledu ar S4C. Ymhlith yr artistiaid y bu Trefor Selway yn eu cyflwyno roedd Triawd Menlli, Côr Merched Uwchllyn, Elfed Thomas, Einion Edwards, Triawd Lliw, Robin Glyn a phlant y pentref. Roedd yr hen ffordd Gymreig o ddifyrru'n fyw a'r delyn wedi adennill ei phlwyf.

Yng nghanol hyn i gyd fe synhwyrai Iwan Llwyd Williams fod yna drobwynt wedi ei gyrraedd ac na fyddai dim yr un fath eto:

...[mae] canu roc Cymraeg yn colli ei bwrpas sylfaenol sef mynegi rhwystredigaeth a beirniadaeth y genhedlaeth ifanc. Nid y cynulleidfaoedd byw sy'n dal yr awenau mwyach. Erbyn hyn gall grŵp fodoli ar sail ymddangosiadau teledu yn unig. Dydi chwarae'n fyw ddim yn hollbwysig mwyach. Dilewyd bygythiad canu roc, ac mae'n debyg na welwn eto gynulleidfa'n cyffroi fel ar y noson fythgofiadwy honno ym Mhorthaethwy yn '76. *Sgrech* yn unig sy'n rhoi llwyfan i sylwadau'r ifanc erbyn hyn, a hynny mewn modd annibynnol a diragfarn, heb arlliw o ddisinffectant y cyfryngau. Mae angen dod â roc yn ôl i'r bobl, i leisio syniadau'r ifanc yn anystrydebol. Pan ddigwydd hynny, cawn weld nad yw sêr y sgrîn fach yn ddim ond cysgod plastig o'r hyn sy'n digwydd yn y byd go iawn yn neuaddau bychain Gwynedd a Dyfed.[39]

Be-bop-a-lula'r delyn aur.

Cynnwrf a ffasiwn torfeydd y saithdegau.

Trebor Edwards a'r hen Shep – un o artistiaid mwyaf
llwyddiannus cwmni Sain o ran gwerthiant recordiau.

Eleri Llwyd, cyn-aelod o Y Nhw
a'r Chwyldro cyn cyhoeddi
recordiau fel artist unigol.

Golygfa gyfarwydd mewn gigs Steddfodol yn y saithdegau. Cynulleidfaoedd ieuanc wedi eu cyffroi yn sŵn roc a rôl Cymraeg.

Nodiadau

Rhagair
1 Huw Williams, *Canu'r Bobol* (Gwasg Gee, Dinbych, 1978), 188.

Pennod 1
1 J H Davies, *The Letters of Lewis, Richard, William and John Morris*, Vol II (Aberystwyth, 1909), 113.
2 Thomas Pennant, *Journey to Snowdon* (Llundain, 1781), 91-92.
3 Ann Rosser, *Telyn a Thelynor, Hanes Y Delyn yng Nghymru 1700-1900* (Amgueddfa Werin Cymru 1981), 35.
4 R W Jones (Erfyl Fychan), *Bywyd Cymdeithasol Cymru yn y Ddeunawfed Ganrif* (Gwasg Foyle, Llundain, 1931), 26
5 *ibid*, 86.
6 R D Griffith, *Hanes Canu Cynulleidfaol Cymru* (Caerdydd, 1948), 57.
7 Watcyn Wyn, 'Canu Penillion', *Trafodion y Cymmrodorion* (1899), 120.
8 Huw Williams, *Canu'r Bobol* (Gwasg Gee, Dinbych, 1978), 17.
9 Osian Elis, *Hanes y Delyn yng Nghymru* (Gwasg Prifysgol Cymru, Caerdydd, 1980), 68.
10 Carneddog (Richard Griffith), *Cerddi Eryri* (Dinbych, 1927), 4.
11 Jacob Davies, *Atgofion Bro Elfed* (Gwasg Gomer, Llandysul, 1966), 55.
12 *Sŵn* (Cyhoeddiadau Mei, Penygroes, Rhif 5, Haf 1973), 4-5.
13 Peter Kennedy (Emrys Cleaver), *Folk Songs of Britain and Ireland*, (Cassell, London, 1975); D Roy Saer, *Caneuon Llafar Gwlad, Cyfrol 1 a 2* (Amgueddfa Werin Cymru, Caerdydd).
14 Eryl Wyn Rowlands, *Y Llew oedd ar y Llwyfan* (Gwasg Pantycelyn, Caernarfon, 2001)

Pennod 2
1 Mewn sgwrs. Oni nodir yn wahanol, mae pob dyfyniad dilynol o eiddo Merêd wedi ei seilio ar sgwrs.
2 Eirian Davies, 'Gair Neu Ddau' yn y *Western Mail* (Caerdydd 28 Rhagfyr, 1995), 9.
3 *ibid.*
4 Lyn Ebenezer, *Cae Marged* (Gwasg Gwynedd, 1991), 153-4.
5 W R Evans, *Fi yw Hwn* (Gwasg Christopher Davies, Llandybïe, 1980), 83.
6 Huw Williams, *Taro Tant* (Gwasg Gee, 1994), 10.
7 R Tudur Jones, 'Tremion', *Y Cymro* (Caxton Press, Croesoswallt, 3 Medi, 1974), 5.
8 W R Evans, *op.cit.* 60.
9 *Y Cymro* (4 Mehefin 1973), 4.
10 R Alun Evans, *Stand By! Bywyd a Gwaith Sam Jones* (Gwasg Gomer, 1998), 155.

11 *ibid.* 258
12 *Y Cymro* (3 Hydref 1947), 1.
13 *ibid* (10 Hydref 1947), 3.
14 *ibid* (7 Ionawr 1949), 4.
15 Robin Williams, *Y Tri Bob* (Gwasg Gomer, Llandysul, 1970), 75.
16 D Gwenallt Jones, *Cofiant Idwal Jones* (Gwasg Aberystwyth, 1958), 236.
17 Dyfnallt Morgan (gol.), *Babi Sam* (BBC/Archifdy Gwynedd), 89.
18 *Asbri* (Cyhoeddiadau Myrddin, Rhif 3, Medi-Hydref 1969), 8.
19 *ibid.*
20 *Asbri* (Rhif ix, Medi/Hydref 1970), 6.
21 Mewn sgwrs
22 *Daily Post* (Lerpwl, 19 Mai 1959), 1
23 W R Evans, *op.cit.* 112.

Pennod 3
1 Neville Hughes, *Hogia Llandegai: Y Llyfr*, (Bethesda, 1996), 16.
2 *ibid*, 39.
3 *ibid*, 39.
4 *Rhyl and Prestatyn Gazette* (25 Mehefin 1969), 9.
5 John Davies, *Hanes Cymru* (Penguin, 1992), 617.

Pennod 4
1 Arwel Jones, *Y Stori tu ôl i'r Gân* (Gwasg Gwynedd, 2000), 133.
2 *Y Faner* (Gwasg y Sir, Dinbych, 7 Medi 1979), 10.
3 Arwel Jones, *op.cit.* 133.
4 *ibid*, 146.
5 *ibid*, 184.
6 *Cofio: Hanes Hogia'r Wyddfa* (Gwasg Gwalia, 1990), 80.
7 'Nodion Eglwyswr', *Y Llan* (16 Ionawr 1970), 4.
8 *Y Faner* (1 Chwefror, 1980), 11.
9 *ibid* (15 Chwefror, 1980), 21.

Pennod 5
1 Gwilym Tudur, *Wyt Ti'n Cofio? Chwarter Canrif o Frwydr yr Iaith* (Y Lolfa, Tal-y-bont, 1989), 15.
2 *ibid*, 24.
3 Manon Rhys (gol.), *Dafydd Iwan* (Gwasg Gwynedd, Caernarfon, 1981); John Cale and Victor Bockris, *The Autobiography of John Cale: What's Welsh for Zen?* (Bloomsbury Press, Llundain, 1999).
4 Manon Rhys (gol.), *op.cit.*, 27.
5 *ibid*, 52.
6 Lyn Ebenezer, *Dim Heddwch* (Y Lolfa, 2000).
7 *Caneuon Tafarn* (Y Lolfa, 1968), 4.

8 *Caneuon Tafarn* (record sengl Sain 6), 1970.

9 Alan Llwyd (gol.), *O Steddfod i Steddfod, Eisteddfota* (Gwasg Christopher Davies, Llandybïe, 1978), 79.

10 *Lol* (Y Lolfa, Hydref 1966), 29.

11 John Davies, *Hanes Cymru* (Penguin, Llundain, 1992), 617.

12 *Trên y Chwyldro* (Y Lolfa, 1969), 20.

Pennod 6

1 Edgar Jones, *Mae Gen i Gariad* (Y Lolfa, 1973).

2 Idris [Charles] Williams, *Golwg* (Llanbedr Pont Steffan, 13 Hydref, 1997), 14.

3 *Y Cymro* (26 Gorffennaf 1973), 5.

4 *Y Cymro* (22 Mehefin 1967), 24.

5 *Y Cymro* (6 Mehefin 1968), 7.

6 *Blodau'r Ffair* (Urdd Gobaith Cymru, Rhif 28, Nadolig 1968), 1.

7 *Y Cymro* (12 Medi 1968), 6.

8 *ibid* (5 Rhagfyr 1968), 1.

9 *Asbri* (Rhif 1, 1969), 3.

10 *Yr Herald Cymraeg* (Caernarfon, 24 Chwefror 1969), 6.

11 *ibid* (1 Mawrth 1969), 6.

12 *Caernarvon and Denbigh Herald* (28 Chwefror 1969), 8.

13 *Dafydd Iwan* (Gwasg Gwynedd, 1981), 43.

14 *Western Mail* (23 Mai 1969), 10.

15 Dafydd Iwan, *op. cit.*, 46

16 *Y Cymro* (7 Ionawr 1970), 7.

17 *Taliesin* (Yr Academi Gymreig, Cyfrol 19, Nadolig 1969), 6.

18 *Y Faner* (22 Ionawr 1970), 5.

Pennod 7

1 J Tegryn Phillips, *Awelon Oes* (Hughes a'i Fab, Wrecsam, 1925), 13.

2 *Gwreiddiau Canu Roc Cymraeg* (Cyhoeddiadau Mei, 1981), 32.

3 *Asbri* (Rhif 3, Medi/Hydref 1967), 7.

4 *Y Cymro* (29 Ebrill 1970), 7.

5 *I Adrodd yr Hanes: 51 o Ganeuon Meic Stevens* (Gwasg Carreg Gwalch, Llanrwst, 1993), 5.

6 *Hamdden* (Urdd Gobaith Cymru, Aberystwyth, Cyfrol V, Rhif 49, Mai 1969), 197

7 *Gwreiddiau Canu Roc Cymraeg*, op. cit., 37.

8 *Hamdden* (Cyfrol VI, Rhif 53, Tachwedd 1969), 55.

9 *Gwreiddiau Canu Roc Cymraeg*, *op.cit*, 52.

10 *ibid*, 38.

11 Mewn sgwrs.

Pennod 8

1 *Lleufer* (Cymdeithas Addysg y Gweithwyr, Rhifyn XXV, 1971), 1-2.

2 *Asbri* (Rhif 22, Hydref 1973), 3.

3 *I'r Dim* (Urdd Gobaith Cymru, Aberystwyth, Rhif 1, Medi/Gorffennaf 1973), 21.

4 *Hamdden* (Cyfrol VII, Rhif 61, Awst/Medi 1970), 15.

5 *Y Cymro* (22 Rhagfyr 1971), 6.

6 Dafydd Mei, *Y Tebot Piws*, Llyfr Pocad Tin (Gwasg y Tir, Pen-y-groes, 1974), 6.

7 *Y Cymro* (25 Mehefin 1974), 6.

8 Y broliant ar *Y Gore a'r Gwaetha o'r Tebot Piws* (CD Sain 2049, Llandwrog, 1994).

9 Mewn sgwrs.

10 Alan Clayson, *Beat Merchants: The Origins, History, Impact and Rock Legacy of the 1960's British Pop Groups* (Blandford, 1995), 203.

11 Gwilym Tudur, *Wyt Ti'n Cofio? Chwarter Canrif o Frwydr yr Iaith* (Y Lolfa, 1989), 71.

12 *Y Cymro* (Rhifyn y Brifwyl, 9 Awst, 1968), 11.

13 *Sŵn* (Y Lolfa, Rhif 1, Ebrill/Mai 1972), 3.

14 Lyn Ebenezer, *Cae Marged* (Gwasg Gwynedd, 1991), 146.

15 *Asbri* (Rhif 23, Gaeaf 1973), 7.

16 *Asbri* (Rhif 8, Gorff/Awst 1970), 8.

Pennod 9

1 Elena Morus (gol.), *Sain: Camau'r Chwarter Canrif* (Carreg Gwalch, Llanrwst, 1994), 24–26.

2 *Sŵn* (Rhif 1, Ebrill/Mai 1972), 13.

3 mewn sgwrs

4 Manon Rhys, *Dafydd Iwan* (Gwasg Gwynedd, 1981), 88.

5 Mewn sgwrs.

6 Elena Morus (gol.), *op.cit.*, 40.

7 *ibid*, 42

8 *Y Cymro* (7 Mehefin 1973), 6.

Pennod 10

1 *Sŵn* (Gwasg y Tir, Rhif 6, Nadolig 1973), 4.

2 Hefin Wyn, *Doedd Neb yn Becso Dam* (Cyhoeddiadau Sain, Llandwrog, 1977), 70.

3 *Y Faner* (10 Awst, 1973), 2.

4 *Gwreichion* (Urdd Gobaith Cymru, Aberystwyth, Mehefin 1979), 6.

5 *ibid*, 7.

6 Gwilym Tudur, *Wyt ti'n Cofio? Chwarter Canrif o Frwydr yr Iaith* (Y Lolfa, 1989), 107.

7 *Asbri* (Rhif 18, Hydref 1972), 9.

Pennod 11
1 *Y Cymro* (23 Awst 1973), 6.
2 *ibid.*
3 *ibid.*
4 *I'r Dim* (Urdd Gobaith Cymru, Mehefin/Gorffennaf 1973), 15.
5 *ibid.*
6 *ibid.*
7 *I'r Dim* (Rhif 2, Awst/Medi 1973), 21.
8 *Y Cymro* (4 Hydref 1973), 5.
9 *Y Faner* (10 Awst 1973), 2.
10 *Y Faner* (5 Ionawr 1973), 2.
11 *Y Cymro* (20 Medi 1973), 6.
12 *Y Faner* (25 Chwefror 1972), 3.
13 *Sŵn* (Gwasg y Tir, Haf 1974), 5.
14 mewn e-bost
15 *Sŵn* (Y Lolfa, Hydref/Tachwedd 1972), 7.
16 *Sŵn* (Gwasg y Tir, Haf 1974), 12.
17 *ibid.*
18 *Y Cymro* (4 Chwefror 1975), 6.
19 *Y Cymro* (30 Awst 1973), 7.

Pennod 12
1 *Y Faner* (28 Ionawr 1972), 4.
2 *Y Faner* (7 Ionawr 1972), 4.
3 *Sŵn* (Y Lolfa, Gwanwyn 1972), 8.
4 *Y Faner* (8 Mehefin 1973), 2.
5 *Y Cymro* (28 Rhagfyr 1976), 9.
6 *Y Cymro* (21 Medi 1976), 8.
7 *Y Faner* (9 Mehefin 1972), 4.
8 *Y Cymro* (26 Tachwedd 1974), 9.
9 *Y Goleuad* (Caernarfon 3 Ebrill, 1974), 8.
10 *Y Goleuad* (13 Mehefin 1973), 3.
11 *ibid* (20 Mehefin, 1973) 3.
12 *Y Cymro* (27 Ionawr 1976), 4.

Pennod 13
1 Hefin Wyn, *Doedd Neb yn Becso Dam* (Cyhoeddiadau Sain, Llandwrog, 1977), 30.
2 *Asbri* (Rhif 22, Hydref 1973), 5.
3 *Rhaglen Twrw Tanllyd 1976* (Grŵp Adloniant Cymdeithas yr Iaith), 2.
4 *ibid*, 3.
5 *Y Cymro* (19 Hydref 1976), 8.

Pennod 14

1 Geraint Jarman, *Eira Cariad* (Llyfrau'r Dryw, 1970).
2 *Y Faner* (19 Tachwedd 1970), 8.
3 *Y Cymro* (5 Hydref 1976), 36.
4 *Asbri* (Rhif 22, Hydref 1973), 11.
5 *Y Cymro* (13 Gorffennaf 1976), 7.
6 *Gwreiddiau Canu Roc Cymraeg* (Cyhoeddiadau Mei, 1981), 19.
7 Hefin Wyn, *Doedd Neb yn Becso Dam* (Cyhoeddiadau Sain, Llandwrog, 1977), 34.
8 *Y Cymro* (3 Awst 1976), 7.
9 *Y Faner* (13 Awst 1976), 2.
10 *Y Cymro* (12 Hydref 1976), 9.
11 *Y Cymro* (29 Mawrth 1977), 8.
12 *ibid.*
13 Y Cymro (8 Chwefror 1977), 8.
14 *ibid.*
15 *Y Faner* (24 Medi 1976), 5.

Pennod 15

1 *Y Cymro* (14 Mehefin 1973), 8.
2 *Y Cymro* (10 Chwefror 1976), 7.
3 *Y Cymro* (21 Medi 1976), 8.
4 *ibid.*
5 *Y Cymro* (15 Mawrth, 1977), 8.
6 *ibid.*

Pennod 16

1 *Y Cymro* (9 Rhagfyr, 1975), 15.
2 Teldisc (TEP 850, 1965).
3 *Y Cymro* (7 Rhagfyr 1976), 25.
4 *Y Cymro* (9 Rhagfyr, 1975), 15.
5 Hugh Evans, *Cwm Eithin* (Gwasg y Brython, Lerpwl, 1931), 150-153.
6 Eryl Wyn Rowlands, *O Lwyfan i Lwyfan* (Gwasg Pantycelyn, 1999), 92-93.
7 *Y Cymro* (4 Ionawr, 1977), 9.
8 *ibid.*
9 *Digon Hen i Yfed!* (Gwasg Carreg Gwalch, 1992), 4.
10 *ibid,* 4-5.
11 *ibid,* 70.
12 *ibid,* 34-35.
13 *ibid,* 87.

Pennod 17

1 *Lol* (Rhif 2, Hydref 1966), 29.

2 *Y Cymro* (12 Tachwedd, 1974), 5.
3 *Asbri* (Rhif 24, Gwanwyn 1974), 12.
4 *Y Cymro* (4 Ebrill, 1978), 8.
5 *Y Cymro* (18 Medi, 1979), 10.
6 Peter Kennedy, *Folksongs of Britain and Ireland* (Oak Publications, 1984), 132.
7 Ifan Gruffydd, *Y Gŵr o Baradwys* (Gwasg Gee, 1963), 94.
8 *Cyfrol Goffa Charles Williams 1915-1990* (Pwyllgor Cronfa Goffa Charles Williams), 37.
9 *ibid*, 57.

Pennod 18
1 *Y Cymro* (1 Tachwedd, 1977), 9.
2 *ibid.*
3 *Y Cymro* (15 Tachwedd 1977), 8.
4 *ibid* (15 Tachwedd 1977), 8.
5 *ibid* (22 Tachwedd 1977), 8.
6 *Y Faner* (30 Rhagfyr 1977), 18.
7 *Y Faner* (10 Tachwedd 1978), 16.
8 *Y Cymro* (3 Ionawr 1978), 9.
9 *Y Faner* (6 Hydref 1978), 13.
10 *ibid*, 14.
11 *Y Cymro* (25 Ebrill 1978), 8.
12 *Y Faner* (12 Rhagfyr 1980), 19.
13 *Y Faner* (3 Mawrth 1978), 18.
14 *Y Faner* (10 Tachwedd 1978), 16.
15 *Y Faner* (5 Mai 1978), 13-14.
16 *Y Cymro* (11 Ebrill 1978), 8.
17 *Y Cymro* (24 Ebrill 1979), 8.
18 *Y Cymro* (8 Mai 1979), 8.
19 *Y Faner* (18 Mai 1979), 12-13.
20 *Y Cymro* (22 Mai 1979), 1.
21 *Tafod y Ddraig* (Rhif 123, Mehefin 1979), 11.
22 *Y Faner* (8 Mehefin 1979), 9.

Pennod 19
1 Hefin Wyn, *Doedd Neb yn Becso Dam* (Cyhoeddiadau Sain, Llandwrog, 1977), 64.
2 *ibid*, 65.
3 *Y Cymro* (2 Mawrth 1976), 4.
4 *Y Cymro* (9 Awst 1977), 9.
5 *Y Cymro* (16 Awst 1977), 9.
6 *Y Faner* (3 Mawrth 1978), 19
7 *Y Cymro* (6 Medi 1977), 8.
8 *Curiad* (Wyn Owen, Caerdydd, Rhif 1, Awst 1978), 16.

9 *Y Cymro* (30 Awst 1977), 8.
10 *Y Cymro* (11 Gorffennaf 1978), 9.
11 *Y Faner* (2 Mehefin 1978), 18-19.
12 *Barn* (Christopher Davies, Rhif 202, Tachwedd 1979), 225.
13 *Sgrech* (Rhif 8, Hydref 1979), 16.
14 *ibid*, 15.
15 *Sgrech* (Rhif 9, Gaeaf 1979), 12
16 *ibid*.

Pennod 20
1 *Y Cymro* (27 Medi 1977), 8.
2 *Barn* (Christopher Davies, Rhif 205, Chwefror 1980), 18/19.
3 *Gwreiddiau Canu Roc Cymraeg* (Cyhoeddiadau Mei
 1981), 55.
4 *Y Cymro*, (30 Mai 1978), 8.
5 *Y Faner* (3 Mawrth 1978), 19.
6 *Sgrech* (Rhif 10, Ionawr/Chwefror 1980), 15.
7 *Tafod y Ddraig* (Rhif 117, Rhagfyr 1978), 10/11
8 *Y Cymro* (18 Medi 1979), 11.

Pennod 21
1 *Sgrech* (Rhif 1, Haf 1978), 2.
2 *Y Faner* (6 Mawrth 1981), 5.
3 *Y Cymro* (18 Gorffennaf 1978), 8.
4 *Gwreichion* (Rhif 2, Mawrth 1980), 6.
5 *Sgrech* (Rhif 9, Nadolig 1979), 7.
6 *Tafod y Ddraig* (Rhif 165, Medi 1983).

Pennod 22
1 *Y Cymro* (18 Mai, 1976), 4.
2 *Y Cymro* (30 Ionawr 1979), 1.
3 *Y Faner* (3 Chwefror 1978), 4.
4 *Y Faner* (9 Chwefror 1979), 20.
5 *Y Faner* (8 Gorffennaf 1977), 17.
6 *Y Faner* (7 Mai 1978), 21.
7 *Y Faner* (16 Chwefror 1979), 21.
8 *Y Faner* (12 Mai 1978), 4.
9 *Y Faner* (20 Gorffennaf 1979), 19.
10 *Barn* (Rhif 201, Hydref 1979), 153.
11 *Y Faner* (29 Chwefror 1980), 21.
12 *Y Faner* (22 Awst 1980), 20.
13 *Y Cymro* (9 Medi 1980), 6.

14 *Y Faner* (3 Gorffennaf 1981), 5.
15 *Y Faner* (17 Gorffennaf 1981), 5.
16 *Y Faner* (Rhifyn yr Eisteddfod, 1981), 5.

Pennod 23
1 *Y Faner* (13 Gorffennaf 1979), 9.
2 *Y Cymro* (27 Chwefror 1979), 8.
3 *Y Cymro* (18 Medi 1979), 10.
4 *Y Cymro* (9 Hydref 1979), 10.
5 *Y Faner* (5 Hydref 1979), 13.
6 *Sgrech* (Rhif 7, Haf 1979), 9.
7 *Y Cymro* (18 Medi 1979), 11.
8 *ibid*.
9 Y Faner (26 Medi 1980), 20.
10 Y Cymro (20 Mai 1980), 10.
11 *ibid*.
12 Sgrech (Rhif 15 Rhagfyr 1980), 9.
13 *Y Cymro* (23 Hydref 1979), 11.
14 *Bro* (Gaeaf 79/80).
15 *Y Cymro* (18 Mawrth 1980), 10.
16 *Y Cymro* (27 Mai 1980), 10.
17 *Y Cymro* (23 Mai 1978), 8.
18 *ibid* (1 Gorffennaf 1980), 10.
19 *Sgrech* (Rhif 24, Mehefin 1982), 18.
20 Lyn Ebenezer, *Ar Log ers 20 Mlynedd* (Gwasg Carreg Gwalch, 1996), 68.
21 *ibid*, 85.

Pennod 24
1 *Sgrech* (Rhif 21, Nadolig 1981), 2.
2 *Y Cymro* (3 Tachwedd 1981), 1.
3 *Y Cymro* (10 Tachwedd 1981), 11.
4 *Sgrech* (Rhif 13, Rhifyn Steddfod, 1980), 14.
5 *Y Cymro* (11 Awst 1981), 11.
6 *Cyfansoddiadau a Beirniadaethau: Eisteddfod Maldwyn a'i Chyffiniau, 1981*, 35.
7 Robin Williams, *Y Tri Bob* (Gwasg Gomer, 1970), 112.
8 *ibid*, 107–8.
9 *Y Cymro* (27 Gorffennaf 1976), 7.
10 Neville Hughes, *Hogia Llandegai: Y Llyfr*, (Bethesda, 1996), 69.
11 *ibid*, 71.
12 *Y Cymro* (10 Tachwedd 1981), 10.
13 *ibid.*
14 *Sgrech* (Rhif 17, Pasg 1981), 3.
15 *Y Cymro* (15 Ebrill 1980), 11.

16 *Y Cymro* (8 Ionawr 1980), 10.

17 *Y Faner* (12 Hydref 1979), 7.

18 *Sgrech '82* (Cyhoeddiadau Mei 1982), 30.

19 *Y Cymro* (19 Gorffennaf 1973), 6.

20 *Y Cymro* (17 Chwefror 1981), 11.

21 *Y Cymro* (9 Mehefin 1981), 11.

22 *Sgrech* (Rhif 19, Haf 1981), 8.

23 *Y Faner* (4 Medi 1981), 14.

24 *Barn* (Rhif 222/223, Gorff/Awst 1981), 299.

25 *Y Cymro* (16 Mehefin 1971), 6.

26 *Y Faner* (10 Tachwedd 1978), 16.

27 *Y Cymro* (5 Ionawr 1982), 10.

28 *Y Cymro* (1 Ionawr 1980), 11.

29 *Y Cymro* (15 Ionawr 1980), 11.

30 *Y Cymro* (1 Ionawr 1980), 10.

31 *Y Cymro* (22 Awst 1977), 8.

32 *Y Cymro* (16 Mai 1978), 9.

33 David Castle, *Rock, The Rough Guide* (Rough Guides, Llundain, 1996),137

34 *Y Faner* (18 Awst 1978), 19.

35 *Y Cymro* (7 Gorffennaf 1966).

36 *Sgrech* (Rhif 2, 1978), 12.

37 *Sgrech* (Rhif 8, 1979), 14.

38 *Y Cymro* (5 Ionawr 1982), 11.

39 *Sgrech* (Rhif 25, Awst 1982), 3.

Mynegai